항공학 시리즈 ❺

항공정비사를 위한
新 항공관련법규 해설

김천용 저

NODE MEDIA
노드미디어

머리말

종전의 항공법은 1961년 6월 8일 제정되어 57년간 운영되어 오면서 항공정책, 항공안전, 항공시설 및 항공사업 등 항공전반에 관한 사항을 방대하게 다루고 있어 법 조문자체가 232개정도로 타 법령에 비해 법이 방대하여 급변하는 국제민간항공기구를 비롯한 국제법의 개정 등을 신속하게 반영하지 못하는 문제가 발생하고 있었다.

이러한 문제들을 타개하기 위하여 국토교통부는 2017년 3월 30일 종전의 항공법을 폐지하고 항공사업 및 진흥관련 사항은 항공사업법으로 항공안전 및 기술에 관한 사항은 항공안전법으로, 공항·비행장 건설, 관리 및 운영 등에 관한 사항은 공항시설법으로 3개로 분법하여 전면 개정하게 되었다.

또한, 항공운송분야의 항공운송사업진흥법은 폐지하고 항공사업법으로 통합하고. 항공안전 및 보안에 관한 법률은 항공보안법으로 명칭만 변경하였으며, 수도권신공항 건설촉진법은 공항시설법으로 통합하였고, 나머지 항공철도사고조사에 관한법률, 인천국제공항공사법, 한국공항공사법, 항공안전기술원법, 공항소음방지 및 소음대책 지역지원에 관한 법률 등은 종전과 동일하게 운영되고 있다.

항공법령 개편현황

분야	종전	정비	비고
항공전반	항공법 [폐지 '17.3.10일]	→항공사업법 →항공안전법 →공항시설법	• 항공사업 및 진흥 관련 사항 • 항공안전 및 기술에관한 사항 • 공항·비행장 건설, 관리 및 운영 등에 관한 사항
항공운송	항공운송사업진흥법	→폐지	• 항공사업법으로 통합
보안	항공안전 및 보안에 관한 법률	→항공보안법	• 법률명 변경 ['14.4.6일 시행]
사고조사	항공철도사고조사에 관한 법률	→항공철도사고조사에 관한 법률	• 존치
공항 등	수도권신공항건설촉진법 인천국제공항공사법 한국공항공사법 항공안전기술원법	→폐지 →인천국제공항공사법 →한국공항공사법 →항공안전기술원법	• 공항시설법으로 통합 • 존치 • 존치 • 존치
환경	공항소음방지 및 소음대책 지역지원에 관한 법률	→공항소음방지 및 소음대책 지역 지원에 관한 법률	• 존치
	9개 법률	9개 법률	법률 숫자는 동일

결국은 하나의 법이 폐지되고 3개의 법이 마련되었지만 법률 수는 전체적으로 유사하다. 그러나 항공정비사들이 숙지해야 할 대부분의 내용들이 항공안전법으로 분법 됨에 따라 항공정비사의 입장에서는 법령 이용에 더욱 편리해졌다고 볼 수 있다.

이에 따라 본서에서는 항공정비사의 자격증명시험에 밀접한 항공안전법을 심도있게 다루고 항공사업법 및 공항시설법등은 항공정비사와 직접적인 연관이 있는 부분만 다루었다.

특히 항공정비사 자격증명 시험을 준비하는 수험생이 항공법규를 좀 더 이해하면서 공부할 수 있도록 수 년 간의 교육경험과 집필경험을 바탕으로 본서를 편찬하였다. 항공안전법을 기준으로 법조문에 맞추어 시행령, 시행규칙이 잘 정리될 수 있도록 하였으며, 국토교통부 표준교재 내용과 별도 해설을 넣어 이해를 돕고자 노력하였다.

항공법규는 법률용어의 특성 때문에 아무리 쉽게 책을 만든다 해도 공부하는 데 도움을 줄 뿐 여전히 공부하기는 쉽지 않은 부분임이 틀림없다. 하지만 국토교통부 표준교재의 집필경험을 살려 항공정비사를 꿈꾸는 수험생이 항공법규를 공부할 때 느낄 수 있는 고민을 충분히 반영하기 위하여 노력하였으며, 현업에 종사하는 항공종사자들이나 항공종사자를 꿈꾸는 예비 항공인들에게 미약하나마 도움이 될 것으로 기대한다.

끝으로 본서가 만들어지기까지 도움을 주신 노드미디어 박승합 사장님을 비롯하여 박효서 실장 등 많은 분들에게 감사를 표합니다.

저자 씀

차 례

PART 01 **항공안전법** Aviation Safety Law

PART 02 항공정비업무 관련법규

PART 03 모의고사

Part 01

항공안전법
Aviation Safety Law

항공안전법은 종전의 [항공법]에서 항공기 등록·안전성인증, 항공종사자, 항공기 운항 및 항공교통업무 등 항공안전·기술에 관한 규정을 항공안전법으로 분리하여 항공안전관리를 전문화하고, 최근 ICAO 국제기준의 제·개정에 따라 신설·변경되는 안전기준을 반영하며, 현행 제도의 운영상 나타난 일부 미비점을 개선·보완하고 국민의 입장에서 알기 쉽게 법률을 정비하고자 항공법의 분법을 통하여 항공안전법을 제정하였다.

제1장 총 칙

항공안전법의 목적, 항공용어 정의, 국가 항공기 적용 특례, 항공정책기본계획의 수립 등을 명시하고 있으며, "시카고협약" 등에서 정한 기준을 준거하여 규정하고 있다. 특히 비행기, 헬리콥터, 비행선, 활공기 외에 항공기에 해당하는 기기를 구체적으로 정하였으며, 최대이륙중량, 좌석 수, 속도 등 국토교통부령으로 정하는 범위를 초과하는 경량항공기 및 초경량비행장치와 항공우주선으로 규정하였다.

1. 항공안전법의 목적

> 항공안전법은 "「국제민간항공협약」및 같은 협약의 부속서에서 채택된 표준과 권고되는 방식에 따라 항공기, 경량항공기 또는 초경량비행장치가 안전하게 항행하기 위한 방법을 정함으로써 생명과 재산을 보호하고, 항공기술 발전에 이바지함을 목적항공안전법 제1조"으로 하고 있다.

항공법은 국제항공법규준수 성격이 강하여 국제기준 변경 등 국제 환경 변화가 있을 때마다 이를 반영하기 위하여 개정작업이 이루어져야 한다. 따라서 항공안전법의 목적은 국제법에 따라 다음과 같이 3가지 목적을 담고 있다.

① 항행 방법을 정함.
② 생명과 재산 보호
③ 항공기술발전 이바지

2. 용어의 정의

2.1 항공기 제2조제1항

"항공기"란 공기의 반작용(지표면 또는 수면에 대한 공기의 반작용은 제외한다. 이하 같다)으로 뜰 수 있는 기기로서 최대이륙중량, 좌석 수 등 국토교통부령으로 정하는 기준에 해당하는 다음 각 목의 기기와 그 밖에 대통령령으로 정하는 기기를 말한다.

　가. 비행기

　나. 헬리콥터

　다. 비행선

　라. 활공기(滑空機)

기존의 항공법에서의 항공기의 정의는 항공역학적 특성이 아닌 단순 종류별로 구분하고 있어 ICAO 국제기준(부속서 7, 항공기 등록)의 "항공기" 정의와도 맞지 않고, 위그선(지구표면에 대한 공기의 반작용으로 비행) 등 새로운 비행방식의 비행체에 대한 법 적용 여부 논란 소지가 있었으나, "항공기"의 용어정의를 ICAO 국제기준의 "항공기"의 정의와 일치하도록 "공기의 반작용(지구표면에 대한 공기의 반작용은 제외)으로 뜰 수 있는 기기"로 개정함으로씨 ICAO 국제기준과 적합성을 확보하고, 새로운 비행방식의 비행체에 대한 법 적용 여부 논란 등의 문제를 해소하였다.

항공기의 범위는 최대이륙중량, 좌석 수, 속도 또는 자체중량 등이 국토교통부령으로 정하는 기준을 초과하는 기기로서 비행기, 헬리콥터, 비행선 및 활공기(滑空機)를 비롯하여 지구 대기권 내외를 비행할 수 있는 항공우주선까지도 포함하고 있으며대통령령 제2조, 국토교통부령으로 정하는 항공기의 기준은 다음과 같다. 시행규칙 제2조

　1. 비행기 또는 헬리콥터

　　가. 사람이 탑승하는 경우: 다음의 기준을 모두 충족할 것

　　　1) 최대이륙중량이 600킬로그램(수상비행에 사용하는 경우에는 650킬로그램)을 초과

할 것

　2) 조종사 좌석을 포함한 탑승좌석 수가 1개 이상일 것

　3) 동력을 일으키는 기계장치(이하 "발동기"라 한다)가 1개 이상일 것

나. 사람이 탑승하지 아니하고 원격조종 등의 방법으로 비행하는 경우: 다음의 기준을 모두 충족할 것

　1) 연료의 중량을 제외한 자체중량이 150킬로그램을 초과할 것

　2) 발동기가 1개 이상일 것

2. 비행선

가. 사람이 탑승하는 경우 다음의 기준을 모두 충족할 것

　1) 발동기가 1개 이상일 것

　2) 조종사 좌석을 포함한 탑승좌석 수가 1개 이상일 것

나. 사람이 탑승하지 아니하고 원격조종 등의 방법으로 비행하는 경우 다음의 기준을 모두 충족할 것

　1) 발동기가 1개 이상일 것

　2) 연료의 중량을 제외한 자체중량이 180킬로그램을 초과하거나 비행선의 길이가 20미터를 초과 할 것

3. 활공기: 자체중량이 70킬로그램을 초과할 것

2.2 경량항공기 제2조제2항

"경량항공기"란 항공기 외에 공기의 반작용으로 뜰 수 있는 기기로서 최대이륙중량, 좌석 수 등 국토교통부령으로 정하는 기준에 해당하는 비행기, 헬리콥터, 자이로플레인(gyroplane) 및 동력패러슈트(powered parachute) 등을 말한다.

경량항공기의 기준을 초과하는 경우에는 항공기로 분류되므로 항공기 기준에 따라 감항증명 등의 인증을 받아야 하며, 경량항공기의 기준은 다음과 같다. 시행규칙 제4조

1. 최대이륙중량이 600킬로그램(수상비행에 사용하는 경우에는 650킬로그램) 이하일 것

2. 최대 실속속도 또는 최소 정상비행속도가 45노트 이하일 것

3. 조종사 좌석을 포함한 탑승 좌석이 2개 이하일 것

4. 단발(單發) 왕복발동기를 장착할 것

5. 조종석은 여압(與壓)이 되지 아니할 것

6. 비행 중에 프로펠러의 각도를 조정할 수 없을 것

7. 고정된 착륙장치가 있을 것. 다만, 수상비행에 사용하는 경우에는 고정된 착륙장치 외에 접을 수 있는 착륙장치를 장착할 수 있다.

2.3 초경량비행장치 　제2조제3항

"초경량비행장치"란 항공기와 경량항공기 외에 공기의 반작용으로 뜰 수 있는 장치로서 자체중량, 좌석 수 등 국토교통부령으로 정하는 기준에 해당하는 동력비행장치, 행글라이더, 패러글라이더, 기구류 및 무인비행장치 등을 말한다.

초경량비행장치 중에서 기구류의 경우 국제기준은 항공기로 분류하여 안전성 인증을 받고 있으므로 우리나라도 향후 항공기로 분류될 가능성이 있으며, 낙하산의 경우에는 엄밀히 따지면 비행장치로 볼 수 없지만 레저스포츠 등에 활용되고 있음에 따라 국내실정에 맞추어 초경량비행장치로 분류하여 항공레저스포츠사업에 활용할 수 있도록 하였다.

초경량비행장치의 기준시행규칙 제5조에 의하면 최근에 여러 분야에서 다용도로 활용하고 있는 드론은 무인비행장치의 무인멀티콥터로 표현하여 초경량비행장치로 분류하고 있다.

국토교통부령으로 정하는 기준에 해당하는 "동력비행장치, 행글라이더, 패러글라이더, 기구류 및 무인비행장치 등"이란 다음 각 호의 기준을 충족하는 동력비행장치, 행글라이더, 패러글라이더, 기구류, 무인비행장치, 회전익비행장치, 동력패러글라이더 및 낙하산류 등을 말한다.

1. 동력비행장치: 동력을 이용하는 것으로서 다음 각 목의 기준을 모두 충족하는 고정익비행장치

가. 탑승자, 연료 및 비상용 장비의 중량을 제외한 자체중량이 115킬로그램 이하일 것

나. 좌석이 1개일 것

2. 행글라이더: 탑승자 및 비상용 장비의 중량을 제외한 자체중량이 70킬로그램 이하로서 체중이동, 타면조종 등의 방법으로 조종하는 비행장치

3. 패러글라이더: 탑승자 및 비상용 장비의 중량을 제외한 자체중량이 70킬로그램 이하로서 날개에 부착된 줄을 이용하여 조종하는 비행장치

4. 기구류: 기체의 성질·온도차 등을 이용하는 다음 각 목의 비행장치

가. 유인자유기구 또는 무인자유기구

나. 계류식(繫留式)기구

5. 무인비행장치: 사람이 탑승하지 아니하는 것으로서 다음 각 목의 비행장치

가. 무인동력비행장치: 연료의 중량을 제외한 자체중량이 150킬로그램 이하인 무인비행기, 무인헬리콥터 또는 무인멀티콥터

나. 무인비행선: 연료의 중량을 제외한 자체중량이 180킬로그램 이하이고 길이가 20미터 이하인 무인비행선

6. 회전익비행장치: 제1호 각 목의 동력비행장치의 요건을 갖춘 헬리콥터 또는 자이로플레인

7. 동력패러글라이더: 패러글라이더에 추진력을 얻는 장치를 부착한 다음 각 목의 어느 하나에 해당하는 비행장치

가. 착륙장치가 없는 비행장치

나. 착륙장치가 있는 것으로서 제1호 각 목의 동력비행장치의 요건을 갖춘 비행장치

8. 낙하산류: 항력(抗力)을 발생시켜 대기(大氣) 중을 낙하하는 사람 또는 물체의 속도를 느리게 하는 비행장치

9. 그 밖에 국토교통부장관이 종류, 크기, 중량, 용도 등을 고려하여 정하여 고시하는 비행장치

2.4 국가기관등항공기 제2조제4항

"국가기관등항공기"란 국가, 지방자치단체, 그 밖에「공공기관의 운영에 관한 법률」에 따른 공공기관으로서 대통령령으로 정하는 공공기관(이하 "국가기관등"이라 한다)이 소유하거나 임차(賃借)한 항공기로서 다음 각 목의 어느 하나에 해당하는 업무를 수행하기 위하여 사용되는 항공기를 말한다. 다만, 군용·경찰용·세관용 항공기는 제외한다.

　가. 재난·재해 등으로 인한 수색(搜索)·구조

　나. 산불의 진화 및 예방

　다. 응급환자의 후송 등 구조·구급활동

　라. 그 밖에 공공의 안녕과 질서유지를 위하여 필요한 업무

국가기관등항공기 관련 공공기관의 범위에서 "대통령령으로 정하는 공공기관"이란 「자연공원법」 제44조에 따른 국립공원관리공단을 말한다. 시행령 제3조

시카고협약 제3조에 의거, 군, 세관과 경찰업무에 사용하는 항공기는 국가의 항공기로 간주함에 따라 항공안전법에서도 군용, 경찰용 및 세관용 항공기는 적용에서 제외하고 있다. 여기서 적용에서 제외한다는 의미는 국가 소속으로 되어 있는 모든 군용, 경찰용, 세관용을 절대적이고 포괄적으로 규정하는 것이 아니라 해당 목적에 부합하여 행하는 업무로 한정하여 해석하는 것이 합당하다.

2.5 항공업무　제2조제5항

"항공업무"란 다음 각 목의 어느 하나에 해당하는 업무를 말한다.

　가. 항공기의 운항(무선설비의 조작을 포함한다) 업무(제46조에 따른 항공기 조종연습은 제외한다)

　나. 항공교통관제(무선설비의 조작을 포함한다) 업무(제47조에 따른 항공교통관제연습은 제외한다)

　다. 항공기의 운항관리 업무

　라. 정비·수리·개조(이하 "정비등"이라 한다)된 항공기·발동기·프로펠러(이하 "항공기

> 등"이라 한다), 장비품 또는 부품에 대하여 안전하게 운용할 수 있는 성능(이하 "감
> 항성"이라 한다)이 있는지를 확인하는 업무

항공기 운항업무의 경우 무인항공기를 고려하여 종전의 "항공기에 탑승하여 하는 항공기
의 운항"을 "항공기의 운항"으로 개정하였으며, 항공교통관제업무는 무선설비 조작을 포
함하여 업무범위를 구체화하였으며, 특히 항공정비사 업무의 경우 종전의 "제22조에 따
라 안전성 여부를 확인하는 업무"에서 "안전하게 운용할 수 있는 성능(감항성)이 있는지
를 확인하는 업무"로 변경하여 감항성의 정의를 구체화하여 국제기준에 맞게 개정한 것
이 특징이다.

2.6 항공기사고 제2조제6항

> "항공기사고"란 사람이 비행을 목적으로 항공기에 탑승하였을 때부터 탑승한 모든 사람
> 이 항공기에서 내릴 때까지[사람이 탑승하지 아니하고 원격조종 등의 방법으로 비행하는
> 항공기(이하 "무인항공기"라 한다)의 경우에는 비행을 목적으로 움직이는 순간부터 비행
> 이 종료되어 발동기가 정지되는 순간까지를 말한다] 항공기의 운항과 관련하여 발생한
> 다음 각 목의 어느 하나에 해당하는 것으로서 국토교통부령으로 정하는 것을 말한다.
>
> 　가. 사람의 사망, 중상 또는 행방불명
>
> 　나. 항공기의 파손 또는 구조적 손상
>
> 　다. 항공기의 위치를 확인할 수 없거나 항공기에 접근이 불가능한 경우

"항공기의 파손 또는 구조적 손상"이란 항공기의 손상·파손 또는 구조상의 결함으로 항공
기 구조물의 강도, 항공기의 성능 또는 비행특성에 악영향을 미쳐 대수리 또는 해당 구성품
(component)의 교체가 요구되는 것을 말한다. 시행규칙 제8조

2.7 경량항공기사고 제2조제7항

"경량항공기사고"란 비행을 목적으로 경량항공기의 발동기가 시동되는 순간부터 비행이 종료되어 발동기가 정지되는 순간까지 발생한 다음 각 목의 어느 하나에 해당하는 것으로서 국토교통부령으로 정하는 것을 말한다.

　　가. 경량항공기에 의한 사람의 사망, 중상 또는 행방불명

　　나. 경량항공기의 추락, 충돌 또는 화재 발생

　　다. 경량항공기의 위치를 확인할 수 없거나 경량항공기에 접근이 불가능한 경우

2.8 초경량비행장치사고 　제2조제8항

"초경량비행장치사고"란 초경량비행장치를 사용하여 비행을 목적으로 이륙[이수(離水)를 포함한다. 이하 같다]하는 순간부터 착륙[착수(着水)를 포함한다. 이하 같다]하는 순간까지 발생한 다음 각 목의 어느 하나에 해당하는 것으로서 국토교통부령으로 정하는 것을 말한다.

　　가. 초경량비행장치에 의한 사람의 사망, 중상 또는 행방불명

　　나. 초경량비행장치의 추락, 충돌 또는 화재 발생

　　다. 초경량비행장치의 위치를 확인할 수 없거나 초경량비행장치에 접근이 불가능한 경우

2.9 항공기준사고 　제2조제9항

"항공기준사고"(航空機準事故)란 항공안전에 중대한 위해를 끼쳐 항공기사고로 이어질 수 있었던 것으로서 국토교통부령으로 정하는 것을 말한다.

"항공기 준사고(Serious Incident)"란 항공기사고 외에 항공기사고로 발전할 수 있었던 것으로서 항공기 간 근접비행(다른 항공기와의 거리가 500피트 미만으로 근접) 등 항공안전법 시행규칙 별표 2에 명시된 사항을 말한다. 특히, 항공기준사고의 범위(시행규칙 별표) 중 정상적인 비행, 조종능력의 상실 및 비상용 산소를 사용해야는 하는 상황 등에 대하여 구체적으로 용어정의를 새롭게 정립하였다.

항공기 사고(Accident)와 항공기 준사고(Serious Incident)는 주로 해당 원인에 대한 결과가 사고로 발생했는지 여부에 따라 구분된다.

2.10 항공안전장애 제2조제10항

"항공안전장애"란 항공기사고 및 항공기준사고 외에 항공기의 운항 등과 관련하여 항공안전에 영향을 미치거나 미칠 우려가 있었던 것으로서 국토교통부령으로 정하는 것을 말한다.

"항공안전장애(Incident)"란 항공기와 관제기관 간 양방향 무선통신이 두절된 경우 등 항공안전법 시행규칙 별표 3에 명시된 사항을 말하며, 항공안전장애의 범위를 다음과 같이 비행단계별로 구분한 것이 종전과는 다른 특징으로 볼 수 있다.

① 비행 중
② 이륙 또는 착륙
③ 지상운항
④ 운항순비
⑤ 항공기 화재 및 고장
⑥ 공항 및 항행서비스
⑦ 기타

2.11 피로위험관리시스템 제2조제20항

> "피로위험관리시스템"이란 운항승무원과 객실승무원이 충분한 주의력이 있는 상태에서 해당 업무를 할 수 있도록 피로와 관련한 위험요소를 경험과 과학적 원리 및 지식에 기초하여 지속적으로 감독하고 관리하는 시스템을 말한다.

운항승무원 등에 대한 피로관리 강화의 일환으로 ICAO 국제기준(부속서 6, 항공기 운항) 개정에 따라 국제선을 운항하는 비사업용 항공기에 종사하는 승무원에 대해서도 사고예방을 위한 피로관리가 필요함에 따라 항공안전법에 신규제정 되었다.

국제선을 운항하는 비사업용 항공기에 종사하는 승무원에 대하여 승무시간, 비행시간 등을 제한할 수 있도록 규정하였으며, 국제선을 운항하는 비사업용 항공기에 종사하는 승무원에 대하여 피로관리규정을 적용함으로써 ICAO 국제기준을 준수하고 사고예방 효과를 높일 수 있을 것으로 기대된다. 다만 운영자들의 준비기간을 고려하여 2019년 3월 30일부터 시행될 예정이다.

2.12 항공종사자 제2조제14항

> "항공종사자"란 제34조제1항에 따른 항공종사자 자격증명을 받은 사람을 말한다.

항공업무에 종사하려는 사람은 국토교통부령으로 정하는 바에 따라 국토교통부장관으로부터 항공종사자 자격증명(이하 "자격증명"이라 한다)을 받아야 한다. 다만, 항공업무 중 무인항공기의 운항 업무인 경우에는 그러하지 아니하다. 제34조1항

3. 항공안전법 적용대상

항공안전법 적용은 민간항공기와 이에 관련된 항공업무에 종사하는 사람이지만 군용항공기 등은 절대적으로 적용되지 않으며, 세관업무 또는 경찰항공기 등도 원칙적으로는 적용되지 않지만, 공중충돌 등 항공사고의 예방을 위해 일부만 적용 받는다.

3.1 군용항공기 등의 적용 제3조

① 군용항공기와 이에 관련된 항공업무에 종사하는 사람에 대해서는 이 법을 적용하지 아니한다.

② 세관업무 또는 경찰업무에 사용하는 항공기와 이에 관련된 항공업무에 종사하는 사람에 대하여는 이 법을 적용하지 아니한다. 다만, 공중 충돌 등 항공기사고의 예방을 위하여 제51조, 제67조, 제68조제5호, 제79조 및 제84조제1항을 적용한다.

③ 「대한민국과 아메리카합중국 간의 상호방위조약」 제4조에 따라 아메리카합중국이 사용하는 항공기와 이에 관련된 항공업무에 종사하는 사람에 대하여는 제2항을 준용한다.

종전의 항공법에서는 세관업무 또는 경찰업무 항공기의 긴급출동의 경우에는 공중 충돌 등 항공기사고의 예방조치 조항이 제외되었으나, 항공안전법에서는 예외조항이 삭제되어 긴급출동시에도 공중 충돌 등 항공기사고의 예방조항에 모두 적용받는다.

3.2 국가기관등항공기의 적용 특례

① 국가기관등항공기와 이에 관련된 항공업무에 종사하는 사람에 대해서는 이 법(제66조, 제69조부터 제73조까지 및 제132조는 제외한다)을 적용한다.

② 제1항에도 불구하고 국가기관등항공기를 재해·재난 등으로 인한 수색·구조, 화재의 진화, 응급환자 후송, 그 밖에 국토교통부령으로 정하는 공공목적으로 긴급히 운항(훈련을 포함한다)하는 경우에는 제53조, 제67조, 제68조제1호부터 제3호까지, 제77조제1항제7호, 제79조 및 제84조제1항을 적용하지 아니한다.

③ 제59조, 제61조, 제62조제5항 및 제6항을 국가기관등항공기에 적용할 때에는 "국토교통부장관"은 "소관 행정기관의 장"으로 본다. 이 경우 소관 행정기관의 장은 제59조, 제61조, 제62조제5항 및 제6항에 따라 보고받은 사실을 국토교통부장관에게 알려야 한다.

긴급운항범위에 재해·재난의 예방, 산림 방제(防除)·순찰, 산림보호사업을 위한 화물 수송 이외에 "응급환자를 위한 장기(臟器) 이송"이 추가 개정되었다. 시행규칙 제11조

3.3 임대차 항공기의 운영에 대한 권한 및 의무 이양의 적용특례 제5조

외국에 등록된 항공기를 임차하여 운영하거나 대한민국에 등록된 항공기를 외국에 임대하여 운영하게 하는 경우 그 임대차(賃貸借) 항공기의 운영에 관련된 권한 및 의무의 이양(移讓)에 관한 사항은 「국제민간항공협약」에 따라 국토교통부장관이 정하여 고시한다.

4. 항공안전정책기본계획의 수립 제6조

① 국토교통부장관은 국가항공안전정책에 관한 기본계획(이하 "항공안전정책기본계획"
이라 한다)을 5년마다 수립하여야 한다.

② 항공안전정책기본계획에는 다음 각 호의 사항이 포함되어야 한다.

　1. 항공안전정책의 목표 및 전략

　2. 항공기사고·경량항공기사고·초경량비행장치사고 예방 및 운항 안전에 관한 사항

　3. 항공기·경량항공기·초경량비행장치의 제작·정비 및 안전성 인증체계에 관한 사항

　4. 비행정보구역·항공로 관리 및 항공교통체계 개선에 관한 사항

　5. 항공종사자의 양성 및 자격관리에 관한 사항

　6. 그 밖에 항공안전의 향상을 위하여 필요한 사항

③ 국토교통부장관은 항공안전정책기본계획을 수립 또는 변경하려는 경우 관계 행정기
관의 장에게 필요한 협조를 요청할 수 있다.

④ 국토교통부장관은 항공안전정책기본계획을 수립하거나 변경하였을 때에는 그 내용
을 관보에 고시하고, 제3항에 따라 협조를 요청한 관계 행정기관의 장에게 알려야 한
다.

⑤ 국토교통부장관은 항공안전정책기본계획을 시행하기 위하여 연도별 시행계획을 수
립할 수 있다.

항공안전이 향상과 발전을 위하여 장기적인 관점에서 항공안전정책을 체계적으로 수행하기 위한 국가 차원의 중장기적인 계획이 필요함에 따라 신설된 조항으로서 항공안전정책의 비전과 목표를 설정하고 이를 달성하기 위한 5년 단위의 「항공안전정책기본계획」을 수립하여 시행하도록 하였다. 이를 통해 장기적이고 체계적인 항공안전정책 시행으로 세계일류 항공안전도 달성·유지에 기여할 것으로 기대된다.

제2장 항공기 등록

「항공안전법」 제2장 항공기 등록은 항공기의 등록 및 말소 관련 사항 등에 대하여 규정하고 있다. 항공기의 등록에 대해서는 시카고협약 및 동 협약 부속서 등에서 정한 기준을 준거하여 규정하고 있다. 항공기의 항공운송사업에 항공기를 사용하기 위해서는 해당 항공기에 대하여 유효한 등록 증명서, 감항증명서, 소음 기준 적합 증명서 등이 있어야 한다. 항공기 등 관련 분류 체계는 항공기, 경량 항공기, 초경량 비행 장치로 항공기를 구분하고 있다.

1. 항공기 등록과 국적취득

항공기를 등록하여야 국적을 취득하고, 소유권 및 재산권 등의 효력이 발생한다. 즉, 항공기의 등록은 국적의 부여를 의미하므로 국가로부터 감항증명을 받아야 하는 등 법적인 책임과 의무가 발생하므로 그 책임 및 의무를 지는 사람을 확인하고 관리하는 제도이다. 또한, 국가기관항공기(군, 세관, 경찰항공기)는 총기 장착 등의 무장을 할 수 있으므로 민간항공기로 등록할 수 없다.

1.1 항공기 등록 제7조

> 항공기를 소유하거나 임차하여 항공기를 사용할 수 있는 권리가 있는 자(이하 "소유자등"이라 한다)는 항공기를 대통령령으로 정하는 바에 따라 국토교통부장관에게 등록을 하여야 한다. 다만, 대통령령으로 정하는 항공기는 그러하지 아니하다.

등록은 의무적이지만 국가는 등록하여야 할 의무는 없다. 등록의무자는 항공기를 소유하거나 임차하여 항공기를 사용할 수 있는 권리가 있는 자(이하 "소유자등"이라 한다)는 국토교통부장관에게 등록하여야 한다.

대통령령으로 정하는 등록이 필요 없는 항공기는 다음과 같다. 시행령 제4조

1. 군 또는 세관에서 사용하거나 경찰업무에 사용하는 항공기
2. 외국에 임대할 목적으로 도입한 항공기로서 외국 국적을 취득할 항공기
3. 국내에서 제작한 항공기로서 제작자 외의 소유자가 결정되지 아니한 항공기
4. 외국에 등록된 항공기를 임차하여 법 제5조에 따라 운영하는 경우 그 항공기

1.2 항공기 국적의 취득 제8조

> 등록된 항공기는 대한민국의 국적을 취득하고, 이에 따른 권리와 의무를 갖는다.

국적을 취득한다는 것은 행정적 효력을 갖는 것으로서 등록증명서의 발급, 등록기호표의 부착 및 감항증명을 받을 수 있고, 항공에 사용할 수 있는 요건이 되는 것이다.

또한, 이중국적의 취득은 불가하므로 등록이전의 외국국적은 등록을 말소하고 우리나라에 다시 등록을 하여야 한다.

1.3 항공기 소유권 등 제9조

> ① 항공기에 대한 소유권의 취득·상실·변경은 등록하여야 그 효력이 생긴다.
> ② 항공기에 대한 임차권(賃借權)은 등록하여야 제3자에 대하여 그 효력이 생긴다.
> 등록된 항공기는 대한민국의 국적을 취득하고, 이에 따른 권리와 의무를 갖게 된다. 항공기 소유권의 취득·상실·변경은 등록해야 효력이 발생하고, 항공기 임차권 또한 등록해야 제3자에 대하여 그 효력이 발생된다.

항공기의 등록제도는 항공기의 소유권을 공증하는 효력을 가지며, 소유권 득실변경의 제3자에 대한 대항요건이 된다.

1.4 항공기 등록의 제한 제10조

> ① 다음 각 호의 어느 하나에 해당하는 자가 소유하거나 임차한 항공기는 등록할 수 없다. 다만, 대한민국의 국민 또는 법인이 임차하여 사용할 수 있는 권리가 있는 항공기는 그러하지 아니하다.
> 　1. 대한민국 국민이 아닌 사람

2. 외국정부 또는 외국의 공공단체

3. 외국의 법인 또는 단체

4. 제1호부터 제3호까지의 어느 하나에 해당하는 자가 주식이나 지분의 2분의 1 이상을 소유하거나 그 사업을 사실상 지배하는 법인

5. 외국인이 법인 등기사항증명서상의 대표자이거나 외국인이 법인 등기사항증명서상의 임원 수의 2분의 1 이상을 차지하는 법인

② 제1항 단서에도 불구하고 외국 국적을 가진 항공기는 등록할 수 없다.

1.5 항공기 등록사항 [제11조]

① 국토교통부장관은 제7조에 따라 항공기를 등록한 경우에는 항공기 등록원부(登錄原簿)에 다음 각 호의 사항을 기록하여야 한다.

1. 항공기의 형식

2. 항공기의 제작자

3. 항공기의 제작번호

4. 항공기의 정치장(定置場)

5. 소유자 또는 임차인·임대인의 성명 또는 명칭과 주소 및 국적

6. 등록 연월일

7. 등록기호

② 제1항에서 규정한 사항 외에 항공기의 등록에 필요한 사항은 대통령령으로 정한다.

항공기의 형식은 항공기 모델로서 B-777, B-737, A330, A380 등을 의미한다.

항공기 제작번호는 항공기 제작일련번호(Manufacture Serial Number)로서 고유 항공기를 식별할 수 있는 번호를 의미한다.

항공기의 정치장의 경우에는 항공기 소유에 대한 지방세(등록세 및 취득세 등)와 연관되어

지방자치단체와 밀접한 연관이 있으므로 정치장의 요건을 강화하고 있는 추세이다. 즉, A380 과 같은 초대형 항공기의 경우 운항에 제한이 되는 공항은 정치장을 제한하고 있다.

1.6 항공기 등록증명서의 발급 제12조

국토교통부장관은 제7조에 따라 항공기를 등록하였을 때에는 등록한 자에게 대통령령으로 정하는 바에 따라 항공기 등록증명서를 발급하여야 한다.

2. 항공기 등록의 종류

항공기 등록의 종류를 법적효력에 따라 분류하면 신규등록, 변경등록, 이전등록 및 말소등록으로 분류할 수 있다.

2.1 항공기 변경등록 제13조

소유자등은 제11조제1항제4호 또는 제5호의 등록사항이 변경되었을 때에는 그 변경된 날부터 15일 이내에 대통령령으로 정하는 바에 따라 국토교통부장관에게 변경등록을 신청하여야 한다.

항공기의 정치장 또는 등록명의인의 표시변경이 발생하였을 경우에는 15일 이내에 "변경등록"을 신청하여야 한다.(예, 항공기의 정치장이 김포에서 제주로 변경되었을 경우 등).

2.2 항공기 이전등록 제14조

등록된 항공기의 소유권 또는 임차권을 양도·양수하려는 자는 그 사유가 있는 날부터 15일 이내에 대통령령으로 정하는 바에 따라 국토교통부장관에게 이전등록을 신청하여야 한다.

항공기의 소유권 또는 임차권의 이전·양도가 발생하였을 경우에는 이전등록을 신청하여야 한다.

2.3 항공기 말소등록 제15조

① 소유자등은 등록된 항공기가 다음 각 호의 어느 하나에 해당하는 경우에는 그 사유가 있는 날부터 15일 이내에 대통령령으로 정하는 바에 따라 국토교통부장관에게 말소등록을 신청하여야 한다.

1. 항공기가 멸실(滅失)되었거나 항공기를 해체(정비등, 수송 또는 보관하기 위한 해체는 제외한다)한 경우

2. 항공기의 존재 여부를 1개월(항공기사고인 경우에는 2개월) 이상 확인할 수 없는 경우

3. 제10조제1항 각 호의 어느 하나에 해당하는 자에게 항공기를 양도하거나 임대(외국 국적을 취득하는 경우만 해당한다)한 경우

4. 임차기간의 만료 등으로 항공기를 사용할 수 있는 권리가 상실된 경우

② 제1항에 따라 소유자등이 말소등록을 신청하지 아니하면 국토교통부장관은 7일 이상의 기간을 정하여 말소등록을 신청할 것을 최고(催告)하여야 한다.

③ 제2항에 따른 최고를 한 후에도 소유자등이 말소등록을 신청하지 아니하면 국토교통부장관은 직권으로 등록을 말소하고, 그 사실을 소유자등 및 그 밖의 이해관계인에게 알려야 한다.

항공기의 멸실 또는 해체, 1개월 이상(사고의 경우 2개월) 존재여부 불분명, 외국인에게 양도 또는 임대·임차기간 만료시에는 말소등록을 신청하여야 한다.

3. 항공기 등록부호와 등록기호

등록부호와 등록기호를 혼선해서는 안된다. 등록부호는 국적기호와 등록기호를 포함한다. 즉, 등록부호가 HL7498인 경우, HL은 국적기호이며, 7498은 등록기호가 된다.

항공기를 등록하였을 때에는 그 등록기호표를 항공기에 부착함으로써 동산저당의 기본조건인 공시적 효력을 갖게 되는 것이다.

3.1 항공기 등록기호표의 부착 제17조

① 소유자등은 항공기를 등록한 경우에는 그 항공기 등록기호표를 국토교통부령으로 정하는 형식·위치 및 방법 등에 따라 항공기에 붙여야 한다.

② 누구든지 제1항에 따라 항공기에 붙인 등록기호표를 훼손해서는 아니 된다.

항공기 등록기호표는 항공기를 식별할 수 있는 기본적인 표식으로서 항공기 사고 시에도 식별할 수 있도록 강철 등 내화금속(耐火金屬)으로 된 등록기호표(가로 7센티미터 세로 5센티미터의 직사각형)를 항공기에 출입구가 있는 경우에는 항공기 주(主)출입구 윗부분의 안쪽, 무인기와 같이 출입구가 없는 경우에는 항공기 동체의 외부표면에 부착하여야하며, 국적기호 및 등록기호(등록부호)와 소유자 등의 명칭을 적어야 한다. 시행규칙 제12조 참조

3.2 항공기 국적 등의 표시 제18조

① 누구든지 국적, 등록기호 및 소유자등의 성명 또는 명칭을 표시하지 아니한 항공기를 운항해서는 아니 된다. 다만, 신규로 제작한 항공기 등 국토교통부령으로 정하는 항공

기의 경우에는 그러하지 아니하다.

② 제1항에 따른 국적 등의 표시에 관한 사항과 등록기호의 구성 등에 필요한 사항은 국토교통부령으로 정한다.

국적 등의 표시는 국적기호, 등록기호 순으로 표시하고, 장식체를 사용해서는 아니 되며, 국적기호는 로마자의 대문자 "HL"로 표시하여야 한다. 또한, 등록기호의 첫 글자가 문자인 경우 국적기호와 등록기호 사이에 붙임표(-)를 삽입하여야 하며, 항공기에 표시하는 등록부호는 지워지지 아니하고 배경과 선명하게 대조되는 색으로 표시하여야 한다. 시행규칙 제13조

등록부호의 표시위치 및 방법은 다음 각 호의 구분에 따른다. 시행규칙 제14조

1. 비행기와 활공기의 경우에는 주 날개와 꼬리 날개 또는 주 날개와 동체에 다음 각 목의 구분에 따라 표시하여야 한다.

   가. 주 날개에 표시하는 경우: 오른쪽 날개 윗면과 왼쪽 날개 아랫면에 주 날개의 앞 끝과 뒤 끝에서 같은 거리에 위치하도록 하고, 등록부호의 윗 부분이 주 날개의 앞 끝을 향하게 표시할 것. 다만, 각 기호는 보조 날개와 플랩에 걸쳐서는 아니 된다.

   나. 꼬리 날개에 표시하는 경우: 수직 꼬리 날개의 양쪽 면에, 꼬리 날개의 앞 끝과 뒤 끝에서 5센티미터 이상 떨어지도록 수평 또는 수직으로 표시할 것

   다. 동체에 표시하는 경우: 주 날개와 꼬리 날개 사이에 있는 동체의 양쪽 면의 수평안정판 바로 앞에 수평 또는 수직으로 표시할 것

2. 헬리콥터의 경우에는 동체 아랫면과 동체 옆면에 다음 각 목의 구분에 따라 표시하여야 한다.

   가. 동체 아랫면에 표시하는 경우: 동체의 최대 횡단면 부근에 등록부호의 윗부분이 동체 좌측을 향하게 표시할 것

   나. 동체 옆면에 표시하는 경우: 주 회전익 축과 보조 회전익 축 사이의 동체 또는 동력장치가 있는 부근의 양 측면에 수평 또는 수직으로 표시할 것

3. 비행선의 경우에는 선체 또는 수평안정판과 수직안정판에 다음 각 목의 구분에 따라 표시하여야 한다.

   가. 선체에 표시하는 경우: 대칭축과 직교하는 최대 횡단면 부근의 윗면과 양 옆면에 표시할 것

   나. 수평안정판에 표시하는 경우: 오른쪽 윗면과 왼쪽 아랫면에 등록부호의 윗부분이 수

평안정판의 앞 끝을 향하게 표시할 것

다. 수직안정판에 표시하는 경우: 수직안정판의 양 쪽면 아랫부분에 수평으로 표시할 것

등록부호에 사용하는 각 문자와 숫자의 높이는 같아야 하며, 각 문자와 숫자의 폭, 선의 굵기 및 간격은 다음 각 호와 같다. 시행규칙 제15조 및 16조

1. 폭과 붙임표(−)의 길이: 문자 및 숫자의 높이의 3분의 2. 다만 영문자 I와 아라비아 숫자 1 은 제외한다.

2. 선의 굵기: 문자 및 숫자의 높이의 6분의 1

3. 간격: 문자 및 숫자의 폭의 4분의 1 이상 2분의 1 이하

국토교통부장관은 부득이한 사유가 있다고 인정하는 경우에는 등록부호의 표시위치, 높이, 폭 등을 따로 정할 수 있으며, 국가기관등항공기에 대해서는 관계 중앙행정기관의 장이 국토 교통부장관과 협의하여 등록부호의 표시위치, 높이, 폭 등을 따로 정할 수 있다.

제3장 항공기 기술기준 및 형식증명 등

「항공안전법」 제3장에서는 항공기 기술 기준, 형식증명, 제작증명, 감항증명 및 감항성 유지, 소음기준 적합증명, 수리·개조 승인, 항공기 등의 검사 및 정비 등의 확인, 항공기 등에 발생한 고장, 결함 또는 기능장애 보고 의무 등에 대하여 규정하고 있으며, 시카고협약 및 동 협약 부속서 등에서 정한 기준을 준거하여 규정하고 있다.

1. 항공기 기술기준

> 국토교통부장관은 항공기등, 장비품 또는 부품의 안전을 확보하기 위하여 다음 각 호의 사항을 포함한 기술상의 기준(이하 "항공기기술기준"이라 한다)을 정하여 고시하여야 한다. 제19조
>
>   1. 항공기등의 감항기준
>   2. 항공기등의 환경기준(배출가스 배출기준 및 소음기준을 포함한다)
>   3. 항공기등이 감항성을 유지하기 위한 기준
>   4. 항공기등, 장비품 또는 부품의 식별 표시 방법
>   5. 항공기등, 장비품 또는 부품의 인증절차

항공기기술기준은 항공기운항기술기준과 함께 항공법에서 대표적인 고시이다. 운항기술기준은 항공기 소유자 등이 항공기를 운영하고 관리하는 기준이라면, 항공기기술기준은 감항성 판정에 기준이 되는 고시이다.

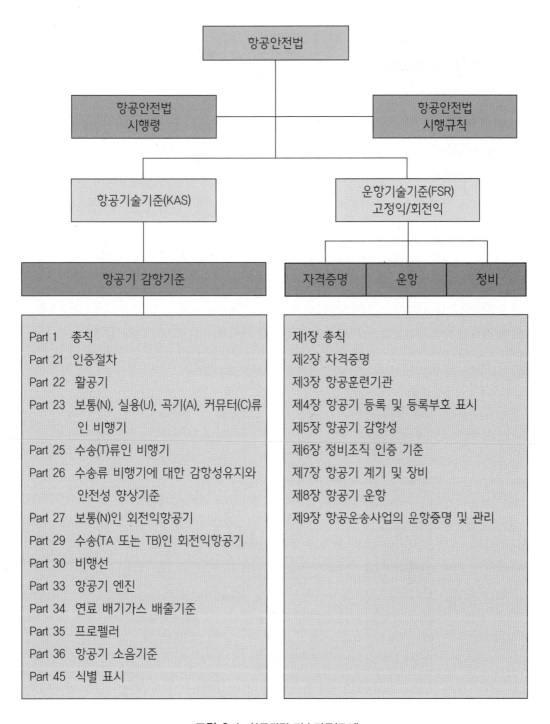

그림 3-1 항공관련 기술기준(고시)

2. 감항성 인증체계

항공기의 형식증명(Type certification), 제작증명(Production approval) 및 감항증명에 대해서는 ICAO ANNEX 8 Part II Chapter 1에서 다음과 같이 규정하고 있다.

① 형식증명서(Type Certificate) : 설계를 정의하고 항공기 형식의 설계승인이 명시된 형식증명서는 설계국에서 이 설계가 적절한 감항성 요건에 만족함을 입증하는 경우에 발행한다.

② 제작증명서(Production Certificate) : 제작국가는 각각의 항공기와 하청계약자가 제작한 부품을 포함하여 승인된 설계에 합치함을 보장한다.

③ 감항증명서(Airworthiness Certificate) : 감항증명서는 항공기가 해당 감항 요구조건의 설계측면에서 적합성에 관한 만족스런 입증을 근거로 등록국가에 의해 발행되어야 한다.

우리나라 항공안전법상의 감항성 인증체계는 그림 3-2와 같다.

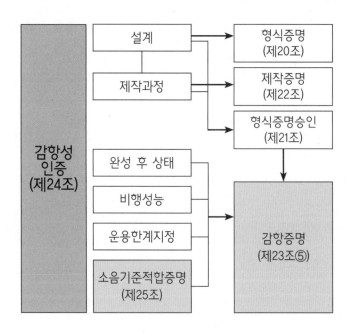

그림 3-2 항공안전법상의 감항성 인증체계

2.1 형식증명 제20조제1항

> 항공기등을 제작하려는 자는 그 항공기등의 설계에 관하여 국토교통부령으로 정하는 바에 따라 국토교통부장관의 증명(이하 "형식증명"이라 한다)을 받을 수 있다. 증명받은 사항을 변경할 때에도 또한 같다.

형식증명은 형식설계, 운용한계, 형식증명자료집, 국토교통부장관이 적용 규정에 따라 적합성을 명시한 기록 및 관련 요건에 따라 항공기 등에 대해 요구되는 기타의 조건이나 한계사항을 포함하는 것으로 본다. 형식증명은 국토교통부장관이 이를 양도, 정지, 취소하거나 또는 종료일을 별도로 지정한 시점까지 유효하다.

형식증명을 받으려면 형식증명 신청서를 국토교통부장관에게 제출하여야 하며, 신청서에는 인증계획서(Certification Plan), 항공기 3면도 및 발동기의 설계·운용 특성 및 운용한계에 관한 자료(발동기에 대하여 형식증명을 신청하는 경우에만 해당) 등의 서류를 첨부하여야 한다(시행규칙 제18조 참조). 또한, 형식증명을 받은 항공기, 발동기 또는 프로펠러(이하 "항공기등"이라 한다)의 형식설계를 변경하려면 형식설계 변경신청서에 형식증명서와 형식증명시 필요한 서류와 동일하게 인증계획서(Certification Plan), 항공기 3면도 및 발동기의 설계·운용 특성 및 운용한계에 관한 자료(발동기에 대하여 형식증명을 신청하는 경우에만 해당) 등의 서류를 첨부하여 국토교통부장관에게 제출하여야 한다. 시행규칙 제19조 참조

수송용 항공기의 형식증명 신청 유효기간은 5년으로 하며 기타 형식증명 신청 유효기간은 3년으로 한다. 단, 신청 시점에서 신청자가 해당 제품의 설계, 개발 및 시험에 보다 많은 기간이 소요됨을 입증하고 국토교통부장관이 이를 승인한 경우는 유효기간을 연장할 수 있다.

제시된 도면이나 출력, 추력 또는 중량의 변경이 커서 관련 규정에의 적합성에 대한 실질적이고 완전한 조사가 필요하다고 국토교통부장관이 판단하는 경우, 항공기 등의 변경을 제안한 자는 신규 형식증명을 신청해야 한다.

2.1.1 형식증명서의 발급 제20조제2항

> 국토교통부장관은 형식증명을 할 때에는 해당 항공기등이 항공기기술기준에 적합한지를

검사한 후 적합하다고 인정하는 경우에는 국토교통부령으로 정하는 바에 따라 형식증명서를 발급하여야 한다.

국제기준에 따라 항공기등에 대한 형식증명서 발급 시 항공기등의 성능과 주요 장비품 목록 등을 기술한 형식증명자료집을 함께 발급하도록 개정된 것이 특징이며시행규칙 제21조제2항 참조, 형식증명을 위한 검사범위는 다음과 같다. 다만, 형식설계를 변경하는 경우에는 변경하는 사항에 대한 검사만 해당한다. 시행규칙 제20조

1. 해당 형식의 설계에 대한 검사

2. 해당 형식의 설계에 따라 제작되는 항공기등의 제작과정에 대한 검사

3. 항공기등의 완성 후의 상태 및 비행성능 등에 대한 검사

2.1.2 형식증명서의 양도·양수 제20조제3항

형식증명서를 양도·양수하려는 자는 국토교통부령으로 정하는 바에 따라 국토교통부장관에게 양도사실을 보고하고 형식증명서 재발급을 신청하여야 한다.

형식증명서를 양도·양수하려는 자는 형식증명서 번호, 양수하려는 자의 성명 또는 명칭, 주소와 양수·양도일자를 적은 형식증명서 재발급 신청서에 다음 각 호의 서류를 첨부하여 국토교통부장관에게 제출하여야 한다. 시행규칙 제22조

1. 양도 및 양수에 관한 계획서

2. 항공기등의 설계자료 및 감항성유지 사항의 양도·양수에 관한 서류

3. 그 밖에 국토교통부장관이 정하여 고시하는 서류

2.1.3 부가형식증명 제20조제4항

형식증명 또는 제21조에 따른 형식증명승인을 받은 항공기등의 설계를 변경하려는 자는

> 국토교통부령으로 정하는 바에 따라 국토교통부장관의 부가적인 형식증명(이하 "부가형
> 식증명"이라 한다)을 받을 수 있다.

부가형식증명은 형식증명의 일부로서 항공기에 새로운 장비품 장착 등으로 항공기의 설계가 변경 될 경우에는 부가적인 형식증명을 받아야 한다. 부가형식증명의 신청은 부가형식증명 신청서를 1. 항공기기술기준에 대한 적합성 입증계획서, 2. 설계도면 및 설계도면 목록, 3. 부품표 및 사양서 및 4. 그 밖에 참고사항을 적은 서류 등을 첨부하여 국토교통부장관에게 제출하여야 한다. 시행규칙 제23조

부가형식증명을 위한 검사범위는 1. 변경되는 설계에 대한 검사, 2. 변경되는 설계에 따라 제작되는 항공기등의 제작과정에 대한 검사 및 3. 완성 후의 상태 및 비행성능에 관한 검사 등을 하여야한다. 시행규칙 제24조

2.1.4 형식증명의 효력정지 및 취소 제20조제5항

> 국토교통부장관은 다음 각 호의 어느 하나에 해당하는 경우에는 해당 항공기등에 대한
> 형식증명 또는 부가형식증명을 취소하거나 6개월 이내의 기간을 정하여 그 효력의 정지
> 를 명할 수 있다. 다만, 제1호에 해당하는 경우에는 형식증명 또는 부가형식증명을 취소하
> 여야 한다.
>
> > 1. 거짓이나 그 밖의 부정한 방법으로 형식증명 또는 부가형식증명을 받은 경우
> > 2. 항공기등이 형식증명 또는 부가형식증명 당시의 항공기기술기준에 적합하지 아니
> >   하게 된 경우

2.1.5 형식증명승인 제21조제1항

> 항공기등의 설계에 관하여 외국정부로부터 형식증명을 받은 항공기등을 대한민국에 수
> 출하려는 제작자는 항공기등의 형식별로 외국정부의 형식증명이 항공기기술기준에 적합
> 한지에 대하여 국토교통부령으로 정하는 바에 따라 국토교통부장관의 승인(이하 "형식

증명승인"이라 한다)을 받을 수 있다.

형식증명승인의 신청은 형식증명승인 신청서를 1. 외국정부의 형식증명서, 2. 형식증명자료집, 3. 설계 개요서, 4. 항공기기술기준에 적합함을 입증하는 자료, 5. 비행교범 또는 운용방식을 적은 서류, 6. 정비방식을 적은 서류 및 그 밖에 참고사항을 적은 서류 등을 국토교통부장관에게 제출하여야 한다.

대한민국과 항공안전협정을 체결한 국가로부터 형식증명을 받은 최대이륙중량 5천 700킬로그램 이하의 비행기(발동기 및 프로펠러를 포함한다) 또는 최대이륙중량 3천 175킬로그램 이하인 헬리콥터(발동기를 포함한다)의 형식증명승인을 신청하는 경우에는 형시증명승인 신청서류에 추가하여 1. 외국정부의 형식증명서와 2. 형식증명자료집을 첨부하여야 한다. 시행규칙 제26조

2.1.6 형식증명승인 검사 [제21조제2항]

국토교통부장관은 형식증명승인을 할 때에는 해당 항공기등이 항공기기술기준에 적합한 지를 검사하여야 한다. 다만, 대한민국과 항공기등의 감항성에 관한 항공안전협정을 체결한 국가로부터 형식증명을 받은 항공기등에 대해서는 해당 협정에서 정하는 바에 따라 검사의 일부를 생략할 수 있다.

형식증명승인을 위한 검사범위는 1. 해당 형식의 설계에 대한 검사, 2. 해당 형식의 설계에 따라 제작되는 항공기등의 제작과정에 대한 검사를 하여야한다. 시행규칙 제27조제1항

2.2 제작증명 [제22조]

① 형식증명을 받은 항공기등을 제작하려는 자는 국토교통부령으로 정하는 바에 따라 국토교통부장관으로부터 항공기기술기준에 적합하게 항공기등을 제작할 수 있는 기술,

　설비, 인력 및 품질관리체계 등을 갖추고 있음을 인증하는 증명(이하 "제작증명"이라 한다)을 받을 수 있다.

② 국토교통부장관은 제작증명을 할 때에는 항공기기술기준에 적합하게 항공기등을 제작할 수 있는 기술, 설비, 인력 및 품질관리체계 등을 갖추고 있다고 인정하는 경우에는 국토교통부령으로 정하는 바에 따라 제작증명서를 발급하여야 한다. 이 경우 제작증명서는 타인에게 양도·양수할 수 없다.

③ 국토교통부장관은 다음 각 호의 어느 하나에 해당하는 경우에는 제작증명을 취소하거나 6개월 이내의 기간을 정하여 그 효력의 정지를 명할 수 있다. 다만, 제1호에 해당하는 경우에는 제작증명을 취소하여야 한다.

　1. 거짓이나 그 밖의 부정한 방법으로 제작증명을 받은 경우

　2. 항공기등이 제작증명 당시의 항공기기술기준에 적합하지 아니하게 된 경우

항공기의 제작증명(Production Approval)에 대해서는 시카고협약 부속서 8 및 항공안전법에서 규정하고 있으며, 형식증명 시 제작과정을 검사하지만 시제기만 해당되며, 제작증명은 양산을 위한 증명이라고 볼 수 있다.

외국에서 형식증명을 받은 항공기를 국내에서 생산하고자 할 경우에는 제작증명만 받으면 된다.

제작증명의 신청은 제작증명 신청서에 1. 품질관리규정, 2. 제작하려는 항공기등의 제작 방법 및 기술 등을 설명하는 자료, 3. 제작 설비 및 인력 현황, 4. 품질관리 및 품질검사의 체계(이하 "품질관리체계"라 한다), 5. 제작하려는 항공기등의 감항성 유지 및 관리체계(이하 "제작관리체계"라 한다)를 설명하는 자료 등의 서류를 첨부하여 국토교통부장관에게 제출하여야 한다. 또한, 제작증명서의 발급은 국토교통부장관이 제작증명을 위한 검사 결과 제작증명을 받으려는 자가 항공기기술기준에 적합하게 항공기등을 제작할 수 있는 기술, 설비, 인력 및 품질관리체계 등을 갖추고 있다고 인정하는 경우 제작할 수 있는 항공기등의 형식증명 목록을 적은 생산승인 지정서와 함께 제작증명서를 발급한다. 시행규칙 제33조 및 34조

2.3 감항증명 및 감항성 유지 　제23조제1항

> 항공기가 감항성이 있다는 증명(이하 "감항증명"이라 한다)을 받으려는 자는 국토교통부령으로 정하는 바에 따라 국토교통부장관에게 감항증명을 신청하여야 한다.

감항증명은 항공기가 감항성이 있다는 증명으로서 항공기의 감항증명(Airworthiness Certification)에 대해서는 시카고협약 제31조 및 제33조, 동 협약 부속서 6, 부속서 8 및 항공안전법에서 규정하고 있다. 항공기 등록국은 항공기에 대한 감항증명서를 발급하여야한다.

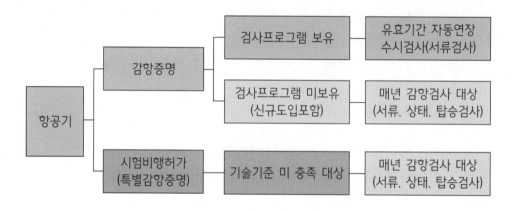

그림 3-3 감항증명 업무처리절차

감항증명의 신청은 항공기 표준감항증명 신청서 또는 항공기 특별감항증명 신청서에 1. 비행교범, 2. 정비교범, 3. 그 밖에 감항증명과 관련하여 국토교통부장관이 필요하다고 인정하여 고시하는 서류 등을 첨부하여 국토교통부장관 또는 지방항공청장에게 제출하여야 한다. 시행규칙 제35조

① 비행교범 포함사항

　1. 항공기의 종류·등급·형식 및 제원(諸元)에 관한 사항

　2. 항공기 성능 및 운용한계에 관한 사항

　3. 항공기 조작방법 등 그 밖에 국토교통부장관이 정하여 고시하는 사항

② 정비교범 포함사항(장비품·부품 등의 사용한계 등에 관한 사항은 정비교범 외에 별도로 발행할 수 있음).

　1. 감항성 한계범위, 주기적 검사 방법 또는 요건, 장비품·부품 등의 사용한계 등에 관한 사항

2. 항공기 계통별 설명, 분해, 세척, 검사, 수리 및 조립절차, 성능점검 등에 관한 사항

3. 지상에서의 항공기 취급, 연료·오일 등의 보충, 세척 및 윤활 등에 관한 사항

2.3.1 항공기 등록국의 역할 및 의무 제23조제2항

감항증명은 대한민국 국적을 가진 항공기가 아니면 받을 수 없다. 다만, 국토교통부령으로 정하는 항공기의 경우에는 그러하지 아니하다.

항공기를 등록함으로써 항공기는 국적을 취득하며, 동시에 항공기 등록국은 그에 따른 중요한 역할과 의무를 가지게 된다. 이와 관련하여 시카고협약 제31조에서는 "국제항공에 종사하는 모든 항공기는 그 등록국이 발급하거나 또는 유효하다고 인정한 감항증명서를 비치한다."로 규정하고 있다.

국토교통부령으로 정하는 예외적으로 감항증명을 받을 수 있는 항공기란 다음 각 호의 어느하나에 해당하는 항공기를 말한다. 시행규칙 제36조

1. 법 제101조 단서에 따라 허가를 받은 항공기

2. 국내에서 수리·개조 또는 제작한 후 수출할 항공기

3. 국내에서 제작되거나 외국으로부터 수입하는 항공기로서 대한민국의 국적을 취득하기 전에 감항증명을 위한 검사를 신청한 항공기

2.3.2 감항증명의 종류 제23조제3항

누구든지 다음 각 호의 어느 하나에 해당하는 감항증명을 받지 아니한 항공기를 운항해서는 아니 된다.
1. 표준감항증명: 해당 항공기가 항공기기술기준에 적합하고 안전하게 운항할 수 있다고 판단되는 경우에 발급하는 증명
2. 특별감항증명: 항공기의 연구, 개발 등 국토교통부령으로 정하는 경우로서 항공기 제작자 또는 소유자등이 제시한 운용범위를 검토하여 안전하게 운항할 수 있다고

판단되는 경우에 발급하는 증명

상기 법조항에 따라 감항증명의 종류는 다음과 같이 구분할 수 있다.

(1) 표준감항증명서(Standard Airworthiness Certificates): 해당 항공기가 기술기준을 충족함이 입증되어 안전하게 운용될 수 있는 상태가 확인된 경우에 발급되며, 감항분류는 비행기, 비행선, 활공기 및 회전익항공기별로 보통, 실용, 곡기, 커뮤터 또는 수송으로 구분한다.

(2) 특별감항증명서(Special Airworthiness Certificates): 항공안전법 시행규칙 제37조제1항에 해당하는 항공기가 기술기준을 충족하지 못하여 운용범위 및 비행성능 등을 일부 제한할 경우 제한 용도로 안전하게 운용할 수 있다고 판단되는 경우 발급되며, 특별감항증명서의 용도분류는 제한(Restricted), 실험(Experimental) 및 특별비행허가(Special Flight Permit)로 구분한다.

특별감항증명의 대상에 해당되는 "항공기의 연구, 개발 등 국토교통부령으로 정하는 경우"란 다음 각 호의 어느 하나에 해당하는 경우를 말한다. 시행규칙 제37조

1. 항공기 및 관련 기기의 개발과 관련된 다음 각 목의 어느 하나에 해당하는 경우

　가. 항공기 제작자, 연구기관 등에서 연구 및 개발 중인 경우

　나. 판매 등을 위한 전시 또는 시장조사에 활용하는 경우

　다. 조종사 양성을 위하여 조종연습에 사용하는 경우

2. 항공기의 제작·정비·수리·개조 및 수입·수출 등과 관련한 다음 각 목의 어느 하나에 해당하는 경우

　가. 제작·정비·수리 또는 개조 후 시험비행을 하는 경우

　나. 정비·수리 또는 개조(이하 "정비등"이라 한다)를 위한 장소까지 승객·화물을 싣지 아니하고 비행하는 경우

　다. 수입하거나 수출하기 위하여 승객·화물을 싣지 아니하고 비행하는 경우

　라. 설계에 관한 형식증명을 변경하기 위하여 운용한계를 초과하는 시험비행을 하는 경우

　마. 기상관측, 기상조절 실험 등에 사용되는 경우

3. 무인항공기를 운항하는 경우

4. 특정한 업무를 수행하기 위하여 사용되는 다음 각 목의 어느 하나에 해당하는 경우

　가. 재난·재해 등으로 인한 수색·구조에 사용되는 경우

　나. 산불의 진화 및 예방에 사용되는 경우

　다. 응급환자의 수송 등 구조·구급활동에 사용되는 경우

　라. 씨앗 파종, 농약 살포 또는 어군(魚群)의 탐지 등 농·수산업에 사용되는 경우

5. 제1호부터 제4호까지 외에 공공의 안녕과 질서유지를 위한 업무를 수행하는 경우로서 국토교통부장관이 인정하는 경우

2.3.3 감항증명의 유효기간 제23조제4항

감항증명의 유효기간은 1년으로 한다. 다만, 항공기의 형식 및 소유자등(제32조제2항에 따른 위탁을 받은 자를 포함한다)의 감항성 유지능력 등을 고려하여 국토교통부령으로 정하는 바에 따라 유효기간을 연장할 수 있다.

지방항공청장은 표준감항증명서의 유효기간을 1년으로 지정하여 발급한다. 다만, 유효기간 만료일 30일 이내에 검사를 받아 합격한 경우에는 종전 감항증명서 유효기간 만료일의 다음날부터 기산한다.

항공안전법 시행규칙 제38조에 따라 항공기의 감항성을 지속적으로 유지하기 위한 항공기 기술기준 에 따라 항공기 정비프로그램 또는 항공기 검사프로그램을 인가받아 정비 등이 이루어지는 항공기는 유효기간이 자동연장 되는 표준감항증명서를 발급할 수 있다. 특별감항증명서의 유효기간은 1년 이내에서 국토교통부장관 또는 지방항공청장이 지정한 기간으로 한다.

지방항공청장은 감항증명의 유효기간이 연장되는 항공기에 대하여 수시검사를 실시하여야 한다. 소유자 등은 시행규칙 제38조에 따라 항공기의 감항증명 유효기간이 연장된 경우 매년 항공기 현황자료에 최근 1년 이내에 수행한 주요 정비현황(수리·개조 수행현황, 감항성개선지시 수행현황 또는 주요 정비개선회보수행현황 등)에 관한 자료를 첨부하여 지방항공청장에게 제출하여야 한다.

지방항공청장이 실시하는 수시검사는 항공사가 매년 제출하는 서류를 검토하는 것을 원칙으

로 한다. 감항증명을 받은 항공기 소유자 등의 책임은 다음과 같다.

(1) 항공기 소유자 등은 항공기 등에 대하여 지속적으로 감항성을 유지할 책임이 있다. 항공기 등의 감항성 유지를 위하여 감항성에 영향을 미치는 정비, 오버홀, 수리 및 개조가 관련 법령 및 이 기준에서 정한 방법 및 기준 및 절차에 따라 수행되고 있는지 여부, 정비 또는 수리·개조 등을 수행하는 경우 항공기에 대한 감항성 여부를 항공일지에 적합하게 기록하는지 여부, 항공기 정비작업 후 사용가 판정(Approved for Return to Service)이 적절하게 이루어지는지 여부, 그리고 정비확인 시 종결되지 않은 결함사항 등이 있는 경우 이에 대한 기록 여부 등을 확인하여야 한다.

(2) 항공기 소유자 등은 지속적인 감항성 유지[1]를 위해 정비 및 항공기 운영실태를 감시하고 평가하여야 하며, 감항성에 영향을 주는 고장이나 결함 발생 시 관련 정보를 국토교통부장관 및 형식증명소지자에게 보고 또는 통보하여야 한다.

(3) 항공기 소유자 등은 형식 설계를 책임지고 있는 기관 및 제작사 등으로부터 지속적인 감항성 유지에 관한 정보를 적기에 제공 받아 검토하여야 하고 이행 여부 등을 평가하여야 한다.

2.3.4 감항증명의 운용한계지정 제23조제5항

국토교통부장관은 제3항 각 호의 어느 하나에 해당하는 감항증명을 하는 경우에는 항공기가 항공기기술기준에 적합한지를 검사한 후 국토교통부령으로 정하는 바에 따라 해당 항공기의 운용한계(運用限界)를 지정하여야 한다. 이 경우 다음 각 호의 어느 하나에 해당하는 항공기의 경우에는 국토교통부령으로 정하는 바에 따라 항공기기술기준 적합 여부 검사의 일부를 생략할 수 있다.

　　1. 형식증명 또는 형식증명승인을 받은 항공기

　　2. 제작증명을 받은 자가 제작한 항공기

　　3. 항공기를 수출하는 외국정부로부터 감항성이 있다는 승인을 받아 수입하는 항공기

위 조항의 각 호 외의 부분 전단에 따라 감항증명을 위한 검사를 하는 경우에는 해당 항공기

1　지속적 감항성 유지 프로그램(Continuous Airworthiness Maintenance Program, CAMP)은 항공기의 지속적인 감항성 유지를 위한 항공사 정비프로그램으로서 정비, 예방정비, 수리 및 개조 등을 수행하기 위한 정비프로그램과 품질관리체계로 구축된 종합적인 정비계획이다.

의 설계·제작과정 및 완성 후의 상태와 비행성능이 항공기기술기준에 적합하고 안전하게 운항할 수 있는지 여부를 검사하여야 하며시행규칙 제39조, 감항증명을 하는 경우에는 항공기기술기준에서 정한 항공기의 감항분류에 따라 다음 각 호의 사항에 대하여 항공기의 운용한계를 지정하여야 한다. 시행규칙 제41조

1. 속도에 관한 사항

2. 발동기 운용성능에 관한 사항

3. 중량 및 무게중심에 관한 사항

4. 고도에 관한 사항

5. 그 밖에 성능한계에 관한 사항.

또한, 감항증명을 할 때 생략할 수 있는 검사는 다음 각 호의 구분에 따른다. 시행규칙 제42조

1. 형식증명을 받은 항공기: 설계에 대한 검사

2. 형식증명승인을 받은 항공기: 설계에 대한 검사와 제작과정에 대한 검사

3. 제작증명을 받은 자가 제작한 항공기: 제작과정에 대한 검사

4. 수입 항공기(신규로 생산되어 수입하는 완제기(完製機)만 해당한다): 비행성능에 대한 검사

2.3.5 감항증명의 취소 및 효력정지 제23조제6항

국토교통부장관은 다음 각 호의 어느 하나에 해당하는 경우에는 해당 항공기에 대한 감항증명을 취소하거나 6개월 이내의 기간을 정하여 그 효력의 정지를 명할 수 있다. 다만, 제1호에 해당하는 경우에는 감항증명을 취소하여야 한다.

1. 거짓이나 그 밖의 부정한 방법으로 감항증명을 받은 경우

2. 항공기가 감항증명 당시의 항공기기술기준에 적합하지 아니하게 된 경우

국토교통부장관 또는 지방항공청장은 항공기에 대한 감항증명의 효력을 정지시키거나 취소한 경우에는 지체 없이 항공기의 소유자등에게 해당 항공기의 감항증명서의 반납을 명하여야 한다. 시행규칙 제43조

2.3.6 감항성 유지관리 　제23조제7항

> 항공기를 운항하려는 소유자등은 국토교통부령으로 정하는 바에 따라 그 항공기의 감항성을 유지하여야 한다.

감항증명을 받은 항공기 소유자 등은 해당 항공기를 운항하고자 하는 경우 그 항공기를 감항성이 있는 상태로 유지하여야 하며, 감항성을 유지하는 방법은 다음과 같다. 시행규칙 제44조

  1. 해당 항공기의 운용한계 범위에서 운항할 것

  2. 제작사에서 제공하는 정비교범, 기술문서 또는 국토교통부장관이 정하여 고시하는 정비방법에 따라 정비등을 수행할 것

  3. 감항성개선 또는 그 밖의 검사·정비등의 명령에 따른 정비등을 수행할 것

2.3.7 감항성 유지검사 　제23조제8항

> 국토교통부장관은 제7항에 따라 소유자등이 해당 항공기의 감항성을 유지하는지를 수시로 검사하여야 하며, 항공기의 감항성 유지를 위하여 소유자등에게 항공기등, 장비품 또는 부품에 대한 정비등에 관한 감항성개선 또는 그 밖의 검사·정비등을 명할 수 있다.

국토교통부장관은 소유자등에게 항공기등, 장비품 또는 부품에 대한 정비등에 관한 감항성개선을 명할 때에는 다음 각 호의 사항을 통보하여야 한다. 시행규칙 제45조제1항

  1. 항공기등, 장비품 또는 부품의 형식 등 개선 대상

  2. 검사, 교환, 수리·개조 등을 하여야 할 시기 및 방법

  3. 그 밖에 검사, 교환, 수리·개조 등을 수행하는 데 필요한 기술자료

  4. 제3항에 따른 보고 대상 여부

국토교통부장관은 법 제23조제8항에 따라 소유자등에게 검사·정비등을 명할 때에는 다음 각 호의 사항을 통보하여야 한다. 시행규칙 제45조제2항

1. 항공기등, 장비품 또는 부품의 형식 등 검사 대상

2. 검사·정비등을 하여야 할 시기 및 방법

3. 제3항에 따른 보고 대상 여부

또한, 감항성개선 또는 검사·정비등의 명령을 받은 소유자등은 감항성개선 또는 검사·정비등을 완료한 후 그 이행 결과가 보고 대상인 경우에는 국토교통부장관에게 보고하여야 한다. 시행규칙 제45조제3항

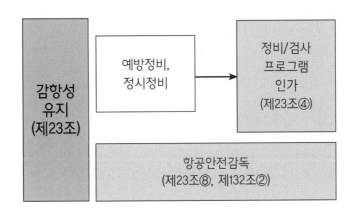

그림 3-4 감항성 유지체계

2.3.8 감항승인 제24조세1항

우리나라에서 제작, 운항 또는 정비등을 한 항공기등, 장비품 또는 부품을 타인에게 제공하려는 자는 국토교통부령으로 정하는 바에 따라 국토교통부장관의 감항승인을 받을 수 있다.

감항증명은 항공기에만 적용되지만 감항승인은 항공기외의 항공기등, 장비품 또는 부품에 적용된다.

감항승인을 받으려는 자는 다음 각 호의 구분에 따른 신청서를 국토교통부장관 또는 지방항공청장에게 제출하여야 한다. 시행규칙 제46조

1. 항공기를 외국으로 수출하려는 경우: 항공기 감항승인 신청서

2. 발동기·프로펠러, 장비품 또는 부품을 타인에게 제공하려는 경우: 부품 등의 감항승인 신청서

또한, 신청서에는 다음 각 호의 서류를 첨부하여야 한다.

1. 항공기기술기준 또는 법 제27조제1항에 따른 기술표준품형식승인기준(이하 "기술표준품 형식승인기준"이라 한다)에 적합함을 입증하는 자료

2. 정비교범(제작사가 발행한 것만 해당한다)

3. 그 밖에 법 제23조제8항에 따른 감항성개선 명령의 이행 결과 등 국토교통부장관이 정하여 고시하는 서류

2.3.9 감항승인 검사 제24조제2항

국토교통부장관은 제1항에 따른 감항승인을 할 때에는 해당 항공기등, 장비품 또는 부품이 항공기기술기준 또는 제27조제1항에 따른 기술표준품의 형식승인기준에 적합하고, 안전하게 운용할 수 있다고 판단하는 경우에는 감항승인을 하여야 한다.

국토교통부장관 또는 지방항공청장이 감항승인을 할 때에는 해당 항공기등·장비품 또는 부품의 상태 및 성능이 항공기기술기준 또는 기술표준품형식승인기준에 적합한지를 검사하여야 하며시행규칙 제47조, 감항승인을 위한 검사 결과 해당 항공기가 항공기기술기준에 적합하다고 인정하는 경우에는 별지 제21호서식의 항공기 감항승인서를, 발동기·프로펠러·장비품 또는 부품이 항공기기술기준 또는 기술표준품형식승인기준에 적합하다고 인정되는 경우에는 별지 제22호서식의 부품 등의 감항승인서를 신청인에게 발급하여야 한다. 시행규칙 제48조

2.3.10 감항승인 취소 및 효력정지 제24조제3항

국토교통부장관은 다음 각 호의 어느 하나에 해당하는 경우에는 제2항에 따른 감항승인을 취소하거나 6개월 이내의 기간을 정하여 그 효력의 정지를 명할 수 있다. 다만, 제1호에

해당하는 경우에는 그 감항승인을 취소하여야 한다.

1. 거짓이나 그 밖의 부정한 방법으로 감항승인을 받은 경우
2. 항공기등, 장비품 또는 부품이 감항승인 당시의 항공기기술기준 또는 제27조제1항에 따른 기술표준품의 형식승인기준에 적합하지 아니하게 된 경우

국토교통부장관은 항공기가 수리·개조 후 수리·개조 승인을 받지 못하거나 승인 당시의 기술기준에 적합하지 아니할 때에는 해당 항공기에 대한 감항승인을 취소하거나 6개월 이내의 기간을 정하여 그 효력을 정지시킬 수 있고, 거짓이나 그 밖의 부정한 방법으로 감항승인을 받았다면 감항승인서를 취소해야 한다.

2.4 소음기준적합증명 제25조제1항

국토교통부령으로 정하는 항공기의 소유자등은 감항증명을 받는 경우와 수리·개조 등으로 항공기의 소음치(騷音値)가 변동된 경우에는 국토교통부령으로 정하는 바에 따라 그 항공기가 제19조제2호의 소음기준에 적합한지에 대하여 국토교통부장관의 증명(이하 "소음기준적합증명"이라 한다)을 받아야 한다.

항공기의 소음기준적합증명(Aircraft Noise Certification)에 대해서는 시카고협약 부속서 16 및 항공안전법에서 규정하고 있으며, 항공기 소유자 등은 항공기의 소음기준적합증명 (Aircraft Noise Certification)을 받아 요건을 충족해야 하며, 일반적으로 소음기준적합증명은 감항증명시 함께 발급되며, 소음증명은 형식증명시 이루어지는 것이 보통이다.

소음기준적합증명 대상 항공기는 다음 각 호의 어느 하나에 해당하는 항공기로서 국토교통부장관이 정하여 고시하는 항공기를 말한다. 시행규칙 제49조

1. 터빈발동기를 장착한 항공기
2. 국제선을 운항하는 항공기

소음기준적합증명을 받으려는 자는 소음기준적합증명 신청서를 국토교통부장관 또는 지방항공청장에게 제출하여야 하며시행규칙 제50조제1항, 신청서에는 다음 각 호의 서류를 첨부하여야 한다. 시행규칙 제50조제2항

1. 해당 항공기가 법 제19조제2호에 따른 소음기준(이하 "소음기준"이라 한다)에 적합함을 입증하는 비행교범

2. 해당 항공기가 소음기준에 적합하다는 사실을 입증할 수 있는 서류(해당 항공기를 제작 또는 등록하였던 국가나 항공기 제작기술을 제공한 국가가 소음기준에 적합하다고 증명한 항공기만 해당한다)

3. 수리·개조 등에 관한 기술사항을 적은 서류(수리·개조 등으로 항공기의 소음치(騷音値)가 변경된 경우에만 해당한다)

2.4.1 소음기준적합증명 기준에 적합하지 않은 항공기의 운항허가 제25조제2항

소음기준적합증명을 받지 아니하거나 항공기기술기준에 적합하지 아니한 항공기를 운항해서는 아니 된다. 다만, 국토교통부령으로 정하는 바에 따라 국토교통부장관의 운항허가를 받은 경우에는 그러하지 아니하다.

소음기준적합증명의 기준에 적합하지 아니한 항공기의 운항허가를 받을 수 있는 경우는 다음 각 호와 같다. 이 경우 국토교통부장관은 제한사항을 정하여 항공기의 운항을 허가할 수 있다. 시행규칙 제53조제1항

1. 항공기의 생산업체, 연구기관 또는 제작자 등이 항공기 또는 그 장비품 등의 시험·조사·연구·개발을 위하여 시험비행을 하는 경우

2. 항공기의 제작 또는 정비등을 한 후 시험비행을 하는 경우

3. 항공기의 정비등을 위한 장소까지 승객·화물을 싣지 아니하고 비행하는 경우

4. 항공기의 설계에 관한 형식증명을 변경하기 위하여 운용한계를 초과하는 시험비행을 하는 경우

운항허가를 받으려는 자는 시험비행 등의 허가신청서를 국토교통부장관에게 제출하여야 한다. 시행규칙 제53조제2항

2.4.2 소음기준적합증명서의 취소 및 효력정지 [제25조제3항]

국토교통부장관은 다음 각 호의 어느 하나에 해당하는 경우에는 소음기준적합증명을 취소하거나 6개월 이내의 기간을 정하여 그 효력의 정지를 명할 수 있다. 다만, 제1호에 해당하는 경우에는 소음기준적합증명을 취소하여야 한다.

1. 거짓이나 그 밖의 부정한 방법으로 소음기준적합증명을 받은 경우
2. 항공기가 소음기준적합증명 당시의 항공기기술기준에 적합하지 아니하게 된 경우

항공기의 소음기준적합증명을 취소하거나 그 효력을 정지시킨 경우에는 지체 없이 항공기의 소유자등에게 해당 항공기의 소음기준적합증명서의 반납을 명하여야 한다. 시행규칙 제54조

2.4.3 항공기기술기준 변경에 따른 요구 [제26조]

국토교통부장관은 항공기기술기준이 변경되어 형식증명을 받은 항공기가 변경된 항공기기술기준에 적합하지 아니하게 된 경우에는 형식증명을 받거나 양수한 자 또는 소유자등에게 변경된 항공기기술기준을 따르도록 요구할 수 있다. 이 경우 형식증명을 받거나 양수한 자 또는 소유자등은 이에 따라야 한다.

항공안전법에서 새롭게 개선된 사항으로서 항공기기술기준이 변경되어 기존의 형식증명을 받은 항공기가 기술기준에 충족되지 못할 경우에는 감항성개선지시 등의 형태로 변경된 기술기준에 따르도록 할것으로 예상된다.

2.5 기술표준품 형식승인 [제27조제1항]

항공기등의 감항성을 확보하기 위하여 국토교통부장관이 정하여 고시하는 장비품(시험

또는 연구·개발 목적으로 설계·제작하는 경우는 제외한다. 이하 "기술표준품"이라 한다)
을 설계·제작하려는 자는 국토교통부장관이 정하여 고시하는 기술표준품의 형식승인기
준(이하 "기술표준품형식승인기준"이라 한다)에 따라 해당 기술표준품의 설계·제작에 대
하여 국토교통부장관의 승인(이하 "기술표준품형식승인"이라 한다)을 받아야 한다. 다만,
대한민국과 기술표준품의 형식승인에 관한 항공안전협정을 체결한 국가로부터 형식승인
을 받은 기술표준품으로서 국토교통부령으로 정하는 기술표준품은 기술표준품형식승인
을 받은 것으로 본다.

기술표준품이란 항공기에 사용되는 부품으로서 모든 항공기에 적용 가능한 표준화된 부품을
의마하는 것으로서 예를 들면 타이어, 비행기록장치(FDR), 조종실음성기록장치(CVR) 및 구
명조끼(Life Vest) 등이 해당된다. 국내에서 생산되는 부품에 대한 기술표준품으로의 인증은
국내 항공산업 활성화에 기여할 수 있을 것으로 기대된다.

기술표준품형식승인의 신청은 기술표준품형식승인 신청서를 국토교통부장관에게 제출하여
야하며, 신청서에는 다음 각 호의 서류를 첨부하여야 한다. 시행규칙 제55조

1. 기술표준품형식승인기준(이하 "기술표준품형식승인기준"이라 한다)에 대한 적합성 입증
   계획서 또는 확인서
2. 기술표준품의 설계도면, 설계도면 목록 및 부품 목록
3. 기술표준품의 제조규격서 및 제품사양서
4. 기술표준품의 품질관리규정
5. 해당 기술표준품의 감항성 유지 및 관리체계(이하 "기술표준품관리체계"라 한다)를 설명
   하는 자료
6. 그 밖에 참고사항을 적은 서류

2.5.1 기술표준품형식승인의 검사   제27제2항

국토교통부장관은 기술표준품형식승인을 할 때에는 기술표준품의 설계·제작에 대하여
기술표준품형식승인기준에 적합한지를 검사한 후 적합하다고 인정하는 경우에는 국토교
통부령으로 정하는 바에 따라 기술표준품형식승인서를 발급하여야 한다.

기술표준품형식승인을 위한 검사를 하는 경우에는 다음 각 호의 사항을 검사하여야 한다. 시행규칙 제57조제1항

 1. 기술표준품이 기술표준품형식승인기준에 적합하게 설계되었는지 여부

 2. 기술표준품의 설계·제작과정에 적용되는 품질관리체계

 3. 기술표준품관리체계

국토교통부장관은 제1항제1호에 따른 사항을 검사하는 경우에는 기술표준품의 최소성능표준에 대한 적합성과 도면, 규격서, 제작공정 등에 관한 내용을 포함하여 검사하여야하며, 제1항제2호에 따른 사항을 검사하는 경우에는 해당 기술표준품을 제작할 수 있는 기술·설비 및 인력 등에 관한 내용을 포함하여 검사하여야 한다. 또한, 제1항제3호에 따른 사항을 검사하는 경우에는 기술표준품의 식별방법 및 기록유지 등에 관한 내용을 포함하여 검사하여야 한다.

항공기기술기준 및 기술표준품형식승인기준의 적합성에 관하여 국토교통부장관의 자문에 조언하게 하기 위하여 국토교통부장관 소속으로 항공기기술기준위원회를 두고 있으며, 1. 항공기기술기준의 제·개정안, 2. 기술표준품형식승인기준의 제·개정안 등을 심의·의결한다.

2.6 부품등제작자증명 　제28조제1항

항공기등에 사용할 장비품 또는 부품을 제작하려는 자는 국토교통부령으로 정하는 바에 따라 항공기기술기준에 적합하게 장비품 또는 부품을 제작할 수 있는 인력, 설비, 기술 및 검사체계 등을 갖추고 있는지에 대하여 국토교통부장관의 증명(이하 "부품등제작자증명"이라 한다)을 받아야 한다. 다만, 다음 각 호의 어느 하나에 해당하는 장비품 또는 부품을 제작하려는 경우에는 그러하지 아니하다.

 1. 형식증명 또는 부가형식증명 당시 또는 형식증명승인 또는 부가형식증명승인 당시 장착되었던 장비품 또는 부품의 제작자가 제작하는 같은 종류의 장비품 또는 부품

 2. 기술표준품형식승인을 받아 제작하는 기술표준품

 3. 그 밖에 국토교통부령으로 정하는 장비품 또는 부품

부품제작자 증명은 부품 제작자가 항공기등에 사용할 장비품 또는 부품을 항공기기술기준에 적합하게 제작할 수 있는 인력, 설비, 기술 및 검사체계 등을 갖추고 있는지에 대한 국토교통부장관의 증명이다. 특화된 전문 부품공장들이 부품제작자 증명을 취득함에 따라, 다양한 제작사가 부품을 제작함으로서 저가로 부품조달이 가능해진다.

부품등제작자증명을 받으려는 자는 부품등제작자증명 신청서를 국토교통부장관에게 제출하여야하며, 신청서에는 다음 각 호의 서류를 첨부하여야 한다. 시행규칙 제61조

1. 장비품 또는 부품(이하 "부품등"이라 한다)의 식별서

2. 항공기기술기준에 대한 적합성 입증 계획서 또는 확인서

3. 부품등의 설계도면·설계도면 목록 및 부품등의 목록

4. 부품등의 제조규격서 및 제품사양서

5. 부품등의 품질관리규정

6. 해당 부품등의 감항성 유지 및 관리체계(이하 "부품등관리체계"라 한다)를 설명하는 자료

7. 그 밖에 참고사항을 적은 서류

또한, 법 제28조제1항제3호에서 "국토교통부령으로 정하는 장비품 또는 부품"이란 다음 각 호의 어느 하나에 해당하는 것을 말한다. 시행규칙 제63조

1. 「산업표준화법」 제15조제1항에 따라 인증받은 항공 분야 부품등

2. 전시·연구 또는 교육목적으로 제작되는 부품등

3. 국제적으로 공인된 규격에 합치하는 부품등 중 국토교통부장관이 정하여 고시하는 부품등

2.6.1 부품제작자증명의 검사 및 발급 `제28조제2항` `제28조제3항`

국토교통부장관은 부품등제작자증명을 할 때에는 항공기기술기준에 적합하게 장비품 또는 부품을 제작할 수 있는지를 검사한 후 적합하다고 인정하는 경우에는 국토교통부령으로 정하는 바에 따라 부품등제작자증명서를 발급하여야하며, 누구든지 부품등제작자증명을 받지 아니한 장비품 또는 부품을 제작·판매하거나 항공기등 또는 장비품에 사용해

서는 아니 된다.

국토교통부장관은 부품등제작자증명을 위한 검사를 하는 경우에는 해당 부품등이 항공기기술기준에 적합하게 설계되었는지의 여부, 품질관리체계, 제작과정 및 부품등관리체계에 대한 검사를 하여야하며, 검사의 세부적인 검사기준·방법 및 절차 등은 국토교통부장관이 정하여 고시하여야하며 시행규칙 제62조, 검사 결과 부품등제작자증명을 받으려는 자가 항공기기술기준에 적합하게 부품등을 제작할 수 있다고 인정하는 경우에는 부품등제작자증명서를 발급하여야 하고, 해당 부품등이 장착될 항공기등의 형식을 지정하여야 한다. 또한, 부품등제작자증명을 받은 자는 해당 부품등에 대하여 부품등제작자증명을 받았음을 나타내는 표시를 할 수 있다. 시행규칙 제64조

2.6.2 항공안전협정을 체결한 국가의 부품제작자증명 제28조제4항

대한민국과 항공안전협정을 체결한 국가로부터 부품등제작자증명을 받은 경우에는 부품등제작자증명을 받은 것으로 본다.

상호항공안전협정(Bilateral Aviation Safety Agreement)은 민간항공 제품의 수출입에서 상호 안전성 인증을 용이하게 하기 위한 정부 간 항공안전에 관한 협정으로서 미국은 1996년 이후 기존 BAA체제를 BASA로 전환하여 항공기 인증 외에 정비 운항 환경 등 항공 전 분야의 인증을 포함하는 체제로 진행하고 있다.

2.6.3 부품제작자증명의 취소 및 효력정지 제28조제5항

국토교통부장관은 다음 각 호의 어느 하나에 해당하는 경우에는 부품등제작자증명을 취소하거나 6개월 이내의 기간을 정하여 그 효력의 정지를 명할 수 있다. 다만, 제1호에 해당하는 경우에는 부품등제작자증명을 취소하여야 한다.
  1. 거짓이나 그 밖의 부정한 방법으로 부품등제작자증명을 받은 경우

> 2. 장비품 또는 부품이 부품등제작자증명 당시의 항공기기술기준에 적합하지 아니하
>   게 된 경우

2.7 과징금의 부과 제29조

> 국토교통부 장관은 형식증명, 부가형식증명, 제작증명, 기술표준품형식승인 또는 부품등
> 제작자증명의 효력정지를 명하는 경우로서 그 증명이나 승인의 효력정지가 항공기 이용
> 자 등에게 심한 불편을 주거나 공익을 해칠 우려가 있는 경우에는 그 증명이나 승인의 효
> 력정지처분을 갈음하여 1억원 이하의 과징금을 부과할 수 있으며, 과징금 부과의 구체적
> 인 기준, 절차 및 그 밖에 필요한 사항은 대통령령으로 정한다.

항공안전법에서는 형식증명, 부가형식증명, 제작증명, 기술표준품형식승인 또는 부품제작자
증명의 효력 정지에 갈음하여 과징금을 부과하는 위반행위의 종류와 과징금의 금액, 과징금
부과 및 납부 절차를 새롭게 정하였다.

거짓으로 증명 또는 인증을 받은 경우에는 무조건 취소이며, 인증당시의 기술기준에 적합하
지 않을 경우에는 증명이나 승인은 효력이 정지된다(효력정지 후 개선되지 않으면 회복되지
않음).

형식증명이나 제작증명 등은 많은 항공기에 적용됨에 따라 효력정지 처분 시 항공사를 비롯
한 많은 사업자들이 피해를 볼 수 있음으로 효력정지 처분을 갈음하여 과징금으로 대체할 수
있다.

3. 수리·개조 및 정비등의 확인

3.1 수리·개조 승인 제30조

① 감항증명을 받은 항공기의 소유자등은 해당 항공기등, 장비품 또는 부품을 국토교통부령으로 정하는 범위에서 수리하거나 개조하려면 국토교통부령으로 정하는 바에 따라 그 수리·개조가 항공기기술기준에 적합한지에 대하여 국토교통부장관의 승인(이하 "수리·개조승인"이라 한다)을 받아야 한다.

② 소유자등은 수리·개조승인을 받지 아니한 항공기등, 장비품 또는 부품을 운항 또는 항공기등에 사용해서는 아니 된다.

③ 제1항에도 불구하고 다음 각 호의 어느 하나에 해당하는 경우로서 항공기기술기준에 적합한 경우에는 수리·개조승인을 받은 것으로 본다.

1. 기술표준품형식승인을 받은 자가 제작한 기술표준품을 그가 수리·개조하는 경우

2. 부품등제작자증명을 받은 자가 제작한 장비품 또는 부품을 그가 수리·개조하는 경우

3. 제97조제1항에 따른 정비조직인증을 받은 자가 항공기등, 장비품 또는 부품을 수리·개조하는 경우.

승인을 받아야 하는 항공기등 또는 부품등의 수리·개조의 범위는 항공기의 소유자등이 법 제97조에 따라 정비조직인증을 받아 항공기등 또는 부품등을 수리·개조하거나 정비조직인증을 받은 자에게 위탁하는 경우로서 그 정비조직인증을 받은 업무 범위를 초과하여 항공기등 또는 부품등을 수리·개조하는 경우를 말한다. 시행규칙 제65조

수리·개조승인 신청은 수리·개조승인 신청서에 다음 각 호의 내용을 포함한 수리계획서 또는 개조계획서를 첨부하여 작업을 시작하기 10일 전까지 지방항공청장에게 제출하여야 한다. 다만, 항공기사고 등으로 인하여 긴급한 수리·개조를 하여야하는 경우에는 작업을 시작하기 전까지 신청서를 제출할 수 있다.

1. 수리·개조 신청사유 및 작업 일정

2. 작업을 수행하려는 인증된 정비조직의 업무범위

3. 수리·개조에 필요한 인력, 장비, 시설 및 자재 목록

4. 해당 항공기등 또는 부품등의 도면과 도면 목록

5. 수리·개조 작업지시서

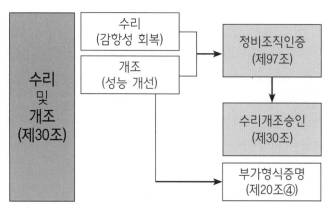

그림 3-5 수리개조 승인절차

3.2 항공기등의 검사 등 제31조

① 국토교통부장관은 제20조부터 제25조까지, 제27조, 제28조, 제30조 및 제97조에 따른 증명·승인 또는 정비조직인증을 할 때에는 국토교통부장관이 정하는 바에 따라 미리 해당 항공기등 및 장비품을 검사하거나 이를 제작 또는 정비하려는 조직, 시설 및 인력 등을 검사하여야 한다.

② 국토교통부장관은 제1항에 따른 검사를 하기 위하여 다음 각 호의 어느 하나에 해당하는 사람 중에서 항공기등 및 장비품을 검사할 사람(이하 "검사관"이라 한다)을 임명 또는 위촉한다.

1. 제35조제8호의 항공정비사 자격증명을 받은 사람

2. 「국가기술자격법」에 따른 항공분야의 기사 이상의 자격을 취득한 사람

3. 항공기술 관련 분야에서 학사 이상의 학위를 취득한 후 3년 이상 항공기의 설계, 제

작, 정비 또는 품질보증 업무에 종사한 경력이 있는 사람

4. 국가기관등항공기의 설계, 제작, 정비 또는 품질보증 업무에 5년 이상 종사한 경력이 있는 사람

③ 국토교통부장관은 국토교통부 소속 공무원이 아닌 검사관이 제1항에 따른 검사를 한 경우에는 예산의 범위에서 수당을 지급할 수 있다.

형식증명, 제작증명, 감항증명, 감항승인, 소음기준적합증명, 기술표준품승인, 부품제작자증명, 수리·개조승인 및 정비조직인증 등의 검사업무 수행시 국토교통부 소속 공무원이 아니더라도 검사관을 위촉하여 업무를 대행할 수 있다.

3.3 항공기등의 정비등의 확인 제32조

① 소유자등은 항공기등, 장비품 또는 부품에 대하여 정비등(국토교통부령으로 정하는 경미한 정비 및 제30조제1항에 따른 수리·개조는 제외한다. 이하 이 조에서 같다)을 한 경우에는 제35조제8호의 항공정비사 자격증명을 받은 사람으로서 국토교통부령으로 정하는 자격요건을 갖춘 사람으로부터 그 항공기등, 장비품 또는 부품에 대하여 국토교통부령으로 정하는 방법에 따라 감항성을 확인받지 아니하면 이를 운항 또는 항공기등에 사용해서는 아니 된다. 다만, 감항성을 확인받기 곤란한 대한민국 외의 지역에서 항공기등, 장비품 또는 부품에 대하여 정비등을 하는 경우로서 국토교통부령으로 정하는 자격요건을 갖춘 자로부터 그 항공기등, 장비품 또는 부품에 대하여 감항성을 확인받은 경우에는 이를 운항 또는 항공기등에 사용할 수 있다.

② 소유자등은 항공기등, 장비품 또는 부품에 대한 정비등을 위탁하려는 경우에는 제97조제1항에 따른 정비조직인증을 받은 자 또는 그 항공기등, 장비품 또는 부품을 제작한 자에게 위탁하여야 한다.

항공기 소유자 또는 운영자는 항공기, 장비품 또는 부품에 대하여 경미한 정비를 제외한 일상적인 정비를 한 경우에는 우리나라 항공정비사 자격증명을 가진 사람으로부터 그 항공기, 장

비품 또는 부품이 기술기준에 적합하다는 확인을 받아야 이를 항공에 사용할 수 있다.

"국토교통부령으로 정하는 경미한 정비"란 다음 각 호의 어느 하나에 해당하는 작업을 말한다. 시행규칙 제68조

1. 간단한 보수를 하는 예방작업으로서 리깅(Rigging) 또는 간극의 조정작업 등 복잡한 결합작용을 필요로 하지 아니하는 규격장비품 또는 부품의 교환작업

2. 감항성에 미치는 영향이 경미한 범위의 수리작업으로서 그 작업의 완료 상태를 확인하는 데에 동력장치의 작동 점검과 같은 복잡한 점검을 필요로 하지 아니하는 작업

3. 그 밖에 윤활유 보충 등 비행전후에 실시하는 단순하고 간단한 점검 작업

특히, 과거 항공법과의 큰 차이점은 항공의 정비품질 강화를 위해 최근 24개월 내 6개월 이상의 정비경험을 가진 항공정비사로부터 정비확인을 받도록 한 것이다. 시행규칙 제69조

항공기등의 정비등을 확인하는 방법은 다음 각 호의 어느 하나에 해당하는 방법을 말한다. 시행규칙 제70조

1. 법 제93조제1항(법 제96조제2항에서 준용하는 경우를 포함한다)에 따라 인가받은 정비규정에 포함된 정비프로그램 또는 검사프로그램에 따른 방법

2. 국토교통부장관의 인가를 받은 기술자료 또는 절차에 따른 방법

3. 항공기등 또는 부품등의 제작사에서 제공한 정비매뉴얼 또는 기술자료에 따른 방법

4. 항공기등 또는 부품등의 제작국가 정부가 승인한 기술자료에 따른 방법

5. 그 밖에 국토교통부장관 또는 지방항공청장이 인정하는 기술자료에 따른 방법

국외 정비확인자의 자격인정은 다음 각 호의 어느 하나에 해당하는 사람으로서 국토교통부장관의 인정을 받은 사람(이하 "국외 정비확인자"라 한다)을 말한다. 시행규칙 제71조

1. 외국정부가 발급한 항공정비사 자격증명을 받은 사람

2. 외국정부가 인정한 항공기정비사업자에 소속된 사람으로서 항공정비사 자격증명을 받은 사람과 동등하거나 그 이상의 능력이 있는 사람

국외 정비확인자의 인정을 받으려는 사람은 다음 각 호의 사항을 적은 신청서에 외국정부가 발급한 항공정비사 자격증명 또는 외국정부가 인정한 항공기정비사업자임을 증명하는 서류 및 그 사업자에 소속된 사람임을 증명하는 서류와 사진 2장을 첨부하여 국토교통부장관에게 제출하여야 한다. 시행규칙 제72조

1. 성명, 국적, 연령 및 주소

2. 경력

3. 정비확인을 하려는 장소

4. 자격인정을 받으려는 사유

국토교통부장관은 국외 정비확인자 인정서를 발급하는 경우에는 국외 정비확인자가 감항성을 확인할 수 있는 항공기등 또는 부품등의 종류·등급 또는 형식을 정하여야 하며, 인정의 유효기간은 1년으로 한다. 시행규칙 제73조

3.4 항공기 등에 발생한 고장, 결함 또는 기능장애 보고 의무 제33조

① 형식증명, 부가형식증명, 제작증명, 기술표준품형식승인 또는 부품등제작자증명을 받은 자는 그가 제작하거나 인증을 받은 항공기등, 장비품 또는 부품이 설계 또는 제작의 결함으로 인하여 국토교통부령으로 정하는 고장, 결함 또는 기능장애가 발생한 것을 알게 된 경우에는 국토교통부령으로 정하는 바에 따라 국토교통부장관에게 그 사실을 보고하여야 한다.

② 항공운송사업자, 항공기사용사업자 등 대통령령으로 정하는 소유자등 또는 제97조제1항에 따른 정비조직인증을 받은 자는 항공기를 운영하거나 정비하는 중에 국토교통부령으로 정하는 고장, 결함 또는 기능장애가 발생한 것을 알게 된 경우에는 국토교통부령으로 정하는 바에 따라 국토교통부장관에게 그 사실을 보고하여야 한다.

항공운송사업자, 항공기사용사업자, 정비조직인증을 받은 자가 항공기를 운영하거나 정비하는 중 항공안전장애에 해당되는 고장, 결함 또는 기능장애가 발생한 것을 알게 되거나 형식증명, 부가형식증명, 제작증명, 기술표준품에 대한 형식승인 또는 부품제작자증명을 받은 자가 항공기 등, 장비품 또는 부품이 설계 또는 제작의 결함으로 인하여 항공안전장애에 해당하는 고장, 결함 또는 기능장애가 발생한 것을 알게 된 경우에는 항공기 고장·결함·기능장애 보고서(Service Difficulty Report) 양식을 사용하여 서면이나 전자적인 보고방법(http://esky.go.kr)에 따라서 96시간 이내에 보고하여야 한다. 시행규칙 제74조

제4장 항공종사자 등

항공기의 안전운항을 확보하기 위해 항공 업무에 종사하는 항공종사자에 대한 자격증명 종류 및 업무 범위, 자격증명의 한정, 전문교육기관, 항공신체검사증명, 계기비행증명, 항공영어구술능력증명 등에 대하여 규정하고 있으며, 시카고협약 및 동 협약 부속서 1에서 정한 기준을 준거하여 규정하고 있다.

1. 항공종사자 자격증명 종류 및 업무 범위

항공종사자 자격증명은 1944년 시카고조약에서 각국의 의무사항으로 개인의 기량과 지식수준을 평가하여 발행하도록 하면서 국제표준의 기틀이 마련되었다. 국제민간항공협회(ICAO)에서도 1949년 5월 부속서 1권을 항공종사자 면허업무에 관한 기준으로 규정하였다.

그동안 개정내용의 특징을 살펴보면 50년대에는 신체적·정신적 건강이 주요 이슈였고, 60년대에는 항공종사자의 심리학 및 생리학 발전에 관한 규정의 개정이 있었으며, 80년대에는 항공기 항법 장비의 개선과 항공기 기술의 전반적인 발전에 의해 기관사의 탑승이 필요 없는 상황에 따른 대대적인 개정과 동시에 조종사의 인적요인에 대한 연구가 지속적으로 진행되었다. 2000년대 들어서는 인적요인이 조종사뿐만 아니라 정비사에게도 적용되는 개정이 이루어졌다.

최근의 항공종사자 자격증명제도는 교육과정 분석을 통한 효과적인 항공종사자 양성과 인적요인에 의한 사고예방에 초점을 맞추고 있다.

1.1 항공종사자 자격증명 제34조제1항

항공업무에 종사하려는 사람은 국토교통부령으로 정하는 바에 따라 국토교통부장관으로부터 항공종사자 자격증명(이하 "자격증명"이라 한다)을 받아야 한다. 다만, 항공업무 중 무인항공기의 운항 업무인 경우에는 그러하지 아니하다.

항공종사자 자격증명제도는 개인의 기량과 지식수준을 평가하여 해당 항공업무를 수행할 수 있는 자격을 부여하는 제도로, 세계 각국은 국제적인 기준을 바탕으로 자국의 실정에 알맞도록 자격증명제도를 운영하고 있다.

1.2 자격증명 응시제한

다음 각 호의 어느 하나에 해당하는 사람은 자격증명을 받을 수 없다.

　　1. 다음 각 목의 구분에 따른 나이 미만인 사람

　　　가. 자가용 조종사 자격: 17세(제37조에 따라 자가용 조종사의 자격증명을 활공기에 한정하는 경우에는 16세)

　　　나. 사업용 조종사, 부조종사, 항공사, 항공기관사, 항공교통관제사 및 항공정비사 자격: 18세

　　　다. 운송용 조종사 및 운항관리사 자격: 21세

　　2. 제43조제1항에 따른 자격증명 취소처분을 받고 그 취소일부터 2년이 지나지 아니한 사람(취소된 자격증명을 다시 받는 경우에 한정한다).

과거 항공법에 비해서 자격증명을 받을 수 없는 사람을 취소된 자격증명을 다시 받는 경우에 한정함으로서 구체화 하였으며, 항공교통 관제사의 경우 별표4의 응시자격을 위한 경력을 단순 개월 수에서 비행장 관제와 접근·지역관제 시간을 구체적으로 명시하였다.

1.3 자격증명의 종류 　제35조

자격증명의 종류는 다음과 같이 구분한다.

　　1. 운송용 조종사

　　2. 사업용 조종사

　　3. 자가용 조종사

　　4. 부조종사

　　5. 항공사

　　6. 항공기관사

　　7. 항공교통관제사

8. 항공정비사

9. 운항관리사

항공정비사와 운항관리사 이외의 종사자는 항공신체검사증명서를 제출받아 이를 확인한 후 자격증명서를 발급하여야 한다.

1.4 항공정비사 자격증명

항공정비사는 항공안전법 제2조(정의)에 따라 항공종사자의 범주에 포함되며, 항공종사자는 항공안전법 제34조 제1항에 따른 항공종사자 자격증명을 받은 사람을 말한다.

항공정비사의 응시자격은 다음과 같다. 시행규칙 별표4

1. 항공기 종류 한정이 필요한 항공정비사 자격증명을 신청하는 경우에는 다음 각 목의 어느 하나에 해당하는 사람

    가. 4년 이상의 항공기 정비(자격증명을 받으려는 항공기가 활공기인 경우에는 활공기의 정비와 개조) 실무경력(자격증명을 받으려는 항공기와 동급 이상의 것에 대한 6개월 이상의 경력이 포함되어야 한다)이 있는 사람

    나. 「고등교육법」에 따른 대학·전문대학(다른 법령에서 이와 동등한 수준 이상의 학력이 있다고 인정되는 교육기관을 포함한다) 또는 「학점인정 등에 관한 법률」에 따라 학습하는 곳에서 별표 5 제1호에 따른 항공정비사 학과시험의 범위를 포함하는 각 과목을 이수하고, 자격증명을 받으려는 항공기와 동등한 수준 이상의 것에 대하여 교육과정 이수 후의 정비실무경력이 6개월 이상이거나 교육과정 이수 전의 정비실무(실습) 경력이 1년 이상인 사람

    다. 「고등교육법」에 따른 대학·전문대학(다른 법령에서 이와 동등한 수준 이상의 학력이 있다고 인정되는 교육기관을 포함한다)을 졸업한 사람 또는 「학점인정 등에 관한 법률」에 따른 학위를 취득한 사람으로서 다음의 요건을 충족하는 사람

        1) 6개월 이상의 항공기 정비실무경력이 있을 것

        2) 항공기술요원을 양성하는 교육기관에서 필요한 교육을 이수할 것

    라. 국토교통부장관이 지정한 전문교육기관에서 항공기 정비에 필요한 과정을 이수한

사람(외국의 전문교육기관으로서 그 외국정부가 인정한 전문교육기관에서 항공기 정비에 필요한 과정을 이수한 사람을 포함한다)

　마. 외국정부가 발행한 항공기 종류 한정 자격증명을 소지한 사람

2. 정비 업무 범위 한정이 필요한 항공정비사 자격증명을 신청하는 경우에는 다음 각 목의 어느 하나에 해당하는 사람

　가. 자격증명을 받으려는 정비 업무 분야에서 4년 이상의 정비와 개조의 실무경력이 있는 사람

　나. 자격증명을 받으려는 정비 업무 분야에서 3년 이상의 정비와 개조의 실무경력과 1년 이상의 검사경력이 있는 사람

　다. 고등교육법에 의한 전문대학 이상의 교육기관에서 별표 5 제1호에 따른 항공정비사 학과시험의 범위를 포함하는 각 과목을 이수한 사람으로서 해당 정비업무의 종류에 대한 1년 이상의 정비와 개조의 실무경력이 있는 사람.

2008년 8월 실시된 국제민간항공기구(ICAO)의 항공안전평가결과 권고된 항공안전제도 개선사항을 반영하여 항공정비사, 항공공장정비사 등 2중으로 운용하던 항공기 정비자격을 국제기준에 따라 항공정비사 자격증명으로 통합하였다.

1.5 자격증명의 업무범위　제36조

① 자격증명의 종류에 따른 업무범위는 별표와 같다.

② 자격증명을 받은 사람은 그가 받은 자격증명의 종류에 따른 업무범위 외의 업무에 종사해서는 아니 된다.

③ 다음 각 호의 어느 하나에 해당하는 경우에는 제1항 및 제2항을 적용하지 아니한다.

　1. 국토교통부령으로 정하는 항공기에 탑승하여 조종(항공기에 탑승하여 그 기체 및 발동기를 다루는 것을 포함한다. 이하 같다)하는 경우

　2. 새로운 종류, 등급 또는 형식의 항공기에 탑승하여 시험비행 등을 하는 경우로서 국토교통부령으로 정하는 바에 따라 국토교통부장관의 허가를 받은 경우

자격증명별 업무범위(제36조제1항 관련)는 다음과 같다.

[별표]

자격증명별 업무 범위 제36조제1항 관련

자격	업무범위
운송용 조종사	항공기에 탑승하여 다음 각 호의 행위를 하는 것 1. 사업용 조종사의 자격을 가진 사람이 할 수 있는 행위 2. 항공운송사업의 목적을 위하여 사용하는 항공기를 조종하는 행위
사업용 조종사	항공기에 탑승하여 다음 각 호의 행위를 하는 것 1. 자가용 조종사의 자격을 가진 사람이 할 수 있는 행위 2. 보수를 받고 무상 운항을 하는 항공기를 조종하는 행위 3. 항공기사용사업에 사용하는 항공기를 조종하는 행위 4. 항공운송사업에 사용하는 항공기(1명의 조종사가 필요한 항공기만 해당한다)를 조종하는 행위 5. 기장 외의 조종사로서 항공운송사업에 사용하는 항공기를 조종하는 행위
자가용 조종사	항공기에 탑승하여 보수를 받지 아니하고 무상운항을 하는 항공기를 조종하는 행위
부조종사	비행기에 탑승하여 다음 각 호의 행위를 하는 것 1. 자가용 조종사의 자격을 가진 자가 할 수 있는 행위 2. 기장 외의 조종사로서 비행기를 조종하는 행위
항공사	항공기에 탑승하여 그 위치 및 항로의 측정과 항공상의 자료를 산출하는 행위
항공기관사	항공기에 탑승하여 발동기 및 기체를 취급하는 행위(조종 장치의 조작은 제외한다)
항공교통 관제사	항공교통의 안전·신속 및 질서를 유지하기 위하여 항공기 운항을 관제하는 행위
항공정비사	다음 각 호의 행위를 하는 것 1. 제32조제1항에 따라 정비등을 한 항공기등, 장비품 또는 부품에 대하여 감항성을 확인하는 행위

	2. 제108조제4항에 따라 정비를 한 경량항공기 또는 그 장비품·부품에 대하여 안전하게 운용할 수 있음을 확인하는 행위
운항관리사	항공운송사업에 사용되는 항공기의 운항에 필요한 다음 각 호의 사항을 확인하는 행위 1. 비행계획의 작성 및 변경 2. 항공기 연료 소비량의 산출 3. 항공기 운항의 통제 및 감시

법 제36조제3항제1호에서 "국토교통부령으로 정하는 항공기"란 중급 활공기 또는 초급 활공기를 말하며시행규칙 제79조, 시험비행 등을 하려는 사람은 별지 시험비행 등의 허가신청서를 지방항공청장에게 제출하여야 한다. 시행규칙 제80조

2. 자격증명의 한정

① 국토교통부장관은 다음 각 호의 구분에 따라 자격증명에 대한 한정을 할 수 있다.

1. 운송용 조종사, 사업용 조종사, 자가용 조종사, 부조종사 또는 항공기관사 자격의 경우: 항공기의 종류, 등급 또는 형식

2. 항공정비사 자격의 경우: 항공기의 종류 및 정비분야

② 제1항에 따라 자격증명의 한정을 받은 항공종사자는 그 한정된 항공기의 종류, 등급 또는 형식 외의 항공기나 한정된 정비분야 외의 항공업무에 종사해서는 아니 된다.

③ 제1항에 따른 자격증명의 한정에 필요한 세부사항은 국토교통부령으로 정한다.

항공기의 종류·등급 또는 형식을 한정하는 경우에는 자격증명을 받으려는 사람이 실기시험에 사용하는 항공기의 종류·등급 또는 형식으로 한정하여야 한다. 시행규칙 제81조제1항

2.1 항공기 종류·등급 및 형식 한정

한정하는 항공기의 종류는 비행기, 헬리콥터, 비행선, 활공기 및 항공우주선으로 구분하며 시행규칙 제81조제2항, 한정하는 항공기의 등급은 다음 각 호와 같이 구분한다. 시행규칙 제81조제3항

1. 육상 항공기의 경우: 육상단발 및 육상다발

2. 수상 항공기의 경우: 수상단발 및 수상다발

다만, 활공기의 경우에는 상급(활공기가 특수 또는 상급 활공기인 경우) 및 중급(활공기가 중급 또는 초급 활공기인 경우)으로 구분한다.

항공정비사의 자격증명을 한정하는 정비분야 범위는 다음 각 호와 같다. 시행규칙 제81조제6항

1. 기체(機體) 관련 분야

2. 왕복발동기 관련 분야

3. 터빈발동기 관련 분야

4. 프로펠러 관련 분야

5. 전자·전기·계기 관련 분야

표4-1 항공정비사 자격증명의 한정 (항공안전법 제37조 및 시행규칙 제81조)

자격종류	업무범위
항공기종류한정	비행기, 헬리콥터, 비행선, 활공기 및 항공우주선 ＊항공정비사 비행기가 있는 경우 활공기에 대한 자격증명을 받은 것으로 인정
항공기등급한정	해당없음 (2004. 7. 3 폐지)
항공기형식한정	해당없음 (2007. 6. 29 폐지) - 항공사 자체 한정자격으로 전환
정비분야한정	기체, 왕복발동기, 터빈발동기, 프로펠러, 전자전기계기 ＊2009. 9. 10 구 항공공장정비사 자격이 항공정비사 자격으로 통합

2.2 시험의 실시 및 면제

2.2.1 자격증명 시험의 실시 제38조

① 자격증명을 받으려는 사람은 국토교통부령으로 정하는 바에 따라 항공업무에 종사하는 데 필요한 지식 및 능력에 관하여 국토교통부장관이 실시하는 학과시험 및 실기시험에 합격하여야 한다.

② 국토교통부장관은 제37조에 따라 자격증명을 항공기의 종류, 등급 또는 형식별로 한정(제44조에 따른 계기비행증명 및 조종교육증명을 포함한다)하는 경우에는 항공기 탑승경력 및 정비경력 등을 심사하여야 한다. 이 경우 항공기의 종류 및 등급에 대한 최초의 자격증명의 한정은 실기시험으로 심사할 수 있다.

자격증명의 시험 또는 자격증명의 한정심사에 응시하려는 자는 항공종사자 자격증명시험(한정심사) 응시원서에 다음 각 호의 서류를 첨부하여 「교통안전공단법」에 따라 설립된 교통안전공단의 이사장에게 제출하여야 한다. 다만, 제1호의 서류는 실기시험 응시원서 접수 시까지 제출할 수 있다.

1. 자격증명시험 또는 한정심사에 응시할 수 있는 별표 4에 따른 경력이 있음을 증명하는 서류
2. 제88조 또는 제89조에 따라 자격증명시험 또는 한정심사의 일부 또는 전부를 면제받으려는 사람은 면제받을 수 있는 자격 또는 경력 등이 있음을 증명하는 서류

표4-2 학과시험 면제기준시행규칙 제86조 및 별표 6, 제88조, 제89조

구분	응시하고자 하는 자격	해당사항	면제과목
다른 종류의 자격을 보유한 경우	항공정비사 종류한정 (비행기, 헬리콥터)	항공기관사 보유	항공역학, 항공기체, 발동기, 전자전기계기
		항공정비사 다른 종류한정 보유	–
		항공정비사 다른 종류한정 보유 + 취득 후 6개월 이상 해당 경력 보유	전과목
		항공정비사 정비분야 한정 보유	–
		항공정비사 업무범위한정 보유 + 취득 후 6개월 이상 해당 경력 보유	항공법규, 항공역학
	항공정비사 정비분야 한정(기체, 왕복발동기, 터빈발동기 프로펠러, 전기전자계기)	항공정비사 종류한정 보유	–
		항공정비사 종류한정 보유 + 취득 후 1년 이상 해당 경력 보유	전과목
		항공정비사 다른 정비분야 한정 보유	–
		항공정비사 다른 정비분야 한정 보유 + 취득 후 1년 이상 해당 경력 보유	항공법규, 항공역학
국가기술자격을 보유한 경우	항공정비사 종류한정	항공산업기사 취득 후 2년 이상 정비실무 경력	항공법규 제외 4과목
		항공기사 또는 항공정비기능장 취득 후 1년 이상 정비실무 경력	
		항공기술사 취득	

	항공정비사 정비분야 한정	해당사항 없음	
외국 자격증을 보유한 경우	항공정비사 종류한정	유효한 외국 항공정비사/종류 보유	항공법규 제외 4과목
	항공정비사 정비분야 한정	해당사항 없음	
전문교육 기관을 이수한 경우	항공정비사 종류한정	항공정비사/종류 과정 이수	면제과목 없음
		'17. 3. 30 이전 과정 입과자	항공법규 제외 4과목
	항공정비사 정비분야 한정	해당사항 없음	

2.2.2 자격증명 시험의 면제 제38조제3항

국토교통부장관은 다음 각 호의 어느 하나에 해당하는 사람에게는 국토교통부령으로 정하는 바에 따라 제1항 및 제2항에 따른 시험 및 심사의 전부 또는 일부를 면제할 수 있다.

1. 외국정부로부터 자격증명을 받은 사람
2. 제48조에 따른 전문교육기관의 교육과정을 이수한 사람
3. 항공기 탑승경력 및 정비경력 등 실무경험이 있는 사람
4. 「국가기술자격법」에 따른 항공기술분야의 자격을 가진 사람

외국정부로부터 자격증명(임시 자격증명을 포함한다)을 받은 사람에게는 다음 각 호의 구분에 따라 자격증명시험의 일부 또는 전부를 면제한다.

1. 다음 각 목의 어느 하나에 해당하는 항공업무를 일시적으로 수행하려는 사람으로서 해당 자격증명시험에 응시하는 경우: 학과시험 및 실기시험의 면제

    가. 새로운 형식의 항공기 또는 장비를 도입하여 시험비행 또는 훈련을 실시할 경우의 교관요원 또는 운용요원

    나. 대한민국에 등록된 항공기 또는 장비를 이용하여 교육훈련을 받으려는 사람

■ 항공안전법 시행규칙 [별지 제35호서식]

(앞 쪽)

항공종사자 자격증명시험(한정심사) 응시원서

본인은 년도 제 차 항공종사자 자격증명시험(한정심사)의 학과시험/실기시험에 응시하고자 원서를 제출합니다.

※ 아래 작성사항은 사실과 다름이 없으며, 만약 시험 합격 후에 허위 또는 부실작성 사실이 발견되었을 때에는 합격의 취소처분에도 이의를 제기하지 아니할 것을 서약합니다.

년   월   일

응시자   (서명 또는 인)

교통안전공단이사장 귀하

① 신청인 성명	한글		② 주민등록번호 (여권번호)	
	영문			
③ 주소	한글	우편번호(-)	④ 전화 번호	
	영문		⑤ E-MAIL	
⑥ 응시자격명 (한정사항)				
⑦ 종류구분	항공기종류	[ ]비행기 [ ]회전익 [ ]비행선 [ ]활공기 [ ]항공우주선		
	경량항공기종류	[ ]타면조종형비행기 [ ] 체중이동형비행기 [ ] 경량헬리콥터 [ ] 자이로플레인 [ ] 동력패러슈트		
	정비업무범위	[ ]기체 [ ]피스톤발동기 [ ]터빈발동기 [ ]프로펠러 [ ]전자・전기・계기		
⑧ 등급	[ ]육상([ ]단발 [ ]다발) [ ]수상([ ]단발 [ ]다발) [ ]활공기([ ]상급[ ]중급)			
⑨ 응시과목	학과시험 :			
	실기시험 : [ ]구 술 [ ]실 기			
⑩ 면제과목				
⑪ 면제근거	[ ]관련자격취득 [ ]일부과목합격 [ ]지정전문교육기관수료 [ ]경력소지 [ ]기타			
⑫ 응시번호	학과*	실기*	⑬구비서류	경력증명서 각 1부 / 자격증사본 각 1부 졸업증명서 1부 / 과목합격증 각 1부
⑭ 시험장소			⑮ 시험일시	. . . .

•••••••••••••••••••••••••• 자르는 선 ••••••••••••••••••••••••••

⑥ 응시자격명		응 시 표	
⑭ 시험장소		⑮ 시험일시	. . . .
⑫ 응시번호	학과*		실기*
① 성명	한글	② 주민등록번호 (여권번호)	( )
	영문		

년   월   일

교통안전공단이사장 직인

210mm×297mm[백상지(80g/㎡) 또는 중질지(80g/㎡)]

다. 대한민국에 등록된 항공기를 수출하거나 수입하는 경우 국외 또는 국내로 승객·화물을 싣지 아니하고 비행하려는 조종사

2. 일시적인 조종사의 부족을 충원하기 위하여 채용된 외국인 조종사로서 해당 자격증명시험에 응시하는 경우: 학과시험(항공법규는 제외한다)의 면제

3. 모의비행장치 교관요원으로 종사하려는 사람으로서 해당 자격증명시험에 응시하는 경우: 학과시험(항공법규는 제외한다)의 면제

4. 제1호부터 제3호까지의 규정 외의 경우로서 해당 자격증명시험에 응시하는 경우: 학과시험(항공법규는 제외한다)의 면제

② 법 제38조제3항제2호 또는 제3호에 해당하는 사람이 해당 자격증명시험에 응시하는 경우에는 별표 7 제1호에 따라 실기시험의 일부를 면제한다.

③ 제75조에 따른 응시자격을 갖춘 사람으로서 법 제38조제3항제4호에 따라 「국가기술자격법」에 따른 항공기술사·항공정비기능장·항공기사 또는 항공산업기사의 자격을 가진 사람에 대해서는 다음 각 호의 구분에 따라 시험을 면제한다.

1. 항공기술사 자격을 가진 사람이 항공정비사 종류별 자격증명시험에 응시하는 경우: 학과시험(항공법규는 제외한다)의 면제

2. 항공정비기능장 또는 항공기사자격을 가진 사람(해당 자격 취득 후 항공기 정비업무에 1년 이상 종사한 경력이 있는 사람만 해당한다)이 항공정비사 종류별 자격증명시험에 응시하는 경우: 학과시험(항공법규는 제외한다)의 면제

3. 항공산업기사 자격을 가진 사람(해당 자격 취득 후 항공기 정비업무에 2년 이상 종사한 경력이 있는 사람만 해당한디)이 항공정비사 종류별 자격증명시험에 응시하는 경우: 학과시험(항공법규는 제외한다)의 면제시행규칙 제88조

또한, 외국정부로부터 자격증명의 한정(임시 자격증명의 한정을 포함한다)을 받은 사람이 해당 한정심사에 응시하는 경우에는 학과시험과 실기시험을 면제하며, 국토교통부장관이 지정한 전문교육기관에서 항공기에 관한 전문교육을 이수한 조종사 또는 항공기관사가 교육 이수 후 180일 이내에 교육받은 것과 같은 형식의 항공기에 관한 한정심사에 응시하는 경우에는 국토교통부장관이 정하는 바에 따라 실기시험을 면제한다. 다만, 항공기의 소유자등이 새로운 형식의 항공기를 도입하는 경우 그 항공기의 조종사 또는 항공기관사에 관한 한정심사에서는 그 응시자가 외국정부가 인정한 외국의 전문교육기관(항공기 제작사 소속 훈련기관을 포함한다)에서 항공기에 관한 전문교육을 이수한 경우에는 국토교통부장관이 정하는 바에 따라 학과시험과 실기시험을 면제한다. 그리고 법 제38조제3항제3호에 따른 실무경험이 있

는 사람이 한정심사에 응시하는 경우에는 별표 7 제2호에 따라 실기시험의 일부를 면제한다.
시행규칙 제89조

구. 항공법에 비하여 외국 자격증명의 국내전환 등 자격검증을 강화하였으며, "국토교통부장관이 지정한 전문교육기관의 교육과정을 이수한 사람이 해당 자격증명시험에 응시하는 경우에는 항공법규를 제외한 학과시험을 면제"하는 조항이 삭제되었다.

2.3 모의비행장치를 이용한 자격증명 실기시험의 실시 등 _{제39조}

① 국토교통부장관은 항공기 대신 국토교통부장관이 지정하는 모의비행장치를 이용하여 제38조제1항에 따른 실기시험을 실시할 수 있다.

② 국토교통부장관이 지정하는 모의비행장치를 이용한 탑승경력은 제38조제2항 전단에 따른 항공기 탑승경력으로 본다.

③ 제2항에 따른 모의비행장치의 지정기준과 탑승경력의 인정 등에 필요한 사항은 국토교통부령으로 정한다.

항공기 대신 이용할 수 있는 모의비행장치의 지정을 받으려는 자는 별지 제42호서식의 모의비행장치 지정신청서에 다음 각 호의 서류를 첨부하여 지방항공청장에게 제출하여야 한다. 시행규칙 제91조

1. 모의비행장치의 설치과정 및 개요

2. 모의비행장치의 운영규정

3. 항공기와 같은 형식의 모의비행장치 시험비행기록 비교 자료

4. 모의비행장치의 성능 및 점검요령

5. 모의비행장치의 관리 및 정비방법

6. 모의비행장치에 의한 훈련계획

7. 모의비행장치의 최소 운용장비 목록과 그 적용방법(항공운송사업 또는 항공기사용사업에 사용되는 항공기만 해당한다)

3. 운항승무원 및 항공교통관제사 관련 증명

항공신체검사증명, 계기비행증명 및 조종교육증명, 항공영어구술능력 등은 운항승무원 및 항공교통관제사에 한정되어 항공정비사와는 무관하므로 해당 법령만 기술한다.

3.1 신체검사증명 제40조

① 다음 각 호의 어느 하나에 해당하는 사람은 자격증명의 종류별로 국토교통부장관의 항공신체검사증명을 받아야 한다.

　1. 운항승무원

　2. 제35조제7호의 자격증명을 받고 항공교통관제 업무를 하는 사람

② 제1항에 따른 자격증명의 종류별 항공신체검사증명의 기준, 방법, 유효기간 등에 필요한 사항은 국토교통부령으로 정한다.

3.1.1 신체검사증명의 발급 및 이의신청 제40조

③ 국토교통부장관은 제1항에 따른 자격증명의 종류별 항공신체검사증명을 받으려는 사람이 제2항에 따른 자격증명의 종류별 항공신체검사증명의 기준에 적합한 경우에는 항공신체검사증명서를 발급하여야 한다.

④ 국토교통부장관은 제1항에 따른 자격증명의 종류별 항공신체검사증명을 받으려는 사람이 제2항에 따른 자격증명의 종류별 항공신체검사증명의 기준에 일부 미달한 경우에도 국토교통부령으로 정하는 바에 따라 항공신체검사를 받은 사람의 경험 및 능력을 고려하여 필요하다고 인정하는 경우에는 해당 항공업무의 범위를 한정하여 항공신체검사증명서를 발급할 수 있다.

⑤ 제1항에 따른 자격증명의 종류별 항공신체검사증명 결과에 불복하는 사람은 국토교통 부령으로 정하는 바에 따라 국토교통부장관에게 이의신청을 할 수 있다.

⑥ 국토교통부장관은 제5항에 따른 이의신청에 대한 결정을 한 경우에는 지체 없이 신청 인에게 그 결정 내용을 알려야 한다.

3.1.2 항공신체검사명령 및 항공업무 종사제한 제41조 제42조

국토교통부장관은 특히 필요하다고 인정하는 경우에는 항공신체검사증명의 유효기간이 지나지 아니한 운항승무원 및 항공교통관제사에게 제40조에 따른 항공신체검사를 받을 것을 명할 수 있다. 제41조

제40조제2항에 따른 자격증명의 종류별 항공신체검사증명의 기준에 적합하지 아니한 운 항승무원 및 항공교통관제사는 종전 항공신체검사증명의 유효기간이 남아 있는 경우에 도 항공업무(제46조에 따른 항공기 조종연습 및 제47조에 따른 항공교통관제연습을 포함 한다)에 종사해서는 아니 된다. 제42조

3.2 자격증명·항공신체검사증명의 취소 등

① 국토교통부장관은 항공종사자가 다음 각 호의 어느 하나에 해당하는 경우에는 그 자 격증명이나 자격증명의 한정(이하 이 조에서 "자격증명등"이라 한다)을 취소하거나 1 년 이내의 기간을 정하여 자격증명등의 효력정지를 명할 수 있다. 다만, 제1호 또는 제 31호에 해당하는 경우에는 해당 자격증명등을 취소하여야 한다.

1. 거짓이나 그 밖의 부정한 방법으로 자격증명등을 받은 경우

2. 이 법을 위반하여 벌금 이상의 형을 선고 받은 경우

3. 항공종사자로서 항공업무를 수행할 때 고의 또는 중대한 과실로 항공기사고를 일

으켜 인명피해나 재산피해를 발생시킨 경우

4. 제32조제1항 본문에 따라 정비등을 확인하는 항공종사자가 국토교통부령으로 정하는 방법에 따라 감항성을 확인하지 아니한 경우

5. 제36조제2항을 위반하여 자격증명의 종류에 따른 업무범위 외의 업무에 종사한 경우

6. 제37조제2항을 위반하여 자격증명의 한정을 받은 항공종사자가 한정된 종류, 등급 또는 형식 외의 항공기나 한정된 정비분야 외의 항공업무에 종사한 경우

7. 제40조제1항(제46조제4항 및 제47조제4항에서 준용하는 경우를 포함한다)을 위반하여 항공신체검사증명을 받지 아니하고 항공업무(제46조에 따른 항공기 조종연습 및 제47조에 따른 항공교통관제연습을 포함한다. 이하 이 항 제8호, 제13호, 제14호 및 제16호에서 같다)에 종사한 경우

8. 제42조를 위반하여 제40조제2항에 따른 자격증명의 종류별 항공신체검사증명의 기준에 적합하지 아니한 운항승무원 및 항공교통관제사가 항공업무에 종사한 경우

9. 제44조제1항을 위반하여 계기비행증명을 받지 아니하고 계기비행 또는 계기비행방식에 따른 비행을 한 경우

10. 제44조제2항을 위반하여 조종교육증명을 받지 아니하고 조종교육을 한 경우

11. 제45조제1항을 위반하여 항공영어구술능력증명을 받지 아니하고 같은 항 각 호의 어느 하나에 해당하는 업무에 종사한 경우

12. 제55조를 위반하여 국토교통부령으로 정하는 비행경험이 없이 같은 조 각 호의 어느 하나에 해당하는 항공기를 운항하거나 계기비행·야간비행 또는 제44조제2항에 따른 조종교육의 업무에 종사한 경우

13. 제57조제1항을 위반하여 주류등의 영향으로 항공업무를 정상적으로 수행할 수 없는 상태에서 항공업무에 종사한 경우

14. 제57조제2항을 위반하여 항공업무에 종사하는 동안에 같은 조 제1항에 따른 주류등을 섭취하거나 사용한 경우

15. 제57조제3항을 위반하여 같은 조 제1항에 따른 주류등의 섭취 및 사용 여부의 측정 요구에 따르지 아니한 경우

16. 항공업무를 수행할 때 고의 또는 중대한 과실로 항공기준사고, 항공안전장애 또는 제61조제1항에 따른 항공안전위해요인을 발생시킨 경우

17. 제62조제2항 또는 제4항부터 제6항까지에 따른 기장의 의무를 이행하지 아니한 경우

18. 제63조를 위반하여 조종사가 운항자격의 인정 또는 심사를 받지 아니하고 운항한 경우

19. 제65조제2항을 위반하여 기장이 운항관리사의 승인을 받지 아니하고 항공기를 출발시키거나 비행계획을 변경한 경우

20. 제66조를 위반하여 이륙·착륙 장소가 아닌 곳에서 이륙하거나 착륙한 경우

21. 제67조제1항을 위반하여 비행규칙을 따르지 아니하고 비행한 경우

22. 제68조를 위반하여 같은 조 각 호의 어느 하나에 해당하는 비행 또는 행위를 한 경우

23. 제70조제1항을 위반하여 허가를 받지 아니하고 항공기로 위험물을 운송한 경우

24. 제76조제2항을 위반하여 항공업무를 수행한 경우

25. 제77조제2항을 위반하여 같은 조 제1항에 따른 운항기술기준을 준수하지 아니하고 비행을 하거나 업무를 수행한 경우

26. 제79조제1항을 위반하여 국토교통부장관이 정하여 공고하는 비행의 방식 및 절차에 따르지 아니하고 비관제공역(非管制空域) 또는 주의공역(注意空域)에서 비행한 경우

27. 제79조제2항을 위반하여 허가를 받지 아니하거나 국토교통부장관이 정하는 비행의 방식 및 절차에 따르지 아니하고 통제공역에서 비행한 경우

28. 제84조제1항을 위반하여 국토교통부장관 또는 항공교통업무증명을 받은 자가 지시하는 이동·이륙·착륙의 순서 및 시기와 비행의 방법에 따르지 아니한 경우

29. 제90조제4항(제96조제1항에서 준용하는 경우를 포함한다)을 위반하여 운영기준을 준수하지 아니하고 비행을 하거나 업무를 수행한 경우

30. 제93조제5항 후단(제96조제2항에서 준용하는 경우를 포함한다)을 위반하여 운항규정 또는 정비규정을 준수하지 아니하고 업무를 수행한 경우

31. 이 조에 따른 자격증명등의 정지명령을 위반하여 정지기간에 항공업무에 종사한 경우

② 국토교통부장관은 항공종사자가 다음 각 호의 어느 하나에 해당하는 경우에는 그 항공신체검사증명을 취소하거나 1년 이내의 기간을 정하여 항공신체검사증명의 효력정

지를 명할 수 있다. 다만, 제1호에 해당하는 경우에는 항공신체검사증명을 취소하여야 한다.

1. 거짓이나 그 밖의 부정한 방법으로 항공신체검사증명을 받은 경우

2. 제1항제13호부터 제15호까지의 어느 하나에 해당하는 경우

3. 제40조제2항에 따른 자격증명의 종류별 항공신체검사증명의 기준에 맞지 아니하게 되어 항공업무를 수행하기에 부적합하다고 인정되는 경우

4. 제41조에 따른 항공신체검사명령에 따르지 아니한 경우

5. 제42조를 위반하여 항공업무에 종사한 경우

6. 제76조제2항을 위반하여 항공신체검사증명서를 소지하지 아니하고 항공업무에 종사한 경우

③ 자격증명등의 시험에 응시하거나 심사를 받는 사람 또는 항공신체검사를 받는 사람이 그 시험이나 심사 또는 검사에서 부정한 행위를 한 경우에는 그 부정한 행위를 한 날부터 각각 2년간 이 법에 따른 자격증명등의 시험에 응시하거나 심사를 받을 수 없으며, 이 법에 따른 항공신체검사를 받을 수 없다.

④ 제1항 및 제2항에 따른 처분의 기준 및 절차와 그 밖에 필요한 사항은 국토교통부령으로 정한다.

국토교통부장관 또는 지방항공청장은 제1항에 따른 처분을 한 경우에는 별지 제49호서식의 항공종사자 행정처분대장을 작성·관리하되, 전자적 처리가 불가능한 특별한 사유가 없으면 전자적 처리가 가능한 방법으로 작성·관리하고, 자격증명에 대한 처분 내용은 교통안전공단의 이사장에게 통지하고 항공신체검사증명에 대한 처분 내용은 교통안전공단 이사장 및 한국항공우주의학협회의 장에게 통지하여야 한다. 시행규칙 제97조제2항

3.3 계기비행증명 및 조종교육증명 제44조

① 운송용 조종사(헬리콥터를 조종하는 경우만 해당한다), 사업용 조종사, 자가용 조종사 또는 부조종사의 자격증명을 받은 사람은 그가 사용할 수 있는 항공기의 종류로 다음

각 호의 비행을 하려면 국토교통부령으로 정하는 바에 따라 국토교통부장관의 계기비행증명을 받아야 한다.

1. 계기비행

2. 계기비행방식에 따른 비행

② 다음 각 호의 조종연습을 하는 사람에 대하여 조종교육을 하려는 사람은 그 항공기의 종류별로 국토교통부령으로 정하는 바에 따라 국토교통부장관의 조종교육증명을 받아야 한다.

1. 제35조제1호부터 제4호까지의 자격증명을 받지 아니한 사람이 항공기(제36조제3항에 따라 국토교통부령으로 정하는 항공기는 제외한다)에 탑승하여 하는 조종연습

2. 제35조제1호부터 제4호까지의 자격증명을 받은 사람이 그 자격증명에 대하여 제37조에 따라 한정을 받은 종류 외의 항공기에 탑승하여 하는 조종연습

③ 제2항에 따른 조종교육증명에 필요한 사항은 국토교통부령으로 정한다.

④ 제1항에 따른 계기비행증명 및 제2항에 따른 조종교육증명의 시험 및 취소 등에 관하여는 제38조 및 제43조제1항·제3항을 준용한다.

비행교관의 전문성 강화를 위해 총 비행시간, 교육 비행시간 등을 기준으로 초급 조종교육증명과 선임 조종교육증명으로 분리하고 해당 증명별로 수행할 수 있는 업무범위를 구체화하였다.

3.4 항공영어구술능력증명 제45조

① 다음 각 호의 어느 하나에 해당하는 업무에 종사하려는 사람은 국토교통부장관의 항공영어구술능력증명을 받아야 한다.

1. 두 나라 이상을 운항하는 항공기의 조종

2. 두 나라 이상을 운항하는 항공기에 대한 관제

3. 「공항시설법」 제53조에 따른 항공통신업무 중 두 나라 이상을 운항하는 항공기에

　대한 무선통신

② 제1항에 따른 항공영어구술능력증명(이하 "항공영어구술능력증명"이라 한다)을 위한 시험의 실시, 항공영어구술능력증명의 등급, 등급별 합격기준, 등급별 유효기간 등에 필요한 사항은 국토교통부령으로 정한다.

③ 국토교통부장관은 항공영어구술능력증명을 받으려는 사람이 제2항에 따른 등급별 합격기준에 적합한 경우에는 국토교통부령으로 정하는 바에 따라 항공영어구술능력증명서를 발급하여야 한다.

④ 제3항에도 불구하고 제34조제3항에 따라 국방부장관으로부터 자격인정을 받아 항공교통관제 업무를 수행하는 사람으로서 항공영어구술능력증명을 받으려는 사람이 제2항에 따른 등급별 합격기준에 적합한 경우에는 국방부장관이 항공영어구술능력증명서를 발급할 수 있다.

⑤ 외국정부로부터 항공영어구술능력증명을 받은 사람은 해당 등급별 유효기간의 범위에서 제2항에 따른 항공영어구술능력증명을 위한 시험이 면제된다.

⑥ 항공영어구술능력증명의 취소 등에 관하여는 제43조제1항제1호 및 같은 조 제3항을 준용한다. 이 경우 "자격증명등"은 "항공영어구술능력증명"으로 본다.

3.5 항공기의 조종연습　제46조

① 다음 각 호의 조종연습을 위한 조종에 관하여는 제36조제1항·제2항 및 제37조제2항을 적용하지 아니한다.

　1. 제35조제1호부터 제4호까지에 따른 자격증명 및 제40조에 따른 항공신체검사증명을 받은 사람이 한정받은 등급 또는 형식 외의 항공기(한정받은 종류의 항공기만 해당한다)에 탑승하여 하는 조종연습으로서 그 항공기를 조종할 수 있는 자격증명 및 항공신체검사증명을 받은 사람(그 항공기를 조종할 수 있는 지식 및 능력이 있다고 인정하여 국토교통부장관이 지정한 사람을 포함한다)의 감독으로 이루어지는 조종연습

2. 제44조제2항제1호에 따른 조종연습으로서 그 조종연습에 관하여 국토교통부장관의 허가를 받고 조종교육증명을 받은 사람의 감독으로 이루어지는 조종연습

3. 제44조제2항제2호에 따른 조종연습으로서 조종교육증명을 받은 사람의 감독으로 이루어지는 조종연습

② 국토교통부장관은 제1항제2호에 따른 조종연습의 허가 신청을 받은 경우 신청인이 항공기의 조종연습을 하기에 필요한 능력이 있다고 인정되는 경우에는 국토교통부령으로 정하는 바에 따라 그 조종연습을 허가하여야 한다.

③ 제1항제2호에 따른 허가는 신청인에게 항공기 조종연습허가서를 발급함으로써 한다.

④ 제1항제2호에 따른 허가를 받은 사람의 항공신체검사증명, 그 허가의 취소 등에 관하여는 제40조부터 제43조까지의 규정을 준용한다.

⑤ 제3항에 따른 항공기 조종연습허가서를 받은 사람이 조종연습을 할 때에는 항공기 조종연습허가서와 항공신체검사증명서를 지녀야 한다.

3.6 항공교통관제연습 제47조

① 제35조제7호의 항공교통관제사 자격증명을 받지 아니한 사람이 항공교통관제 업무를 연습(이하 "항공교통관제연습"이라 한다)하려는 경우에는 국토교통부장관의 항공교통관제연습허가를 받고 국토교통부령으로 정하는 자격요건을 갖춘 사람의 감독 하에 항공교통관제연습을 하여야 한다.

② 국토교통부장관은 제1항에 따른 항공교통관제연습허가 신청을 받은 경우에는 신청인이 항공교통관제연습을 하기에 필요한 능력이 있다고 인정되면 국토교통부령으로 정하는 바에 따라 그 항공교통관제연습을 허가하여야 한다.

③ 제1항에 따른 항공교통관제연습의 허가는 신청인에게 항공교통관제연습허가서를 발급함으로써 한다.

④ 제1항에 따른 항공교통관제연습 허가를 받은 사람의 항공신체검사증명, 그 허가의 취소 등에 관하여는 제40조부터 제43조까지의 규정을 준용한다.

⑤ 제3항에 따른 항공교통관제연습허가서를 받은 사람이 항공교통관제연습을 할 때에는 항공교통관제연습허가서와 항공신체검사증명서를 지녀야 한다.

교육기관의 학생관제사가 항공교통관제사 자격증명 시험에 응시하기 위해서는 3개월 이상의 관제실무경력이 필요하나, 항공교통관제는 항공업무로서 자격증명 소지자만 수행토록 되어 있어 법적으로 괴리가 있으므로 교육기관의 학생관제사가 항공교통관제연습을 할 수 있도록 법적 근거를 마련하고 국토교통부령으로 정하는 자격요건을 갖춘 자의 감독 하에 항공교통 관제연습을 실시하도록 하는 등 안전장치를 마련하였다.

4. 전문교육기관

국토교통부장관은 항공종사자를 육성하기 위하여 국토교통부령으로 정하는 바에 따라 항공종사자 전문교육기관을 지정할 수 있으며, 전문교육기관 지정 업무절차는 3단계(① 전문교육기관 지정신청서 접수, ② 적합 여부 심사(서류 및 현장심사) ③ 전문교육기관 지정서 교부)로 이루어진다.

4.1 전문교육기관의 지정 제48조

① 국토교통부장관은 항공종사자를 양성하기 위하여 국토교통부령으로 정하는 바에 따라 항공종사자 전문교육기관(이하 "전문교육기관"이라 한다)을 지정할 수 있다.

② 국토교통부장관은 제1항에 따라 지정된 전문교육기관이 항공운송사업에 필요한 항공종사자를 양성하는 경우에는 예산의 범위에서 필요한 경비의 전부 또는 일부를 지원할 수 있다.

③ 교육과목, 교육방법, 인력, 시설 및 장비 등 전문교육기관의 지정기준은 국토교통부령으로 정한다.

④ 국토교통부장관은 전문교육기관으로 지정받은 자가 다음 각 호의 어느 하나에 해당하는 경우에는 그 지정을 취소할 수 있다. 다만, 제1호에 해당하는 경우에는 그 지정을 취소하여야 한다.

　1. 거짓이나 그 밖의 부정한 방법으로 전문교육기관으로 지정받은 경우

　2. 제3항에 따른 전문교육기관의 지정기준 중 국토교통부령으로 정하는 기준을 위반한 경우

⑤ 국토교통부장관은 항공교육훈련 정보를 국민에게 제공하고 전문교육기관 등 항공교육훈련기관을 체계적으로 관리하기 위하여 시스템(이하 "항공교육훈련통합관리시스템"이라 한다)을 구축·운영하여야 한다.

⑥ 국토교통부장관은 항공교육훈련통합관리시스템을 구축·운영하기 위하여 「항공사업

법」 제2조제35호에 따른 항공교통사업자 또는 항공교육훈련기관 등에게 필요한 자료 또는 정보의 제공을 요청할 수 있다. 이 경우 자료나 정보의 제공을 요청받은 자는 정당한 사유가 없으면 이에 따라야 한다.

시행규칙 제104조에 따라, 전문교육기관으로 지정을 받으려는 자는 항공종사자 전문교육기관 지정신청서에 다음 각 호의 사항이 포함된 교육계획서를 첨부하여 국토교통부장관에게 제출하여야 한다.

1. 교육과목 및 교육방법

2. 교관 현황(교관의 자격·경력 및 정원)

3. 시설 및 장비의 개요

4. 교육평가방법

5. 연간 교육계획

6. 교육규정

국토교통부장관은 신청서를 심사하여 그 내용이 정한 지정기준에 적합한 경우에는 자격별로 별지 항공종사자 전문교육기관 지정서에 국토교통부장관이 고시한 기준에 따른 훈련운영기준(Training Specifications)를 포함하여 발급하고, 지정전문교육기관을 공고하여야 한다.

지정전문교육기관은 교육 종료 후 교육이수자의 명단 및 평가 결과를 지체 없이 국토교통부장관 및 교통안전공단 이사장에게 보고하여야 하며, 국토교통부장관은 1년마다 지정전문교육기관이 제2항의 지정기준에 적합한지 여부를 심사하여야 한다.

"전문교육기관의 지정기준 등 국토교통부령으로 정하는 기준을 위반한 경우"란 다음 각 호의 어느 하나에 해당하는 경우를 말한다.

1. 학과교육 및 실기교육의 과목, 교육시간을 이행하지 아니한 경우

2. 교관 확보기준을 위반한 경우

3. 시설 및 장비 확보기준을 위반한 경우

4. 교육규정 중 교육과정명, 교육생 정원, 학사운영보고 및 기록유지에 관한 기준을 위반한 경우

제5장 항공기의 운항

항공기의 운항은 항공기를 그 본래의 목적에 따라 출발지에서 목적지까지 비행하는 것이다. 비행 (flight)이라 함은 항공기가 이륙한 때부터 착륙하기까지의 기간, 즉 항공기가 공중에 떠 있는 동안의 행동을 말한다. 그러나 항공 관련 협약에서는 그와 다른 개념을 채택하고 있다. 항공기의 운항은 항공안전을 확보하고, 항공기에 의한 장애를 방지하며, 행정상의 감독을 위하여 일정한 요건을 구비할 것이 요구된다. 이러한 요건으로는 공역관리, 항공기 및 설비, 항공기에 탑승하는 종사자, 항공관리자의 승인, 비행계획의 승인 등 운항절차상의 요건이 있다.

따라서 본 장에서는 항공일지, 무선설비설치 운용의무, 항공기의 연료, 항공기의 등불, 승무시간 기준, 항공안전프로그램, 항공안전의무보고, 항공안전자율보고, 기장의 권한, 조종사의 운항자격, 운항관리사, 비행규칙, 비행 중 금지행위, 긴급항공기 지정, 위험물 운송, 전자기기 사용 제한, 회항시간 연장운항 승인, 수직분리축소공역 운항, 항공교통업무, 항공정보 제공, 항공기 안전을 위한 운항기술기준 등에 대하여 규정하고 있으며, 시카고협약 및 동 협약 부속서에서 정한 기준을 준거하여 규정하고 있다.

1. 항공기 설치장비 및 탑재서류

1.1 무선설비의 설치·운용 의무 제51조

> 항공기를 운항하려는 자 또는 소유자등은 해당 항공기에 비상위치 무선표지설비, 2차감시레이더용 트랜스폰더 등 국토교통부령으로 정하는 무선설비를 설치·운용하여야 한다.

항공기에 설치·운용하여야 하는 무선설비는 다음 각 호와 같다. 다만, 항공운송사업에 사용되는 항공기 외의 항공기가 계기비행방식 외의 방식(이하 "시계비행방식"이라 한다)에 의한 비행을 하는 경우에는 제3호부터 제6호까지의 무선설비를 설치·운용하지 아니할 수 있다. 시행규칙 제107조

1. 비행 중 항공교통관제기관과 교신할 수 있는 초단파(VHF) 또는 극초단파(UHF)무선전화 송수신기 각 2대. 이 경우 비행기[국토교통부장관이 정하여 고시하는 기압고도계의 수정을 위한 고도(이하 "전이고도"라 한다) 미만의 고도에서 교신하려는 경우만 해당한다]와 헬리콥터의 운항승무원은 붐(Boom) 마이크로폰 또는 스롯(Throat) 마이크로폰을 사용하여 교신하여야 한다.

2. 기압고도에 관한 정보를 제공하는 2차감시 항공교통관제 레이더용 트랜스폰더(Mode 3/A 및 Mode C SSR transponder. 다만, 국외를 운항하는 항공운송사업용 항공기의 경우에는 Mode S transponder) 1대

3. 자동방향탐지기(ADF) 1대[무지향표지시설(NDB) 신호로만 계기접근절차가 구성되어 있는 공항에 운항하는 경우만 해당한다]

4. 계기착륙시설(ILS) 수신기 1대(최대이륙중량 5천 700킬로그램 미만의 항공기와 헬리콥터 및 무인항공기는 제외한다)

5. 전방향표지시설(VOR) 수신기 1대(무인항공기는 제외한다)

6. 거리측정시설(DME) 수신기 1대(무인항공기는 제외한다)

7. 다음 각 목의 구분에 따라 비행 중 뇌우 또는 잠재적인 위험 기상조건을 탐지할 수 있는 기상레이더 또는 악기상 탐지장비

　　가. 국제선 항공운송사업에 사용되는 비행기로서 여압장치가 장착된 비행기의 경우: 기상레이더 1대

　　나. 국제선 항공운송사업에 사용되는 헬리콥터의 경우: 기상레이더 또는 악기상 탐지장비 1대

　　다. 가목 외에 국외를 운항하는 비행기로서 여압장치가 장착된 비행기의 경우: 기상레이더 또는 악기상 탐지장비 1대

8. 다음 각 목의 구분에 따라 비상위치지시용 무선표지설비(ELT). 이 경우 비상위치지시용 무선표지설비의 신호는 121.5메가헤르츠(MHz) 및 406메가헤르츠(MHz)로 송신되어야 한다.

　　가. 2대를 설치하여야 하는 경우: 다음의 어느 하나에 해당하는 항공기. 이 경우 비상위치지시용 무선표지설비 2대 중 1대는 자동으로 작동되는 구조여야 하며, 3)의 경우 1대는 구명보트에 설치하여야 한다.

　　　1) 승객의 좌석 수가 19석을 초과하는 비행기(항공운송사업에 사용되는 비행기만 해당한다)

　　　2) 비상착륙에 적합한 육지(착륙이 가능한 섬을 포함한다)로부터 순항속도로 10분의 비행거리 이상의 해상을 비행하는 제1종 및 제2종 헬리콥터, 회전날개에 의한 자동회전(autorotation)에 의하여 착륙할 수 있는 거리 또는 안전한 비상착륙(safe forced landing)을 할 수 있는 거리를 벗어난 해상을 비행하는 제3종 헬리콥터

　　나. 1대를 설치하여야 하는 경우: 가목에 해당하지 아니하는 항공기. 이 경우 비상위치지시용 무선표지설비는 자동으로 작동되는 구조여야 한다.

② 제1항제1호에 따른 무선설비는 다음 각 호의 성능이 있어야 한다.

　1. 비행장 또는 헬기장에서 관제를 목적으로 한 양방향통신이 가능할 것

　2. 비행 중 계속하여 기상정보를 수신할 수 있을 것

　3. 운항 중 「전파법 시행령」 제29조제1항제7호 및 제11호에 따른 항공기국과 항공국 간 또는 항공국과 항공기국 간 양방향통신이 가능할 것

　4. 항공비상주파수(121.5MHz 또는 243.0MHz)를 사용하여 항공교통관제기관과 통신이 가능할 것

　5. 제1항제1호에 따른 무선전화 송수신기 각 2대 중 각 1대가 고장이 나더라도 나머지 각 1대는 고장이 나지 아니하도록 각각 독립적으로 설치할 것

③ 제1항제2호에 따라 항공운송사업용 비행기에 장착해야 하는 기압고도에 관한 정보를 제공하는 트랜스폰더는 다음 각 호의 성능이 있어야 한다.

1. 고도 7.62미터(25피트) 이하의 간격으로 기압고도정보(pressure altitude information)를 관할 항공교통관제기관에 제공할 수 있을 것

2. 해당 비행기의 위치(공중 또는 지상)에 대한 정보를 제공할 수 있을 것[해당 비행기에 비행기의 위치(공중 또는 지상 : airborne/on-the-ground status)를 자동으로 감지하는 장치(automatic means of detecting)가 장착된 경우만 해당한다]

④ 제1항에 따른 무선설비의 운용요령 등에 관하여 필요한 사항은 국토교통부장관이 정하여 고시한다.

1.2 항공계기 등의 설치 · 탑재 및 운용 등 제52조

① 항공기를 운항하려는 자 또는 소유자등은 해당 항공기에 항공기 안전운항을 위하여 필요한 항공계기(航空計器), 장비, 서류, 구급용구 등(이하 "항공계기등"이라 한다)을 설치하거나 탑재하여 운용하여야 한다.

② 제1항에 따라 항공계기등을 설치하거나 탑재하여야 할 항공기, 항공계기등의 종류, 설치·탑재기준 및 그 운용방법 등에 필요한 사항은 국토교통부령으로 정한다.

1.2.1 항공일지

항공기를 운항하려는 자 또는 소유자등은 탑재용 항공일지, 지상 비치용 발동기 항공일지 및 지상 비치용 프로펠러 항공일지를 갖추어 두어야 한다. 다만, 활공기의 소유자등은 활공기용 항공일지를, 법 제102조 각 호의 어느 하나에 해당하는 항공기의 소유자등은 탑재용 항공일지를 갖춰 두어야 하며, 항공기의 소유자등은 항공기를 항공에 사용하거나 개조 또는 정비한 경우에는 지체 없이 다음 각 호의 구분에 따라 항공일지에 적어야 한다. 시행규칙 제108조

1. 탑재용 항공일지(법 제102조 각 호의 어느 하나에 해당하는 항공기는 제외한다)

   가. 항공기의 등록부호 및 등록 연월일

나. 항공기의 종류·형식 및 형식증명번호

다. 감항분류 및 감항증명번호

라. 항공기의 제작자·제작번호 및 제작 연월일

마. 발동기 및 프로펠러의 형식

바. 비행에 관한 다음의 기록

    1) 비행연월일

    2) 승무원의 성명 및 업무

    3) 비행목적 또는 편명

    4) 출발지 및 출발시각

    5) 도착지 및 도착시각

    6) 비행시간

    7) 항공기의 비행안전에 영향을 미치는 사항

    8) 기장의 서명

사. 제작 후의 총 비행시간과 오버홀을 한 항공기의 경우 최근의 오버홀 후의 총 비행시간

아. 발동기 및 프로펠러의 장비교환에 관한 다음의 기록

    1) 장비교환의 연월일 및 장소

    2) 발동기 및 프로펠러의 부품번호 및 제작일련번호

    3) 장비가 교환된 위치 및 이유

자. 수리·개조 또는 정비의 실시에 관한 다음의 기록

    1) 실시 연월일 및 장소

    2) 실시 이유, 수리·개조 또는 정비의 위치 및 교환 부품명

    3) 확인 연월일 및 확인자의 서명 또는 날인

2. 탑재용 항공일지(법 제102조 각 호의 어느 하나에 해당하는 항공기만 해당한다)

가. 항공기의 등록부호·등록증번호 및 등록 연월일

나. 비행에 관한 다음의 기록

    1) 비행연월일

    2) 승무원의 성명 및 업무

    3) 비행목적 또는 항공기 편명

    4) 출발지 및 출발시각

    5) 도착지 및 도착시각

    6) 비행시간

    7) 항공기의 비행안전에 영향을 미치는 사항

    8) 기장의 서명

3. 지상 비치용 발동기 항공일지 및 지상 비치용 프로펠러 항공일지

    가. 발동기 또는 프로펠러의 형식

    나. 발동기 또는 프로펠러의 제작자·제작번호 및 제작 연월일

    다. 발동기 또는 프로펠러의 장비교환에 관한 다음의 기록

        1) 장비교환의 연월일 및 장소

        2) 장비가 교환된 항공기의 형식·등록부호 및 등록증번호

        3) 장비교환 이유

    라. 발동기 또는 프로펠러의 수리·개조 또는 정비의 실시에 관한 다음의 기록

        1) 실시 연월일 및 장소

        2) 실시 이유, 수리·개조 또는 정비의 위치 및 교환 부품명

        3) 확인 연월일 및 확인자의 서명 또는 날인

    마. 발동기 또는 프로펠러의 사용에 관한 다음의 기록

        1) 사용 연월일 및 시간

        2) 제작 후의 총 사용시간 및 최근의 오버홀 후의 총 사용시간

4. 활공기용 항공일지

    가. 활공기의 등록부호·등록증번호 및 등록 연월일

    나. 활공기의 형식 및 형식증명번호

    다. 감항분류 및 감항증명번호

    라. 활공기의 제작자·제작번호 및 제작 연월일

    마. 비행에 관한 다음의 기록

1) 비행 연월일

2) 승무원의 성명

3) 비행목적

4) 비행 구간 또는 장소

5) 비행시간 또는 이·착륙횟수

6) 활공기의 비행안전에 영향을 미치는 사항

7) 기장의 서명

바. 수리·개조 또는 정비의 실시에 관한 다음의 기록

1) 실시 연월일 및 장소

2) 실시 이유, 수리·개조 또는 정비의 위치 및 교환부품명

3) 확인 연월일 및 확인자의 서명 또는 날인

1.2.2 사고예방장치

사고예방 및 사고조사를 위하여 항공기에 갖추어야 할 장치는 다음 각 호와 같다. 다만, 국제 항공노선을 운항하지 아니하는 헬리콥터의 경우에는 제2호 및 제3호의 장치를 갖추지 아니 할 수 있다.

1. 다음 각 목의 어느 하나에 해당하는 비행기에는 「국제민간항공협약」 부속서 10에서 정한 바에 따라 운용되는 공중충돌경고장치(Airborne Collision Avoidance System, ACAS Ⅱ) 1기 이상

가. 항공운송사업에 사용되는 모든 비행기. 다만, 소형항공운송사업에 사용되는 최대이 륙중량이 5천 700킬로그램 이하인 비행기로서 그 비행기에 적합한 공중충돌경고장 치가 개발되지 아니하거나 공중충돌경고장치를 장착하기 위하여 필요한 비행기 개 조 등의 기술이 그 비행기의 제작자 등에 의하여 개발되지 아니한 경우에는 공중충 돌경고장치를 갖추지 아니 할 수 있다.

나. 2007년 1월 1일 이후에 최초로 감항증명을 받는 비행기로서 최대이륙중량이 1만5천킬 로그램을 초과하거나 승객 30명을 초과하여 수송할 수 있는 터빈발동기를 장착한 항 공운송사업 외의 용도로 사용되는 모든 비행기

다. 2008년 1월 1일 이후에 최초로 감항증명을 받는 비행기로서 최대이륙중량이 5,700킬

로그램을 초과하거나 승객 19명을 초과하여 수송할 수 있는 터빈발동기를 장착한 항공운송사업 외의 용도로 사용되는 모든 비행기

2. 다음 각 목의 어느 하나에 해당하는 비행기 및 헬리콥터에는 그 비행기 및 헬리콥터가 지표면에 근접하여 잠재적인 위험상태에 있을 경우 적시에 명확한 경고를 운항승무원에게 자동으로 제공하고 전방의 지형지물을 회피할 수 있는 기능을 가진 지상접근경고장치(Ground Proximity Warning System) 1기 이상

가. 최대이륙중량이 5,700킬로그램을 초과하거나 승객 9명을 초과하여 수송할 수 있는 터빈발동기를 장착한 비행기

나. 최대이륙중량이 5,700킬로그램 이하이고 승객 5명 초과 9명 이하를 수송할 수 있는 터빈발동기를 장착한 비행기

다. 최대이륙중량이 5,700킬로그램을 초과하거나 승객 9명을 초과하여 수송할 수 있는 왕복발동기를 장착한 모든 비행기

라. 최대이륙중량이 3,175킬로그램을 초과하거나 승객 9명을 초과하여 수송할 수 있는 헬리콥터로서 계기비행방식에 따라 운항하는 헬리콥터

3. 다음 각 목의 어느 하나에 해당하는 항공기에는 비행자료 및 조종실 내 음성을 디지털 방식으로 기록할 수 있는 비행기록장치 각 1기 이상

가. 항공운송사업에 사용되는 터빈발동기를 장착한 비행기. 이 경우 비행기록장치에는 25시간 이상 비행자료를 기록하고, 2시간 이상 조종실 내 음성을 기록할 수 있는 성능이 있어야 한다.

나. 승객 5명을 초과하여 수송할 수 있고 최대이륙중량이 5,700킬로그램을 초과하는 비행기 중에서 항공운송사업 외의 용도로 사용되는 터빈발동기를 장착한 비행기. 이 경우 비행기록장치에는 25시간 이상 비행자료를 기록하고, 2시간 이상 조종실 내 음성을 기록할 수 있는 성능이 있어야 한다.

다. 1989년 1월 1일 이후에 제작된 헬리콥터로서 최대이륙중량이 3천 180킬로그램을 초과하는 헬리콥터. 이 경우 비행기록장치에는 10시간 이상 비행자료를 기록하고, 2시간 이상 조종실 내 음성을 기록할 수 있는 성능이 있어야 한다.

라. 그 밖에 항공기의 최대이륙중량 및 제작 시기 등을 고려하여 국토교통부장관이 필요하다고 인정하여 고시하는 항공기

4. 최대이륙중량이 5,700킬로그램을 초과하거나 승객 9명을 초과하여 수송할 수 있는 터빈발동기(터보프롭발동기는 제외한다)를 장착한 항공운송사업에 사용되는 비행기에는

전방돌풍경고장치 1기 이상. 이 경우 돌풍경고장치는 조종사에게 비행기 전방의 돌풍을 시각 및 청각적으로 경고하고, 필요한 경우에는 실패접근(missed approach), 복행(go-around) 및 회피기동(escape manoeuvre)을 할 수 있는 정보를 제공하는 것이어야 하며, 항공기가 착륙하기 위하여 자동착륙장치를 사용하여 활주로에 접근할 때 전방의 돌풍으로 인하여 자동착륙장치가 그 운용한계에 도달하고 있는 경우에는 조종사에게 이를 알릴 수 있는 기능을 가진 것이어야 한다.

5. 최대이륙중량 2만 7천킬로그램을 초과하고 승객 19명을 초과하여 수송할 수 있는 항공운송사업에 사용되는 비행기로서 15분 이상 해당 항공교통관제기관의 감시가 곤란한 지역을 비행하는 하는 경우 위치추적 장치 1기 이상

지상접근경고장치는 다음 각 호의 구분에 따라 경고를 제공할 수 있는 성능이 있어야 한다.

1. 제1항제2호가목에 해당하는 비행기의 경우에는 다음 각 목의 경우에 대한 경고를 제공할 수 있을 것

가. 과도한 강하율이 발생하는 경우

나. 지형지물에 대한 과도한 접근율이 발생하는 경우

다. 이륙 또는 복행 후 과도한 고도의 손실이 있는 경우

라. 비행기가 다음의 착륙형태를 갖추지 아니한 상태에서 지형지물과의 안전거리를 유지하지 못하는 경우

1) 착륙바퀴가 착륙위치로 고정

2) 플랩의 착륙위치

마. 계기활공로 아래로의 과도한 강하가 이루어진 경우

2. 제1항제2호나목 및 다목에 해당하는 비행기와 제1항제2호라목에 해당하는 헬리콥터의 경우에는 다음 각 목의 경우에 대한 경고를 제공할 수 있을 것

가. 과도한 강하율이 발생되는 경우

나. 이륙 또는 복행 후에 과도한 고도의 손실이 있는 경우

다. 지형지물과의 안전거리를 유지하지 못하는 경우

비행기록장치의 종류, 성능, 기록하여야 하는 자료, 운영방법, 그 밖에 필요한 사항은 법 제77조에 따라 고시하는 운항기술기준에서 정한다.

다음 각 호의 어느 하나에 해당하는 경우에는 비행기록장치를 장착하지 아니할 수 있다.

1. 운항기술기준에 적합한 비행기록장치가 개발되지 아니하거나 생산되지 아니하는 경우
2. 해당 항공기에 비행기록장치를 장착하기 위하여 필요한 항공기 개조 등의 기술이 그 항공기의 제작사 등에 의하여 개발되지 아니한 경우

1.2.3 구급용구

항공기의 소유자등이 항공기(무인항공기는 제외한다)에 갖추어야 할 구명동의, 음성신호발생기, 구명보트, 불꽃조난신호장비, 휴대용 소화기, 도끼, 메가폰, 구급의료용품 등은 별표 15와 같다.

[별표 15]

항공기에 장비하여야 할 구급용구 등 제110조 관련

1. 구급용구

구 분	품 목	수 량	
		항공운송사업 및 항공기사용사업에 사용하는 경우	그 밖의 경우
가. 수상비행기(수륙 양용 비행기를 포함한다)	• 구명동의 또는 이에 상당하는 개인부양장비	탑승자 한 명당 1개	탑승자 한 명당 1개
	• 음성신호발생기	1기	1기
	• 해상용 닻	1개	1개 (해상이동에 필요한 경우만 해당한다)
	• 일상용 닻	1개	1개
나. 육상비행기(수륙 양용 비행기를 포함한다)			
1) 착륙에 적합한 해안으로부터 93킬로미터(50해리) 이상의 해상을 비행하는 다음의 경우	• 구명동의 또는 이에 상당하는 개인부양 장비	탑승자 한 명당 1개	탑승자 한 명당 1개

가) 쌍발비행기가 임계발동기가 작동하지 않아도 최저 안전고도 이상으로 비행하여 교체비행장에 착륙할 수 있는 경우			
나) 3발 이상의 비행기가 2개의 발동기가 작동하지 않아도 항로상 교체비행장에 착륙할 수 있는 경우			
2) 1) 외의 육상단발비행기가 해안으로부터 활공거리를 벗어난 해상을 비행하는 경우	・구명동의 또는 이에 상당하는 개인부양 장비	탑승자 한 명당 1개	탑승자 한 명당 1개
3) 이륙경로나 착륙접근경로가 수상에서의 사고 시에 착수가 예상되는 경우	・구명동의 또는 이에 상당하는 개인부양 장비	탑승자 한 명당 1개	
다. 장거리 해상을 비행하는 비행기			
1) 비상착륙에 적합한 육지로부터 120분 또는 740킬로미터(400해리) 중 짧은 거리 이상의 해상을 비행하는 다음의 경우	・구명동의 또는 이에 상당하는 개인부양 장비 ・구명보트 ・불꽃조난신호장비	탑승자 한 명당 1개 적정 척 수 1기	탑승자 한 명당 1개 적정 척 수 1기
가) 쌍발비행기가 임계발동기가 작동하지 않아도 최저 안전고도 이상으로 비행하여 교체비행장에 착륙할 수 있는 경우			
나) 3발 이상의 비행기가 2개의 발동기가 작동하지 않아도 항로상 교체비행장에 착륙할 수 있는 경우			

2) 1) 외의 비행기가 30분 또는 185킬로미터(100해리) 중 짧은 거리 이상의 해상을 비행하는 경우	• 육상비행기 또는 수상비행기의 구분에 따라 가 또는 나에서 정한 품목	육상비행기 또는 수상비행기의 구분에 따라 가 또는 나에서 정한 수량	
	• 구명보트	적정 척 수 1기	적정 척 수 1기
	• 불꽃조난신호장비		
3) 비행기가 비상착륙에 적합한 육지로부터 93킬로미터(50해리) 이상의 해상을 비행하는 경우	• 구명동의 또는 이에 상당하는 개인부양 장비		탑승자 한 명당 1개
4) 비상착륙에 적합한 육지로부터 단발기는 185킬로미터(100해리), 다발기는 1개의 발동기가 작동하지 않아도 370킬로미터(200해리) 이상의 해상을 비행하는 경우	• 구명보트 • 불꽃조난신호장비		적정 척 수 1기
라. 수색구조가 특별히 어려운 산악지역, 외딴지역 및 국토교통부장관이 정한 해상 등을 횡단 비행하는 비행기(헬리콥터를 포함한다)	• 불꽃조난신호장비 • 구명장비	1기 이상 1기 이상	1기 이상 1기 이상
마. 헬리콥터 1) 제1종 또는 제2종 헬리콥터가 옥지(비상착륙에 적합한 섬을 포함한다)로부터 순항속도로 10분거리 이상의 해상을 비행하는 경우	• 헬리콥터 부양장치 • 구명동의 또는 이에 상당하는 개인부양 장비 • 구명보트 • 불꽃조난신호장비	1조 탑승자 한 명당 1개 적정 척 수 1기	1조 탑승자 한 명당 1개 적정 척 수 1기
2) 제3종 헬리콥터가 다음의 비행을 하는 경우			

가) 비상착륙에 적합한 육지 또는 섬으로부터 자동회전 또는 안전강착거리를 벗어난 해상을 비행하는 경우	• 헬리콥터 부양장치	1조	1조
나) 비상착륙에 적합한 육지 또는 섬으로부터 자동회전거리를 초과하되, 국토교통부장관이 정한 육지로부터의 거리 내의 해상을 비행하는 경우	• 구명동의 또는 이에 상당하는 개인부양 장비	탑승자 한 명당 1개	탑승자 한 명당 1개
다) 가)에서 정한 지역을 초과하는 해상을 비행하는 경우	• 구명동의 또는 이에 상당하는 개인부양 장비	탑승자 한 명당 1개	탑승자 한 명당 1개
3) 제2종 및 제3종 헬리콥터가 이륙 경로나 착륙접근 경로가 수상에 서의 사고시에 착수가 예상되는 경우	• 구명보트 • 불꽃조난신호장비	적정 척 수 1기	적정 척 수 1기
	• 구명동의 또는 이에 상당하는 개인부양 장비	탑승자 한 명당 1개	탑승자 한 명당 1개
4) 앞바다(offshore)를 비행하거나 국토교통부장관이 정한 수상을 비행할 경우	• 헬리콥터 부양장치	1조	1조
5) 산불진화 등에 사용되는 물을 담기 위해 수면위로 비행하는 경우	• 구명동의 또는 이에 상당하는 개인부양 장비	탑승자 한 명당 1개	탑승자 한 명당 1개

비고:

1) 구명동의 또는 이에 상당하는 개인부양 장비는 생존위치표시등이 부착된 것으로서 각 좌석으로부터 꺼내기 쉬운 곳에 두고, 그 위치 및 사용방법을 승객이 명확히 알기 쉽도록 해야 한다.

2) 육지로부터 자동회전 착륙거리를 벗어나 해상 비행을 하거나 산불 진화 등에 사용되는 물을 담기 위해 수면 위로 비행 하는 경우 헬리콥터의 탑승자는 헬리콥터가 수면 위에서 비행하는 동안 위 표 마목에 따른 구명동의를 계속 착용하고 있어야 한다.

3) 헬리콥터가 해상 운항을 할 경우, 해수 온도가 10℃ 이하일 경우에는 탑승자 모두 구명동의를 착용해야 한다.

4) 음성신호발생기는 1972년 「국제해상충돌예방규칙협약」에서 정한 성능을 갖춰야 한다.

5) 구명보트의 수는 탑승자 전원을 수용할 수 있는 수량이어야 한다. 이 경우 구명보트는 비상시 사용하기 쉽도록 적재되어야 하며, 각 구명보트에는 비상신호등·방수휴대등이 각 1개씩 포함된 구명용품 및 불꽃조난신호장비 1기를 갖춰야 한다. 다만, 구명용품 및 불꽃조난신호장비는 구명보트에 보관할 수 있다.

6) 위 표 마목의 제1종·제2종 및 제3종 헬리콥터는 다음과 같다.

가) 제1종 헬리콥터(Operations in performance Class 1 helicopter): 임계발동기에 고장이 발생한 경우, TDP(Take-off Decision Point: 이륙결심지점) 전 또는 LDP(Landing Decision Point: 착륙결심지점)를 통과한 후에는 이륙을 포기하거나 또는 착륙지점에 착륙해야 하며, 그 외에는 적합한 착륙 장소까지 안전하게 계속 비행이 가능한 헬리콥터

나) 제2종 헬리콥터(Operations in performance Class 2 helicopter): 임계발동기에 고장이 발생한 경우, 초기 이륙 조종 단계 또는 최종 착륙 조종 단계에서는 강제 착륙이 요구되며, 이 외에는 적합한 착륙 장소까지 안전하게 계속 비행이 가능한 헬리콥터

다) 제3종 헬리콥터(Operations in performance Class 3 helicopter): 비행 중 어느 시점이든 임계발동기에 고장이 발생할 경우 강제착륙이 요구되는 헬리콥터

2. 소화기

가. 항공기에는 적어도 조종실 및 조종실과 분리되어 있는 객실에 각각 한 개 이상의 이동이 간편한 소화기를 갖춰 두어야 한다. 다만, 소화기는 소화액을 방사 시 항공기 내의 공기를 해롭게 오염시키거나 항공기의 안전운항에 지장을 주는 것이어서는 안 된다.

나. 항공기의 객실에는 다음 표의 소화기를 갖춰 두어야 한다.

승객 좌석 수	소화기의 수량
1) 6석부터 30석까지	1
2) 31석부터 60석까지	2
3) 61석부터 200석까지	3
4) 201석부터 300석까지	4
5) 301석부터 400석까지	5
6) 401석부터 500석까지	6
7) 501석부터 600석까지	7
8) 601석 이상	8

3. 항공운송사업용 및 항공기사용사업용 항공기에는 사고 시 사용할 도끼 1개를 갖춰 두어야 한다.

4. 항공운송사업용 여객기에는 다음 표의 메가폰을 갖춰 두어야 한다.

승객 좌석수	메가폰의 수
61석부터 99석까지	1
100석부터 199석까지	2
200석 이상	3

5. 모든 항공기에는 가목의 구급의료용품(First-aid Kit)을 탑재해야 하고, 항공운송사업용 항공기에는 나목의 감염예방의료용구(Unversal Precaution Kit)와 다목의 비상의료용구(Emergency Medical Kit)를 추가하여 탑재해야 한다. 다만, 다목의 비상의료용구는 비행시간이 2시간 이상이고 승객 좌석 수가 101석 이상의 항공운송사업용 항공기만 해당하며 1조 이상 탑재해야 한다.

가. 구급의료용품

1) 구급의료용품의 수량

승객 좌석 수	구급의료용품의 수
0석부터 100석	1조
101석부터 200석까지	2조
201석부터 300석까지	3조
301석부터 400석까지	4조
401석부터 500석까지	5조
501석 이상	6조

2) 구급의료용품에 포함해야 할 최소 품목

가) 내용물 설명서

나) 멸균 면봉(10개 이상)

다) 일회용 밴드

라) 거즈 붕대

마) 삼각건, 안전핀

바) 멸균된 거즈

사) 압박(탄력) 붕대

아) 소독포

　자) 반창고

　차) 상처 봉합용 테이프

　카) 손 세정제 또는 물수건

　타) 안대 또는 눈을 보호할 수 있는 테이프

　파) 가위

　하) 수술용 접착테이프

　거) 핀셋

　너) 일회용 의료장갑(2개 이상)

　더) 체온계(비수은 체온계)

　러) 인공호흡 마스크

　머) 최신 정보를 반영한 응급처치교범

　버) 구급의료용품 사용 시 보고를 위한 서식

　서) 복용 약품(진통제, 구토억제제, 코 충혈 완화제, 제산제, 항히스타민제), 다만, 자가용 항공기, 항공기사용사업용 항공기 및 여객을 수송하지 않는 항공운송사업용 헬리콥터의 경우에는 항히스타민제를 갖춰두지 않을 수 있다.

나. 감염예방 의료용구

　1) 감염예방 의료용구의 수량

승객 좌석 수	구급의료용품의 수
0석부터 250석	1조
251석부터 500석까지	2조
501석 이상	3조

다. 비상의료용구

　1) 장비

　　가) 내용물 설명서

　　나) 청진기

　　다) 혈압계

　　라) 인공기도

　　마) 주사기

바) 주사바늘

사) 정맥주사용 카테터

아) 항균 소독포

자) 일회용 의료 장갑

차) 주사 바늘 폐기함

카) 도뇨관

타) 정맥 혈류기(수액세트)

파) 지혈대

하) 스폰지 거즈

거) 접착 테이프

너) 외과용 마스크

더) 기관 카테터(또는 대형 정맥 캐뉼러)

러) 탯줄 집게(제대 겸자)

머) 체온계(비수은 체온계)

버) 기본인명구조술 지침서

서) 인공호흡용 Bag-valve 마스크

어) 손전등(펜라이트)과 건전지

2) 약품

가) 아드레날린제(희석 농도 1:1,000) 또는 에피네프린(희석 농도 1:1,000)

나) 항히스타민제(주사용)

다) 정맥주사용 포도당(50%, 주사용 50ml)

라) 니트로글리세린 정제(또는 스프레이)

마) 진통제

바) 향경련제(주사용)

사) 진토제(주사용)

아) 기관지 확장제(흡입식)

자) 아트로핀

차) 부신피질스테로이드(주사제)

카) 이뇨제(주사용)

타) 자궁수축제

파) 주사용 생리식염수(농도 0.9%, 용량 250ml 이상)

하) 아스피린(경구용)

거) 경구용 베타수용체 차단제

6. 제5호에서 정한 구급의료용품과 감염예방 의료용구는 비행 중 승무원이 쉽게 접근하여 사용할 수 있도록 객실 전체에 고르게 분포되도록 갖춰 두어야 한다.

1.2.4 승객 및 승무원의 좌석

항공기(무인항공기는 제외한다)에는 2세 이상의 승객과 모든 승무원을 위한 안전벨트가 달린 좌석(침대좌석을 포함한다)을 장착하여야 하며, 항공운송사업에 사용되는 항공기의 모든 승무원의 좌석에는 안전벨트 외에 어깨끈을 장착하여야 한다. 이 경우 운항승무원의 좌석에 장착하는 어깨끈은 급감속시 상체를 자동적으로 제어하는 것이어야 한다. 시행규칙 제 111조

1.2.5 낙하산의 장비

다음 각 호의 어느 하나에 해당하는 항공기에는 항공기에 타고 있는 모든 사람이 사용할 수 있는 수의 낙하산을 갖춰 두어야 한다.

1. 법 제23조제3항제2호에 따른 특별감항증명을 받은 항공기(제작 후 최초로 시험비행을 하는 항공기 또는 국토교통부장관이 지정하는 항공기만 해당한다)

2. 법 제68조 각 호 외의 부분 단서에 따라 같은 조 제4호에 따른 곡예비행을 하는 항공기 (헬리콥터는 제외한다)시행규칙 제 112조

1.2.6 항공기에 탑재하는 서류

항공기(활공기 및 법 제23조제3항제2호에 따른 특별감항증명을 받은 항공기는 제외한다)에는 다음 각 호의 서류를 탑재하여야 한다.

1. 항공기등록증명서

2. 감항증명서

3. 탑재용 항공일지

4. 운용한계 지정서 및 비행교범

5. 운항규정(별표 32에 따른 교범 중 훈련교범·위험물교범·사고절차교범·보안업무교범·항공기 탑재 및 처리 교범은 제외한다)

6. 항공운송사업의 운항증명서 사본(항공당국의 확인을 받은 것을 말한다) 및 운영기준 사본(국제운송사업에 사용되는 항공기의 경우에는 영문으로 된 것을 포함한다)

7. 소음기준적합증명서

8. 각 운항승무원의 유효한 자격증명서 및 조종사의 비행기록에 관한 자료

9. 무선국 허가증명서(radio station license)

10. 탑승한 여객의 성명, 탑승지 및 목적지가 표시된 명부(passenger manifest)(항공운송사업용 항공기만 해당한다)

11. 해당 항공운송사업자가 발행하는 수송화물의 화물목록(cargo manifest)과 화물 운송장에 명시되어 있는 세부 화물신고서류(detailed declarations of the cargo)(항공운송사업용 항공기만 해당한다)

12. 해당 국가의 항공당국 간에 체결한 항공기 등의 감독 의무에 관한 이전협정서 사본(법 제5조에 따른 임대차 항공기의 경우만 해당한다)

13. 비행 전 및 각 비행단계에서 운항승무원이 사용해야 할 점검표

14. 그 밖에 국토교통부장관이 정하여 고시하는 서류시행규칙 제 113조

1.2.7 산소 저장 및 분배장치

고고도(高高度) 비행을 하는 항공기(무인항공기는 제외한다. 이하 이 조에서 같다)는 다음 각 호의 구분에 따른 호흡용 산소의 양을 저장하고 분배할 수 있는 장치를 장착하여야 한다. 시행규칙 제114조

1. 여압장치가 없는 항공기가 기내의 대기압이 700헥토파스칼(hPa) 미만인 비행고도에서 비행하려는 경우에는 다음 각 목에서 정하는 양

   가. 기내의 대기압이 700헥토파스칼(hPa) 미만 620헥토파스칼(hPa) 이상인 비행고도에서 30분을 초과하여 비행하는 경우에는 승객의 10퍼센트와 승무원 전원이 그 초과되는 비행시간 동안 필요로 하는 양

　　나. 기내의 대기압이 620헥토파스칼(hPa) 미만인 비행고도에서 비행하는 경우에는 승객 전원과 승무원 전원이 해당 비행시간 동안 필요로 하는 양

2. 기내의 대기압을 700헥토파스칼(hPa) 이상으로 유지시켜 줄 수 있는 여압장치가 있는 모든 비행기와 항공운송사업에 사용되는 헬리콥터의 경우에는 다음 각 목에서 정하는 양

　　가. 기내의 대기압이 700헥토파스칼(hPa) 미만인 동안 승객 전원과 승무원 전원이 비행고도 등 비행환경에 따라 적합하게 필요로 하는 양

　　나. 기내의 대기압이 376헥토파스칼(hPa) 미만인 비행고도에서 비행하거나 376헥토파스칼(hPa) 이상인 비행고도에서 620헥토파스칼(hPa)인 비행고도까지 4분 이내에 강하할 수 없는 경우에는 승객 전원과 승무원 전원이 최소한 10분 이상 사용할 수 있는 양

여압장치가 있는 비행기로서 기내의 대기압이 376헥토파스칼(hPa) 미만인 비행고도로 비행하려는 비행기에는 기내의 압력이 떨어질 경우 운항승무원에게 이를 경고할 수 있는 기압저하경보장치 1기를 장착하여야 한다.

항공운송사업에 사용되는 항공기로서 기내의 대기압이 376헥토파스칼(hPa) 미만인 비행고도로 비행하거나 376헥토파스칼(hPa) 이상인 비행고도에서 620헥토파스칼(hPa)의 비행고도까지 4분 이내에 안전하게 강하할 수 없는 경우에는 승객 및 객실승무원 좌석 수를 더한 수보다 최소한 10퍼센트를 초과하는 수의 자동으로 작동되는 산소분배장치를 장착하여야 한다.

여압장치가 있는 비행기로서 기내의 대기압이 376헥토파스칼(hPa) 미만인 비행고도에서 비행하려는 비행기의 경우 운항승무원의 산소마스크는 운항승무원이 산소의 사용이 필요할 때에 비행임무를 수행하는 좌석에서 즉시 사용할 수 있는 형태여야 한다.

비행 중인 비행기의 안전운항을 위하여 조종업무를 수행하고 있는 모든 운항승무원은 제1항에 따른 산소 공급이 요구되는 상황에서는 언제든지 산소를 계속 사용할 수 있어야 한다.

1.2.8 헬리콥터 기체진동 감시 시스템 장착

최대이륙중량이 3천 175킬로그램을 초과하거나 승객 9명을 초과하여 수송할 수 있는 국제항공노선을 운항하는 항공운송사업에 사용되는 헬리콥터는 법 제52조제1항에 따라 기체에서 발생하는 진동을 감시할 수 있는 시스템(vibration health monitoring system)을 장착해야 한다. 시행규칙 제115조

1.2.9 방사선투사량계기

항공운송사업용 항공기 또는 국외를 운항하는 비행기가 평균해면으로부터 1만 5천미터(4만9천피트)를 초과하는 고도로 운항하려는 경우에는 방사선투사량계기(Radiation Indicator) 1기를 갖추어야 하고, 방사선투사량계기는 투사된 총 우주방사선의 비율과 비행 시마다 누적된 양을 계속적으로 측정하고 이를 나타낼 수 있어야 하며, 운항승무원이 측정된 수치를 쉽게 볼 수 있어야 한다. 시행규칙 제116조

1.2.10 항공계기장치

시계비행방식 또는 계기비행방식(계기비행 및 항공교통관제 지시 하에 시계비행방식으로 비행을 하는 경우를 포함한다)에 의한 비행을 하는 항공기에 갖추어야 할 항공계기 등의 기준은 별표 16과 같다. 시행규칙 제117조

[별표 16]

항공계기 등의 기준 제117조제1항 관련

비행구분	계 기 명	수 량			
		비행기		헬리콥터	
		항공운송 사업용	항공운송 사업용 외	항공운송 사업용	항공운송 사업용 외
시계 비행 방식	나침반 (MAGNETIC COMPASS)	1	1	1	1
	시계(시, 분, 초의 표시)	1	1	1	1
	정밀기압고도계 (SENSITIVE PRESSURE ALTIMETER)	1	-	1	1
	기압고도계 (PRESSURE ALTIMETER)	-	1	-	-
	속도계 (AIRSPEED INDICATOR)	1	1	1	1
	나침반 (MAGNETIC COMPASS)	1	1	1	1
	시계(시, 분, 초의 표시)	1	1	1	1

계기 비행 방식	정밀기압고도계 (SENSITIVE PRESSURE ALTIMETER)	2	1	2	1
	기압고도계 (PRESSURE ALTIMETER)	-	1	-	-
	동결방지장치가 되어 있는 속도계 (AIRSPEED INDICATOR)	1	1	1	1
	선회 및 경사지시계 (TURN AND SLIP INDICATOR)	1	1	-	-
	경사지시계 (SLIP INDICATOR)	-	-	1	1
	인공수평자세지시계 (ATTITUDE INDICATOR)	1	1	조종석당 1개 및 여분의 계기 1개	
	자이로식 기수방향지시계 (HEADING INDICATOR)	1	1	1	1
	외기온도계 (OUTSIDE AIR TEMPERATURE INDICATOR)	1	1	1	1
	승강계 (RATE OF CLIMB AND DESCENT INDICATOR)	1	1	1	1
	안정성유지시스템 (STABILIZATION SYSTEM)	-	-	1	1

비고:

1. 자이로식 계기에는 전원의 공급상태를 표시하는 수단이 있어야 한다.

2. 비행기의 경우 고도를 지시하는 3개의 바늘로 된 고도계(three pointer altimeter)와 드럼형 지시고도계 (drum pointer altimeter)는 정밀기압고도계의 요건을 충족하지 않으며, 헬리콥터의 경우 드럼형 지시 고도계는 정밀기압고도계의 요건을 충족하지 않는다.

3. 선회 및 경사지시계(헬리콥터의 경우에는 경사지시계), 인공수평 자세지시계 및 자이로식 기수방향지 시계의 요건은 결합 또는 통합된 비행지시계(Flight director)로 충족될 수 있다. 다만, 동시에 고장 나는 것을 방지하기 위하여 각각의 계기에는 안전장치가 내장되어야 한다.

4. 헬리콥터의 설계자 또는 제작자가 안정성유지시스템 없이도 안정성을 유지할 수 있는 능력이 있다고 시험비행을 통하여 증명하거나 이를 증명할 수 있는 서류 등을 제출한 경우에는 안정성유지시스템을 갖추지 않을 수 있다.

5. 계기비행방식에 따라 운항하는 최대이륙중량 5,700킬로그램을 초과하는 비행기와 제1종 및 제2종 헬리

콥터는 주 발전장치와는 별도로 30분 이상 인공수평 자세지시계를 작동시키고 조종사가 자세지시계를 식별할 수 있는 조명을 제공할 수 있는 비상전원 공급장치를 갖추어야 한다. 이 경우 비상전원 공급장치는 주발전장치 고장시 자동으로 작동되어야 하고 자세지시계가 비상전원으로 작동 중임이 계기판에 명확하게 표시되어야 한다.

6. 야간에 시계비행방식으로 국외를 운항하려는 항공운송사업용 헬리콥터는 시계비행방식으로 비행할 경우 위 표에 따라 장착해야 할 계기와 조종사 1명당 1개의 인공수평 자세지시계, 1개의 경사지시계, 1개의 자이로식 기수방향지시, 1개의 승강계를 장착해야 한다.

7. 진보된 조종실 자동화 시스템[Advanced cockpit automation system(Glass cockpit)-각종 아날로그 및 디지털 계기를 하나 또는 두 개의 전시화면(Display)으로 통합한 형태]을 갖춘 항공기는 주 시스템과 전시(Display)장치가 고장난 경우 조종사에게 항공기의 자세, 방향, 속도 및 고도를 제공하는 여분의 시스템을 갖추어야 한다. 다만, 주간에 시계비행방식으로 운항하는 헬리콥터는 제외한다.

8. 국외를 운항하는 항공운송사업 외의 비행기가 계기비행방식으로 비행하려는 경우에는 2개의 독자적으로 작동하는 비행기 자세 측정 장치(independent altitude measuring)와 비행기 자세 전시 장치(display system)를 갖추어야 한다.

9. 야간에 시계비행방식으로 운항하려는 항공운송사업 외의 헬리콥터에는 각 조종석마다 자세지시계 1개와 여분의 자세지시계 1개, 경사지시계 1개, 기수방향지시계 1개, 승강계 1개를 추가로 장착해야 한다.

2. 항공기 연료 및 항공등화

2.1 항공기의 연료 제53조

항공기를 운항하려는 자 또는 소유자등은 항공기에 국토교통부령으로 정하는 양의 연료를 싣지 아니하고 항공기를 운항해서는 아니 된다.

항공기에 실어야 할 연료와 오일의 양 시행규칙 제119조 관련

구분		연료 및 오일의 양	
		왕복발동기 장착 항공기	터빈발동기 장착 항공기
항공 운송 사업용 및 항공기 사업용 비행기	계기비행으로 교체비행장이 요구될 경우	다음 각 호의 양을 더한 양 1. 이륙 전에 소모가 예상되는 연료(taxi fuel)의 양 2. 이륙부터 최초 착륙예정 비행장에 착륙할 때까지 필요한 연료(trip fuel)의 양 3. 이상사태 발생 시 연료 소모가 증가할 것에 대비하기 위한 것으로서 법 제77조에 따라 고시하는 운항기술기준(이하 이 표에서 "운항기술기준"이라 한다)에서 정한 연료(Contingency fuel)의 양 4. 다음 각 목의 어느 하나에 해당하는 연료(destination alternate fuel)의 양 가. 1개의 교체비행장이 요구되는 경우: 다음의 양을 더한 양 　1) 최초 착륙예정 비행장에서 한 번의 실패접근에 필요한 양	다음 각 호의 양을 더한 양 1. 이륙 전에 소모가 예상되는 연료의 양 2. 이륙부터 최초 착륙예정 비행장에 착륙할 때까지 필요한 연료의 양 3. 이상사태 발생 시 연료 소모가 증가할 것에 대비하기 위한 것으로서 운항기술기준에서 정한 연료의 양 4. 다음 각 목의 어느 하나에 해당하는 연료의 양 가. 1개의 교체비행장이 요구되는 경우: 다음의 양을 더한 양 　1) 최초 착륙예정 비행장에서 한 번의 실패접근에 필요한 양 　2) 교체비행장까지 상승비행, 순항비행, 강하비행, 접근비행 및 착륙에 필요한 양

	2) 교체비행장까지 상승비행, 순항비행, 강하비행, 접근비행 및 착륙에 필요한 양 나. 2개 이상의 교체비행장이 요구되는 경우: 각각의 교체비행장에 대하여 가목에 따라 산정된 양 중 가장 많은 양 5. 교체비행장에 도착 시 예상되는 비행기의 중량 상태에서 순항속도 및 순항고도로 45분간 더 비행할 수 있는 연료(final reserve fuel)의 양 6. 그 밖에 비행기의 비행성능 등을 고려하여 운항기술기준에서 정한 추가 연료의 양	나. 2개 이상의 교체비행장이 요구되는 경우: 각각의 교체비행장에 대하여 가목에 따라 산정된 양 중 가장 많은 양 5. 교체비행장에 도착 시 예상되는 비행기의 중량 상태에서 표준대기 상태에서의 체공속도로 교체비행장의 450미터(1,500피트)의 상공에서 30분간 더 비행할 수 있는 연료의 양 6. 그 밖에 비행기의 비행성능 등을 고려하여 운항기술기준에서 정한 추가 연료의 양
계기비행으로 교체비행장이 요구되지 않을 경우	다음 각 호의 양을 더한 양 1. 이륙 전에 소모가 예상되는 연료의 양 2. 이륙부터 최초 착륙예정 비행장에 착륙할 때까지 필요한 연료의 양 3. 이상사태 발생 시 연료소모가 증가할 것에 대비하기 위한 것으로서 운항기술기준에서 정한 연료의 양 4. 다음 각 목의 어느 하나에 해당하는 연료의 양 가. 제186조제3항제1호에 해당하는 경우: 표준대기상태에서 최초 착륙예정 비행장의 450미터(1,500피트)의 상공에서 체공속도로 15분간 더 비행할 수 있는 양 나. 제186조제3항제2호에 해당하는 경우: 다음의 어느 하나에 해당하는 양 중 더 적은 양	다음 각 호의 양을 더한 양 1. 이륙 전에 소모가 예상되는 연료의 양 2. 이륙부터 최초 착륙예정 비행장에 착륙할 때까지 필요한 연료의 양 3. 이상사태 발생 시 연료소모가 증가할 것에 대비하기 위한 깃으로서 운항기술기준에서 정한 연료의 양 4. 다음 각 목의 어느 하나에 해당하는 연료의 양 가. 제186조제3항제1호에 해당하는 경우: 표준대기상태에서 최초 착륙예정 비행장의 450미터(1,500피트)의 상공에서 체공속도로 15분간 더 비행할 수 있는 양

		1) 제5호에 따른 연료의 양을 포함하여 순항속도로 45분간 더 비행할 수 있는 양에 순항고도로 계획된 비행시간의 15퍼센트의 시간을 더 비행할 수 있는 양을 더한 양 2) 순항속도로 2시간을 더 비행할 수 있는 양 5. 최초 착륙예정 비행장에 도착 시 예상되는 비행기 중량 상태에서 순항속도 및 순항고도로 45분간 더 비행할 수 있는 연료의 양. 다만, 제4호나목1)에 따라 연료를 실은 경우에는 제5호에 따른 연료를 실은 것으로 본다. 6. 그 밖에 비행기의 비행성능 등을 고려하여 운항기술기준에서 정한 추가 연료의 양	나. 제186조제3항제2호에 해당하는 경우: 제5호에 따른 연료의 양을 포함하여 최초 착륙예정 비행장의 상공에서 정상적인 순항 연료소모율로 2시간을 더 비행할 수 있는 양 5. 최초 착륙예정 비행장에 도착 시 예상되는 비행기 중량 상태에서 표준대기 상태에서의 체공속도로 최초 착륙예정 비행장의 450미터 (1,500피트)의 상공에서 30분간 더 비행할 수 있는 양. 다만, 제4호나목에 따라 연료를 실은 경우에는 제5호에 따른 연료를 실은 것으로 본다. 6. 그 밖에 비행기의 비행성능 등을 고려하여 운항기술기준에서 정한 추가 연료의 양
	시계비행을 할 경우	다음 각 호의 양을 더한 양 1. 최초 착륙예정 비행장까지 비행에 필요한 양 2. 순항속도로 45분간 더 비행할 수 있는 양
항공운송사업용 및 항공기사용사업용 외의 비행기	계기비행으로 교체비행장이 요구될 경우	다음 각 호의 양을 더한 양 1. 최초 착륙예정 비행장까지 비행에 필요한 양 2. 그 교체비행장까지 비행을 마친 후 순항고도로 45분간 더 비행할 수 있는 양
	계기비행으로 교체비행장이 요구되지 않을 경우	다음 각 호의 양을 더한 양 1. 제186조제3항 단서에 따라 교체비행장이 요구되지 않는 경우 최초 착륙예정 비행장까지 비행에 필요한 양 2. 순항고도로 45분간 더 비행할 수 있는 양
	주간에 시계비행을 할 경우	다음 각 호의 양을 더한 양 1. 최초 착륙예정 비행장까지 비행에 필요한 양 2. 순항고도로 30분간 더 비행할 수 있는 양

	야간에 시계비행을 할 경우	다음 각 호의 양을 더한 양 1. 최초 착륙예정 비행장까지 비행에 필요한 양 2. 순항고도로 45분간 더 비행할 수 있는 양
항공 운송 사업용 및 항공기 사용 사업용 헬리 콥터	시계비행을 할 경우	다음 각 호의 양을 더한 양 1. 최초 착륙예정 비행장까지 비행에 필요한 양 2. 최대항속속도로 20분간 더 비행할 수 있는 양 3. 이상사태 발생 시 연료소모가 증가할 것에 대비하기 위한 것으로서 운항기술기준에서 정한 연료의 양
	계기비행으로 교체비행장이 요구될 경우	다음 각 호의 양을 더한 양 1. 최초 착륙예정 비행장까지 비행하여 한 번의 접근과 실패접근을 하는 데 필요한 양 2. 교체비행장까지 비행하는 데 필요한 양 3. 표준대기 상태에서 교체비행장의 450미터(1,500피트)의 상공에서 30분간 체공하는 데 필요한 양에 그 비행장에 접근하여 착륙하는 데 필요한 양을 더한 양 4. 이상사태 발생 시 연료소모가 증가할 것에 대비하기 위한 것으로서 운항기술기준에서 정한 연료의 양
	계기비행으로 교체비행장이 요구되지 않을 경우	제186조제7항제1호의 경우에는 다음 각 호의 양을 더한 양 1. 최초 착륙예정 비행장까지 비행에 필요한 양 2. 표준대기 상태에서 최초 착륙예정 비행장의 450미터(1,500피트)의 상공에서 30분간 체공하는 데 필요한 양에 그 비행장에 접근하여 착륙하는 데 필요한 양을 더한 양 3. 이상사태 발생 시 연료소모가 증가할 것에 대비하기 위한 것으로서 운항기술기준에서 정한 연료의 양
	계기비행으로 적당한 교체비행장이 없을 경우	제186조제7항제2호의 경우에는 다음 각 호의 양을 더한 양 1. 최초 착륙예정 비행장까지 비행에 필요한 양 2. 최초 착륙예정 비행장의 상공에서 체공속도로 2시간 동안 체공하는 데 필요한 양
항공 운송 사업용	시계비행을 할 경우	다음 각 호의 양을 더한 양 1. 최초 착륙예정 비행장까지 비행에 필요한 양 2. 최대항속속도로 20분간 더 비행할 수 있는 양

및 항공기 사용 사업용 외의 헬리콥터		3. 이상사태 발생 시 연료 소모가 증가할 것에 대비하여 소유자등이 정한 추가의 양
	계기비행으로 교체비행장이 요구될 경우	다음 각 호의 양을 더한 양 1. 최초 착륙예정 비행장까지 비행하여 한 번의 접근과 실패접근을 하는 데 필요한 양 2. 교체비행장까지 비행하는 데 필요한 양 3. 표준대기 상태에서 교체비행장의 450미터(1,500피트)의 상공에서 30분간 체공하는 데 필요한 양에 그 비행장에 접근하여 착륙하는 데 필요한 양을 더한 양 4. 이상사태 발생 시 연료 소모가 증가할 것에 대비하여 소유자등이 정한 추가의 양
	계기비행으로 교체비행장이 요구되지 않는 경우	다음 각 호의 양을 더한 양 1. 최초 착륙예정 비행장까지 비행에 필요한 양 2. 표준대기 상태에서 최초 착륙예정 비행장의 450미터(1,500피트)의 상공에서 30분간 체공하는 데 필요한 양에 그 비행장에 접근하여 착륙하는 데 필요한 양을 더한 양 3. 이상사태 발생 시 연료 소모가 증가할 것에 대비하여 소유자등이 정한 추가의 양
	계기비행으로 적당한 교체비행장이 없을 경우	다음 각 호의 양을 더한 양 1. 최초 착륙예정 비행장까지 비행에 필요한 양 2. 그 비행장의 상공에서 체공속도로 2시간 동안 체공하는 데 필요한 양

2.2 항공기의 등불 제54조

항공기를 운항하거나 야간(해가 진 뒤부터 해가 뜨기 전까지를 말한다. 이하 같다)에 비행장에 주기(駐機) 또는 정박(碇泊)시키는 사람은 국토교통부령으로 정하는 바에 따라 등불로 항공기의 위치를 나타내야 한다.

항공기가 야간에 공중·지상 또는 수상을 항행하는 경우와 비행장의 이동지역 안에서 이동하거나 엔진이 작동 중인 경우에는 우현등, 좌현등 및 미등(이하 "항행등"이라 한다)과 충돌방지등에 의하여 그 항공기의 위치를 나타내야 한다.

항공기를 야간에 사용되는 비행장에 주기(駐機) 또는 정박시키는 경우에는 해당 항공기의 항행등을 이용하여 항공기의 위치를 나타내야 한다. 다만, 비행장에 항공기를 조명하는 시설이 있는 경우에는 그러하지 아니하다.

항공기는 위치를 나타내는 항행등으로 잘못 인식될 수 있는 다른 등불을 켜서는 아니 된다. 또한, 조종사는 섬광등이 업무를 수행하는 데 장애를 주거나 외부에 있는 사람에게 눈부심을 주어 위험을 유발할 수 있는 경우에는 섬광등을 끄거나 빛의 강도를 줄여야 한다. 시행규칙 제120조

3. 운항승무원

3.1 운항승무원의 비행경험 제55조

다음 각 호의 어느 하나에 해당하는 항공기를 운항하려고 하거나 계기비행·야간비행 또는 제44조제2항에 따른 조종교육 업무에 종사하려는 운항승무원은 국토교통부령으로 정하는 비행경험(모의비행장치를 이용하여 얻은 비행경험을 포함한다)이 있어야 한다.

1. 항공운송사업 또는 항공기사용사업에 사용되는 항공기
2. 항공기 중량, 승객 좌석 수 등 국토교통부령으로 정하는 기준에 해당하는 항공기로서 국외 운항에 사용되는 항공기(이하 "국외운항항공기"라 한다).

3.2 승무원 피로관리 제56조

① 항공운송사업자, 항공기사용사업자 또는 국외운항항공기 소유자등은 다음 각 호의 어느 하나 이상의 방법으로 소속 운항승무원 및 객실승무원(이하 "승무원"이라 한다)의 피로를 관리하여야 한다.

1. 국토교통부령으로 정하는 승무원의 승무시간, 비행근무시간, 근무시간 등(이하 "승무시간등"이라 한나)의 세한기준을 따르는 방법
2. 피로위험관리시스템을 마련하여 운용하는 방법

② 항공운송사업자, 항공기사용사업자 또는 국외운항항공기 소유자등이 피로위험관리시스템을 마련하여 운용하려는 경우에는 국토교통부령으로 정하는 바에 따라 국토교통부장관의 승인을 받아 운용하여야 한다. 승인 받은 사항 중 국토교통부령으로 정하는 중요사항을 변경하는 경우에도 또한 같다.

③ 항공운송사업자, 항공기사용사업자 또는 국외운항항공기 소유자등은 제1항제1호에 따

122

라 승무원의 피로를 관리하는 경우에는 승무원의 승무시간등에 대한 기록을 15개월 이상 보관하여야 한다.

[시행일 : 2019.3.30.] 제56조제1항제2호, 제56조제2항

ICAO 국제기준(부속서 6, 항공기 운항) 개정에 따라 국제선을 운항 하는 비사업용 항공기에 종사하는 승무원에 대해서도 사고예방을 위한 피로관리가 필요함에 따라 국제선을 운항하는 비사업용 항공기에 종사하는 승무원에 대하여 승무시간, 비행시간 등을 제한할 수 있도록 규정하고, 국제선을 운항하는 비사업용 항공기에 종사하는 승무원에 대하여 피로관리규정을 적용함으로써 ICAO 국제기준을 준수하고 사고예방 효과를 높일 수 있을 것으로 기대된다.

3.3 주류등의 섭취·사용 제한 제57조

① 항공종사자(제46조에 따른 항공기 조종연습 및 제47조에 따른 항공교통관제연습을 하는 사람을 포함한다. 이하 이 조에서 같다) 및 객실승무원은 「주세법」 제3조제1호에 따른 주류, 「마약류 관리에 관한 법률」 제2조제1호에 따른 마약류 또는 「화학물질관리법」 제22조제1항에 따른 환각물질 등(이하 "주류등"이라 한다)의 영향으로 항공업무(제46조에 따른 항공기 조종연습 및 제47조에 따른 항공교통관제연습을 포함한다. 이하 이 조에서 같다) 또는 객실승무원의 업무를 정상적으로 수행할 수 없는 상태에서는 항공업무 또는 객실승무원의 업무에 종사해서는 아니 된다.

② 항공종사자 및 객실승무원은 항공업무 또는 객실승무원의 업무에 종사하는 동안에는 주류등을 섭취하거나 사용해서는 아니 된다.

③ 국토교통부장관은 항공안전과 위험 방지를 위하여 필요하다고 인정하거나 항공종사자 및 객실승무원이 제1항 또는 제2항을 위반하여 항공업무 또는 객실승무원의 업무를 하였다고 인정할 만한 상당한 이유가 있을 때에는 주류등의 섭취 및 사용 여부를 호흡측정기 검사 등의 방법으로 측정할 수 있으며, 항공종사자 및 객실승무원은 이러한 측정에 응하여야 한다.

④ 국토교통부장관은 항공종사자 또는 객실승무원이 제3항에 따른 측정 결과에 불복하

> 면 그 항공종사자 또는 객실승무원의 동의를 받아 혈액 채취 또는 소변 검사 등의 방법으로 주류등의 섭취 및 사용 여부를 다시 측정할 수 있다.
>
> ⑤ 주류등의 영향으로 항공업무 또는 객실승무원의 업무를 정상적으로 수행할 수 없는 상태의 기준은 다음 각 호와 같다.
>
>   1. 주정성분이 있는 음료의 섭취로 혈중알코올농도가 0.02퍼센트 이상인 경우
>
>   2. 「마약류 관리에 관한 법률」 제2조제1호에 따른 마약류를 사용한 경우
>
>   3. 「화학물질관리법」 제22조제1항에 따른 환각물질을 사용한 경우
>
> ⑥ 제1항부터 제5항까지의 규정에 따라 주류등의 종류 및 그 측정에 필요한 세부 절차 및 측정기록의 관리 등에 필요한 사항은 국토교통부령으로 정한다.

대국민의 항공교통 이용의 안전 확보를 위해 항공종사자 및 객실승무원의 주정음료등의 사용 제한 및 위반 시 처분을 강화할 필요가 있음에 따라 업무 수행 제한을 위한 혈중알콜농도 기준을 강화하고, 주정음료등의 영향으로 업무를 수행할 수 없는 상태에서 업무에 종사한 경우 처분토록 벌칙을 신설하여 주정음료등의 사용 제한 및 위반 시 처분을 강화함으로써 대국민의 항공교통안전이 강화되고 항공기 탑승 승객이 사고 위험으로부터 보호될 것으로 기대되고 있다.

이에 따라 국토교통부장관 또는 지방항공청장은 소속 공무원으로 하여금 항공종사자 및 객실승무원의 주류등의 섭취 또는 사용 여부를 측정하게 할 수 있으며, 주류등의 섭취 또는 사용 여부를 적발한 소속 공무원은 주류등 섭취 또는 사용 적발보고서를 작성하여 국토교통부장관 또는 지방항공청장에게 보고하여야 한다. 시행규칙 제129조

4. 항공안전프로그램

항공안전관리시스템(SMS, Safety Management System)은 처벌 중심의 사후적 안전관리방식에서 탈피하여 미리 잠재적인 안전저해요소들을 발굴하여 이에 대한 방지책을 수립하고 이행하는 사전예방적인 안전관리방식이다. 전문교육기관, 항행안전시설 관리자, 공항운영자, 항공운송사업자 등은 항공기 사고 등의 예방 및 비행안전 확보를 위한 항공안전관리시스템을 마련하고 국토교통부장관의 승인을 받아 운용하여야 한다. 항공안전관리시스템에는 ① 안전정책 및 목표, ② 위험요소관리절차, ③ 안전보증활동, ④ 안전증진활동 등이 포함되어야 한다.

ICAO 국제기준(부속서 8, 항공기 감항) 개정에 따라 항공기등의 설계·제작에 관련된 자도 항공안전관리시스템을 도입하여 운영할 필요가 있음으로 항공안전관리시스템 의무 도입 대상에 형식증명·부가형식증명·제작증명·기술표준품 형식승인·부품등제작자증명 소지자를 추가하고, 이를 위반한 경우 각각의 증명·승인에 대한 효력정지 등의 처분 근거를 마련함에 따라 항공기등의 설계·제작에 관련된 자도 항공안전관리시스템을 도입·운영토록 함으로써 ICAO 국제기준을 준수하고 항공안전이 강화될 것으로 기대하고 있다.

4.1 항공안전프로그램의 고시 제58조제1항

국토교통부장관은 다음 각 호의 사항이 포함된 항공안전프로그램을 마련하여 고시하여야 한다.

1. 국가의 항공안전에 관한 목표
2. 제1호의 목표를 달성하기 위한 항공기 운항, 항공교통업무, 항행시설 운영, 공항 운영 및 항공기 설계·제작·정비 등 세부 분야별 활동에 관한 사항
3. 항공기사고, 항공기준사고 및 항공안전장애 등에 대한 보고체계에 관한 사항
4. 항공안전을 위한 조사활동 및 안전감독에 관한 사항
5. 잠재적인 항공안전 위해요인의 식별 및 개선조치의 이행에 관한 사항

6. 정기적인 안전평가에 관한 사항 등.

4.2 항공안전관리시스템 구축 제58조제2항 제58조제3항

다음 각 호의 어느 하나에 해당하는 자는 제작, 교육, 운항 또는 사업 등을 시작하기 전까지 제1항에 따른 항공안전프로그램에 따라 항공기사고 등의 예방 및 비행안전의 확보를 위한 항공안전관리시스템을 마련하고, 국토교통부장관의 승인을 받아 운용하여야 한다. 승인받은 사항 중 국토교통부령으로 정하는 중요사항을 변경할 때에도 또한 같다. 제58조 제2항 및 3항

1. 형식증명, 부가형식증명, 제작증명, 기술표준품형식승인 또는 부품등제작자증명을 받은 자

2. 제35조제1호부터 제4호까지의 항공종사자 양성을 위하여 제48조제1항에 따라 지정된 전문교육기관

3. 항공교통업무증명을 받은 자

4. 항공운송사업자, 항공기사용사업자 및 국외운항항공기 소유자등

5. 항공기정비업자로서 제97조제1항에 따른 정비조직인증을 받은 자

6. 「공항시설법」 제38조제1항에 따라 공항운영증명을 받은 자

7. 「공항시설법」 제43조제2항에 따라 항행안전시설을 설치한 자

국토교통부장관은 제83조제1항부터 제3항까지에 따라 국토교통부장관이 하는 업무를 체계적으로 수행하기 위하여 제1항에 따른 항공안전프로그램에 따라 그 업무에 관한 항공안전관리시스템을 구축·운용하여야 한다.

항공안전관리시스템을 승인받으려는 자는 항공안전관리시스템 승인신청서에 다음 각 호의 서류를 첨부하여 제작·교육·운항 또는 사업 등을 시작하기 30일 전까지 국토교통부장관 또는 지방항공청장에게 제출하여야 한다.

1. 항공안전관리시스템 매뉴얼

2. 항공안전관리시스템 이행계획서 및 이행확약서

3. 항공안전관리시스템 승인기준에 미달하는 사항이 있는 경우 이를 보완할 수 있는 대체 운영절차

항공안전관리시스템 승인신청서를 받은 국토교통부장관 또는 지방항공청장은 해당 항공안전관리시스템이 항공안전관리시스템 승인기준 및 국토교통부장관이 고시한 운용조직의 규모 및 업무특성별 운용요건에 적합하다고 인정되는 경우에는 항공안전관리시스템 승인서를 발급하여야 한다.

승인받은 사항 중 "국토교통부령으로 정하는 중요사항"이란 다음 각 호의 사항을 말한다.

1. 안전목표에 관한 사항

2. 안전조직에 관한 사항

3. 안전장애 등에 대한 보고체계에 관한 사항

4. 안전평가에 관한 사항

위에서 정한 중요사항을 변경하려는 자는 항공안전관리시스템 변경승인 신청서에 다음 각 호의 서류를 첨부하여 국토교통부장관 또는 지방항공청장에게 제출하여야 한다.

1. 변경된 항공안전관리시스템 매뉴얼

2. 항공안전관리시스템 매뉴얼 신·구대조표

국토교통부장관 또는 지방항공청장은 제4항에 따라 세출된 변경사항이 별표 20에서 정한 항공안전관리시스템 승인기준에 적합하다고 인정되는 경우 이를 승인하여야 한다. 시행규칙 제130조

4.3 항공안전프로그램 및 항공안전관리시스템에 필요사항 제58조제4항

제1항부터 제3항까지에서 규정한 사항 외에 다음 각 호의 사항은 국토교통부령으로 정한다.

> 1. 제1항에 따른 항공안전프로그램의 마련에 필요한 사항
>
> 2. 제2항에 따른 항공안전관리시스템에 포함되어야 할 사항, 항공안전관리시스템의 승인기준 및 구축·운용에 필요한 사항
>
> 3. 제3항에 따른 업무에 관한 항공안전관리시스템의 구축·운용에 필요한 사항

4.3.1 항공안전프로그램의 마련에 필요한 사항

항공안전프로그램을 마련할 때에는 다음 각 호의 사항을 반영하여야 한다. 시행규칙 제131조

1. 국가의 안전정책 및 안전목표

   가. 항공안전분야의 법규체계

   나. 항공안전조직의 임무 및 업무분장

   다. 항공기사고, 항공기준사고, 항공안전장애 등의 조사에 관한 사항

   라. 행정처분에 관한 사항

2. 국가의 위험도 관리

   가. 항공안전관리시스템의 운영요건

   나. 항공안전관리시스템의 운영을 통한 안전성과 관리절차

3. 국가의 안전성과 검증

   가. 안전감독에 관한 사항

   나. 안전자료의 수집, 분석 및 공유에 관한 사항

4. 국가의 안전관리 활성화

   가. 안전업무 담당 공무원에 대한 교육·훈련, 의견 교환 및 안전정보의 공유에 관한 사항

   나. 항공안전관리시스템 운영자에 대한 교육·훈련, 의견교환 및 안전정보의 공유에 관한 사항

5. 그 밖에 국토교통부장관이 항공안전목표 달성에 필요하다고 정하는 사항.

4.3.2 항공안전관리시스템에 포함되어야 할 사항

항공안전관리시스템에 포함되어야 할 사항은 다음 각 호와 같다. 시행규칙 제132조

1. 안전정책 및 안전목표

　　가. 최고경영자의 권한 및 책임에 관한 사항

　　나. 안전관리 관련 업무분장에 관한 사항

　　다. 총괄 안전관리자의 지정에 관한 사항

　　라. 위기대응계획 관련 관계기관 협의에 관한 사항

　　마. 매뉴얼 등 항공안전관리시스템 관련 기록·관리에 관한 사항

2. 위험도 관리

　　가. 위험요인의 식별절차에 관한 사항

　　나. 위험도 평가 및 경감조치에 관한 사항

3. 안전성과 검증

　　가. 안전성과의 모니터링 및 측정에 관한 사항

　　나. 변화관리에 관한 사항

　　다. 항공안전관리시스템 운영절차 개선에 관한 사항

4. 안전관리 활성화

　　가. 안전교육 및 훈련에 관한 사항

　　나. 안전관리 관련 정보 등의 공유에 관한 사항

5. 그 밖에 국토교통부장관이 항공안전 목표 달성에 필요하다고 정하는 사항

또한, 최대이륙중량이 2만킬로그램을 초과하는 비행기를 사용하는 항공운송사업자 또는 최대이륙중량이 7천킬로그램을 초과하거나 승객 9명을 초과하여 수송할 수 있는 헬리콥터를 사용하여 국제항공노선을 취항하는 항공운송사업자는 제1항에 따른 항공안전관리시스템에 다음 각 호의 사항에 관한 비행자료분석프로그램(Flight data analysis program)이 포함되도록 하여야 한다.

1. 비행자료를 수집할 수 있는 장치의 장착 및 운영 절차

2. 비행자료와 그 분석결과의 보호에 관한 사항

3. 비행자료 분석결과의 활용에 관한 사항

4. 그 밖에 비행자료의 보존 및 품질관리 요건 등 국토교통부장관이 정하여 고시하는 사항

항공운송사업자는 수집한 비행자료와 그 분석결과를 항공기사고 등을 예방하고 항공안전을 확보할 목적으로만 사용하여야 하며, 그 분석결과가 공개되지 아니하도록 하여야 하며, 비행자료의 분석 대상이 되는 항공기의 운항승무원에게는 자료의 분석을 통하여 나타난 결과를 이유로 징계 등 신분상의 불이익을 주어서는 아니 된다. 다만, 범죄 또는 고의적인 절차 위반 행위가 확인되는 경우에는 그러하지 아니하다.

4.3.3 항공교통업무 안전관리시스템의 구축·운용에 관한 사항

항공교통업무 안전관리시스템의 구축·운용은 별표 20을 준용한다. 다만, 항공교통업무 중 레이더를 이용하여 항공교통관제 업무를 수행하는 경우에는 다음 각 호의 사항을 추가하여야 한다. 시행규칙 제133조

　　1. 레이더 자료를 수집할 수 있는 장치의 설치 및 운영 절차

　　2. 레이더 자료와 분석결과의 보호에 관한 사항

　　3. 레이더 자료와 분석결과의 활용에 관한 사항

레이더자료 및 분석결과는 항공기사고 등을 예방하고 항공안전을 위한 목적으로만 사용되어야 한다.

5. 항공안전 의무보고

항공안전의무보고란 항공 산업 현장의 잠재적 위험요인을 사전에 발굴하여 통계적·과학적인 분석과 대응을 통해 사고를 예방하고자 항공기사고(accident), 항공기준사고(serious incident), 또는 항공안전장애(incident)를 발생시키거나 발생한 것을 알게 된 항공종사자 등 관계인이 그 사실을 정부에 보고하도록 하는 제도로서 중대한 물적·인적 피해가 발생한 사고, 준사고는 물론이고 항공안전에 영향을 미칠 수 있는 장애사항들에 대한 정보도 보고하여야 한다. 항공기사고·항공기준사고의 경우는 발생시켰거나 발생한 것을 알게 된 즉시 보고해야 하며, 항공안전장애의 경우는 비행 중, 이착륙, 지상운항, 운항준비, 공항 및 항행서비스, 기타사항은 발생시켰거나 발생한 것을 알게 된 시점으로부터 72시간 이내에 보고하여야하며, 항공기 화지 및 고장의 경우에는 96시간 이내에 보고하여야 한다.

5.1 항공안전 의무보고 절차 　제59조

① 항공기사고, 항공기준사고 또는 항공안전장애를 발생시켰거나 항공기사고, 항공기준사고 또는 항공안전장애가 발생한 것을 알게 된 항공종사자 등 관계인은 국토교통부장관에게 그 사실을 보고하여야 한다.

② 제1항에 따른 항공종사자 등 관계인의 범위, 보고에 포함되어야 할 사항, 시기, 보고 방법 및 절차 등은 국토교통부령으로 정한다.

다음 각 호의 어느 하나에 해당하는 사람은 항공안전 의무보고서 또는 국토교통부장관이 정하여 고시하는 전자적인 보고방법에 따라 국토교통부장관 또는 지방항공청장에게 보고하여야 한다. 시행규칙 제134조

1. 항공기사고를 발생시켰거나 항공기사고가 발생한 것을 알게 된 항공종사자 등 관계인

2. 항공기준사고를 발생시켰거나 항공기준사고가 발생한 것을 알게 된 항공종사자 등 관계인

3. 항공안전장애를 발생시켰거나 항공안전장애가 발생한 것을 알게 된 항공종사자 등 관계인(법 제33조에 따른 보고 의무자는 제외한다)

5.1.1 항공종사자 등 관계인의 범위

1. 항공기 기장(항공기 기장이 보고할 수 없는 경우에는 그 항공기의 소유자등을 말한다)
2. 항공정비사(항공정비사가 보고할 수 없는 경우에는 그 항공정비사가 소속된 기관·법인 등의 대표자를 말한다)
3. 항공교통관제사(항공교통관제사가 보고할 수 없는 경우 그 관제사가 소속된 항공교통관제기관의 장을 말한다)
4. 「공항시설법」에 따라 공항시설을 관리·유지하는 자
5. 「공항시설법」에 따라 항행안전시설을 설치·관리하는 자
6. 법 제70조제3항에 따른 위험물취급자

5.1.2 보고서의 제출 시기

1. 항공기사고 및 항공기준사고: 즉시
2. 항공안전장애:

가. 별표 3 제1호부터 제4호까지, 제6호 및 제7호에 해당하는 항공안전장애를 발생시켰거나 항공안전장애가 발생한 것을 알게 된 자: 인지한 시점으로부터 72시간 이내(해당 기간에 포함된 토요일 및 법정공휴일에 해당하는 시간은 제외한다). 다만, 제6호가목, 나목 및 마목에 해당하는 사항은 즉시 보고하여야 한다.

나. 별표 3 제5호에 해당하는 항공안전장애를 발생시켰거나 항공안전장애가 발생한 것을 알게 된 자: 인지한 시점으로부터 96시간 이내. 다만, 해당 기간에 포함된 토요일 및 법정공휴일에 해당하는 시간은 제외한다.

[별표 3]

항공안전장애의 범위

구분	항공안전장애 내용
1. 비행 중	가. 항공기간 분리최저치가 확보되지 않았거나 다음의 어느 하나에 해당하는 경우와

		같이 분리최저치가 확보 되지 않을 우려가 있었던 경우. 다만, 항공교통관제사가 항공법규 등 관련 규정에 따라 항공기 상호간 분리최저치 이상을 유지토록 하는 관제지시를 발부하였고 조종사가 이에 따라 항행을 한 것이 확인된 경우는 제외한다. 1) 공중충돌경고장치 회피기동(ACAS RA)이 발생한 경우 2) 항공교통관제기관의 항공기 감시 장비에 근접충돌경고가 현시된 경우
		나. 지형·수면·장애물 등과 최저 장애물회피고도(MOC, Minimum Obstacle Clearance)가 확보되지 않았던 경우(항공기준사고에 해당하는 경우는 제외한다)
		다. 비행금지구역 또는 비행제한구역에 허가 없이 진입한 경우를 포함하여 비행경로 또는 비행고도 이탈 등 항공교통관제기관의 사전 허가를 받지 아니한 항행을 한 경우. 다만, 일시적인 경미한 고도·경로 이탈 또는 고도 및 경로의 허용된 오차범위 내에서 운항한 경우는 제외한다.
2. 이륙·착륙		가. 활주로 또는 착륙표면에 항공기 동체 꼬리, 날개 끝, 엔진 덮개 등이 비정상적으로 접촉된 경우(항공기사고, 항공기준사고 또는 정비교범에 따른 항공기 손상·파손 허용범위 이내인 경우는 제외한다)
		나. 항공기가 다음의 어느 하나에 해당하는 사유로 이륙활주를 중단한 경우 또는 이륙을 강행한 경우 1) 부적절한 외장 설정(Incorrect Configuration Setting) 2) 항공기 시스템 기능장애 등 정비요인 3) 항공교통관제지시, 기상 등 그 밖의 사유
		다. 항공기가 이륙활주 또는 착륙활주 중 착륙장치가 활주로표면 측면 외측의 포장된 완충구역(Runway Shoulder 이내로 한정한다)으로 이탈하였으나 활주로로 다시 복귀하여 이륙활주 또는 착륙활주를 안전하게 마무리 한 경우
3. 지상운항		가. 항공기가 운항 중 다른 항공기나 장애물, 차량, 장비 또는 동물 등과 접촉·충돌한 경우. 다만, 항공기의 손상이 없거나 운항허용범위 이내의 손상인 경우는 제외한다.
		나. 항공기가 주기(駐機) 중 다른 항공기나 장애물, 차량, 장비 또는 동물 등과 접촉·충돌한 경우. 다만, 항공기의 손상이 없거나 운항허용범위 이내의 손상인 경우는 제외한다.
		다. 항공기가 기계적 고장 등의 요인으로 제어손실이 발생하여 유도로를 이탈한 경우

	라. 항공기, 차량, 사람 등이 유도로에 무단으로 진입한 경우	
	마. 항공기, 차량, 사람 등이 허가 없이 또는 잘못된 허가로 항공기의 이륙 · 착륙을 위해 지정된 보호구역에 진입하였으나 다른 항공기의 안전 운항에 지장을 주지 않은 경우	
4. 운항 준비	가. 지상조업 중 비정상 상황(급유 중 인위적으로 제거하여야 하는 다량의 기름유출 등)이 발생하여 항공기의 안전에 영향을 준 경우	
	나. 위험물 처리과정에서 부적절한 라벨링, 포장, 취급 등이 발생한 경우	
5. 항공기 화재 및 고장	가. 운항 중 다음의 어느 하나에 해당하는 경미한 화재 또는 연기가 발생한 경우 　1) 운항 중 항공기 구성품 또는 부품의 고장으로 인하여 조종실 또는 객실에 연기 · 증기 또는 중독성 유해가스가 축적되거나 퍼지는 현상이 발생한 경우 　2) 객실 조리기구 · 설비 또는 휴대전화기 등 탑승자의 물품에서 경미한 화재 · 연기가 발생한 경우. 다만, 단순 이물질에 의한 것으로 확인된 경우는 제외한다. 　3) 화재경보시스템이 작동한 경우. 다만, 탑승자의 일시적 흡연, 스프레이 분사, 수증기 등의 요인으로 화재경보시스템이 작동된 것으로 확인된 경우는 제외한다.	
	나. 운항 중 항공기의 연료공급시스템과 연료덤핑시스템에 영향을 주는 고장이나 위험을 발생시킬 수 있는 연료 누출이 발생한 경우	
	다. 지상운항 중 또는 이륙 · 착륙을 위한 지상 활주 중 제동력 상실을 일으키는 제동시스템 구성품의 고장이 발생한 경우	
	라. 운항 중 의도하지 아니한 착륙장치의 내림이나 올림 또는 착륙장치의 문 열림과 닫힘이 발생한 경우	
	마. 제작사가 제공하는 기술자료에 따른 최대허용범위(제작사가 기술자료를 제공하지 않는 경우에는 국토교통부장관이 법 제19조에 따라 고시하는 항공기기술기준에 따른 최대 허용범위를 말한다)를 초과한 항공기 구조의 균열, 영구적인 변형이나 부식이 발생한 경우	
	바. 대수리가 요구되는 항공기 구조 손상이 발생한 경우	
	사. 항공기의 고장, 결함 또는 기능장애로 비정상 운항이 발생한 경우	
	아. 운항 중 엔진 덮개가 풀리거나 이탈한 경우	
	자. 운항 중 다음의 어느 하나에 해당하는 사유로 발동기가 정지된 경우 　1) 발동기의 연소 정지 　2) 발동기 또는 항공기 구조의 외부 손상 　3) 외부 물체의 발동기 내 유입 또는 발동기 흡입구에 형성된 얼음의 유입	

	차. 운항 중 발동기 배기시스템 고장으로 발동기, 인접한 구조물 또는 구성품이 파손된 경우
	카. 고장, 결함 또는 기능장애로 항공기에서 발동기를 조기(非계획적)에 떼어 낸 경우
	타. 운항 중 프로펠러 페더링시스템 또는 항공기의 과속을 제어하기 위한 시스템에 고장이 발생한 경우(운항 중 프로펠러 페더링이 발생한 경우를 포함한다)
	파. 운항 중 비상조치를 하게 하는 항공기 구성품 또는 시스템의 고장이 발생한 경우. 다만, 발동기 연소를 인위적으로 중단시킨 경우는 제외한다.
	하. 비상탈출을 위한 시스템, 구성품 또는 탈출용 장비가 고장, 결함, 기능장애 또는 비정상적으로 전개한 경우(훈련, 시험, 정비 또는 시현 시 발생한 경우를 포함한다)
	거. 운항 중 화재경보시스템이 오작동 한 경우
6. 공항 및 항행서비스	가. 항공등화시설의 운영이 중단된 경우
	나. 활주로, 유도로 및 계류장이 항공기 운항에 지장을 줄 정도로 중대한 손상을 입었거나 화재가 발생한 경우
	다. 안전 운항에 지장을 줄 수 있는 물체 또는 위험물이 활주로, 유도로 등 공항 이동지역에 방치된 경우
	라. 항공교통관제업무 수행 중 다음의 어느 하나에 해당하는 상황이 발생한 경우 1) 운항 중 항공기와 항공교통관제기관 간 양방향 무선통신이 두절되어 운항안전 확보를 위해 필요로 하는 관제교신을 적시에 수행하지 못한 상황 2) 비행 중인 항공기에 대한 항공교통관제업무가 중단된 상황
	마. 항행통신업무 수행 중 다음의 어느 하나에 해당하는 상황이 발생한 경우 1) 항행안전무선시설, 항공이동통신시설, 항공고정통신시설, 공항정보방송시설(ATIS) 등의 운영이 중단된 상황 2) 항행안전무선시설, 항공이동통신시설, 항공고정통신시설, 공항정보방송시설(ATIS) 등의 시설과 항공기 간 신호의 송·수신 장애가 발생한 상황 3) 1) 및 2) 외의 예비장비(전원시설을 포함한다) 장애가 24시간 이상 발생한 상황
7. 기타	가. 운항 중 항공기가 다음의 어느 하나에 해당되는 물체 등과 충돌·접촉한 경우. 다만, 1)에 해당하는 물체의 경우에는 항공기의 손상이 없거나 운항허용범위 이내의 손상인 경우는 제외한다. 1) 조류, 우박, 그 밖의 물체 등 2) 무인비행장치

나. 운항 중 여압조절 실패, 비상장비 누락, 비정상적 문·창문 열림 등 객실의 안전이 우려된 상황이 발생한 경우(항공기준사고에 해당하는 사항은 제외한다)
다. 기상, 교통상황 등 비행계획 단계에서 예측하지 못한 외부 요인으로 해당 비행편의 운항승무원이 최대승무시간을 초과한 경우
라. 비행 중 정상적인 조종을 할 수 없는 정도의 레이저 광선에 노출된 경우
마. 운항 중 객실승무원이 부상을 당한 경우
바. 항공기 운항 관련 직무를 수행하는 객실승무원의 신체·정신건강 또는 심리상태 등의 사유로 해당 객실승무원의 교체 또는 하기(下機)를 위하여 출발지 공항으로 회항하거나 목적지 공항이 아닌 공항에 착륙하는 경우

5.2 사실조사 제60조

① 국토교통부장관은 제59조제1항에 따른 보고를 받은 경우 이에 대한 사실 여부와 이 법의 위반사항 등을 파악하기 위한 조사를 할 수 있다.

② 제1항에 따른 사실조사의 절차 및 방법 등에 관하여는 제132조제2항 및 제4항부터 제9항까지의 규정을 준용한다.

항공기사고, 항공기준사고, 항공안전장애에 대해 사실여부·위법사항 등을 조사하기 위한 근거 법률로서 사실조사 절차 및 방법은 제132조(항공안전활동) 제2항 및 제4항부터 제9항까지 준용한다.

5.3 항공안전 자율보고 제61조

① 항공안전을 해치거나 해칠 우려가 있는 사건·상황·상태 등(이하 "항공안전위해요인"

이라 한다)을 발생시켰거나 항공안전위해요인이 발생한 것을 안 사람 또는 항공안전위해요인이 발생될 것이 예상된다고 판단하는 사람은 국토교통부장관에게 그 사실을 보고할 수 있다.

② 국토교통부장관은 제1항에 따른 보고(이하 "항공안전 자율보고"라 한다)를 한 사람의 의사에 반하여 보고자의 신분을 공개해서는 아니 되며, 항공안전 자율보고를 사고예방 및 항공안전 확보 목적 외의 다른 목적으로 사용해서는 아니 된다.

③ 누구든지 항공안전 자율보고를 한 사람에 대하여 이를 이유로 해고·전보·징계·부당한 대우 또는 그 밖에 신분이나 처우와 관련하여 불이익한 조치를 해서는 아니 된다.

④ 국토교통부장관은 항공안전위해요인을 발생시킨 사람이 그 항공안전위해요인이 발생한 날부터 10일 이내에 항공안전 자율보고를 한 경우에는 제43조제1항에 따른 처분을 하지 아니할 수 있다. 다만, 고의 또는 중대한 과실로 항공안전위해요인을 발생시킨 경우와 항공기사고 및 항공기준사고에 해당하는 경우에는 그러하지 아니하다.

⑤ 제1항부터 제4항까지에서 규정한 사항 외에 항공안전 자율보고에 포함되어야 할 사항, 보고 방법 및 절차 등은 국토교통부령으로 정한다.

항공안전 자율보고를 하려는 사람은 항공안전 자율보고서 또는 국토교통부장관이 정하여 고시하는 전자적인 보고방법에 따라 교통안전공단의 이사장에게 보고할 수 있으며, 항공안전 자율보고의 접수·분석 및 전파 등에 관하여 필요한 사항은 국토교통부장관이 정하여 고시한다. 시행규칙 제135조

과거 항공법에서는 자율보고대상을 "경미한 항공안전장애요인"으로 한정하였으나, 항공안전법 제61조(항공안전 자율보고)에서는 자율보고대상을 "항공안전저해요인"으로 확대한 것이 특징이다.

6. 기장 및 운항관리사

기장은 비행 중 항공기 운항에 대한 안전운항 및 승무원, 승객, 화물의 안전에 대하여 최종적인 책임이 있으며, 해당 항공기의 승무원을 지휘·감독한다. 기장의 권한에 대해서는 동경협약, 시카고협약 부속서 등을 준거하여 항공안전법 제62조에 규정하고 있다.

6.1 기장의 권한 제62조

① 항공기의 운항 안전에 대하여 책임을 지는 사람(이하 "기장"이라 한다)은 그 항공기의 승무원을 지휘·감독한다.

② 기장은 국토교통부령으로 정하는 바에 따라 항공기의 운항에 필요한 준비가 끝난 것을 확인한 후가 아니면 항공기를 출발시켜서는 아니 된다.

③ 기장은 항공기나 여객에 위난(危難)이 발생하였거나 발생할 우려가 있다고 인정될 때에는 항공기에 있는 여객에게 피난방법과 그 밖에 안전에 관하여 필요한 사항을 명할 수 있다.

④ 기장은 운항 중 그 항공기에 위난이 발생하였을 때에는 여객을 구조하고, 지상 또는 수상(水上)에 있는 사람이나 물건에 대한 위난 방지에 필요한 수단을 마련하여야 하며, 여객과 그 밖에 항공기에 있는 사람을 그 항공기에서 나가게 한 후가 아니면 항공기를 떠나서는 아니 된다.

⑤ 기장은 항공기사고, 항공기준사고 또는 항공안전장애가 발생하였을 때에는 국토교통부령으로 정하는 바에 따라 국토교통부장관에게 그 사실을 보고하여야 한다. 다만, 기장이 보고할 수 없는 경우에는 그 항공기의 소유자등이 보고를 하여야 한다.

⑥ 기장은 다른 항공기에서 항공기사고, 항공기준사고 또는 항공안전장애가 발생한 것을 알았을 때에는 국토교통부령으로 정하는 바에 따라 국토교통부장관에게 그 사실을 보고하여야 한다. 다만, 무선설비를 통하여 그 사실을 안 경우에는 그러하지 아니하다.

⑦ 항공종사자 등 이해관계인이 제59조제1항에 따라 보고한 경우에는 제5항 본문 및 제6

항 본문은 적용하지 아니한다.

기장이 확인하여야 할 사항은 다음 각 호와 같다.

1. 해당 항공기의 감항성 및 등록 여부와 감항증명서 및 등록증명서의 탑재

2. 해당 항공기의 운항을 고려한 이륙중량, 착륙중량, 중심위치 및 중량분포

3. 예상되는 비행조건을 고려한 의무무선설비 및 항공계기 등의 장착

4. 해당 항공기의 운항에 필요한 기상정보 및 항공정보

5. 연료 및 오일의 탑재량과 그 품질

6. 위험물을 포함한 적재물의 적절한 분배 여부 및 안정성

7. 해당 항공기와 그 장비품의 정비 및 정비 결과

8. 그 밖에 항공기의 안전 운항을 위하여 국토교통부장관이 필요하다고 인정하여 고시하는 사항

기장은 장비품의 정비 및 정비결과를 확인하는 경우에는 다음 각 호의 점검을 하여야 한다.

1. 항공일지 및 정비에 관한 기록의 점검

2. 항공기의 외부 점검

3. 발동기의 지상 시운전 점검

4. 그 밖에 항공기의 작동사항 점검

6.1.1 기장 등의 운항자격 제63조

① 다음 각 호의 어느 하나에 해당하는 항공기의 기장은 지식 및 기량에 관하여, 기장 외의 조종사는 기량에 관하여 국토교통부장관의 자격인정을 받아야 한다.

1. 항공운송사업에 사용되는 항공기

2. 항공기사용사업에 사용되는 항공기 중 국토교통부령으로 정하는 업무에 사용되는 항공기

3. 국외운항항공기

② 국토교통부장관은 제1항에 따른 자격인정을 받은 사람에 대하여 그 지식 또는 기량의 유무를 정기적으로 심사하여야 하며, 특히 필요하다고 인정하는 경우에는 수시로 지식 또는 기량의 유무를 심사할 수 있다.

③ 국토교통부장관은 제1항에 따른 자격인정을 받은 사람이 제2항에 따른 심사를 받지 아니하거나 그 심사에 합격하지 못한 경우에는 그 자격인정을 취소하여야 한다.

④ 국토교통부장관은 필요하다고 인정할 때에는 국토교통부령으로 정하는 바에 따라 지정한 항공운송사업자 또는 항공기사용사업자에게 소속 기장 또는 기장 외의 조종사에 대하여 제1항에 따른 자격인정 또는 제2항에 따른 심사를 하게 할 수 있다.

⑤ 제4항에 따라 자격인정을 받거나 그 심사에 합격한 기장 또는 기장 외의 조종사는 제1항에 따른 자격인정 및 제2항에 따른 심사를 받은 것으로 본다. 이 경우 제3항을 준용한다.

⑥ 국토교통부장관은 제4항에도 불구하고 필요하다고 인정할 때에는 국토교통부령으로 정하는 기장 또는 기장 외의 조종사에 대하여 제2항에 따른 심사를 할 수 있다.

⑦ 항공운송사업에 종사하는 항공기의 기장은 운항하려는 지역, 노선 및 공항(국토교통부령으로 정하는 지역, 노선 및 공항에 관한 것만 해당한다)에 대한 경험요건을 갖추어야 한다.

⑧ 제1항부터 제7항까지의 규정에 따른 자격인정·심사 또는 경험요건 등에 필요한 사항은 국토교통부령으로 정한다.

6.1.2 모의비행장치를 이용한 운항자격 심사 등 제64조

국토교통부장관은 비상시의 조치 등 항공기로 제63조에 따른 자격인정 또는 심사를 하기 곤란한 사항에 대해서는 제39조제3항에 따라 국토교통부장관이 지정한 모의비행장치를 이용하여 제63조에 따른 자격인정 또는 심사를 할 수 있다.

6.2 운항관리사 제65조

① 항공운송사업자와 국외운항항공기 소유자등은 국토교통부령으로 정하는 바에 따라 운항관리사를 두어야 한다.

② 제1항에 따라 운항관리사를 두어야 하는 자가 운항하는 항공기의 기장은 그 항공기를 출발시키거나 비행계획을 변경하려는 경우에는 운항관리사의 승인을 받아야 한다.

③ 제1항에 따라 운항관리사를 두어야 하는 자는 국토교통부령으로 정하는 바에 따라 운항관리사가 해당 업무를 원활하게 수행하는 데 필요한 지식 및 경험을 갖출 수 있도록 필요한 교육훈련을 하여야 한다.

7. 항공기의 운항관련

7.1 항공기 이륙·착륙의 장소 제66조

① 누구든지 항공기(활공기와 비행선은 제외한다)를 비행장이 아닌 곳(해당 항공기에 요구되는 비행장 기준에 맞지 아니하는 비행장을 포함한다)에서 이륙하거나 착륙하여서는 아니 된다. 다만, 각 호의 경우에는 그러하지 아니하다.

1. 안전과 관련한 비상상황 등 불가피한 사유가 있는 경우로서 국토교통부장관의 허가를 받은 경우

2. 제90조제2항에 따라 국토교통부장관이 발급한 운영기준에 따르는 경우

② 제1항제1호에 따른 허가에 필요한 세부 기준 및 절차와 그 밖에 필요한 사항은 대통령령으로 정한다.

안전과 관련한 비상상황 등 불가피한 사유가 있는 경우는 다음 각 호의 어느 하나에 해당하는 경우로 한다. 시행령 제9조

1. 항공기의 비행 중 계기 고장, 연료 부족 등의 비상상황이 발생하여 신속하게 착륙하여야 하는 경우 : 무선통신 등을 사용하여 국토교통부장관에게 착륙 허가를 신청하여야 한다. 이 경우 국토교통부장관은 특별한 사유가 없으면 허가하여야 한다.

2. 응급환자 또는 수색인력·구조인력 등의 수송, 비행훈련, 화재의 진화, 화재 예방을 위한 감시, 항공촬영, 항공방제, 연료보급, 건설자재 운반 또는 헬리콥터를 이용한 사람의 수송 등의 목적으로 항공기를 비행장이 아닌 장소에서 이륙 또는 착륙하여야 하는 경우 : 허가신청서를 국토교통부장관에게 제출하여야 한다. 이 경우 국토교통부장관은 그 내용을 검토하여 안전에 지장이 없다고 인정되는 경우에는 6개월 이내의 기간을 정하여 허가하여야 한다.

7.2 항공기의 비행규칙 제67조

① 항공기를 운항하려는 사람은 「국제민간항공협약」 및 같은 협약 부속서에 따라 국토교통부령으로 정하는 비행에 관한 기준·절차·방식 등(이하 "비행규칙"이라 한다)에 따라 비행하여야 한다.

② 비행규칙은 다음 각 호와 같이 구분한다.

1. 재산 및 인명을 보호하기 위한 비행절차 등 일반적인 사항에 관한 규칙

2. 시계비행에 관한 규칙

3. 계기비행에 관한 규칙

4. 비행계획의 작성·제출·접수 및 통보 등에 관한 규칙

5. 그 밖에 비행안전을 위하여 필요한 사항에 관한 규칙

기장은 비행규칙에 따라 비행하여야 한다. 다만, 안전을 위하여 불가피한 경우에는 그러하지 아니하다. 기장은 비행을 하기 전에 현재의 기상관측보고, 기상예보, 소요 연료량, 대체 비행경로 및 그 밖에 비행에 필요한 정보를 숙지하여야 하며, 인명이나 재산에 피해가 발생하지 아니하도록 주의하여 비행하여야 한다. 또한, 기장은 다른 항공기 또는 그 밖의 물체와 충돌하지 아니하도록 비행하여야 하며, 공중충돌경고장치의 회피지시가 발생한 경우에는 그 지시에 따라 회피기동을 하는 등 충돌을 예방하기 위한 조치를 하여야 한다. 시행규칙 제161조

7.2.1 항공기의 지상이동

비행장 안의 이동지역에서 이동하는 항공기는 충돌예방을 위하여 다음 각 호의 기준에 따라야 한다. 시행규칙 제162조

1. 정면 또는 이와 유사하게 접근하는 항공기 상호간에는 모두 정지하거나 가능한 경우에는 충분한 간격이 유지되도록 각각 오른쪽으로 진로를 바꿀 것

2. 교차하거나 이와 유사하게 접근하는 항공기 상호간에는 다른 항공기를 우측으로 보는 항공기가 진로를 양보할 것

3. 추월하는 항공기는 다른 항공기의 통행에 지장을 주지 아니하도록 충분한 분리 간격을 유지할 것

4. 기동지역에서 지상이동 하는 항공기는 관제탑의 지시가 없는 경우에는 활주로진입전대

기지점(Runway Holding Position)에서 정지·대기할 것

5. 기동지역에서 지상이동하는 항공기는 정지선등(Stop Bar Lights)이 켜져 있는 경우에는 정지·대기하고, 정지선등이 꺼질 때에 이동할 것

7.2.2 통행의 우선순위 시행규칙 제166조

① 법 제67조에 따라 교차하거나 그와 유사하게 접근하는 고도의 항공기 상호간에는 다음 각 호에 따라 진로를 양보하여야 한다.

1. 비행기·헬리콥터는 비행선, 활공기 및 기구류에 진로를 양보할 것

2. 비행기·헬리콥터·비행선은 항공기 또는 그 밖의 물건을 예항(曳航)하는 다른 항공기에 진로를 양보할 것

3. 비행선은 활공기 및 기구류에 진로를 양보할 것

4. 활공기는 기구류에 진로를 양보할 것

5. 제1호부터 제4호까지의 경우를 제외하고는 다른 항공기를 우측으로 보는 항공기가 진로를 양보할 것

② 비행 중이거나 지상 또는 수상에서 운항 중인 항공기는 착륙 중이거나 착륙하기 위하여 최종접근 중인 항공기에 진로를 양보하여야 한다.

③ 착륙을 위하여 비행장에 접근하는 항공기 상호간에는 높은 고도에 있는 항공기가 낮은 고도에 있는 항공기에 진로를 양보하여야 한다. 이 경우 낮은 고도에 있는 항공기는 최종 접근단계에 있는 다른 항공기의 전방에 끼어들거나 그 항공기를 추월해서는 아니 된다.

④ 제3항에도 불구하고 비행기, 헬리콥터 또는 비행선은 활공기에 진로를 양보하여야 한다.

⑤ 비상착륙하는 항공기를 인지한 항공기는 그 항공기에 진로를 양보하여야 한다.

⑥ 비행장 안의 기동지역에서 운항하는 항공기는 이륙 중이거나 이륙하려는 항공기에 진로를 양보하여야 한다.

7.3 항공기의 비행 중 금지행위 제68조

항공기를 운항하려는 사람은 생명과 재산을 보호하기 위하여 다음 각 호의 어느 하나에 해당하는 비행 또는 행위를 해서는 아니 된다. 다만, 국토교통부령으로 정하는 바에 따라 국토교통부장관의 허가를 받은 경우에는 그러하지 아니하다.

1. 국토교통부령으로 정하는 최저비행고도(最低飛行高度) 아래에서의 비행

2. 물건의 투하(投下) 또는 살포

3. 낙하산 강하(降下)

4. 국토교통부령으로 정하는 구역에서 뒤집어서 비행하거나 옆으로 세워서 비행하는 등의 곡예비행

5. 무인항공기의 비행

6. 그 밖에 생명과 재산에 위해를 끼치거나 위해를 끼칠 우려가 있는 비행 또는 행위로서 국토교통부령으로 정하는 비행 또는 행위

7.4 긴급항공기의 지정 등 제69조

① 응급환자의 수송 등 국토교통부령으로 정하는 긴급한 업무에 항공기를 사용하려는 소유자등은 그 항공기에 대하여 국토교통부장관의 지정을 받아야 한다.

② 제1항에 따라 국토교통부장관의 지정을 받은 항공기(이하 "긴급항공기"라 한다)를 제1항에 따른 긴급한 업무의 수행을 위하여 운항하는 경우에는 제66조 및 제68조제1호·제2호를 적용하지 아니한다.

③ 긴급항공기의 지정 및 운항절차 등에 필요한 사항은 국토교통부령으로 정한다.

④ 국토교통부장관은 긴급항공기의 소유자등이 다음 각 호의 어느 하나에 해당하는 경우에는 그 긴급항공기의 지정을 취소할 수 있다. 다만, 제1호에 해당하는 경우에는 그 긴급항공기의 지정을 취소하여야 한다.

1. 거짓이나 그 밖의 부정한 방법으로 긴급항공기로 지정받은 경우

2. 제3항에 따른 운항절차를 준수하지 아니하는 경우

ﬁ

⑤ 제4항에 따라 긴급항공기의 지정 취소처분을 받은 자는 취소처분을 받은 날부터 2년 이내에는 긴급항공기의 지정을 받을 수 없다.

7.5 위험물 운송 제70조

① 항공기를 이용하여 폭발성이나 연소성이 높은 물건 등 국토교통부령으로 정하는 위험물(이하 "위험물"이라 한다)을 운송하려는 자는 국토교통부령으로 정하는 바에 따라 국토교통부장관의 허가를 받아야 한다.

② 제90조제1항에 따른 운항증명을 받은 자가 위험물 탑재 정보의 전달방법 등 국토교통부령으로 정하는 기준을 충족하는 경우에는 제1항에 따른 허가를 받은 것으로 본다.

③ 항공기를 이용하여 운송되는 위험물을 포장·적재(積載)·저장·운송 또는 처리(이하 "위험물취급"이라 한다)하는 자(이하 "위험물취급자"라 한다)는 항공상의 위험 방지 및 인명의 안전을 위하여 국토교통부장관이 정하여 고시하는 위험물취급의 절차 및 방법에 따라야 한다.

7.5.1 위험물 운송허가

① 법 제70조제1항에서 "폭발성이나 연소성이 높은 물건 등 국토교통부령으로 정하는 위험물"이란 다음 각 호의 어느 하나에 해당하는 것을 말한다.

1. 폭발성 물질
2. 가스류
3. 인화성 액체
4. 가연성 물질류
5. 산화성 물질류
6. 독물류

7. 방사성 물질류

8. 부식성 물질류

9. 그 밖에 국토교통부장관이 정하여 고시하는 물질류

② 항공기를 이용하여 제1항에 따른 위험물을 운송하려는 자는 별지 제76호서식의 위험물 항공운송허가 신청서에 다음 각 호의 서류를 첨부하여 국토교통부장관에게 제출하여야 한다.

  1. 위험물의 포장방법

  2. 위험물의 종류 및 등급

  3. UN매뉴얼에 따른 포장물 및 내용물의 시험성적서(해당하는 경우에만 적용한다)

  4. 그 밖에 국토교통부장관이 정하여 고시하는 서류

③ 국토교통부장관은 제2항에 따른 신청이 있는 경우 위험물운송기술기준에 따라 검사한 후 위험물운송기술기준에 적합하다고 판단되는 경우에는 별지 제77호서식의 위험물 항공운송허가서를 발급하여야 한다.

④ 제2항 및 제3항에도 불구하고 법 제90조에 따른 운항증명을 받은 항공운송사업자가 법 제93조에 따른 운항규정에 다음 각 호의 사항을 정하고 제1항 각 호에 따른 위험물을 운송하는 경우에는 제3항에 따른 허가를 받은 것으로 본다. 다만, 국토교통부 장관이 별도의 허가요건을 정하여 고시한 경우에는 제3항에 따른 허가를 받아야 한다.

  1. 위험물과 관련된 비정상사태가 발생할 경우의 조치내용

  2. 위험물 탑재정보의 전달방법

  3. 승무원 및 위험물취급자에 대한 교육훈련

⑤ 제3항에도 불구하고 국가기관등항공기가 업무 수행을 위하여 제1항에 따른 위험물을 운송하는 경우에는 위험물 운송허가를 받은 것으로 본다.

⑥ 제1항 각 호의 구분에 따른 위험물의 세부적인 종류와 종류별 구체적 내용에 관하여는 국토교통부장관이 정하여 고시한다.

7.5.2 위험물 포장 및 용기의 검사 등 제71조

① 위험물의 운송에 사용되는 포장 및 용기를 제조·수입하여 판매하려는 자는 그 포장 및

용기의 안전성에 대하여 국토교통부장관이 실시하는 검사를 받아야 한다.

② 제1항에 따른 포장 및 용기의 검사방법·합격기준 등에 필요한 사항은 국토교통부장관이 정하여 고시한다.

③ 국토교통부장관은 위험물의 용기 및 포장에 관한 검사업무를 전문적으로 수행하는 기관(이하 "포장·용기검사기관"이라 한다)을 지정하여 제1항에 따른 검사를 하게 할 수 있다.

④ 검사인력, 검사장비 등 포장·용기검사기관의 지정기준 및 운영 등에 필요한 사항은 국토교통부령으로 정한다.

⑤ 국토교통부장관은 포장·용기검사기관이 다음 각 호의 어느 하나에 해당하는 경우에는 그 지정을 취소하거나 6개월 이내의 기간을 정하여 그 업무의 전부 또는 일부의 정지를 명할 수 있다. 다만, 제1호에 해당하는 경우에는 그 지정을 취소하여야 한다.

  1. 거짓이나 그 밖의 부정한 방법으로 포장·용기검사기관으로 지정받은 경우

  2. 제4항에 따른 지정기준에 맞지 아니하게 된 경우

⑥ 제5항에 따른 처분의 세부기준 등 그 밖에 필요한 사항은 국토교통부령으로 정한다.

7.5.3 위험물취급에 관한 교육 [제72조]

① 위험물취급자는 위험물취급에 관하여 국토교통부장관이 실시하는 교육을 받아야 한다. 다만, 국제민간항공기구(International Civil Aviation Organization) 등 국제기구 및 국제항공운송협회(International Air Transport Association)가 인정한 교육기관에서 위험물취급에 관한 교육을 이수한 경우에는 그리하지 아니하다.

② 제1항에 따라 교육을 받아야 하는 위험물취급자의 구체적인 범위와 교육 내용 등에 필요한 사항은 국토교통부장관이 정하여 고시한다.

③ 국토교통부장관은 제1항에 따른 교육을 효율적으로 하기 위하여 위험물취급에 관한 교육을 전문적으로 하는 전문교육기관(이하 "위험물전문교육기관"이라 한다)을 지정하여 위험물취급자에 대한 교육을 하게 할 수 있다.

④ 교육인력, 시설, 장비 등 위험물전문교육기관의 지정기준 및 운영 등에 필요한 사항은

국토교통부령으로 정한다.

⑤ 국토교통부장관은 위험물전문교육기관이 다음 각 호의 어느 하나에 해당하는 경우에는 그 지정을 취소하거나 6개월 이내의 기간을 정하여 그 업무의 전부 또는 일부의 정지를 명할 수 있다. 다만, 제1호에 해당하는 경우에는 그 지정을 취소하여야 한다.

1. 거짓이나 그 밖의 부정한 방법으로 위험물전문교육기관으로 지정받은 경우

2. 제4항에 따른 지정기준에 맞지 아니하게 된 경우

⑥ 제5항에 따른 처분의 세부기준 등 그 밖에 필요한 사항은 국토교통부령으로 정한다.

7.6 전자기기의 사용제한 제70조

국토교통부장관은 운항 중인 항공기의 항행 및 통신장비에 대한 전자파 간섭 등의 영향을 방지하기 위하여 국토교통부령으로 정하는 바에 따라 여객이 지닌 전자기기의 사용을 제한할 수 있다.

운항 중에 전자기기의 사용을 제한할 수 있는 항공기와 사용이 제한되는 전자기기의 품목은 다음 각 호와 같다. 시행규칙 제214조

1. 다음 각 목의 어느 하나에 해당하는 항공기

　가. 항공운송사업용으로 비행 중인 항공기

　나. 계기비행방식으로 비행 중인 항공기

2. 다음 각 목 외의 전자기기

　가. 휴대용 음성녹음기

　나. 보청기

　다. 심장박동기

　라. 전기면도기

　마. 그 밖에 항공운송사업자 또는 기장이 항공기 제작회사의 권고 등에 따라 해당항공기

에 전자파 영향을 주지 아니한다고 인정한 휴대용 전자기기

7.7 회항시간 연장운항의 승인 _{제74조}

① 항공운송사업자가 2개 이상의 발동기를 가진 비행기로서 국토교통부령으로 정하는 비행기를 다음 각 호의 구분에 따른 순항속도(巡航速度)로 가장 가까운 공항까지 비행하여 착륙할 수 있는 시간이 국토교통부령으로 정하는 시간을 초과하는 지점이 있는 노선을 운항하려면 국토교통부령으로 정하는 바에 따라 국토교통부장관의 승인을 받아야 한다.

1. 2개의 발동기를 가진 비행기: 1개의 발동기가 작동하지 아니할 때의 순항속도

2. 3개 이상의 발동기를 가진 비행기: 모든 발동기가 작동할 때의 순항속도

② 국토교통부장관은 제1항에 따른 승인을 하려는 경우에는 제77조제1항에 따라 고시하는 운항기술기준에 적합한지를 확인하여야 한다.

'회항시간 연장운항(EDTO: Extended Diversion Time Operations)'이란 쌍발 이상의 터빈엔진 비행기 운항 시, 항로상 교체공항까지의 회항시간(Diversion Time)이 국가가 수립한 기준시간(Threshold Time)을 초과하는 경우에 국가로부터 승인받아 적용하는 회항시간 연장운항을 말한다.

EDTO는 종전 쌍발 터빈엔진 비행기에만 적용하던 '쌍발 비행기 연장운항(ETOP: Extended Range Operations by Turbine-engined Aeroplanes)'에서 용어의 변경과 함께 쌍발 터빈엔진 이상 비행기로 그 적용 범위를 확대한 것이다.

국내외 기준과 관련하여 ICAO는 2012년에 ETOP를 EDTO로 용어 변경과 함께 적용 범위를 확대하였다. 이에 따라 우리나라도 관련 법규를 반영하여 ICAO Annex에서 규정한 SARPs 및 관련 지침에 따라 항공법 및 운항기술기준에 EDTO 기준을 반영하여 적용하고 있으며, 일부 ICAO SARPs 기준은 현실적으로 적용에 어려움이 있어 미국이나 유럽에서 적용하고 있는 기준을 반영하여 예외적인 완화 기준을 적용하고 있다.

항공운송사업용 비행기(화물만을 운송하는 3개 이상의 터빈발동기를 가진 비행기는 제외한

다)가 항로상 한 지점에서 항로상 교체공항(ERA: En-route Alternate Aerodrome)까지 기준시간을 초과하여 운항할 경우 최대회항시간(2개의 발동기를 가진 비행기의 경우에는 1개의 발동기가 작동하지 아니할 때의 순항속도로, 3개 이상의 발동기를 가진 비행기의 경우에는 모든 발동기가 작동할 때의 순항속도로 가장 가까운 공항까지 비행하여 착륙할 수 있는 시간을 말한다)에 해당하는 기준시간은 항공당국에 인가받아야 하며, 비행기의 엔진 개수별 기준시간은 다음과 같다.

1. 2개의 발동기를 가진 비행기: 1시간. 다만, 최대인가승객 좌석 수가 20석 미만이며 최대이륙중량이 4만 5천 360킬로그램 미만인 비행기로서 「항공사업법 시행규칙」 제3조제3호에 따른 전세운송에 사용되는 비행기의 경우에는 3시간으로 한다.

2. 3개 이상의 발동기를 가진 비행기: 3시간시행규칙 제215조

7.8 수직분리축소 　제75조

① 다음 각 호의 어느 하나에 해당하는 공역에서 항공기를 운항하려는 소유자등은 국토교통부령으로 정하는 바에 따라 국토교통부장관의 승인을 받아야 한다. 다만, 수색·구조를 위하여 제1호의 공역에서 운항하려는 경우 등 국토교통부령으로 정하는 경우에는 그러하지 아니하다.

1. 수직분리고도를 축소하여 운영하는 공역(이하 "수직분리축소공역"이라 한다)

2. 특정한 항행성능을 갖춘 항공기만 운항이 허용되는 공역(이하 "성능기반항행요구공역"이라 한다)

3. 그 밖에 공역을 효율적으로 운영하기 위하여 국토교통부령으로 정하는 공역

② 국토교통부장관은 제1항에 따른 승인을 하려는 경우에는 제77조제1항에 따라 고시하는 운항기술기준에 적합한지를 확인하여야 한다.

'수직분리축소(RVSM: Reduced Vertical Separation Minimum)공역운항'이란, 비행고도 2만 9,000~4만 1,000피트 사이의 고고도 공역에서 항공기 간에 수직안전거리 간격을 2,000피트에서 1,000피트(300m)로 축소하여 적용함으로써 효율적인 공역 활용을 도모하고 공역수용능력을 증대시키는 진보된 공역 운항 기법을 말한다.

RVSM은 고고도 공역에서의 수직분리기준을 축소 적용함으로써 항공기가 운항할 수 있는 고도 층이 두 배로 증가되며, 이를 통해 공역수용능력 증대와 효율적인 공역활용 여건을 조성하고, 교통 혼잡 완화, 공중·지상에서의 항공기 운항지연 발생 감소, 항공기 연료소모율 절감 등의 효과가 있다. RVSM 이행을 위해서는 항공기 운항 및 감항분야 승인, 안전 및 공역감시분야 안전평가 수행, 항공교통관제 운영절차 수립 등이 필요하다. 운항 및 감항분야 승인과 관련하여 RVSM 공역을 운항하는 항공기는 고도를 유지하는 데 필요한 장비를 장착하고 항공기 등록국가의 항공당국으로부터 RVSM공역운항을 위한 승인이 필요하다.

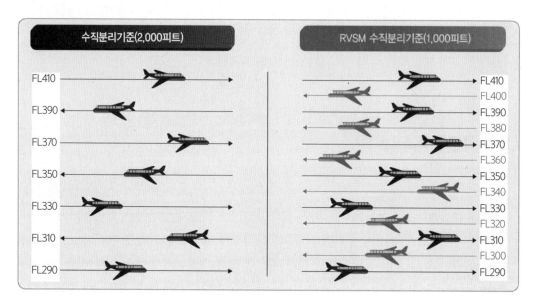

그림 5-1 RVSM 수직분리기준

7.9 승무원 등의 탑승 등 제76조

① 항공기를 운항하려는 자는 그 항공기에 국토교통부령으로 정하는 바에 따라 운항의 안전에 필요한 승무원을 태워야 한다.

② 운항승무원 또는 항공교통관제사가 항공업무를 수행하는 경우에는 국토교통부령으로 정하는 바에 따라 자격증명서 및 항공신체검사증명서를 소지하여야 하며, 운항승

무원 또는 항공교통관제사가 아닌 항공종사자가 항공업무를 수행하는 경우에는 국토
교통부령으로 정하는 바에 따라 자격증명서를 소지하여야 한다.

③ 항공운송사업자 및 항공기사용사업자는 국토교통부령으로 정하는 바에 따라 항공기
에 태우는 승무원에게 해당 업무 수행에 필요한 교육훈련을 하여야 한다.

자격증명서와 항공신체검사증명서의 소지 등의 대상자 및 그 준수사항은 다음 각 호와 같다.
시행규칙 제219조

1. 운항승무원: 해당 자격증명서 및 항공신체검사증명서를 지니거나 항공기 내의 접근하기
   쉬운 곳에 보관하여야 한다.

2. 항공교통관제사: 자격증명서 및 항공신체검사증명서를 지니거나 항공업무를 수행하는
   장소의 접근하기 쉬운 곳에 보관하여야 한다.

3. 운항승무원 및 항공교통관제사가 아닌 항공정비사 및 운항관리사: 해당 자격증명서를
   지니거나 항공업무를 수행하는 장소의 접근하기 쉬운 곳에 보관하여야 한다.

7.10 항공기 안전운항을 위한 운항기술기준 제77조

① 국토교통부장관은 항공기 안전운항을 확보하기 위하여 이 법과 「국제민간항공협약」
   및 같은 협약 부속서에서 정한 범위에서 다음 각 호의 사항이 포함된 운항기술기준을
   정하여 고시할 수 있다.

   1. 자격증명
   2. 항공훈련기관
   3. 항공기 등록 및 등록부호 표시
   4. 항공기 감항성
   5. 정비조직인증기준
   6. 항공기 계기 및 장비
   7. 항공기 운항

8. 항공운송사업의 운항증명 및 관리

9. 그 밖에 안전운항을 위하여 필요한 사항으로서 국토교통부령으로 정하는 사항

② 소유자등 및 항공종사자는 제1항에 따른 운항기술기준을 준수하여야 한다.

제6장 공역 및 항공교통업무 등

공역 및 항공교통업무는 공역 등의 지정, 항공기의 비행제한, 전시 상황 등에서의 공역관리, 항공교통업무의 제공, 항공교통관제 업무 지시의 준수, 항공교통업무증명 및 항공정보의 제공 등을 규정하고 있다.

1. 공역

본래 의미의 공역(airspace)의 개념은 모든 국가의 영공을 포함하여 모든 바다와 육지의 상공을 의미하는 것이지만, 항공교통업무지원과 결부된 공역의 개념은 '항공기 활동을 위한 공간으로서 공역의 특성에 따라 항행안전을 위한 적합한 통제와 항행지원이 이루어지도록 설정된 공간으로서 항공교통업무를 지원하기 위한 책임 공역'이라고 설명하기도 한다. 이는 비행정보구역(Flight Information1 Region, FIR)과 결부시켜 공역을 해석하는 것으로 볼 수 있다. 요컨대, 이러한 개념 정의는 앞서 언급한 본래 의미의 공역 개념과는 다르다(조종사 표준교재 항공법규).

1.1 공역 등의 지정 제78조제1항

국토교통부장관은 공역을 체계적이고 효율적으로 관리하기 위하여 필요하다고 인정할 때에는 비행정보구역을 다음 각 호의 공역으로 구분하여 지정·공고할 수 있다.

1. 관제공역: 항공교통의 안전을 위하여 항공기의 비행 순서·시기 및 방법 등에 관하여 제84조제1항에 따라 국토교통부장관 또는 항공교통업무증명을 받은 자의 지시를 받아야 할 필요가 있는 공역으로서 관제권 및 관제구를 포함하는 공역
2. 비관제공역: 관제공역 외의 공역으로서 항공기의 조종사에게 비행에 관한 조언·비행정보 등을 제공할 필요가 있는 공역
3. 통제공역: 항공교통의 안전을 위하여 항공기의 비행을 금지하거나 제한할 필요가 있는 공역
4. 주의공역: 항공기의 조종사가 비행 시 특별한 주의·경계·식별 등이 필요한 공역

비행정보구역의 명칭은 국명을 사용하지 않고 비행정보업무를 담당하는 센터의 명칭을 그대로 사용한다. 한국의 FIR는 인천에 위치한 국토교통부 산하항공교통센터(구 항공교통관제소)에서 비행정보업무를 제공하므로 인천 FIR라 한다. 항공기의 안전하고 효율적인 비행과 항공

기의 수색 또는 구조에 필요한 정보제공을 위한 공역으로서 국제민간항공협약 및 그 부속서에 따라 국토교통부장관이 그 명칭, 수직 및 수평범위를 지정·공고한다.

1.1.1 공역의 구분·관리 제78조제1항

> 국토교통부장관은 필요하다고 인정할 때에는 국토교통부령으로 정하는 바에 따라 제1항에 따른 공역을 세분하여 지정·공고할 수 있다.

국토교통부장관이 세분하여 지정·공고하는 공역의 구분은 별표 23과 같다.

[별표 23]

공역의 구분 제221조제1항 관련

1. 제공하는 항공교통업무에 따른 구분

구 분		내용
관제공역	A등급 공역	모든 항공기가 계기비행을 해야 하는 공역
	B등급 공역	계기비행 및 시계비행을 하는 항공기가 비행 가능하고, 모든 항공기에 분리를 포함한 항공교통관제업무가 제공되는 공역
	C등급 공역	모든 항공기에 항공교통관제업무가 제공되나, 시계비헹을 하는 항공기 간에는 교통정보만 제공되는 공역
	D등급 공역	모든 항공기에 항공교통관제업무가 제공되나, 계기비행을 하는 항공기와 시계비행을 하는 항공기 및 시계비행을 하는 항공기 간에는 교통정보만 제공되는 공역
	E등급 공역	계기비행을 하는 항공기에 항공교통관제업무가 제공되고, 시계비행을 하는 항공기에 교통정보가 제공되는 공역
비관제 공역	F등급 공역	계기비행을 하는 항공기에 비행정보업무와 교통조언업무가 제공되고, 시계비행항공기에 비행정보업무가 제공되는 공역
	G등급 공역	모든 항공기에 비행정보업무만 제공되는 공역

2. 공역의 사용목적에 따른 구분

구분		내용
관제공역	관제권	「항공안전법」제2조제25호에 따른 공역으로서 비행정보구역 내의 B, C 또는 D등급 공역 중에서 시계 및 계기비행을 하는 항공기에 대하여 항공교통관제업무를 제공하는 공역
	관제구	「항공안전법」 제2조제26호에 따른 공역(항공로 및 접근관제구역을 포함한다)으로서 비행정보구역 내의 A, B, C, D 및 E등급 공역에서 시계 및 계기비행을 하는 항공기에 대하여 항공교통관제업무를 제공하는 공역
	비행장 교통구역	「항공안전법」 제2조제25호에 따른 공역 외의 공역으로서 비행정보구역 내의 D등급에서 시계비행을 하는 항공기 간에 교통정보를 제공하는 공역
비관제공역	조언구역	항공교통조언업무가 제공되도록 지정된 비관제공역
	정보구역	비행정보업무가 제공되도록 지정된 비관제공역
통제공역	비행금지구역	안전, 국방상, 그 밖의 이유로 항공기의 비행을 금지하는 공역
	비행제한구역	항공사격·대공사격 등으로 인한 위험으로부터 항공기의 안전을 보호하거나 그 밖의 이유로 비행허가를 받지 않은 항공기의 비행을 제한하는 공역
	초경량비행장치 비행제한구역	초경량비행장치의 비행안전을 확보하기 위하여 초경량비행장치의 비행활동에 대한 제한이 필요한 공역
주의공역	훈련구역	민간항공기의 훈련공역으로서 계기비행항공기로부터 분리를 유지할 필요가 있는 공역
	군작전구역	군사작전을 위하여 설정된 공역으로서 계기비행항공기로부터 분리를 유지할 필요가 있는 공역
	위험구역	항공기의 비행시 항공기 또는 지상시설물에 대한 위험이 예상되는 공역
	경계구역	대규모 조종사의 훈련이나 비정상 형태의 항공활동이 수행되는 공역

1.1.2 공역의 설정기준 [제78조제3항]

제1항 및 제2항에 따른 공역의 설정기준 및 지정절차 등 그 밖에 필요한 사항은 국토교통부령으로 정한다.

공역의 설정기준은 다음 각 호와 같으며, 공역 지정 내용의 공고는 항공정보간행물 또는 항공고시보에 따른다. 시행규칙 제221조제2항 및 3항

1. 국가안전보장과 항공안전을 고려할 것

2. 항공교통에 관한 서비스의 제공 여부를 고려할 것

3. 이용자의 편의에 적합하게 공역을 구분할 것

4. 공역이 효율적이고 경제적으로 활용될 수 있을 것

1.2 항공기의 비행제한 [제79조]

① 제78조제1항에 따른 비관제공역 또는 주의공역에서 항공기를 운항하려는 사람은 그 공역에 대하여 국토교통부장관이 정하여 공고하는 비행의 방식 및 절차에 따라야 한다.

② 항공기를 운항하려는 사람은 제78조제1항에 따른 통제공역에서 비행해서는 아니 된다. 다만, 국토교통부령으로 정하는 바에 따라 국토교통부장관의 허가를 받아 그 공역에 대하여 국토교통부장관이 정하는 비행의 방식 및 절차에 따라 비행하는 경우에는 그러하지 아니하다.

통제공역에서 비행하려는 자는 통제공역 비행허가 신청서를 지방항공청장에게 제출하여야 한다. 다만, 비행 중인 경우에는 무선통신 등의 방법을 사용하여 지방항공청장에게 제출할 수 있다. 시행규칙 제222조

1.3 공역위원회의 설치 제80조

① 제78조에 따른 공역의 설정 및 관리에 필요한 사항을 심의하기 위하여 국토교통부장
관 소속으로 공역위원회를 둔다.

② 제1항에서 규정한 사항 외에 공역위원회의 구성·운영 및 기능 등에 필요한 사항은 대
통령령으로 정한다.

공역위원회(이하 "위원회"라 한다)는 위원장 1명과 부위원장 1명을 포함하여 15명 이내의 위원
으로 구성한다. 시행령 제10조

2. 항공교통업무

2.1 항공교통안전에 관한 관계 행정기관의 장의 협조 제81조

① 국토교통부장관은 항공교통의 안전을 확보하기 위하여 다음 각 호의 사항에 관하여
관계 행정기관의 장과 상호 협조하여야 한다. 이 경우 국가안보를 고려하여야 한다.
1. 항공교통관제에 관한 사항
2. 효율적인 공역관리에 관한 사항
3. 그 밖에 항공교통의 안전을 위하여 필요한 사항
② 제1항에 따른 협조 요청에 필요한 세부 사항은 대통령령으로 정한다.

국토교통부장관은 법 제81조제1항에 따라 항공교통의 안전을 확보하기 위하여 군 기관, 항공
기상에 관한 정보를 제공하는 행정기관의 장 등에게 협조를 요청할 수 있다. 시행령 제18조

2.2 항공교통업무의 제공 등 제82조

① 국토교통부장관 또는 항공교통업무증명을 받은 자는 비행장, 공항, 관제권 또는 관제
구에서 항공기 또는 경량항공기 등에 항공교통관제 업무를 제공할 수 있다.
② 국토교통부장관 또는 항공교통업무증명을 받은 자는 비행정보구역에서 항공기 또는
경량항공기의 안전하고 효율적인 운항을 위하여 비행장, 공항 및 항행안전시설의 운
용 상태 등 항공기 또는 경량항공기의 운항과 관련된 조언 및 정보를 조종사 또는 관
련 기관 등에 제공할 수 있다.
③ 국토교통부장관 또는 항공교통업무증명을 받은 자는 비행정보구역에서 수색·구조를
필요로 하는 항공기 또는 경량항공기에 관한 정보를 조종사 또는 관련 기관 등에 제공

할 수 있다.

④ 제1항부터 제3항까지의 규정에 따라 국토교통부장관 또는 항공교통업무증명을 받은 자가 하는 업무(이하 "항공교통업무"라 한다)의 제공 영역, 대상, 내용, 절차 등에 필요한 사항은 국토교통부령으로 정한다.

2.2.1 항공교통관제업무의 한정

항공교통관제기관에서 항공교통관제 업무를 수행하려는 사람은 국토교통부장관이 정하는 바에 따라 그 업무에 종사할 수 있는 항공교통관제 업무의 한정을 받아야 한다. 다만, 해당 항공교통관제 업무의 한정을 받은 사람의 직접적인 감독을 받아 항공교통관제 업무를 하는 경우에는 그러하지 아니하다. 또한, 항공교통관제 업무의 한정을 받은 사람이 해당 항공교통관제기관에서 항공교통관제 업무에 종사하지 아니한 날이 180일이 지날 경우에는 그 업무의 한정의 효력이 정지된 것으로 본다. 다만, 해당 항공교통관제업무에 관하여 국토교통부장관이 정하는 훈련을 받은 경우에는 그러하지 아니하다. 시행규칙 제225조

2.2.2 항공교통업무의 목적

항공교통업무는 다음 각 호의 사항을 주된 목적으로 한다.

1. 항공기 간의 충돌 방지

2. 기동지역 안에서 항공기와 장애물 간의 충돌 방지

3. 항공교통흐름의 질서유지 및 촉진

4. 항공기의 안전하고 효율적인 운항을 위하여 필요한 조언 및 정보의 제공

5. 수색·구조를 필요로 하는 항공기에 대한 관계기관에의 정보 제공 및 협조

또한, 항공교통업무는 다음 각 호와 같이 구분한다.

1. 항공교통관제업무: 제1항제1호부터 제3호까지의 목적을 수행하기 위한 다음 각 목의 업무

   가. 접근관제업무: 관제공역 안에서 이륙이나 착륙으로 연결되는 관제비행을 하는 항공

기에 제공하는 항공교통관제업무

나. 비행장관제업무: 비행장 안의 기동지역 및 비행장 주위에서 비행하는 항공기에 제공하는 항공교통관제업무로서 접근관제업무 외의 항공교통관제업무(이동지역 내의 계류장에서 항공기에 대한 지상유도를 담당하는 계류장관제업무를 포함한다)

다. 지역관제업무: 관제공역 안에서 관제비행을 하는 항공기에 제공하는 항공교통관제업무로서 접근관제업무 및 비행장관제업무 외의 항공교통관제업무

2. 비행정보업무: 비행정보구역 안에서 비행하는 항공기에 대하여 제1항제4호의 목적을 수행하기 위하여 제공하는 업무

3. 경보업무: 제1항제5호의 목적을 수행하기 위하여 제공하는 업무 시행규칙 제228조

2.3 항공교통업무의 제공 `제83조제1항`

① 국토교통부장관 또는 항공교통업무증명을 받은 자는 비행장, 공항, 관제권 또는 관제구에서 항공기 또는 경량항공기 등에 항공교통관제 업무를 제공할 수 있다.

항공교통관제기관에서 항공교통관제 업무를 수행하려는 사람은 국토교통부장관이 정하는 바에 따라 그 업무에 종사할 수 있는 항공교통관제 업무의 한정을 받아야 한다. 다만, 해당 항공교통관제 업무의 한정을 받은 사람의 직접적인 감독을 받아 항공교통관제 업무를 하는 경우에는 그러하지 아니하다. 또한, 항공교통관제 업무의 한정을 받은 사람이 해당 항공교통관제기관에서 항공교통관제 업무에 종사하지 아니한 날이 180일이 지날 경우에는 그 업무의 한정의 효력이 정지된 것으로 본다. 다만, 해당 항공교통관제업무에 관하여 국토교통부장관이 정하는 훈련을 받은 경우에는 그러하지 아니하다. 시행규칙 제225조

항공교통업무는 다음 각 호의 사항을 주된 목적으로 한다. 시행규칙 제228조

1. 항공기 간의 충돌 방지
2. 기동지역 안에서 항공기와 장애물 간의 충돌 방지
3. 항공교통흐름의 질서유지 및 촉진
4. 항공기의 안전하고 효율적인 운항을 위하여 필요한 조언 및 정보의 제공

5. 수색·구조를 필요로 하는 항공기에 대한 관계기관에의 정보 제공 및 협조

2.4 항공교통관제 업무 지시의 준수 제84조

① 비행장, 공항, 관제권 또는 관제구에서 항공기를 이동·이륙·착륙시키거나 비행하려는
자는 국토교통부장관 또는 항공교통업무증명을 받은 자가 지시하는 이동·이륙·착륙
의 순서 및 시기와 비행의 방법에 따라야 한다.
② 비행장 또는 공항의 이동지역에서 차량의 운행, 비행장 또는 공항의 유지·보수, 그 밖
의 업무를 수행하는 자는 항공교통의 안전을 위하여 국토교통부장관 또는 항공교통
업무증명을 받은 자의 지시에 따라야 한다.

법 제84조제2항에 따라 관제탑은 지상이동 중이거나 이륙·착륙 중인 항공기에 대한 안전을
확보하기 위하여 비행장의 기동지역 내를 이동하는 사람 또는 차량을 통제하여야 한다. 또
한, 저시정 기상상태에서 제2종(Category Ⅱ) 또는 제3종(Category Ⅲ)의 정밀계기운항이 진
행 중일 때에는 계기착륙시설(ILS)의 방위각제공시설(Localizer) 및 활공각제공시설(Glide
Slope)의 전파를 보호하기 위하여 기동지역을 이동하는 사람 및 차량에 대하여 제한을 하여
야 한다.

관제탑은 조난항공기의 구조를 위하여 이동하는 비상차량에 우선권을 부여하여야 하며, 비행
장의 기동지역 내를 이동하는 차량은 다음 각 호의 사항을 준수하여야 한다. 다만, 관제탑의
다른 지시가 있는 경우에는 그 지시를 우선적으로 준수하여야 한다.

1. 지상이동·이륙·착륙 중인 항공기에 진로를 양보할 것
2. 차량은 항공기를 견인하는 차량에게 진로를 양보할 것
3. 차량은 관제지시에 따라 이동 중인 다른 차량에게 진로를 양보할 것

2.5 수색·구조 지원계획의 수립·시행 제88조

국토교통부장관은 항공기가 조난되는 경우 항공기 수색이나 인명구조를 위하여 대통령령으로 정하는 바에 따라 관계 행정기관의 역할 등을 정한 항공기 수색·구조 지원에 관한 계획을 수립·시행하여야 한다.

항공기 수색·구조 지원에 관한 계획에는 다음 각 호의 사항이 포함되어야 한다. 시행령 제20조

1. 수색·구조 지원체계의 구성 및 운영에 관한 사항

2. 국방부장관, 국토교통부장관 및 주한미군사령관의 관할 공역에서의 역할

3. 그 밖에 항공기 수색 또는 인명구조를 위하여 필요한 사항

2.6 항공정보의 제공 등 제89조제1항

국토교통부장관은 항공기 운항의 안전성·정규성 및 효율성을 확보하기 위하여 필요한 정보(이하 "항공정보"라 한다)를 비행정보구역에서 비행하는 사람 등에게 제공하여야 한다.

항공정보의 제공은 지방항공청장의 관할구역에서만 해당하며, 간행물 형태로 제공하는 것은 제외한다. 시행령 제26조제1항 30호

항공정보의 내용은 다음 각 호와 같다. 시행규칙 제255조제1항

1. 비행장과 항행안전시설의 공용의 개시, 휴지, 재개(再開) 및 폐지에 관한 사항

2. 비행장과 항행안전시설의 중요한 변경 및 운용에 관한 사항

3. 비행장을 이용할 때에 있어 항공기의 운항에 장애가 되는 사항

4. 비행의 방법, 결심고도, 최저강하고도, 비행장 이륙·착륙 기상 최저치 등의 설정과 변경에 관한 사항

5. 항공교통업무에 관한 사항

6. 다음 각 목의 공역에서 하는 로켓·불꽃·레이저광선 또는 그 밖의 물건의 발사, 무인기구

(기상관측용 및 완구용은 제외한다)의 계류·부양 및 낙하산 강하에 관한 사항

　가. 진입표면·수평표면·원추표면 또는 전이표면을 초과하는 높이의 공역

　나. 항공로 안의 높이 150미터 이상인 공역

　다. 그 밖에 높이 250미터 이상인 공역

7. 그 밖에 항공기의 운항에 도움이 될 수 있는 사항

또한, 항공정보는 다음 각 호의 어느 하나의 방법으로 제공한다. 시행규칙 제255조제2항

　1. 항공정보간행물(AIP)

　2. 항공고시보(NOTAM)

　3. 항공정보회람(AIC)

　4. 비행 전·후 정보(Pre-Flight and Post-Flight Information)를 적은 자료

2.6.1 항공지도 　제89조제2항

국토교통부장관은 항공로, 항행안전시설, 비행장, 공항, 관제권 등 항공기 운항에 필요한 정보가 표시된 지도(이하 "항공지도"라 한다)를 발간(發刊)하여야 한다.

항공지도에 제공하는 사항은 다음 각 호와 같다. 시행규칙 제255조제3항

　1. 비행장장애물도(Aerodrome Obstacle Chart)

　2. 정밀접근지형도(Precision Approach Terrain)

　3. 항공로도(Enroute Chart)

　4. 지역도(Area Chart)

　5. 표준계기출발도(Standard Departure Chart-Instrument)

　6. 표준계기도착도(Standard Arrival Chart-Instrument)

　7. 계기접근도(Instrument Approach Chart)

　8. 시계접근도(Visual Approach Chart)

　9. 비행장 또는 헬기장도(Aerodrome/Heliport Chart)

10. 비행장지상이동도(Aerodrome Ground Movement Chart)

11. 항공기주기도 또는 접현도(Aircraft Parking/Docking Chart)

12. 세계항공도(World Aeronautical Chart)

13. 항공도(Aeronautical Chart)

14. 항법도(Aeronautical Navigation Chart)

15. 항공교통관제감시 최저고도도(ATC Surveillance Minimum Altitude Chart)

16. 그 밖에 국토교통부장관이 고시하는 사항

2.6.2 항공정보 측정단위 제89조제3항

항공정보 또는 항공지도의 내용, 제공방법, 측정단위 등에 필요한 사항은 국토교통부령으로 정한다.

항공정보에 사용되는 측정단위는 다음 각 호의 어느 하나의 방법에 따라 사용한다. 시행규칙 제255조제4항

1. 고도(Altitude): 미터(m) 또는 피트(ft)

2. 시정(Visibility): 킬로미터(㎞) 또는 마일(SM). 이 경우 5킬로미터 미만의 시정은 미터(m) 단위를 사용한다.

3. 주파수(Frequency): 헤르쯔(㎐)

4. 속도(Velocity Speed): 초당 미터(㎧)

5. 온도(Temperature): 섭씨도(℃)

제7장 항공운송사업자 등에 대한 안전관리

항공운송사업자 등에 대한 안전관리는 제1절 항공운송사업자에 대한 안전관리, 제2절 항공기사용사업자에 대한 안전관리, 제3절 항공기정비업자에 대한 안전관리에 대하여 규정하고 있다.

제1절 항공운송사업자에 대한 안전관리에서는 항공운송사업자의 운항증명, 과징금의 부과, 운항규정 및 정비규정, 안전개선명령 등에 대하여 규정하고 있다.

제2절 항공기사용사업자에 대한 안전관리에서는 항공기사용사업자의 운항증명 취소 및 항공기사용사업자에 대한 준용규정 등에 대하여 언급하고 있다.

제3절 항공기정비업자에 대한 안전관리에서는 정비조직인증 및 과징금의 부과에 대하여 규정하고 있다.

1. 항공운송사업자에 대한 안전관리

1.1 항공운송사업자의 운항증명 제90조제1항

> 항공운송사업자는 운항을 시작하기 전까지 국토교통부령으로 정하는 기준에 따라 인력, 장비, 시설, 운항관리지원 및 정비관리지원 등 안전운항체계에 대하여 국토교통부장관의 검사를 받은 후 운항증명을 받아야 한다.

시카고협약 부속서 및 항공안전법에 따라 항공운송사업자 및 항공기사용사업자는 인력, 장비, 시설, 운항관리지원 및 정비관리지원 등 안전운항체계에 대하여 국토교통부의 검사를 받아 운항증명(Air Operator Certificate)을 받은 후 운항을 시작하여야 한다.

운항증명을 받으려는 자는 운항증명 신청서에 별표 32의 서류를 첨부하여 운항 개시 예정일 90일 전까지 국토교통부장관 또는 지방항공청장에게 제출하여야 하며, 국토교통부장관 또는 지방항공청장은 운항증명의 신청을 받으면 10일 이내에 운항증명검사계획을 수립하여 신청인에게 통보하여야 한다. 시행규칙 제257조

또한, 항공운송사업자의 운항증명을 하기 위한 검사는 서류검사와 현장검사로 구분하여 실시하며, 국토교통부장관 또는 지방항공청장은 운항증명검사 결과 검사기준에 적합하다고 인정하는 경우에는 운항증명서 및 운영기준을 발급하여야 한다. 시행규칙 제258조 및 제259조제1항

1.1.1 운영증명 및 운영기준의 발급 제90조제2항

> 국토교통부장관은 제1항에 따른 운항증명(이하 "운항증명"이라 한다)을 하는 경우에는 운항하려는 항공로, 공항 및 항공기 정비방법 등에 관하여 국토교통부령으로 정하는 운항조건과 제한 사항이 명시된 운영기준을 운항증명서와 함께 해당 항공운송사업자에게 발급하여야 한다.

운항증명(AOC: Air Operator Certificate)이란 항공당국이 항공운송사업 등을 경영하고자 하는 항공사의 인력, 장비, 시설 및 운항 관리 지원 등 안전 운항 체계를 종합적으로 검사하고, 항공사가 적합한 안전운항 능력을 구비한 경우, 항공사에게 항공운송사업을 개시할 수 있음을 증명하기 위해 발행하는 증명(서)를 말한다.

또한, 운영기준(Operations Specifications)이란 항공당국이 항공사에게 AOC 발급 시 함께 교부하는 것으로서 항로 및 공항 등에 대한 운항조건 및 제한사항이 포함되어 있다. 구체적인 운항조건 및 제한사항으로는 위험물 운송, 저시정 운항, 회항시간 연장운항(EDTO), 수직분리축소공역운항(RVSM), 성능기반항행요구공역운항(PBN) 등에 대한 허가 사항 등이 포함되어 있다.

항공운송사업자의 운항증명을 하기 위한 검사는 서류검사와 현장검사로 구분하여 실시하며, 국토교통부장관 또는 지방항공청장은 운항증명검사 결과 검사기준에 적합하다고 인정하는 경우에는 운항증명서 및 운영기준을 발급하여야 한다. 시행규칙 제258조 및 제259조제1항

"국토교통부령으로 정하는 운항조건과 제한사항"이란 다음 각 호의 사항을 말한다. 시행규칙 제259조제2항

1. 항공운송사업자의 주 사업소의 위치와 운영기준에 관하여 연락을 취할 수 있는 자의 성명 및 주소

2. 항공운송사업에 사용할 정규 공항과 항공기 기종 및 등록기호

3. 인가된 운항의 종류

4. 운항하려는 항공로와 지역의 인가 및 제한 사항

5. 공항의 제한 사항

6. 기체·발동기·프로펠러·회전익·기구와 비상장비의 검사·점검 및 분해정밀검사에 관한 제한시간 또는 제한시간을 결정하기 위한 기준

7. 항공운송사업자 간의 항공기 부품교환 요건

8. 항공기 중량 배분을 위한 방법

9. 항공기등의 임차에 관한 사항

10. 그 밖에 안전운항을 위하여 국토교통부장관이 정하여 고시하는 사항

항공당국은 항공사에게 운항증명을 발급하는 경우 항로, 공항 등에 관하여 운항조건과 제한사항이 명시된 운영기준을 함께 발급한다. 시카고협약 체약국은 영문 외의 언어로 운영기준

■ 항공안전법 시행규칙 [별지 제90호서식]

운 항 증 명 서
Air Operator Certificate

대한민국
국토교통부

Republic of Korea
Ministry of Land, Infrastructure and Transport

1. 운항증명번호(AOC No.):	3. 사업자 명(Operator Name):	8. 세부 연락처: 운영기준 Part ( ) 참조
2. AOC 형태(Type of AOC) ☐ International Air Carrier ☐ Domestic Air Carrier ☐ Small Commercial Air Transport Operator ☐ Aerial Work Operator	4. 주소(Operator Address): 5. 전화번호(Telephone): 6. 팩스(Fax): 7. E-mail:	Operational Points of Contact: Contact details, at which operational management can be contacted without undue delay, are listed in Op Spec Part( ).

9. 이 증명서는 ( )가 「항공안전법」 그리고 이에 관련된 모든 항공규정 및 운영기준에서 정한 운항조건과 제한사항에 따라 항공운송사업 및 항공기사용사업을 수행토록 인가되었음을 증명함

This certificate certifies that ( ) is authorized to perform commercial air operations and aerial work operations, as defined in the attached operations specifications, in accordance with the Operations Manual and the Aviation Safety Act of the Republic of Korea and regulations and standards.

10. 유효기간: 이 증명서는 양도될 수 없으며 정지 또는 취소되거나 반납하지 아니하는 한 무기한 유효함.

Expiry Date: This certificate is not transferable and unless returned, suspended or revoked, shall continue in effect until otherwise terminated.

11. 발행일자(Date of issue):   년(year)   월(month)   일(day)

국토교통부장관   직인

Minister of Land, Infrastructure and Transport

지방항공청장   직인
또는

Administrator of Regional Aviation Administration

을 발행할 경우 영문을 포함하여 발행해야 한다. 항공사는 항공당국이 발행한 운영기준을 항공기에 탑재해야 한다.

1.1.2 운영기준의 변경　제90조제3항

> 국토교통부장관은 항공기의 안전운항을 확보하기 위하여 필요하다고 판단되면 직권으로 또는 항공운송사업자의 신청을 받아 제2항에 따른 운영기준을 변경할 수 있다.

국토교통부장관 또는 지방항공청장이 항공기 안전운항을 확보하기 위하여 운영기준을 변경하려는 경우에는 변경의 내용과 사유를 포함한 변경된 운영기준을 운항증명 소지자에게 발급하여야 하며, 변경된 운영기준은 안전운항을 위하여 긴급히 요구되거나 운항증명 소지자가 이의를 제기하는 경우가 아니면 발급받은 날부터 30일 이후에 적용된다.

운항증명소지자가 운영기준 변경신청을 하려는 경우에는 변경할 운영기준을 적용하려는 날의 15일전까지 별지 제93호서식의 운영기준 변경신청서에 변경하려는 내용과 사유를 적어 국토교통부장관 또는 지방항공청장에게 제출하여야 하며, 국토교통부장관 또는 지방항공청장은 운영기준변경신청을 받으면 그 내용을 검토하여 항공기 안전운항을 확보하는데 문제가 없다고 판단되는 경우에는 변경된 운영기준을 신청인에게 발급하여야 한다. 시행규칙 제261조

1.1.3 안전운항체계 변경검사　제90조제5항

> 운항증명을 받은 항공운송사업자는 최초로 운항증명을 받았을 때의 안전운항체계를 유지하여야 하며, 노선의 개설 등으로 안전운항체계가 변경된 경우에는 국토교통부장관이 실시하는 검사를 받아야 한다.

"노선의 개설 등으로 안전운항체계가 변경된 경우"란 다음 각 호의 어느 하나에 해당하는 경우를 말한다.

　1. 발급된 운영기준에 등재되지 아니한 새로운 형식의 항공기를 도입한 경우

2. 새로운 노선을 개설한 경우

3. 「항공사업법」 제21조에 따라 사업을 양도·양수한 경우

4. 「항공사업법」 제22조에 따라 사업을 합병한 경우

운항증명을 발급 받은 자는 안전운항체계가 변경된 경우에는 안전운항체계 변경검사 신청서에 다음 각 호의 사항이 포함된 안전운항체계 변경에 대한 입증자료(이하 이 조에서 "안전적합성입증자료"라 한다)와 운영기준 변경신청서(운영기준의 변경이 있는 경우만 해당한다)를 첨부하여 운항개시예정일 5일 전까지 국토교통부장관 또는 지방항공청장에게 제출하여야 한다.

1. 사용 예정 항공기

2. 항공기 및 그 부품의 정비시설

3. 항공기 급유시설 및 연료저장시설

4. 예비품 및 그 보관시설

5. 운항관리시설 및 그 관리방식

6. 지상조업시설 및 장비

7. 운항에 필요한 항공종사자의 확보상태 및 능력

8. 취항 예정 비행장의 제원 및 특성

9. 여객 및 화물의 운송서비스 관련 시설

10. 면허조건 또는 사업 개시 관련 행정명령 이행실태

11. 그 밖에 안전운항과 노선운영에 관하여 국토교통부장관 또는 지방항공청장이 정하여 고시하는 사항

국토교통부장관 또는 지방항공청장은 제출받은 입증자료를 바탕으로 변경된 안전운항체계에 대하여 검사한 경우에는 그 결과를 신청자에게 통보하여야 하며, 국토교통부장관 또는 지방항공청장은 검사 결과 적합하다고 인정되는 경우로서 발급한 운영기준의 변경이 수반되는 경우에는 변경된 운영기준을 함께 발급하여야 한다.

국토교통부장관 또는 지방항공청장은 운항증명을 받은 자가 사업계획의 변경 등으로 다른 기종의 항공기를 운항하려는 경우 등 항공기의 안전운항을 확보하는데 문제가 없다고 판단되는 경우에는 법 제77조에 따라 고시하는 운항기술기준에서 정하는 바에 따라 안전운항체계의 변경에 따른 검사의 일부 또는 전부를 면제할 수 있다. **시행규칙 제262조**

1.1.4 항공기 또는 노선의 운항정지 및 항공종사자의 업무정지 등 제90조제6항 및7항

국토교통부장관은 항공기 안전운항을 확보하기 위하여 운항증명을 받은 항공운송사업자가 안전운항체계를 유지하고 있는지를 정기 또는 수시로 검사하여야 하며, 정기검사 또는 수시검사를 하는 중에 다음 각 호의 어느 하나에 해당하여 긴급한 조치가 필요하게 되었을 때에는 국토교통부령으로 정하는 바에 따라 항공기 또는 노선의 운항을 정지하게 하거나 항공종사자의 업무를 정지하게 할 수 있다.

1. 항공기의 감항성에 영향을 미칠 수 있는 사항이 발견된 경우

2. 항공기의 운항과 관련된 항공종사자가 교육훈련 또는 운항자격 등 이 법에 따라 해당 업무에 종사하는 데 필요한 요건을 충족하지 못하고 있음이 발견된 경우

3. 승무시간 기준, 비행규칙 등 항공기의 안전운항을 위하여 이 법에서 정한 기준을 따르지 아니하고 있는 경우

4. 운항하려는 공항 또는 활주로의 상태 등이 항공기의 안전운항에 위험을 줄 수 있는 상태인 경우

5. 그 밖에 안전운항체계에 영향을 미칠 수 있는 상황으로 판단되는 경우

국토교통부장관 또는 지방항공청장은 항공기 또는 노선의 운항을 정지하게 하거나 항공종사자의 업무를 정지하게 하려면 다음 각 호에 따라 조치하여야 한다. 시행규칙 제263조

1. 운항증명 소지자 또는 항공종사자에게 항공기 또는 노선의 운항을 정지하게 하거나 항공종사자의 업무를 정지하게 하는 사유 및 조치하여야 할 내용을 구두로 지체 없이 통보하고, 사후에 서면으로 통보하여야 한다.

2. 제1호에 따른 통보를 받은 자가 그 조치하여야 할 사항을 조치하였을 때에는 지체 없이 그 내용을 국토교통부장관 또는 지방항공청장에게 통보하여야 한다.

3. 국토교통부장관 또는 지방항공청장은 제2호에 따른 통보를 받은 경우에는 그 내용을 확인하고 항공기의 안전운항에 지장이 없다고 판단되면 지체 없이 그 사실을 통보하여 항공기 또는 노선의 운항을 재개할 수 있게 하거나 항공종사자의 업무를 계속 수행할 수 있게 하여야 한다.

1.2 항공운송사업자의 운항규정 및 정비규정 제93조

① 항공운송사업자는 운항을 시작하기 전까지 국토교통부령으로 정하는 바에 따라 항공기의 운항에 관한 운항규정 및 정비에 관한 정비규정을 마련하여 국토교통부장관의 인가를 받아야 한다. 다만, 운항규정 및 정비규정을 운항증명에 포함하여 운항증명을 받은 경우에는 그러하지 아니하다.

② 항공운송사업자는 제1항 본문에 따라 인가를 받은 운항규정 또는 정비규정을 변경하려는 경우에는 국토교통부령으로 정하는 바에 따라 국토교통부장관에게 신고하여야 한다. 다만, 최소장비목록, 승무원 훈련프로그램 등 국토교통부령으로 정하는 중요사항을 변경하려는 경우에는 국토교통부장관의 인가를 받아야 한다.

③ 국토교통부장관은 제1항 본문 또는 제2항 단서에 따라 인가하려는 경우에는 제77조제1항에 따른 운항기술기준에 적합한지를 확인하여야 한다.

④ 국토교통부장관은 제1항 본문 또는 제2항 단서에 따라 인가하는 경우 조건 또는 기한을 붙이거나 조건 또는 기한을 변경할 수 있다. 다만, 그 조건 또는 기한은 공공의 이익 증진이나 인가의 시행에 필요한 최소한도의 것이어야 하며, 해당 항공운송사업자에게 부당한 의무를 부과하는 것이어서는 아니 된다.

⑤ 항공운송사업자는 제1항 본문 또는 제2항 단서에 따라 국토교통부장관의 인가를 받거나 제2항 본문에 따라 국토교통부장관에게 신고한 운항규정 또는 정비규정을 항공기의 운항 또는 정비에 관한 업무를 수행하는 종사자에게 제공하여야 한다. 이 경우 항공운송사업자와 항공기의 운항 또는 정비에 관한 업무를 수행하는 종사자는 운항규정 또는 정비규정을 준수하여야 한다.

항공운송사업자 등은 항공기의 운항에 관한 운항규정 및 정비에 관한 정비규정을 제정하거나 변경하려는 경우에는 항공당국(국토교통부장관 또는 지방항공청장)에게 신고하여야 한다. 다만, 최소장비목록, 승무원 훈련프로그램 등에 대하여는 항공당국으로부터 인가를 받아야 한다.

항공당국은 최소장비목록, 승무원 훈련프로그램 등을 인가하려는 경우에는 운항기술기준에 적합한지를 확인하여야 한다.

항공운송사업자 등은 항공당국의 인가를 받은 운항규정 및 정비규정을 항공기의 운항 및 정비에 관한 업무를 수행하는 종사자에게 배포하여야 하며, 항공운송사업자와 운항 및 정비에 관한 업무를 수행하는 종사자는 운항규정 또는 정비규정을 준수하여야 한다.

운항규정에 포함되어야 할 사항(세부내용은 항공안전법시행규칙 별표36 참조)

항공기를 이용하여 항공운송사업 또는 항공기사용사업을 하려는 자의 운항규정은 다음과 같은 구성으로 운항의 특수한 상황을 고려하여 분야별로 분리하거나 통합하여 발행할 수 있다.

1. 일반사항(General)

2. 항공기 운항정보(Aircraft operating information)

3. 지역, 노선 및 비행장(Areas, routes and aerodromes)

4. 훈련(Training)

정비규정에 포함되어야 할 사항(세부내용은 항공안전법시행규칙 볍표 37 참조)

1. 일반사항

2. 항공기를 정비하는 자의 직무와 정비조직

3. 정비에 종사하는 사람의 훈련방법

4. 정비시설에 관한 사항

5. 항공기의 감항성을 유지하기 위한 정비프로그램

6. 항공기 검사프로그램

7. 항공기 등의 품질관리 절차

8. 항공기 등의 기술관리 절차

9. 항공기 등, 장비품 및 부품의 정비방법 및 절차

10. 정비 매뉴얼, 기술문서 및 정비기록물의 관리방법

11. 자재, 장비 및 공구관리에 관한 사항

12. 안전 및 보안에 관한 사항

13. 그 밖에 항공운송사업자 또는 항공기사용사업자가 필요하다고 판단하는 사항

국내·국제 항공운송사업자는 항공안전법 제93조 및 같은 법 시행규칙 제269조에 따라 항공운송사업자용 정비프로그램을 인가받아 사용하여야 한다. 다만, 소형 항공운송사업자와 항공기 사용사업자는 조직의 규모에 따라 항공기 정비프로그램 또는 항공기 기술기준 부록 D에

따른 항공기 검사프로그램을 선택하여 인가받아 사용할 수 있으며, 그 밖의 비사업용 항공기 소유자 및 국가기관은 제작사가 제공하는 검사프로그램을 선택하거나 개발하여 사용할 수 있다.

1.3 항공운송사업자에 대한 안전개선명령 제94조

국토교통부장관은 항공운송의 안전을 위하여 필요하다고 인정되는 경우에는 항공운송사업자에게 다음 각 호의 사항을 명할 수 있다.

　　1. 항공기 및 그 밖의 시설의 개선

　　2. 항공에 관한 국제조약을 이행하기 위하여 필요한 사항

　　3. 그 밖에 항공기의 안전운항에 대한 방해 요소를 제거하기 위하여 필요한 사항

2. 항공기사용사업자에 대한 안전관리

2.1 항공기사용사업자에 대한 준용규정 제96조

① 항공기사용사업자 중 국토교통부령으로 정하는 업무를 하는 항공기사용사업자에 대해서는 제90조를 준용한다.

② 항공기사용사업자의 운항규정 또는 정비규정의 인가 등에 관하여는 제93조 및 제94조를 준용한다.

"국토교통부령으로 정하는 업무를 하는 항공기사용사업자"란 「항공사업법 시행규칙」 제4조 제1호 및 제5호부터 제7호까지의 업무를 하는 항공기사용사업자를 말한다. 다만, 「항공사업법 시행규칙」 제4조제1호 및 제5호의 업무를 하는 항공기사용사업의 경우에는 헬리콥터를 사용하여 업무를 하는 항공기사용사업만 해당한다. 또한, 항공기사용사업자에 대한 운항증명의 신청, 검사, 발급 등에 관하여는 제257조부터 제268조까지의 규정을 준용한다. 시행규칙 제269조

3. 항공기정비업자에 대한 안전관리

3.1 정비조직인증 등 제97조

① 제8조에 따라 대한민국 국적을 취득한 항공기와 이에 사용되는 발동기, 프로펠러, 장비품 또는 부품의 정비등의 업무 등 국토교통부령으로 정하는 업무를 하려는 항공기정비업자 또는 외국의 항공기정비업자는 그 업무를 시작하기 전까지 국토교통부장관이 정하여 고시하는 인력, 설비 및 검사체계 등에 관한 기준(이하 "정비조직인증기준"이라 한다)에 적합한 인력, 설비 등을 갖추어 국토교통부장관의 인증(이하 "정비조직인증"이라 한다)을 받아야 한다. 다만, 대한민국과 정비조직인증에 관한 항공안전협정을 체결한 국가로부터 정비조직인증을 받은 자는 국토교통부장관의 정비조직인증을 받은 것으로 본다.

② 국토교통부장관은 정비조직인증을 하는 경우에는 정비등의 범위·방법 및 품질관리절차 등을 정한 세부 운영기준을 정비조직인증서와 함께 해당 항공기정비업자에게 발급하여야 한다.

③ 항공기등, 장비품 또는 부품에 대한 정비등을 하는 경우에는 그 항공기등, 장비품 또는 부품을 제작한 자가 정하거나 국토교통부장관이 인정한 정비등에 관한 방법 및 절차 등을 준수하여야 한다.

"국토교통부령으로 정하는 업무" 즉, 정비조직인증을 받아야하는 대상 업무는 다음 각 호의 어느 하나에 해당하는 업무를 말한다. 시행규칙 제270조

1. 항공기등 또는 부품등의 정비등의 업무

2. 제1호의 업무에 대한 기술관리 및 품질관리 등을 지원하는 업무

항공운송사업자는 운영하는 항공기의 감항성에 대한 일차적인 책임이 있으며, 운영하는 항공기에 대한 모든 정비를 수행할 책임이 있다. 항공운송사업자는 운항증명을 승인받음에 따라, 운영하는 항공기에 대한 모든 정비, 예방정비 또는 개조를 직접 수행하거나, 항공안전법 제97조에 따라 정비조직인증(Approved Maintenance Organization)을 받은 자에게 정비, 예방정

비 또는 개조를 위탁할 수 있다. 위탁받은 자는 반드시 항공운송사업자의 지시와 통제를 받아야 하고 항공운송사업자의 정비프로그램을 준수하여야 한다. 항공운송사업자의 항공기에 수행된 모든 작업에 대하여, 항공운송사업자는 그 작업을 자체 정비인력이 수행하였거나 위탁한 자가 수행하였을지라도, 모든 정비와 개조에 대한 수행 및 승인에 대한 일차적인 책임을 갖고 있다. 그러므로 항공운송사업자는 정비가 타인에 의해 수행되었다 할지라도 정비의 수행 및 승인에 대한 일차적인 책임을 갖고 있다.

3.1.1 정비조직인증의 신청 및 발급

정비조직인증을 받으려는 자는 정비조직인증 신청서에 정비조직절차교범을 첨부하여 지방항공청장에게 제출하여야 하며, 정비조직절차교범에는 다음 각 호의 사항을 적어야 한다. 시행규칙 제271조

1. 수행하려는 업무의 범위

2. 항공기등·부품등에 대한 정비방법 및 그 절차

3. 항공기등·부품등의 정비에 관한 기술관리 및 품질관리의 방법과 절차

4. 그 밖에 시설·장비 등 국토교통부장관이 정하여 고시하는 사항

지방항공청장은 정비조직인증기준에 적합한지 여부를 검사한 결과 그 기준에 적합하다고 인정되는 경우에는 세부 운영기준과 함께 정비조직인증서를 신청자에게 발급하여야 한다. 시행규칙 제272조

3.2 정비조직인증의 취소 등 제98조

① 국토교통부장관은 정비조직인증을 받은 자가 다음 각 호의 어느 하나에 해당하는 경우에는 정비조직인증을 취소하거나 6개월 이내의 기간을 정하여 그 효력의 정지를 명할 수 있다. 다만, 제1호 또는 제5호에 해당하는 경우에는 그 정비조직인증을 취소하여야 한다.

1. 거짓이나 그 밖의 부정한 방법으로 정비조직인증을 받은 경우

2. 제58조제2항을 위반하여 다음 각 목의 어느 하나에 해당하는 경우

　가. 업무를 시작하기 전까지 항공안전관리시스템을 마련하지 아니한 경우

　나. 승인을 받지 아니하고 항공안전관리시스템을 운용한 경우

　다. 항공안전관리시스템을 승인받은 내용과 다르게 운용한 경우

　라. 승인을 받지 아니하고 국토교통부령으로 정하는 중요 사항을 변경한 경우

3. 정당한 사유 없이 정비조직인증기준을 위반한 경우

4. 고의 또는 중대한 과실에 의하거나 항공종사자에 대한 관리·감독에 관하여 상당한 주의의무를 게을리함으로써 항공기사고가 발생한 경우

5. 이 조에 따른 효력정지기간에 업무를 한 경우

② 제1항에 따른 처분의 기준은 국토교통부령으로 정한다.

정비조직인증 취소 등의 행정처분기준은 별표 38과 같다.

[별표 38]

정비조직인증 취소 등 행정처분 기준 제273조제2항 관련

위 반 행 위	근거 법조문	처분내용
1. 거짓이나 그 밖의 부정한 방법으로 정비조직인증을 받은 경우	법 제98조 제1항제1호	인증취소
2. 법 제98조에 따른 업무정지 기간에 업무를 한 경우	법 제98조 제1항제5호	인증취소
3. 법 제58조제2항을 위반하여 다음 각 목의 어느 하나에 해당하는 경우	법 제98조 제1항제2호	
가. 업무를 시작하기 전까지 항공안전관리시스템을 마련하지 아니한 경우		업무정지(10일)
나. 승인을 받지 아니하고 항공안전관리시스템을 운용한 경우		업무정지(10일)
다. 항공안전관리시스템을 승인받은 내용과 다르게 운용한 경우		업무정지(10일)
라. 승인을 받지 아니하고 제130조제3항으로 정하는 중요 사항을 변경한 경우		업무정지(10일)

4. 정당한 사유 없이 법 제97조제1항에 따른 정비조직인증기준을 위반한 경우	법 제98조 제1항제3호	
가. 인증받은 범위 외의 다음의 정비등을 한 경우		
1) 인증받은 정비능력을 초과하여 정비등을 한 경우		업무정지(10일)
2) 인증받은 형식 외의 항공기등에 대한 정비등을 한 경우		업무정지(15일)
3) 인증받은 장비품·부품 외의 장비품·부품의 정비등을 한 경우		업무정지(10일)
나. 인증받은 정비시설 또는 정비건물 등의 위치를 무단으로 변경하여 정비등을 한 경우		업무정지(7일)
다. 인증받은 장소가 아닌 곳에서 정비등을 한 경우		업무정지(10일)
라. 인증받은 범위에서 정비등을 수행한 후 법 제35조제8호의 항공정비사 자격증명을 가진 자로부터 확인을 받지 않은 경우		업무정지(15일)
마. 정비등을 하지 않고 거짓으로 정비기록을 작성한 경우		업무정지(7일)
바. 세부 운영기준에서 정한 정비방법·품질관리절차 및 수행목록 등을 위반하여 정비등을 한 경우(가목부터 마목까지의 규정에 해당되지 않는 사항을 말한다)		업무정지(5일)
사. 가목부터 바목까지의 규정 외에 정비조직인증기준을 위반한 경우		업무정지(3일)
5. 고의 또는 중대한 과실에 의하여 또는 항공종사자에 대한 관리·감독에 관하여 상당한 주의의무를 게을리함으로써 항공기 사고가 발생한 경우	법 제98조 제1항제4호	
가. 해당 항공기 사고로 인한 사망자가 200명이상인 경우		업무정지(180일)
나. 해당 항공기 사고로 인한 사망자가 150명 이상 200명 미만인 경우		업무정지(150일)
다. 해당 항공기 사고로 인한 사망자가 100명 이상 150명 미만인 경우		업무정지(120일)

라. 해당 항공기 사고로 인한 사망자가 50명 이상 100명 미만인 경우		업무정지(90일)
마. 해당 항공기 사고로 인한 사망자가 10명 이상 50명 미만인 경우		업무정지(60일)
바. 해당 항공기 사고로 인한 사망자가 10명 미만인 경우		업무정지(30일)
사. 해당 항공기 사고로 인한 중상자가 10명 이상인 경우		업무정지(30일)
아. 해당 항공기 사고로 인한 중상자가 5명 이상 10명 미만인 경우		업무정지(20일)
자. 해당 항공기 사고로 인한 중상자가 5명 미만인 경우		업무정지(15일)
차. 해당 항공기 사고로 인한 항공기 또는 제3자의 재산 피해가 100억원 이상인 경우		업무정지(90일)
카. 해당 항공기 사고로 인한 항공기 또는 제3자의 재산 피해가 50억원 이상 100억원 미만인 경우		업무정지(60일)
타. 해당 항공기 사고로 인한 항공기 또는 제3자의 재산피해가 10억원 이상 50억원 미만인 경우		업무정지(30일)
파. 해당 항공기 사고로 인한 항공기 또는 제3자의 재산피해가 1억원 이상 10억원 미만인 경우		업무정지(20일)
하. 해당 항공기 사고로 인한 항공기 또는 제3자의 재산피해가 1억원 미만인 경우		업무정지(10일)

비고

위 표의 세5호에 따른 정비능의 업무정지처분을 하는 경우 인명피해와 항공기 또는 제3자의 재산피해가 같이 발생한 경우에는 해당 정비등의 업무정지기간을 합산하여 처분하되, 합산하는 경우에도 정비등의 업무정지기간이 180일을 초과할 수 없다.

제8장 외국항공기

외국항공기는 외국항공기 항행, 외국항공기 국내사용, 군수품 수송의 금지, 외국인 국제항공운송사업, 외국항공기의 국내 운송 금지 등 외국항공기 및 외국인이 사용하는 항공기에 대하여 규정하고 있으며, 시카고협약 및 동 협약 부속서에서 정한 기준을 준거하여 규정하고 있다.

1. 외국항공기의 항행

외국 국적을 가진 항공기에 대하여 국내 항행, 국내 지역 간 운항, 군수품 수송 금지 및 외국인 국제항공운송사업의 허가 등에 대한 기준을 규정하고 있다. 또한, 안전운항을 위한 외국인 국제항공운송사업자가 준수해야 할 의무, 국토교통부장관이 행하는 검사 및 필요시 운항정지 조치 등의 기준을 명시하고 있다. 이들 국제항공운송사업자 등에 대한 검사는 기본적으로 시카고협약 부속서에서 정한 기준 및 인가받은 내용의 준수여부를 확인하는 것이다.

1.1 외국항공기의 항행허가 제100조

① 외국 국적을 가진 항공기의 사용자(외국, 외국의 공공단체 또는 이에 준하는 자를 포함한다)는 다음 각 호의 어느 하나에 해당하는 항행을 하려면 국토교통부장관의 허가를 받아야 한다. 다만, 「항공사업법」 제54조 및 제55조에 따른 허가를 받은 자는 그러하지 아니하다.

　　1. 영공 밖에서 이륙하여 대한민국에 착륙하는 항행

　　2. 대한민국에서 이륙하여 영공 밖에 착륙하는 항행

　　3. 영공 밖에서 이륙하여 대한민국에 착륙하지 아니하고 영공을 통과하여 영공 밖에 착륙하는 항행

② 외국의 군, 세관 또는 경찰의 업무에 사용되는 항공기는 제1항을 적용할 때에는 해당 국가가 사용하는 항공기로 본다.

③ 제1항 각 호의 어느 하나에 해당하는 항행을 하는 자는 국토교통부장관이 요구하는 경우 지체 없이 국토교통부장관이 지정한 비행장에 착륙하여야 한다.

대한민국에서 이·착륙 항행을 하려는 외국항공기는 그 운항 예정일 2일 전까지 외국항공기 항행허가 신청서를 지방항공청장에게 제출하여야 하고, 영공통과항행을 하려는 외국항공기는 영공통과 허가신청서를 항공교통본부장에게 제출하여야 한다. 시행규칙 제274조

1.2 외국항공기의 국내 사용 제101조

외국 국적을 가진 항공기(「항공사업법」 제54조 및 제55조에 따른 허가를 받은 자가 해당 운송에 사용하는 항공기는 제외한다)는 대한민국 각 지역 간을 운항해서는 아니 된다. 다만, 국토교통부령으로 정하는 바에 따라 국토교통부장관의 허가를 받은 경우에는 그러하지 아니하다.

외국 국적을 가진 항공기를 국내에서 운항하려는 자는 그 운항 개시 예정일 2일 전까지 외국항공기 국내사용허가 신청서를 지방항공청장에게 제출하여야 한다. 시행규칙 제276조

1.3 증명서 등의 인정 제102조

다음 각 호의 어느 하나에 해당하는 항공기의 감항성 및 그 승무원의 자격에 관하여 해당 항공기의 국적인 외국정부가 한 증명 및 그 밖의 행위는 이 법에 따라 한 것으로 본다.

1. 제100조제1항 각 호의 어느 하나에 해당하는 항행을 하는 외국 국적의 항공기
2. 「항공사업법」 제54조 및 제55조에 따른 허가를 받은 자가 사용하는 외국 국적의 항공기

「국제민간항공협약」의 부속서로서 채택된 표준방식 및 절차를 채용하는 협약 체결국 외국정부가 한 다음 각 호의 증명·면허와 그 밖의 행위는 국토교통부장관이 한 것으로 본다.

1. 법 제12조에 따른 항공기 등록증명
2. 법 제23조제1항에 따른 감항증명
3. 법 제34조제1항에 따른 항공종사자의 자격증명
4. 법 제40조제1항에 따른 항공신체검사증명
5. 법 제44조제1항에 따른 계기비행증명
6. 법 제45조제1항에 따른 항공영어구술능력증명 시행규칙 제278조

2. 외국인국제항공운송사업자에 대한 운항증명

2.1 외국인국제항공운송사업자에 대한 운항증명신청 및 발급 제103조

① 「항공사업법」 제54조에 따라 외국인 국제항공운송사업 허가를 받으려는 자는 국토교통부령으로 정하는 기준에 따라 그가 속한 국가에서 발급받은 운항증명과 운항조건·제한사항을 정한 운영기준에 대하여 국토교통부장관의 운항증명승인을 받아야 한다.

② 국토교통부장관은 제1항에 따른 운항증명승인을 하는 경우에는 운항하려는 항공로, 공항 등에 관하여 운항조건·제한사항을 정한 서류를 운항증명승인서와 함께 발급할 수 있다.

③ 「항공사업법」 제54조에 따라 외국인 국제항공운송사업 허가를 받은 자(이하 "외국인국제항공운송사업자"라 한다)와 그에 속한 항공종사자는 제2항에 따라 발급된 운항조건·제한사항을 준수하여야 한다.

④ 국토교통부장관은 외국인국제항공운송사업자가 사용하는 항공기의 안전운항을 위하여 국토교통부령으로 정하는 바에 따라 제2항에 따른 운항조건·제한사항을 변경할 수 있다.

⑤ 외국인국제항공운송사업자는 대한민국에 노선의 개설 등에 따른 운항증명승인 또는 운항조건·제한사항이 변경된 경우에는 국토교통부장관의 변경승인을 받아야 한다.

⑥ 국토교통부장관은 항공기의 안전운항을 위하여 외국인국제항공운송사업자가 사용하는 항공기에 대하여 검사를 할 수 있다.

⑦ 국토교통부장관은 제6항에 따른 검사 중 긴급히 조치하지 아니할 경우 항공기의 안전운항에 중대한 위험을 초래할 수 있는 사항이 발견되었을 때에는 국토교통부령으로 정하는 바에 따라 해당 항공기의 운항을 정지하거나 항공종사자의 업무를 정지할 수 있다.

⑧ 국토교통부장관은 제7항에 따라 한 정지처분의 사유가 없어진 경우에는 지체 없이 그 처분을 취소하거나 변경하여야 한다.

「항공사업법」 제54조에 따라 외국인 국제항공운송사업 허가를 받으려는 자는 운항 개시 예정일 60일 전까지 운항증명승인 신청서에 다음 각 호의 서류를 첨부하여 국토교통부장관에게 제출하여야 한다. 다만, 「항공사업법 시행규칙」 제53조에 따라 이미 제출한 경우에는 다음 각 호의 서류를 제출하지 아니할 수 있다.

1. 「국제민간항공협약」 부속서 6에 따라 해당 정부가 발행한 운항증명(Air Operator Certificate) 및 운영기준(Operations Specifications)

2. 「국제민간항공협약」 부속서 6(항공기 운항)에 따라 해당 정부로부터 인가받은 운항규정(Operations Manual) 및 정비규정(Maintenance Control Manual)

3. 항공기 운영국가의 항공당국이 인정한 항공기 임대차 계약서(해당 사실이 있는 경우만 해당한다)

4. 별지 제107호서식의 외국항공기의 소유자등 안전성 검토를 위한 질의서(Questionnaire of Foreign Operators' Safety)

국토교통부장관은 운항증명승인 신청을 받은 경우에는 다음 각 호의 사항을 검사하여 적합하다고 인정되면 해당 국가에서 외국인국제항공운송사업자에게 발급한 운항증명이 유효함을 확인하는 운항증명 승인서 및 운항조건 및 제한사항을 정한 서류를 함께 발급하여야 한다.

1. 「항공사업법」 제54조제2항제2호에서 정한 사항

2. 운항증명을 발행한 국가에 대한 국제민간항공기구의 국제항공안전평가(ICAO USOAP 등) 결과

3. 운항증명을 발행한 국가 또는 외국인국제항공운송사업자에 대하여 외국정부가 공표한 항공안전에 관한 평가 결과

또한, 국토교통부장관은 운항증명 승인사항이 변경되었음을 알게 된 경우 또는 변경 내용 및 사유를 제출받은 경우에는 발급한 운항증명승인서 또는 운항조건 및 제한사항을 개정할 필요가 있다고 판단되면 해당 내용을 변경하여 발급할 수 있으며, 외국인국제항공운송사업자는 변경사항이 발생하면 그 사유가 발생한 날로부터 30일 이내에 그 변경의 내용 및 사유를 국토교통부장관에게 제출하여야 한다. 시행규칙 제279조

2.1.1 외국인국제항공운송사업자의 항공기의 운항정지절차

국토교통부장관은 외국인국제항공운송사업자의 항공기의 운항을 정지하게 하거나 그에 속한 항공종사자의 업무를 정지하게 하려는 경우에는 다음 각 호의 순서에 따라 조치하여야 한다.

1. 국토교통부장관은 외국인국제항공운송사업자 또는 항공종사자에게 항공기의 운항 또는 항공종사자의 업무를 정지하는 사유와 조치하여야 할 내용을 구두로 지체 없이 통보하고, 사후에 서면으로 통보하여야 한다.

2. 제1호에 따라 통보를 받은 자는 조치하여야 할 사항을 조치하였을 때에는 지체 없이 그 내용을 국토교통부장관에게 통보하여야 한다.

3. 국토교통부장관은 제2호에 따른 통보를 받은 경우 그 내용을 확인하고 항공기의 안전운항에 지장이 없다고 판단되면 지체 없이 그 사실을 해당 외국인국제항공운송사업자 또는 항공종사자에게 통보하여 항공기의 운항 또는 항공종사자의 업무를 계속 수행할 수 있게 하여야 한다. 시행규칙 제280조

2.2 안전운항을 위한 외국인국제항공운송사업자의 준수사항 _{제104조}

① 외국인국제항공운송사업자는 다음 각 호의 서류를 국토교통부령으로 정하는 바에 따라 항공기에 싣고 운항하여야 한다.

　1. 국토교통부장관이 발급한 운항증명승인서와 운항조건·제한사항을 정한 서류

　2. 외국인국제항공운송사업자가 속한 국가가 발급한 운항증명 사본 및 운영기준 사본

　3. 그 밖에 「국제민간항공협약」 및 같은 협약의 부속서에 따라 항공기에 싣고 운항하여야 할 서류 등

② 외국인국제항공운송사업자와 그에 속한 항공종사자는 제1항제2호의 운영기준을 준수하여야 한다.

③ 국토교통부장관은 항공기의 안전운항을 위하여 외국인국제항공운송사업자와 그에 속한 항공종사자가 제1항제2호의 운영기준을 준수하는지 등에 대하여 정기 또는 수시로 검사할 수 있다.

④ 국토교통부장관은 제3항에 따른 정기검사 또는 수시검사에서 긴급히 조치하지 아니

할 경우 항공기의 안전운항에 중대한 위험을 초래할 수 있는 사항이 발견되었을 때에는 국토교통부령으로 정하는 바에 따라 해당 항공기의 운항을 정지하거나 항공종사자의 업무를 정지할 수 있다.

⑤ 국토교통부장관은 제4항에 따른 정지처분의 사유가 없어지면 지체 없이 그 처분을 취소하여야 한다.

외국인국제항공운송사업자는 운항하려는 항공기에 다음 각 호의 서류를 탑재하여야 한다.

1. 항공기 등록증명서

2. 감항증명서

3. 탑재용 항공일지

4. 운용한계 지정서 및 비행교범

5. 운항규정(항공기 등록국가가 발행한 경우만 해당한다)

6. 소음기준적합증명서

7. 각 승무원의 유효한 자격증명(조종사 비행기록부를 포함한다)

8. 무선국 허가증명서(radio station license)

9. 탑승한 여객의 성명, 탑승지 및 목적지가 표시된 명부(passenger manifest)

10. 해당 항공운송사업자가 발행하는 수송화물의 목록(cargo manifest)과 화물 운송장에 명시되어 있는 세부 화물신고서류(detailed declarations of the cargo)

11. 해당 국가의 항공당국 간에 체결한 항공기 등의 감독 의무에 관한 이전협정서 사본(법 제5조에 따른 임대차 항공기의 경우만 해당한다)시행규칙 제281조

2.3 외국인국제항공운송사업자의 항공기 운항의 정지 등 제105조

① 국토교통부장관은 외국인국제항공운송사업자가 다음 각 호의 어느 하나에 해당하는 경우에는 6개월 이내의 기간을 정하여 항공기 운항의 정지를 명할 수 있다. 다만, 제1호 또는 제6호에 해당하는 경우에는 운항증명승인을 취소하여야 한다.

1. 거짓이나 그 밖의 부정한 방법으로 운항증명승인을 받은 경우

2. 제103조제1항을 위반하여 운항증명승인을 받지 아니하고 운항한 경우

3. 제103조제3항을 위반하여 같은 조 제2항에 따른 운항조건·제한사항을 준수하지 아니한 경우

4. 제103조제5항을 위반하여 변경승인을 받지 아니하고 운항한 경우

5. 제106조에서 준용하는 제94조 각 호에 따른 항공운송의 안전을 위한 명령에 따르지 아니한 경우

② 제1항에 따른 처분의 세부기준 등 그 밖에 필요한 사항은 국토교통부령으로 정한다.

2.4 외국인국제항공운송사업자에 대한 준용규정 제106조

국인국제항공운송사업자의 항공안전 의무보고 및 자율보고 등에 관하여는 제59조, 제61조, 제92조 및 제94조를 준용한다.

2.5 외국항공기의 유상운송에 대한 운항안전성 검사 제107조

「항공사업법」 제55조에 따라 외국항공기의 유상운송 허가를 받으려는 자는 국토교통부령으로 정하는 기준에 따라 그가 속한 국가에서 발급받은 운항증명과 운항조건·제한사항을 정한 운영기준에 대하여 국토교통부장관이 실시하는 운항안전성 검사를 받아야 한다.

국토교통부장관이 실시하는 외국항공기의 유상운송에 대한 운항안전성 검사는 시행규칙 제279조제2항 각 호의 사항에 대하여 확인하는 것을 말한다. 시행규칙 제283조

제9장 경량항공기

"경량항공기"란 항공기 외에 공기의 반작용으로 뜰 수 있는 기기로서 최대이륙중량, 좌석 수 등 국토교통부령으로 정하는 기준에 해당하는 비행기, 헬리콥터, 자이로플레인(gyroplane) 및 동력패러슈트(powered parachute) 등을 말한다.

본장에서는 경량항공기에 대한 안전성인증, 경량항공기 조종사 자격증명, 경량항공기 전문교육기관의 지정 등에 대하여 규정하고 있다.

1. 경량항공기 안전성인증

1.1 경량항공기 안전성인증 신청 및 발급 제108조제1항

> 시험비행 등 국토교통부령으로 정하는 경우로서 국토교통부장관의 허가를 받은 경우를 제외하고는 경량항공기를 소유하거나 사용할 수 있는 권리가 있는 자(이하 "경량항공기 소유자등"이라 한다)는 국토교통부령으로 정하는 기관 또는 단체의 장으로부터 그가 정한 안전성인증의 유효기간 및 절차·방법 등에 따라 그 경량항공기가 국토교통부장관이 정하여 고시하는 비행안전을 위한 기술상의 기준에 적합하다는 안전성인증을 받지 아니하고 비행하여서는 아니 된다. 이 경우 안전성인증의 유효기간 및 절차·방법 등에 대해서는 국토교통부장관의 승인을 받아야 하며, 변경할 때에도 또한 같다.

"시험비행 등 국토교통부령으로 정하는 경우"란 다음 각 호의 어느 하나에 해당하는 경우를 말한다.

1. 연구·개발 중에 있는 경량항공기의 안전성 여부를 평가하기 위하여 시험비행을 하는 경우

2. 안전성인증을 받은 경량항공기의 성능 향상을 위하여 운용한계를 초과하여 시험비행을 하는 경우

3. 그 밖에 국토교통부장관이 필요하다고 인정하는 경우

시험비행 등을 위하여 국토교통부장관의 허가를 받으려는 자는 경량항공기 시험비행허가 신청서에 해당 경량항공기가 같은 항 전단에 따라 국토교통부장관이 정하여 고시하는 비행안전을 위한 기술상의 기준(이하 "경량항공기 기술기준"이라 한다)에 적합함을 입증할 수 있는 다음 각 호의 서류를 첨부하여 국토교통부장관에게 제출하여야 한다.

1. 해당 경량항공기에 대한 소개서

2. 경량항공기의 설계가 경량항공기 기술기준에 충족함을 입증하는 서류

3. 설계도면과 일치되게 제작되었음을 입증하는 서류

4. 완성 후 상태, 지상 기능점검 및 성능시험 결과를 확인할 수 있는 서류

5. 경량항공기 조종절차 및 안전성 유지를 위한 정비방법을 명시한 서류

6. 경량항공기 사진(전체 및 측면사진을 말하며, 전자파일로 된 것을 포함한다) 각 1매

7. 시험비행계획서

또한, 국토교통부장관은 신청서를 접수받은 경우 경량항공기 기술기준에 적합한지의 여부를 확인한 후 적합하다고 인정하면 신청인에게 시험비행을 허가하여야 하며, "국토교통부령으로 정하는 기관 또는 단체"란 교통안전공단 또는 「항공안전기술원법」에 따른 항공안전기술원(이하 "기술원"이라 한다)을 말한다. 시행규칙 제284조제1~4항

1.2 경량항공기의 안전성인증 등급 　제108조제2항

> 국토교통부령으로 정하는 기관 또는 단체의 장이 안전성인증을 할 때에는 국토교통부령으로 정하는 바에 따라 안전성인증 등급을 부여하고, 그 등급에 따른 운용범위를 지정하여야 한다.

안전성인증 등급은 다음 각 호와 같이 구분하여야한다.

1. 제1종: 경량항공기 기술기준에 적합하게 완제(完製)형태로 제작된 경량항공기

2. 제2종: 경량항공기 기술기준에 적합하게 조립(組立)형태로 제작된 경량항공기

3. 제3종: 경량항공기가 완제형태로 제작되었으나 경량항공기 제작자로부터 경량항공기 기술기준에 적합함을 입증하는 서류를 발급받지 못한 경량항공기

4. 제4종: 다음 각 목의 어느 하나에 해당하는 경량항공기

　　가. 경량항공기 제작자가 제공한 수리·개조지침을 따르지 아니하고 수리 또는 개조하여 원형이 변경된 경량항공기로서 제한된 범위에서 비행이 가능한 경량항공기

　　나. 제1호부터 제3호까지에 해당하지 아니하는 경량항공기로서 제한된 범위에서 비행이 가능한 경량항공기시행규칙 제284조제5항

1.3 경량항공기의 운용범위 제108조제3항

경량항공기소유자등 또는 경량항공기를 사용하여 비행하려는 사람은 제2항에 따라 부여된 안전성인증 등급에 따른 운용범위를 준수하여 비행하여야 한다.

각 등급에 따른 운용범위는 별표 40과 같다.

[별표 40]

경량항공기 안전성인증 등급에 따른 운용범위 제284조제5항 관련

등급	운용범위
제1종	제한 없음
제2종	항공기대여업 또는 항공레저스포츠사업에의 사용 제한
제3종	다음의 각 호의 사용을 제한 　1. 항공기대여업 또는 항공레저스포츠사업에의 사용 　2. 조종사를 포함하여 2명이 탑승한 경우에는 이륙 장소의 중심으로부터 반경 10킬로미터 범위를 초과하는 비행에 사용
제4종	다음의 각 호의 사용을 제한 　1. 항공기대여업 또는 항공레저스포츠사업에의 사용 　2. 이륙 장소의 중심으로부터 반경 10킬로미터 범위를 초과하는 비행에 사용 　3. 1명의 조종사 외의 사람이 탑승하는 비행에 사용 　4. 인구 밀집지역 상공에서의 비행에 사용

비고

교통안전공단은 안전성인증 검사결과에 따라 비행고도, 속도 등의 성능에 관한 제한사항을 추가로 지정할 수 있다.

1.4 경량항공기의 정비확인 제108조제4항

> 경량항공기소유자등 또는 경량항공기를 사용하여 비행하려는 사람은 경량항공기 또는 그 장비품·부품을 정비한 경우에는 제35조제8호의 항공정비사 자격증명을 가진 사람으로부터 국토교통부령으로 정하는 방법에 따라 안전하게 운용할 수 있다는 확인을 받지 아니하고 비행하여서는 아니 된다. 다만, 국토교통부령으로 정하는 경미한 정비는 그러하지 아니하다.

경량항공기소유자등 또는 경량항공기를 사용하여 비행하려는 사람이 경량항공기 또는 그 부품등을 정비한 후 경량항공기 등을 안전하게 운용할 수 있다는 확인을 받기 위해서는 법 제35조제8호에 따른 항공정비사 자격증명을 가진 사람으로부터 해당 정비가 다음 각 호의 어느 하나에 충족되게 수행되었음을 확인받은 후 해당 정비 기록문서에 서명을 받아야 한다.

1. 해당 경량항공기 제작자가 제공하는 최신의 정비교범 및 기술문서

2. 해당 경량항공기 제작자가 정비교범 및 기술문서를 제공하지 아니하여 경량항공기소유자등이 안전성인증 검사를 받을 때 제출한 검사프로그램

3. 그 밖에 국토교통부장관이 정하여 고시하는 기준에 부합하는 기술자료

"국토교통부령으로 정하는 경미한 정비"란 별표 41에 따른 정비를 말한다.

[별표 41]

경량항공기에 대한 경미한 정비의 범위 제285조제2항 관련

경량항공기에 대한 경미한 정비의 범위는 다음과 같으며, 복잡한 조립 조작이 포함되어 있지 않아야 한다.
1. 착륙장치(Landing Gear)의 타이어를 떼어내는 작업(이하 "장탈"이라 한다), 원래의 위치에 붙이는 작업(이하 "장착"이라 한다)
2. 착륙장치의 탄성충격흡수장치(Elastic Shock Absorber)의 고정용 코드(Cord)의 교환
3. 착륙장치의 유압완충지주(Shock Strut)에 윤활유 또는 공기의 보충
4. 착륙장치 바퀴(Wheel) 베어링에 대한 세척 및 윤활유 주입 등의 서비스
5. 손상된 풀림방지 안전선(Safety Wire) 또는 고정 핀(Cotter Key)의 교환

6. 덮개(Cover plates), 카울링(Cowing) 및 페어링(Fairing)과 같은 비구조부 품목의 장탈(분해하는 경우는 제외한다) 및 윤활

7. 리브 연결(Rib Stitching), 구조부 부품 또는 조종면의 장탈을 필요로 하지 않는 단순한 직물의 기움

8. 유압유 저장탱크에 유압액을 보충하는 것

9. 1차 구조부재 또는 작동 시스템의 장탈 또는 분해가 필요하지 않은 동체(Fuselage), 날개, 꼬리부분의 표면[균형 조종면(Balanced control surfaces)은 제외한다], 페어링, 카울링, 착륙장치, 조종실 내부의 장식을 위한 덧칠(Coating)

10. 장비품(Components)의 보존 또는 보호를 위한 재료의 사용. 다만, 관련된 1차 구조부재 또는 작동 시스템의 분해가 요구되지 않아야 하고, 덧칠이 금지되거나 좋지 않은 영향이 없어야 한다.

11. 객실 또는 조종실의 실내 장식품 또는 장식용 비품의 수리. 다만, 수리를 위해 1차 구조부재나 작동 시스템의 분해가 요구되지 않아야 하고, 작동 시스템에 간섭을 주거나 1차 구조부재에 영향을 주지 않아야 한다.

12. 페어링, 구조물이 아닌 덮개, 카울링, 소형 패치에 대한 작고 간단한 수리작업 및 공기흐름에 영향을 줄 수 있는 외형상의 변화가 없는 보강작업

13. 작업이 조종계통 또는 전기계통 장비품 등과 같은 작동 시스템의 구조에 간섭을 일으키지 않는 측면 창문(Side Windows)의 교환

14. 안전벨트의 교환

15. 1차 구조부과 작동 시스템의 분해가 필요하지 않는 좌석 또는 좌석부품의 교환

16. 고장 난 착륙등(Landing Light)의 배선 회로에 대한 고장탐구 및 수리

17. 위치등(Position Light)과 착륙등(Landing Light)의 전구, 반사면, 렌즈의 교환

18. 중량과 평형(Weight and Balance) 계산이 필요 없는 바퀴와 스키의 교환

19. 프로펠러나 비행조종계통의 장탈이 필요 없는 카울링의 교환

20. 점화플러그의 교환, 세척 또는 간극(Gap)의 조정

21. 호스 연결부위의 교환

22. 미리 제작된 연료 배관의 교환

23. 연료와 오일 여과기 세척

24. 배터리의 교환 및 충전 서비스

25. 작동에 부수적인 역할을 하며 구조부재가 아닌 패스너(Fastener)의 교환 및 조절

2. 경량항공기 자격증명

항공안전법 제9장은 경량항공기만을 다루고 있지만, 경량항공기 조종사에 대해서도 자격증명을 요구하고 있다. 항공안전법에서 경량항공기 조종사가 항공종사자의 범주에서 빠졌다고 하더라도 그 법적인 의미나 실제 활동에서는 종전의 항공법과 크게 달라진 것으로 보이지는 않는다.

2.1 경량항공기 조종사 자격증명 `제109조`

① 경량항공기를 사용하여 비행하려는 사람은 국토교통부령으로 정하는 바에 따라 국토교통부장관의 자격증명(이하 "경량항공기 조종사 자격증명"이라 한다)을 받아야 한다.

② 다음 각 호의 어느 하나에 해당하는 사람은 경량항공기 조종사 자격증명을 받을 수 없다.

1. 17세 미만인 사람

2. 제114조제1항에 따른 경량항공기 조종사 자격증명 취소처분을 받고 그 취소일부터 2년이 지나지 아니한 사람.

자가용 조종사는 17세(활공기에 한정하는 경우 16세), 사업용조종사, 부조종사, 항공사, 항공교통관제사 및 항공정비사는 18세, 운송용조종사와 운항관리사는 21세 이상이다. 경량항공기 조종사도 17세 이상이어야 자격증명을 받을 수 있으며, 연령 조건 외의 결격사유로서 자격증명 취소처분 일부터 2년이 지나지 아니한 사람은 그 취소된 자격증명을 다시 받을 수 없도록 하고 있다.

경량항공기 조종사 자격증명을 받으려는 사람은 다음의 별표4에 따른 경력을 가진 사람이어야 한다. 시행규칙 제286조

[별표 4]

2. 경량항공기 조종사

가. 자격증명

자격 증명의 종류	비행경력 또는 그 밖의 경력

경량
항공기
조종사
	다음의 어느 하나에 해당하는 사람
	
	가) 국토교통부장관이 지정한 전문교육기관의 교육과정을 이수한 사람
	
	나) 경량항공기에 대하여 다음의 경력을 포함한 20시간 이상의 경량항공기 비행경력이 있는 사람
	
	  (1) 5시간 이상의 단독 비행경력
	
	  (2) 타면조종형비행기, 경량헬리콥터 및 자이로플레인에 대해서는 5시간 이상의 야외비행경력. 이 경우 120킬로미터 이상의 구간에서 1개 이상의 다른 지점에 이륙·착륙한 비행경력이 있어야 한다.
	
	다) 자가용 조종사, 사업용 조종사, 운송용 조종사 또는 부조종사가 다음의 구분에 따른 경량항공기에 대하여 2시간 이상의 단독 비행경력을 포함한 5시간 이상의 비행경력이 있는 사람
	
	  (1) 자가용 조종사, 사업용 조종사, 운송용 조종사 또는 부조종사가 비행기에 대하여 자격증명이 한정된 경우: 경량항공기 타면조종형비행기
	
	  (2) 자가용 조종사, 사업용 조종사, 운송용 조종사 또는 부조종사가 헬리콥터에 대하여 자격증명이 한정된 경우: 경량항공기 경량헬리콥터 및 자이로플레인

나. 한정심사

심사 분야	자격별	응시경력

조종
교육
증명
	경량
	항공기
	조종사
		1) 항공기에 대한 조종교육증명을 받은 사람으로서 다음의 구분에 따른 경량항공기의 비행경력이 5시간 이상인 사람
		
		  가) 사업용 또는 운송용 조종사가 비행기에 대하여 자격증명이 한정된 경우: 경량항공기 타면조종형비행기
		
		  나) 사업용 또는 운송용 조종사가 헬리콥터에 대하여 자격증명이 한정된 경우: 경량항공기 경량헬리콥터 및 자이로플레인

2) 경량항공기 조종사 자격증명을 받은 사람으로서 다음의 어느 하나에 해당하는 사람

가) 제89조제1항에 따라 외국정부로부터 경량항공기 종류에 대한 조종교육증명을 받은 사람

나) 제89조제2항에 따른 전문교육기관 또는 외국정부가 인정한 교육기관(항공기제작사의 교육기관을 포함한다)에서 경량항공기 종류에 대한 조종교관과정의 전문교육훈련을 이수한 사람

다) 경량항공기의 종류별 비행경력이 200시간 이상이고 다음의 교육 및 훈련을 이수한 사람

(1) 조종교육에 관하여 국토교통부장관이 인정하는 소정의 지상교육

(2) 경량항공기 조종교육증명을 받은 사람으로부터 15시간 이상의 비행훈련

2.1.1 경량항공기 조종사 업무범위 제110조

경량항공기 조종사 자격증명을 받은 사람은 경량항공기에 탑승하여 경량항공기를 조종하는 업무(이하 "경량항공기 조종업무"라 한다) 외의 업무를 해서는 아니 된다. 다만, 새로운 종류의 경량항공기에 탑승하여 시험비행 등을 하는 경우로서 국토교통부령으로 정하는 바에 따라 국토교통부장관의 허가를 받은 경우에는 그러하지 아니하다.

경량항공기의 조종사의 자격증명 업무범위 외의 비행 시 다음 각 호의 어느 하나에 해당하는 경우에는 국토교통부장관의 허가를 받아야 한다. 시행규칙 제288조

1. 새로운 종류의 경량항공기에 탑승하여 시험비행을 하는 경우

2. 국내에 최초로 도입되는 경량항공기에서 교관으로서 훈련을 실시하는 경우

3. 그 밖에 국토교통부장관이 필요하다고 인정하는 경우

경량항공기의 시험비행 등을 하려는 사람은 시험비행 등의 허가신청서를 지방항공청장에게 제출하여야 한다. 시행규칙 제289조

2.1.2 경량항공기 조종사 자격증명의 한정 제111조

① 국토교통부장관은 경량항공기 조종사 자격증명을 하는 경우에는 경량항공기의 종류를 한정할 수 있다.

② 제1항에 따라 경량항공기 조종사 자격증명의 한정을 받은 사람은 그 한정된 경량항공기 종류 외의 경량항공기를 조종해서는 아니 된다.

③ 제1항에 따른 경량항공기 조종사 자격증명의 한정에 필요한 세부 사항은 국토교통부령으로 정한다.

국토교통부장관은 법 제111조제3항에 따라 경량항공기의 종류를 한정하는 경우에는 자격증명을 받으려는 사람이 실기심사에 사용하는 다음 각 호의 어느 하나에 해당하는 경량항공기의 종류로 한정하여야 한다. 시행규칙 제290조

1. 타면조종형비행기
2. 체중이동형비행기
3. 경량헬리콥터
4. 자이로플레인
5. 동력패러슈트

2.1.3 경량항공기 조종사 자격증명 시험의 실시 및 면제 제112조

① 경량항공기 조종사 자격증명을 받으려는 사람은 국토교통부령으로 정하는 바에 따라 경량항공기 조종업무에 종사하는 데 필요한 지식 및 능력에 관하여 국토교통부장관이 실시하는 학과시험 및 실기시험에 합격하여야 한다.

② 국토교통부장관은 제111조에 따라 경량항공기 조종사 자격증명(제115조에 따른 경량항공기 조종교육증명을 포함한다)을 경량항공기의 종류별로 한정하는 경우에는 경량항공기 탑승경력 등을 심사하여야 한다. 이 경우 종류에 대한 최초의 경량항공기 조종사 자격증명의 한정은 실기시험을 실시하여 심사할 수 있다.

③ 국토교통부장관은 다음 각 호의 어느 하나에 해당하는 사람에게는 국토교통부령으로

정하는 바에 따라 제1항 및 제2항에 따른 시험 및 심사의 전부 또는 일부를 면제할 수 있다.

1. 제35조제1호부터 제4호까지의 자격증명 또는 외국정부로부터 경량항공기 조종사 자격증명을 받은 사람

2. 제117조에 따른 경량항공기 전문교육기관의 교육과정을 이수한 사람

3. 해당 분야에 관한 실무경험이 있는 사람

④ 국토교통부장관은 제1항에 따라 학과시험 및 실기시험에 합격한 사람에 대해서는 경량항공기 조종사 자격증명서를 발급하여야 한다.

경량항공기 조종사 자격증명 시험 또는 경량항공기 조종사 자격증명의 한정심사에 응시하려는 사람에 관하여는 제75조부터 제77조까지 및 제81조부터 제89조까지를 준용한다. 이 경우 "항공기"는 "경량항공기"로, "항공종사자"는 "경량항공기 조종사"로 보되, 제88조제2항에 대해서는 "실기시험"을 "학과시험"으로 본다. 시행규칙 제287조

2.2 경량항공기 조종사의 항공신체검사증명 제113조

① 경량항공기 조종사 자격증명을 받고 경량항공기 조종업무를 하려는 사람(제116조에 따라 경량항공기 조종연습을 하는 사람을 포함한다)은 국토교통부장관의 항공신체검사증명을 받아야 한다.

② 제1항에 따른 항공신체검사증명에 관하여는 제40조제2항부터 제6항까지의 규정을 준용한다.

경량항공기 조종사의 항공신체검사증명의 기준, 유효기간 및 신청 등에 관하여는 제92조부터 제96조까지의 규정을 준용한다. 이 경우 "항공기"는 "경량항공기"로, "항공종사자"는 "경량항공기 조종사"로 본다. 시행규칙 제291조

2.3 경량항공기 조종교육증명 제115조

① 다음 각 호의 조종연습을 하는 사람에 대하여 경량항공기 조종교육을 하려는 사람은 그 경량항공기의 종류별로 국토교통부령으로 정하는 바에 따라 국토교통부장관의 조종교육증명을 받아야 한다.

   1. 경량항공기 조종사 자격증명을 받지 아니한 사람이 경량항공기에 탑승하여 하는 조종연습

   2. 경량항공기 조종사 자격증명을 받은 사람이 그 경량항공기 조종사 자격증명에 대하여 제111조에 따른 한정을 받은 종류 외의 경량항공기에 탑승하여 하는 조종연습

② 제1항에 따른 조종교육증명(이하 "경량항공기 조종교육증명"이라 한다)은 경량항공기 조종교육증명서를 발급함으로써 하며, 경량항공기 조종교육증명을 받은 자는 국토교통부장관이 정하는 바에 따라 교육을 받아야 한다.

③ 경량항공기 조종교육증명의 시험 및 취소 등에 관하여는 제112조 및 제114조제1항·제3항을 준용한다.

조종교육증명을 받아야 하는 조종교육은 경량항공기에 대한 이륙조작·착륙조작 또는 공중조작의 실기교육(경량항공기 조종연습생 단독으로 비행하게 하는 경우를 포함한다)으로 하며, 조종교육증명을 받는 자는 교통안전공단의 이사장이 실시하는 다음 각 호의 내용이 포함된 안전교육을 정기적(조종교육증명 또는 안전교육을 받은 해의 말일부터 2년 내)으로 받아야 한다. 시행규칙 제293조

   1. 항공법령의 개정사항

   2. 기상정보 획득 및 이해

   3. 경량항공기 사고사례

2.3.1 경량항공기 조종연습 제116조

① 제115조제1항제1호의 조종연습을 하려는 사람은 그 조종연습에 관하여 국토교통부령

으로 정하는 바에 따라 국토교통부장관의 허가를 받고 경량항공기 조종교육증명을 받은 사람의 감독 하에 조종연습을 하여야 한다.

② 제115조제1항제2호의 조종연습을 하려는 사람은 경량항공기 조종교육증명을 받은 사람의 감독 하에 조종연습을 하여야 한다.

③ 제1항에 따른 조종연습에 대해서는 제109조제1항을 적용하지 아니하고, 제2항에 따른 조종연습에 대해서는 제111조제2항을 적용하지 아니한다.

④ 국토교통부장관은 제1항에 따라 조종연습의 허가 신청을 받은 경우 신청인이 경량항공기 조종연습을 하기에 필요한 능력이 있다고 인정될 때에는 국토교통부령으로 정하는 바에 따라 그 조종연습을 허가하고, 신청인에게 경량항공기 조종연습허가서를 발급한다.

⑤ 제4항에 따른 허가를 받은 사람의 항공신체검사증명 등에 관하여는 제113조 및 제114조를 준용한다.

⑥ 제4항에 따른 허가를 받은 사람이 경량항공기 조종연습을 할 때에는 경량항공기 조종연습허가서와 항공신체검사증명서를 지녀야 한다.

경량항공기 조종연습 허가를 받으려는 사람은 경량항공기 조종연습 허가신청서에 별표 8에 따른 경량항공기 조종사에 적용되는 항공신체검사증명서 또는 자동차운전면허증 사본을 첨부하여 지방항공청장에게 제출하여야 하며, 신청을 받은 지방항공청장은 신청인이 경량항공기 조종연습을 하기에 필요한 능력이 있다고 인정될 때에는 그 조종연습을 허가하고, 경량항공기 조종연습허가서를 발급하여야 한다. 시행규칙 제294조

2.4 경량항공기 전문교육기관의 지정 등 제117조

① 국토교통부장관은 경량항공기 조종사를 양성하기 위하여 국토교통부령으로 정하는 바에 따라 경량항공기 전문교육기관을 지정할 수 있다.

② 국토교통부장관은 제1항에 따라 지정된 경량항공기 전문교육기관이 경량항공기 조종사를 양성하는 경우에는 예산의 범위에서 필요한 경비의 전부 또는 일부를 지원할 수

있다.

③ 경량항공기 전문교육기관의 교육과목, 교육방법, 인력, 시설 및 장비 등의 지정기준은 국토교통부령으로 정한다.

④ 국토교통부장관은 경량항공기 전문교육기관으로 지정받은 자가 다음 각 호의 어느 하나에 해당하는 경우에는 그 지정을 취소할 수 있다. 다만, 제1호에 해당하는 경우에는 그 지정을 취소하여야 한다.

1. 거짓이나 그 밖의 부정한 방법으로 경량항공기 전문교육기관으로 지정받은 경우

2. 제3항에 따른 경량항공기 전문교육기관의 지정기준 중 국토교통부령으로 정하는 사항을 위반한 경우.

3. 경량항공기 이륙·착륙

3.1 경량항공기 이륙·착륙의 장소 제118조

① 누구든지 경량항공기를 비행장(군 비행장은 제외한다) 또는 이착륙장이 아닌 곳에서 이륙하거나 착륙하여서는 아니 된다. 다만, 안전과 관련한 비상상황 등 불가피한 사유가 있는 경우로서 국토교통부장관의 허가를 받은 경우에는 그러하지 아니한다.

② 제1항 단서에 따른 허가에 필요한 세부기준 및 절차와 그 밖에 필요한 사항은 대통령령으로 정한다.

안전과 관련한 비상상황 등 불가피한 사유가 있는 경우는 다음 각 호의 어느 하나에 해당하는 경우로 한다.

1. 경량항공기의 비행 중 계기 고장, 연료 부족 등의 비상상황이 발생하여 신속하게 착륙하여야 하는 경우
2. 항공기의 운항 등으로 비행장을 사용할 수 없는 경우
3. 경량항공기가 이륙·착륙하려는 장소 주변 30킬로미터 이내에 비행장 또는 이착륙장이 없는 경우

착륙의 허가를 받으려는 자는 무선통신 등을 사용하여 국토교통부장관에게 착륙 허가를 신청하여야 한다. 이 경우 국토교통부장관은 특별한 사유가 없으면 허가하여야 하며, 이륙 또는 착륙의 허가를 받으려는 자는 국토교통부령으로 정하는 허가신청서를 국토교통부장관에게 제출하여야 한다. 이 경우 국토교통부장관은 그 내용을 검토하여 안전에 지장이 없다고 인정되는 경우에는 6개월 이내의 기간을 정하여 허가하여야 한다.

3.2 경량항공기 무선설비 등의 설치·운용 의무 제119조

국토교통부령으로 정하는 경량항공기를 항공에 사용하려는 사람 또는 소유자등은 해당 경량항공기에 무선교신용 장비, 항공기 식별용 트랜스폰더 등 국토교통부령으로 정하는 무선설비를 설치·운용하여야 한다.

경량항공기에 설치·운용 하여야 하는 무선설비는 다음 각 호와 같다. 시행규칙 제297조제2항

1. 비행 중 항공교통관제기관과 교신할 수 있는 초단파(VHF) 또는 극초단파(UHF) 무선전화 송수신기 1대
2. 기압고도에 관한 정보를 제공하는 2차 감시 항공교통관제 레이더용 트랜스폰더(Mode 3/A 및 Mode C SSR transponder) 1대

3.3 경량항공기 조종사의 준수사항 제120조

① 경량항공기 조종사는 경량항공기로 인하여 인명이나 재산에 피해가 발생하지 아니하도록 국토교통부령으로 정하는 준수사항을 지켜야 한다.
② 경량항공기 조종사는 경량항공기사고가 발생하였을 때에는 지체 없이 국토교통부령으로 정하는 바에 따라 국토교통부장관에게 그 사실을 보고하여야 한다. 다만, 경량항공기 조종사가 보고할 수 없을 때에는 그 경량항공기소유자등이 경량항공기사고를 보고하여야 한다.

경량항공기 조종사는 다음 각 호의 어느 하나에 해당하는 행위를 하여서는 아니 된다.

1. 인명이나 재산에 위험을 초래할 우려가 있는 낙하물을 투하하는 행위
2. 인구가 밀집된 지역이나 그 밖에 사람이 많이 모인 장소의 상공에서 인명 또는 재산에 위험을 초래할 우려가 있는 방법으로 비행하는 행위
3. 안개 등으로 지상목표물을 육안으로 식별할 수 없는 상태에서 비행하는 행위
4. 별표 24에 따른 비행시정 및 구름으로부터의 거리 기준을 위반하여 비행하는 행위
5. 일몰 후부터 일출 전까지의 야간에 비행하는 행위

6. 평균해면으로부터 1,500미터(5천피트) 이상으로 비행하는 행위. 다만, 항공교통업무기관
   으로부터 승인을 받은 경우는 제외한다.

7. 동승한 사람의 낙하산 강하(降下)

8. 그 밖에 곡예비행 등 비정상적인 방법으로 비행하는 행위

또한, 경량항공기 조종사는 항공기를 육안으로 식별하여 미리 피할 수 있도록 주의하여 비행
하여야 하며, 동력을 이용하지 아니하는 초경량비행장치에 대하여 진로를 양보하여야 하고,
탑재용 항공일지를 경량항공기 안에 갖춰 두어야 하며, 경량항공기를 항공에 사용하거나 개
조 또는 정비한 경우에는 지체 없이 항공일지에 다음 각 호의 사항을 적어야 한다.

1. 경량항공기의 등록부호 및 등록 연월일

2. 경량항공기의 종류 및 형식

3. 안전성인증서번호

4. 경량항공기의 제작자·제작번호 및 제작 연월일

5. 발동기 및 프로펠러의 형식

6. 비행에 관한 다음의 기록

   가. 비행 연원일

   나. 승무원의 성명

   다. 비행목적

   라. 비행 구간 또는 장소

   마. 비행시간

   바. 경량항공기의 비행안전에 영향을 미치는 사항

   사. 기장의 서명

7. 제작 후의 총비행시간과 최근의 오버홀 후의 총 비행시간

8. 정비등의 실시에 관한 다음의 사항

   가. 실시 연월일 및 장소

   나. 실시 이유, 정비등의 위치와 교환 부품명

   다. 확인 연월일 및 확인자의 서명 또는 날인

항공레저스포츠사업에 종사하는 경량항공기 조종사는 다음 각 호의 사항을 준수하여야 한다.

1. 비행 전에 해당 경량항공기의 이상 유무를 점검하고, 항공기의 안전 운항에 지장을 주는 이상이 있을 경우에는 비행을 중단할 것

2. 비행 전에 비행안전을 위한 주의사항에 대하여 동승자에게 충분히 설명할 것

3. 이륙 시 해당 경량항공기의 제작자가 정한 최대이륙중량을 초과하지 아니하게 할 것

4. 이륙 또는 착륙 시 해당 경량항공기의 제작자가 정한 거리 기준을 충족하는 활주로를 이용할 것

5. 동승자에 관한 인적사항(성명, 생년월일 및 주소)을 기록하고 유지할 것(시행규칙 제298조).

법 제120조제2항에 따라 경량항공기사고를 일으킨 조종사 또는 그 경량항공기의 소유자등은 다음 각 호의 사항을 지방항공청장에게 보고하여야 한다. 시행규칙 제299조

1. 조종사 및 그 경량항공기의 소유자등의 성명 또는 명칭

2. 사고가 발생한 일시 및 장소

3. 경량항공기의 종류 및 등록부호

4. 사고의 경위

5. 사람의 사상 또는 물건의 파손 개요

6. 사상자의 성명 등 사상자의 인적사항 파악을 위하여 참고가 될 사항

3.4 경량항공기에 대한 준용규정 제121조

① 경량항공기의 등록 등에 관하여는 제7조부터 제18조까지의 규정을 준용한다.

② 경량항공기에 대한 주류등의 섭취·사용 제한에 관하여는 제57조를 준용한다.

③ 경량항공기의 비행규칙에 관하여는 제67조를 준용한다.

④ 경량항공기의 비행제한에 관하여는 제79조를 준용한다.

⑤ 경량항공기에 대한 항공교통관제 업무 지시의 준수에 관하여는 제84조를 준용한다.

제10장 초경량비행장치

"초경량비행장치"란 항공기와 경량항공기 외에 공기의 반작용으로 뜰 수 있는 장치로서 자체중량, 좌석 수 등 국토교통부령으로 정하는 기준에 해당하는 동력비행장치, 행글라이더, 패러글라이더, 기구류 및 무인비행장치 등을 말한다.

본장에서는 초경량비행장치에서는 초경량비행장치에 대한 신고, 안전성인증, 조종자증명, 전문교육기관의 지정 등에 대하여 규정하고 있다.

1. 초경량비행장치의 신고

1.1 초경량비행장치 신고 및 신고번호 발급 제122조제1항

초경량비행장치를 소유하거나 사용할 수 있는 권리가 있는 자(이하 "초경량비행장치소유자등"이라 한다)는 초경량비행장치의 종류, 용도, 소유자의 성명, 제129조제4항에 따른 개인정보 및 개인위치정보의 수집 가능 여부 등을 국토교통부령으로 정하는 바에 따라 국토교통부장관에게 신고하여야 한다. 다만, 대통령령으로 정하는 초경량비행장치는 그러하지 아니하다.

초경량비행장치소유자등은 법 제124조에 따른 안전성인증을 받기 전(법 제124조에 따른 안전성인증 대상이 아닌 초경량비행장치인 경우에는 초경량비행장치를 소유하거나 사용할 수 있는 권리가 있는 날부터 30일 이내를 말한다)까지 초경량비행장치 신고서(전자문서로 된 신고서를 포함한다)에 다음 각 호의 서류(전자문서를 포함한다)를 첨부하여 지방항공청장에게 제출하여야 한다. 이 경우 신고서 및 첨부서류는 팩스 또는 정보통신을 이용하여 제출할 수 있다. 시행규칙 제301조 제1항

1. 초경량비행장치를 소유하거나 사용할 수 있는 권리가 있음을 증명하는 서류
2. 초경량비행장치의 제원 및 성능표
3. 초경량비행장치의 사진(가로 15센티미터, 세로 10센티미터의 측면사진)

1.1.1 신고번호 발급 제122조제2항

국토교통부장관은 제1항에 따라 초경량비행장치의 신고를 받은 경우 그 초경량비행장치소유자등에게 신고번호를 발급하여야 한다.

지방항공청장은 초경량비행장치의 신고를 받으면 초경량비행장치 신고증명서를 초경량비행

장치소유자등에게 발급하여야 하며, 초경량비행장치소유자등은 비행 시 이를 휴대하여야 한다. 시행규칙 제301조 제2항

1.1.2 신고번호의 표시 제122조제3항

> 신고번호를 발급받은 초경량비행장치소유자등은 그 신고번호를 해당 초경량비행장치에 표시하여야 한다.

초경량비행장치소유자등은 초경량비행장치 신고증명서의 신고번호를 해당 장치에 표시하여야 하며, 표시방법, 표시장소 및 크기 등 필요한 사항은 지방항공청장이 정한다. 시행규칙 제301조 제4항

1.1.3 신고가 필요없는 초경량 비행장치 제24조

> 신고를 필요로 하지 아니하는 "대통령령으로 정하는 초경량비행장치"란 다음 각 호의 어느 하나에 해당하는 것으로서 「항공사업법」에 따른 항공기대여업·항공레저스포츠사업 또는 초경량비행장치사용사업에 사용되지 아니하는 것을 말한다.

1. 행글라이더, 패러글라이더 등 동력을 이용하지 아니하는 비행장치
2. 계류식(繫留式) 기구류(사람이 탑승하는 것은 제외한다)
3. 계류식 무인비행장치
4. 낙하산류
5. 무인동력비행장치 중에서 연료의 무게를 제외한 자체무게(배터리 무게를 포함한다)가 12킬로그램 이하인 것
6. 무인비행선 중에서 연료의 무게를 제외한 자체무게가 12킬로그램 이하이고, 길이가 7미터 이하인 것
7. 연구기관 등이 시험·조사·연구 또는 개발을 위하여 제작한 초경량비행장치

8. 제작자 등이 판매를 목적으로 제작하였으나 판매되지 아니한 것으로서 비행에 사용되지 아니하는 초경량비행장치

9. 군사목적으로 사용되는 초경량비행장치

1.2 초경량비행장치 변경신고 제123조제1항

> 초경량비행장치소유자등은 제122조제1항에 따라 신고한 초경량비행장의 용도, 소유자의 성명 등 국토교통부령으로 정하는 사항을 변경하려는 경우에는 국토교통부령으로 정하는 바에 따라 국토교통부장관에게 변경신고를 하여야 한다.

"초경량비행장치의 용도, 소유자의 성명 등 국토교통부령으로 정하는 사항"이란 다음 각 호의 어느 하나를 말한다.

1. 초경량비행장치의 용도

2. 초경량비행장치 소유자등의 성명, 명칭 또는 주소

3. 초경량비행장치의 보관 장소

초경량비행장치소유자등은 상기 각 호의 사항을 변경하려는 경우에는 그 사유가 있는 날부터 30일 이내에 초경량비행장치 변경·이전신고서를 지방항공청장에게 제출하여야 하며, 지방항공청장은 신고를 받은 날부터 7일 이내에 수리 여부 또는 수리 지연 사유를 통지하여야 한다. 이 경우 7일 이내에 수리 여부 또는 수리 지연 사유를 통지하지 아니하면 7일이 끝난 날의 다음 날에 신고가 수리된 것으로 본다. 시행규칙 제302조

1.3 초경량비행장치 말소신고 제123조제2항~4항

> 초경량비행장치소유자등은 제122조제1항에 따라 신고한 초경량비행장치가 멸실되었거

나 그 초경량비행장치를 해체(정비등, 수송 또는 보관하기 위한 해체는 제외한다)한 경우에는 그 사유가 발생한 날부터 15일 이내에 국토교통부장관에게 말소신고를 하여야 한다.

초경량비행장치소유자등이 제2항에 따른 말소신고를 하지 아니하면 국토교통부장관은 30일 이상의 기간을 정하여 말소신고를 할 것을 해당 초경량비행장치소유자등에게 최고하여야 한다.

최고를 한 후에도 해당 초경량비행장치소유자등이 말소신고를 하지 아니하면 국토교통부장관은 직권으로 그 신고번호를 말소할 수 있으며, 신고번호가 말소된 때에는 그 사실을 해당 초경량비행장치소유자등 및 그 밖의 이해관계인에게 알려야 한다.

말소신고를 하려는 초경량비행장치 소유자등은 그 사유가 발생한 날부터 15일 이내에 별지 초경량비행장치 말소신고서를 지방항공청장에게 제출하여야 하며, 지방항공청장은 신고서 및 첨부서류에 흠이 없고 형식상 요건을 충족하는 경우 지체 없이 접수하여야 한다. 또한, 지방 항공청장은 최고(催告)를 하는 경우 해당 초경량비행장치의 소유자등의 주소 또는 거소를 알 수 없는 경우에는 말소신고를 할 것을 관보에 고시하고, 국토교통부홈페이지에 공고하여야 한다. 시행규칙 제303조

2. 초경량비행장치의 안전성인증 및 조종자 증명

2.1 초경량비행장치 안전성인증 _{제124조}

시험비행 등 국토교통부령으로 정하는 경우로서 국토교통부장관의 허가를 받은 경우를 제외하고는 동력비행장치 등 국토교통부령으로 정하는 초경량비행장치를 사용하여 비행하려는 사람은 국토교통부령으로 정하는 기관 또는 단체의 장으로부터 그가 정한 안정성인증의 유효기간 및 절차·방법 등에 따라 그 초경량비행장치가 국토교통부장관이 정하여 고시하는 비행안전을 위한 기술상의 기준에 적합하다는 안전성인증을 받지 아니하고 비행하여서는 아니 된다. 이 경우 안전성인증의 유효기간 및 절차·방법 등에 대해서는 국토교통부장관의 승인을 받아야 하며, 변경할 때에도 또한 같다.

2.1.1 초경량비행장치의 시험비행허가

"시험비행 등 국토교통부령으로 정하는 경우"란 다음 각 호의 어느 하나에 해당하는 경우를 말한다.

1. 연구·개발 중에 있는 초경량비행장치의 안전성 여부를 평가하기 위하여 시험비행을 하는 경우
2. 안전성인증을 받은 초경량비행장치의 성능개량을 수행하고 안전성여부를 평가하기 위하여 시험비행을 하는 경우
3. 그 밖에 국토교통부장관이 필요하다고 인정하는 경우

시험비행 등을 위한 허가를 받으려는 자는 초경량비행장치 시험비행허가 신청서에 해당 초경량비행장치가 국토교통부장관이 정하여 고시하는 초경량비행장치의 비행안전을 위한 기술상의 기준(이하 "초경량비행장치 기술기준"이라 한다)에 적합함을 입증할 수 있는 다음 각 호의 서류를 첨부하여 국토교통부장관에게 제출하여야 한다.

1. 해당 초경량비행장치에 대한 소개서

2. 초경량비행장치의 설계가 초경량비행장치 기술기준에 충족함을 입증하는 서류

3. 설계도면과 일치되게 제작되었음을 입증하는 서류

4. 완성 후 상태, 지상 기능점검 및 성능시험 결과를 확인할 수 있는 서류

5. 초경량비행장치 조종절차 및 안전성 유지를 위한 정비방법을 명시한 서류

6. 초경량비행장치 사진(전체 및 측면사진을 말하며, 전자파일로 된 것을 포함한다) 각 1매

7. 시험비행계획서

국토교통부장관은 신청서를 접수받은 경우 초경량비행장치 기술기준에 적합한지의 여부를 확인한 후 적합하다고 인정하면 신청인에게 시험비행을 허가하여야 한다. 시행규칙 제304조

2.1.2 초경량비행장치 안전성인증 대상

안전성 인증대상인 "동력비행장치 등 국토교통부령으로 정하는 초경량비행장치"란 다음 각호의 어느 하나에 해당하는 초경량비행장치를 말한다.

1. 동력비행장치

2. 행글라이더, 패러글라이더 및 낙하산류(항공레저스포츠사업에 사용되는 것만 해당한다)

3. 기구류(사람이 탑승하는 것만 해당한다)

4. 다음 각 목의 어느 하나에 해당하는 무인비행장치

   가. 제5조제5호가목에 따른 무인비행기, 무인헬리콥터 또는 무인멀티콥터 중에서 최대이륙중량이 25킬로그램을 초과하는 것

   나. 제5조제5호나목에 따른 무인비행선 중에서 연료의 중량을 제외한 자체중량이 12킬로그램을 초과하거나 길이가 7미터를 초과하는 것

5. 회전익비행장치

6. 동력패러글라이더

"국토교통부령으로 정하는 기관 또는 단체"란 교통안전공단, 기술원 또는 별표 43에 따른 시설기준을 충족하는 기관 또는 단체 중에서 국토교통부장관이 정하여 고시하는 기관 또는 단체(이하 "초경량비행장치 안전성 인증기관"이라 한다)를 말한다.

2.2 초경량비행장치 조종자 증명 등 제125조제1항

동력비행장치 등 국토교통부령으로 정하는 초경량비행장치를 사용하여 비행하려는 사람은 국토교통부령으로 정하는 기관 또는 단체의 장으로부터 그가 정한 해당 초경량비행장치별 자격기준 및 시험의 절차·방법에 따라 해당 초경량비행장치의 조종을 위하여 발급하는 증명(이하 "초경량비행장치 조종자 증명"이라 한다)을 받아야 한다. 이 경우 해당 초경량비행장치별 자격기준 및 시험의 절차·방법 등에 관하여는 국토교통부령으로 정하는 바에 따라 국토교통부장관의 승인을 받아야 하며, 변경할 때에도 또한 같다.

조종자 증명을 받아야 하는 "동력비행장치 등 국토교통부령으로 정하는 초경량비행장치"란 다음 각 호의 어느 하나에 해당하는 초경량비행장치를 말한다.

1. 동력비행장치

2. 행글라이더, 패러글라이더 및 낙하산류(항공레저스포츠사업에 사용되는 것만 해당한다)

3. 유인자유기구

4. 초경량비행장치 사용사업에 사용되는 무인비행장치. 다만 다음 각 목의 어느 하나에 해당하는 것은 제외한다.

　　가. 제5조제5호가목에 따른 무인비행기, 무인헬리콥터 또는 무인멀티콥터 중에서 연료의 중량을 제외한 자체중량이 12킬로그램 이하인 것

　　나. 제5조제5호나목에 따른 무인비행선 중에서 연료의 중량을 제외한 자체중량이 12킬로그램 이하이고, 길이가 7미터 이하인 것

5. 회전익비행장치

6. 동력패러글라이더

"국토교통부령으로 정하는 기관 또는 단체"란 교통안전공단 및 별표 44의 기준을 충족하는 기관 또는 단체 중에서 국토교통부장관이 정하여 고시하는 기관 또는 단체(이하 "초경량비행장치조종자증명기관"이라 한다)를 말하며, 초경량비행장치조종자증명기관의 장은 다음 각 호의 사항을 포함하는 초경량비행장치별 자격기준 및 시험의 절차·방법 등에 관하여 승인을 신청하는 경우 그 사유를 설명하는 자료와 신·구 내용 대비표(변경승인의 경우에 한정한다)를 첨부하여 국토교통부장관에게 제출하여야 한다.

1. 초경량비행장치 조종자 증명 시험의 응시자격

2. 초경량비행장치 조종자 증명 시험의 과목 및 범위

3. 초경량비행장치 조종자 증명 시험의 실시 방법과 절차

4. 초경량비행장치 조종자 증명 발급에 관한 사항

5. 그 밖에 초경량비행장치 조종자 증명을 위하여 국토교통부장관이 필요하다고 인정하는 사항 시행규칙 제306조

2.2.1 초경량비행장치 조종자 증명의 취소 제125조제2항

국토교통부장관은 초경량비행장치 조종자 증명을 받은 사람이 다음 각 호의 어느 하나에 해당하는 경우에는 초경량비행장치 조종자 증명을 취소하거나 1년 이내의 기간을 정하여 그 효력의 정지를 명할 수 있다. 다만, 제1호 또는 제8호의 어느 하나에 해당하는 경우에는 초경량비행장치 조종자 증명을 취소하여야 한다.

1. 거짓이나 그 밖의 부정한 방법으로 초경량비행장치 조종자 증명을 받은 경우

2. 이 법을 위반하여 벌금 이상의 형을 선고받은 경우

3. 초경량비행장치의 조종자로서 업무를 수행할 때 고의 또는 중대한 과실로 초경량비행장치사고를 일으켜 인명피해나 재산피해를 발생시킨 경우

4. 제129조제1항에 따른 초경량비행장치 조종자의 준수사항을 위반한 경우

5. 제131조에서 준용하는 제57조제1항을 위반하여 주류등의 영향으로 초경량비행장치를 사용하여 비행을 정상적으로 수행할 수 없는 상태에서 초경량비행장치를 사용하여 비행한 경우

6. 제131조에서 준용하는 제57조제2항을 위반하여 초경량비행장치를 사용하여 비행하는 동안에 같은 조 제1항에 따른 주류등을 섭취하거나 사용한 경우

7. 제131조에서 준용하는 제57조제3항을 위반하여 같은 조 제1항에 따른 주류등의 섭취 및 사용 여부의 측정 요구에 따르지 아니한 경우

8. 이 조에 따른 초경량비행장치 조종자 증명의 효력정지기간에 초경량비행장치를 사용하여 비행한 경우

2.3 초경량비행장치 전문교육기관의 지정 제126조제1항 제126조제2항

국토교통부장관은 초경량비행장치 조종자를 양성하기 위하여 국토교통부령으로 정하는 바에 따라 초경량비행장치 전문교육기관(이하 "초경량비행장치 전문교육기관"이라 한다)을 지정할 수 있으며, 국토교통부장관은 초경량비행장치 전문교육기관이 초경량비행장치 조종자를 양성하는 경우에는 예산의 범위에서 필요한 경비의 전부 또는 일부를 지원할 수 있다.

초경량비행장치 조종자 전문교육기관으로 지정받으려는 자는 별지 제120호서식의 초경량비행장치 조종자 전문교육기관 지정신청서에 다음 각 호의 사항을 적은 서류를 첨부하여 국토교통부장관에게 제출하여야 한다. 시행규칙 제307조제1항

1. 전문교관의 현황
2. 교육시설 및 장비의 현황
3. 교육훈련계획 및 교육훈련규정

2.3.1 전문교육기관 지정기준 제126조제3항

초경량비행장치 전문교육기관의 교육과목, 교육방법, 인력, 시설 및 장비 등의 지정기준은 국토교통부령으로 정한다.

초경량비행장치 조종자 전문교육기관의 지정기준은 다음 각 호와 같다.

1. 다음 각 목의 전문교관이 있을 것

    가. 비행시간이 200시간(무인비행장치의 경우 조종경력이 100시간)이상이고, 국토교통부장관이 인정한 조종교육교관과정을 이수한 지도조종자 1명 이상

    나. 비행시간이 300시간(무인비행장치의 경우 조종경력이 150시간)이상이고 국토교통부장관이 인정하는 실기평가과정을 이수한 실기평가조종자 1명 이상

2. 다음 각 목의 시설 및 장비(시설 및 장비에 대한 사용권을 포함한다)를 갖출 것

가. 강의실 및 사무실 각 1개 이상

나. 이륙·착륙 시설

다. 훈련용 비행장치 1대 이상

3. 교육과목, 교육시간, 평가방법 및 교육훈련규정 등 교육훈련에 필요한 사항으로서 국토 교통부장관이 정하여 고시하는 기준을 갖출 것 시행규칙 제307조제2항

2.3.2 전문교육기관 지정취소 제126조제4항

국토교통부장관은 초경량비행장치 전문교육기관으로 지정받은 자가 다음 각 호의 어느 하나에 해당하는 경우에는 그 지정을 취소할 수 있다. 다만, 제1호에 해당하는 경우에는 그 지정을 취소하여야 한다.

1. 거짓이나 그 밖의 부정한 방법으로 초경량비행장치 전문교육기관으로 지정받은 경우

2. 제3항에 따른 초경량비행장치 전문교육기관의 지정기준 중 국토교통부령으로 정하는 기준에 미달하는 경우.

3. 초경량비행장치의 비행

3.1 초경량비행장치 비행승인 제127조

> ① 국토교통부장관은 초경량비행장치의 비행안전을 위하여 필요하다고 인정하는 경우에는 초경량비행장치의 비행을 제한하는 공역(이하 "초경량비행장치 비행제한공역"이라 한다)을 지정하여 고시할 수 있다.
>
> ② 동력비행장치 등 국토교통부령으로 정하는 초경량비행장치를 사용하여 국토교통부장관이 고시하는 초경량비행장치 비행제한공역에서 비행하려는 사람은 국토교통부령으로 정하는 바에 따라 미리 국토교통부장관으로부터 비행승인을 받아야 한다. 다만, 비행장 및 이착륙장의 주변 등 대통령령으로 정하는 제한된 범위에서 비행하려는 경우는 제외한다.

초경량비행장치 비행승인에서 제외되는 "비행장 및 이착륙장의 주변 등 대통령령으로 정하는 제한된 범위"란 다음 각 호의 어느 하나에 해당하는 범위를 말한다. 시행령 제25조

1. 비행장(군 비행장은 제외한다)의 중심으로부터 반지름 3킬로미터 이내의 지역의 고도 500피트 이내의 범위(해당 비행장에서 법 제83조에 따른 항공교통업무를 수행하는 자와 사전에 협의가 된 경우에 한정한다)

2. 이착륙장의 중심으로부터 반지름 3킬로미터 이내의 지역의 고도 500피트 이내의 범위(해당 이착륙장을 관리하는 자와 사전에 협의가 된 경우에 한정한다)

"동력비행장치 등 국토교통부령으로 정하는 초경량비행장치"란 제5조에 따른 초경량비행장치를 말한다. 다만, 다음 각 호의 어느 하나에 해당하는 초경량비행장치는 제외한다.

1. 영 제24조제1호부터 제5호까지의 규정에 해당하는 초경량비행장치(항공기대여업, 항공레저스포츠사업 또는 초경량비행장치사용사업에 사용되지 아니하는 것으로 한정한다)

2. 제199조제1호나목에 따른 최저비행고도(150미터) 미만의 고도에서 운영하는 계류식 기구

3. 「항공사업법 시행규칙」 제6조제2항제1호에 사용하는 무인비행장치로서 다음 각 목의 어느 하나에 해당하는 무인비행장치

  가. 제221조제1항 및 별표 23에 따른 관제권, 비행금지구역 및 비행제한구역 외의 공역에서 비행하는 무인비행장치

  나. 「가축전염병 예방법」 제2조제2호에 따른 가축전염병의 예방 또는 확산 방지를 위하여 소독·방역업무 등에 긴급하게 사용하는 무인비행장치

4. 제5조제5호가목에 따른 무인동력비행장치로서 최대이륙중량이 25킬로그램 이하인 무인비행기, 무인헬리콥터 또는 무인멀티콥터

5. 그 밖에 국토교통부장관이 정하여 고시하는 초경량비행장치

초경량비행장치를 사용하여 비행제한공역을 비행하려는 사람은 법 제127조제2항 본문에 따라 별지 제122서식의 초경량비행장치 비행승인신청서를 지방항공청장에게 제출하여야 한다. 이 경우 비행승인신청서는 서류, 팩스 또는 정보통신망을 이용하여 제출할 수 있으며, 지방항공청장은 제출된 신청서를 검토한 결과 비행안전에 지장을 주지 아니한다고 판단되는 경우에는 이를 승인하여야 한다. 이 경우 동일지역에서 반복적으로 이루어지는 비행에 대해서는 6개월의 범위에서 비행기간을 명시하여 승인할 수 있다. 시행규칙 제308

3.2 초경량비행장치 구조 지원 장비 장착 의무 제128조

초경량비행장치를 사용하여 초경량비행장치 비행제한공역에서 비행하려는 사람은 안전한 비행과 초경량비행장치사고 시 신속한 구조 활동을 위하여 국토교통부령으로 정하는 장비를 장착하거나 휴대하여야 한다. 다만, 무인비행장치 등 국토교통부령으로 정하는 초경량비행장치는 그러하지 아니하다.

구조지원 장비의 종류

  1. 위치추적이 가능한 표시기 또는 단말기

  2. 조난구조용 장비(제1호의 장비를 갖출 수 없는 경우만 해당한다)

구조지원 장비의 장착이 필요 없는 초경량비행장치

1. 동력을 이용하지 아니하는 비행장치

2. 계류식 기구

3. 동력패러글라이더

4. 무인비행장치시행규칙 제309조

3.3 초경량비행장치 조종자 등의 준수사항 제129조제1항

초경량비행장치의 조종자는 초경량비행장치로 인하여 인명이나 재산에 피해가 발생하지 아니하도록 국토교통부령으로 정하는 준수사항을 지켜야 한다.

초경량비행장치 조종자는 다음 각 호의 어느 하나에 해당하는 행위를 하여서는 아니 된다. 다만, 무인비행장치의 조종자에 대해서는 제4호 및 제5호를 적용하지 아니한다.

1. 인명이나 재산에 위험을 초래할 우려가 있는 낙하물을 투하(投下)하는 행위

2. 인구가 밀집된 지역이나 그 밖에 사람이 많이 모인 장소의 상공에서 인명 또는 재산에 위험을 초래할 우려가 있는 방법으로 비행하는 행위

3. 법 제78조제1항에 따른 관제공역·통제공역·주의공역에서 비행하는 행위. 다만, 다음 각 목의 행위와 지방항공청장의 허가를 받은 경우는 제외한다.

   가. 군사목적으로 사용되는 초경량비행장치를 비행하는 행위

   나. 다음의 어느 하나에 해당하는 비행장치를 별표 23 제2호에 따른 관제권 또는 비행금지구역이 아닌 곳에서 제199조제1호나목에 따른 최저비행고도(150미터) 미만의 고도에서 비행하는 행위

   1) 무인비행기, 무인헬리콥터 또는 무인멀티콥터 중 최대이륙중량이 25킬로그램 이하인 것

   2) 무인비행선 중 연료의 무게를 제외한 자체 무게가 12킬로그램 이하이고, 길이가 7미터 이하인 것

4. 안개 등으로 인하여 지상목표물을 육안으로 식별할 수 없는 상태에서 비행하는 행위

5. 별표 24에 따른 비행시정 및 구름으로부터의 거리기준을 위반하여 비행하는 행위

6. 일몰 후부터 일출 전까지의 야간에 비행하는 행위. 다만, 제199조제1호나목에 따른 최저 비행고도(150미터) 미만의 고도에서 운영하는 계류식 기구 또는 법 제124조 전단에 따른 허가를 받아 비행하는 초경량비행장치는 제외한다.

7. 「주세법」 제3조제1호에 따른 주류, 「마약류 관리에 관한 법률」 제2조제1호에 따른 마약류 또는 「화학물질관리법」 제22조제1항에 따른 환각물질 등(이하 "주류등"이라 한다)의 영향으로 조종업무를 정상적으로 수행할 수 없는 상태에서 조종하는 행위 또는 비행 중 주류등을 섭취하거나 사용하는 행위

8. 그 밖에 비정상적인 방법으로 비행하는 행위

초경량비행장치 조종자는 항공기 또는 경량항공기를 육안으로 식별하여 미리 피할 수 있도록 주의하여 비행하여야 하고, 동력을 이용하는 초경량비행장치 조종자는 모든 항공기, 경량항공기 및 동력을 이용하지 아니하는 초경량비행장치에 대하여 진로를 양보하여야 하며, 무인비행장치 조종자는 해당 무인비행장치를 육안으로 확인할 수 있는 범위에서 조종하여야 한다. 다만, 법 제124조 전단에 따른 허가를 받아 비행하는 경우는 제외한다.

「항공사업법」 제50조에 따른 항공레저스포츠사업에 종사하는 초경량비행장치 조종자는 다음 각 호의 사항을 준수하여야 한다.

1. 비행 전에 해당 초경량비행장치의 이상 유무를 점검하고, 이상이 있을 경우에는 비행을 중단할 것

2. 비행 전에 비행안전을 위한 주의사항에 대하여 동승자에게 충분히 설명할 것

3. 해당 초경량비행장치의 제작자가 정한 최대이륙중량을 초과하지 아니하도록 비행할 것

4. 동승자에 관한 인적사항(성명, 생년월일 및 주소)을 기록하고 유지할 것 시행규칙 제310조

3.3.1 무인자유기구의 비행 제129조제2항

초경량비행장치 조종자는 무인자유기구를 비행시켜서는 아니 된다. 다만, 국토교통부령으로 정하는 바에 따라 국토교통부장관의 허가를 받은 경우에는 그러하지 아니하다.

무인자유기구를 비행시키려는 자는 비행허가 신청서에 다음 각 호의 사항을 적은 서류를 첨부하여 지방항공청장에게 신청하여야 한다.

1. 성명·주소 및 연락처

2. 기구의 등급·수량·용도 및 식별표지

3. 비행장소 및 회수장소

4. 예정비행시간 및 회수(완료)시간

5. 비행방향, 상승속도 및 최대고도

6. 고도 1만 8천미터(6만피트) 통과 또는 도달 예정시간 및 그 위치

7. 그 밖에 무인자유기구의 비행에 참고가 될 사항

지방항공청장은 신청을 받은 경우에는 그 내용을 심사한 후 항공교통의 안전에 지장이 없다고 인정하는 경우에는 비행을 허가하여야 하며, 지방항공청장으로부터 무인자유기구의 비행허가를 받은 자는 국토교통부장관이 정하여 고시하는 무인자유기구 운영절차에 따라 무인자유기구를 비행시켜야 한다. 시행규칙 제311조

3.3.2 초경량비행장치사고의 보고 제129조제3항

> 초경량비행장치 조종자는 초경량비행장치사고가 발생하였을 때에는 국토교통부령으로 정하는 바에 따라 지체 없이 국토교통부장관에게 그 사실을 보고하여야 한다. 다만, 초경량비행장치 조종자가 보고할 수 없을 때에는 그 초경량비행장치소유자등이 초경량비행장치사고를 보고하여야 한다.

초경량비행장치사고를 일으킨 조종자 또는 그 초경량비행장치소유자등은 다음 각 호의 사항을 지방항공청장에게 보고하여야 한다. 시행규칙 제312조

1. 조종자 및 그 초경량비행장치소유자등의 성명 또는 명칭

2. 사고가 발생한 일시 및 장소

3. 초경량비행장치의 종류 및 신고번호

4. 사고의 경위

5. 사람의 사상(死傷) 또는 물건의 파손 개요

6. 사상자의 성명 등 사상자의 인적사항 파악을 위하여 참고가 될 사항

3.3.3 무인비행장치의 개인정보 보호 [제129조제4항]

무인비행장치를 사용하여「개인정보 보호법」제2조제1호에 따른 개인정보(이하 "개인정보"라 한다) 또는「위치정보의 보호 및 이용 등에 관한 법률」제2조제2호에 따른 개인위치정보(이하 "개인위치정보"라 한다)를 수집하거나 이를 전송하는 경우 개인정보 및 개인위치정보의 보호에 관하여는 각각 해당 법률에서 정하는 바에 따른다.

3.4 초경량비행장치사용사업자에 대한 안전개선명령 [제130조]

국토교통부장관은 초경량비행장치사용사업의 안전을 위하여 필요하다고 인정되는 경우에는 초경량비행장치사용사업자에게 다음 각 호의 사항을 명할 수 있다.

1. 초경량비행장치 및 그 밖의 시설의 개선

2. 그 밖에 초경량비행장치의 비행안전에 대한 방해 요소를 제거하기 위하여 필요한 사항으로서 국토교통부령으로 정하는 사항.

방해 요소를 제거하기 위하여 필요한 사항시행규칙 제313조

1. 초경량비행장치사용사업자가 운용중인 초경량비행장치에 장착된 안전성이 검증되지 아니한 장비의 제거

2. 초경량비행장치 제작자가 정한 정비절차의 이행

3. 그 밖에 안전을 위하여 지방항공청장이 필요하다고 인정하는 사항

3.5 초경량비행장치에 대한 준용규정 제131조

초경량비행장치소유자등 또는 초경량비행장치를 사용하여 비행하려는 사람에 대한 주류 등의 섭취·사용 제한에 관하여는 제57조를 준용한다.

제11장 보칙

보칙은 항공종사자·항공운송사업자 등에 대한 항공안전 활동, 항공운송사업자에 관한 안전도 정보의 공개, 재정지원, 권한의 위임·위탁, 청문, 수수료 등에 대하여 규정하고 있다.

본장에서는 항공안전 활동에 대한 내용만 다루기로 한다.

1. 항공안전 활동

1.1 항공안전의 확보 제132조제1항

국토교통부장관은 항공안전의 확보를 위하여 다음 각 호의 어느 하나에 해당하는 자에게
그 업무에 관한 보고를 하게 하거나 서류를 제출하게 할 수 있다.

1. 항공기등, 장비품 또는 부품의 제작 또는 정비등을 하는 자

2. 비행장, 이착륙장, 공항, 공항시설 또는 항행안전시설의 설치자 및 관리자

3. 항공종사자 및 초경량비행장치 조종자

4. 항공교통업무증명을 받은 자

5. 항공운송사업자(외국인국제항공운송사업자 및 외국항공기로 유상운송을 하는 자
   를 포함한다. 이하 이 조에서 같다), 항공기사용사업자, 항공기정비업자, 초경량비
   행장치사용사업자, 「항공사업법」 제2조제22호에 따른 항공기대여업자 및 「항공사
   업법」 제2조제27호에 따른 항공레저스포츠사업자

6. 그 밖에 항공기, 경량항공기 또는 초경량비행장치를 계속하여 사용하는 자

1.2 항공안전전문가 제132조제2항

국토교통부장관은 이 법을 시행하기 위하여 특히 필요한 경우에는 소속 공무원으로 하여
금 제1항 각 호의 어느 하나에 해당하는 자의 다음 각 호의 어느 하나의 장소에 출입하여
항공기, 경량항공기 또는 초경량비행장치, 항행안전시설, 장부, 서류, 그 밖의 물건을 검사
하거나 관계인에게 질문하게 할 수 있다. 이 경우 국토교통부장관은 검사 등의 업무를 효
율적으로 수행하기 위하여 특히 필요하다고 인정하면 국토교통부령으로 정하는 자격을
갖춘 항공안전에 관한 전문가를 위촉하여 검사 등의 업무에 관한 자문에 응하게 할 수 있

다.

   1. 사무소, 공장이나 그 밖의 사업장

   2. 비행장, 이착륙장, 공항, 공항시설, 항행안전시설 또는 그 시설의 공사장

   3. 항공기 또는 경량항공기의 정치장

   4. 항공기, 경량항공기 또는 초경량비행장치

항공안전에 관한 전문가로 위촉받을 수 있는 사람은 다음 각 호의 어느 하나에 해당하는 사람으로 한다.

   1. 항공종사자 자격증명을 가진 사람으로서 해당 분야에서 10년 이상의 실무경력을 갖춘 사람

   2. 항공종사자 양성 전문교육기관의 해당 분야에서 5년 이상 교육훈련업무에 종사한 사람

   3. 5급 이상의 공무원이었던 사람으로서 항공분야에서 5년(6급의 경우 10년) 이상의 실무경력을 갖춘 사람

   4. 대학 또는 전문대학에서 해당 분야의 전임강사 이상으로 5년 이상 재직한 경력이 있는 사람시행규칙 제314조

1.3 정기안전성검사　제132조제3항~7항

국토교통부장관은 항공운송사업자가 취항하는 공항에 대하여 국토교통부령으로 정하는 바에 따라 정기적인 안전성검사를 하여야 한다.

검사 또는 질문을 하려면 검사 또는 질문을 하기 7일 전까지 검사 또는 질문의 일시, 사유 및 내용 등의 계획을 피검사자 또는 피질문자에게 알려야 한다. 다만, 긴급한 경우이거나 사전에 알리면 증거인멸 등으로 검사 또는 질문의 목적을 달성할 수 없다고 인정하는 경우에는 그러하지 아니하다.

검사 또는 질문을 하는 공무원은 그 권한을 표시하는 증표를 지니고, 이를 관계인에게 보여주어야 한다.

> 증표에 관하여 필요한 사항은 국토교통부령으로 정한다.
>
> 따른 검사 또는 질문을 한 경우에는 그 결과를 피검사자 또는 피질문자에게 서면으로 알려야 한다.

국토교통부장관 또는 지방항공청장은 다음 각 호의 사항에 관하여 항공운송사업자가 취항하는 공항에 대하여 정기적인 안전성검사를 하여야 한다.

1. 항공기 운항·정비 및 지원에 관련된 업무·조직 및 교육훈련

2. 항공기 부품과 예비품의 보관 및 급유시설

3. 비상계획 및 항공보안사항

4. 항공기 운항허가 및 비상지원절차

5. 지상조업과 위험물의 취급 및 처리

6. 공항시설

7. 그 밖에 국토교통부장관이 항공기 안전운항에 필요하다고 인정하는 사항시행규칙 제315조

1.4 항공기의 운항정지 및 항공종사자의 업무정지 등 제132조제8항~9항

> 국토교통부장관은 검사를 하는 중에 긴급히 조치하지 아니할 경우 항공기, 경량항공기 또는 초경량비행장치의 안전운항에 중대한 위험을 초래할 수 있는 사항이 발견되었을 때에는 국토교통부령으로 정하는 바에 따라 항공기, 경량항공기 또는 초경량비행장치의 운항 또는 항행안전시설의 운용을 일시 정지하게 하거나 항공종사자, 초경량비행장치 조종자 또는 항행안전시설을 관리하는 자의 업무를 일시 정지하게 할 수 있다.
>
> 국토교통부장관은 검사 결과 항공기, 경량항공기 또는 초경량비행장치의 안전운항에 위험을 초래할 수 있는 사항을 발견한 경우에는 그 검사를 받은 자에게 시정조치 등을 명할 수 있다.

국토교통부장관 또는 지방항공청장은 항공기, 경량항공기 또는 초경량비행장치의 운항 또는

항행안전시설의 운용을 일시 정지하게 하거나 항공종사자, 초경량비행장치 조종자 또는 항행
안전시설을 관리하는 자의 업무를 일시 정지하게 하는 경우에는 다음 각 호에 따라 조치하여
야 한다.

1. 항공기, 경량항공기 또는 초경량비행장치의 운항 또는 항행안전시설의 운용을 일시 정
   지하게 하거나 항공종사자, 초경량비행장치 조종자 또는 항행안전시설을 관리하는 자의
   업무를 일시 정지하게 하는 사유 및 조치하여야 할 내용의 통보(구두로 통보한 경우에는
   사후에 서면으로 통지하여야 한다)

2. 제1호에 따른 통보를 받은 자가 통보받은 내용을 이행하고 그 결과를 제출한 경우 그 이
   행 결과에 대한 확인

3. 제2호에 따른 확인 결과 일시 운항정지 또는 업무정지 등의 사유가 해소되었다고 판단
   하는 경우에는 항공기, 경량항공기 또는 초경량비행장치의 재운항 또는 항행안전시설의
   재운용이 가능함을 통보하거나, 항공종사자, 초경량비행장치 조종자 또는 항행안전시설
   을 관리하는 자가 업무를 계속 수행할 수 있음을 통보(구두로 통보하는 것을 포함한다)시
   행규칙 제316조

제12장 벌칙

벌칙은 각 장에서 규정하고 있는 법 조문의 실효성을 확보하기 위해 각종의 벌칙을 규정하고 있으며 항행 중 항공기 위험 발생의 죄, 항행 중 항공기 위험 발생으로 인한 치사·치상의 죄, 미수범, 기장 등의 탑승자 권리행사 방해의 죄, 기장의 항공기 이탈의 죄, 과실에 따른 항공상 위험 발생 등의 죄, 감항증명을 받지 아니한 항공기 사용 등의 죄, 운항증명 등의 위반에 관한 죄, 주류 등의 섭취·사용 등의 죄, 항공교통업무증명 위반에 관한 죄, 무 표시 등의 죄, 승무원 등을 승무시키지 아니한 죄, 무자격자의 항공업무 종사 등의 죄, 수직분리축소공역 등에서 승인 없이 운항한 죄, 기장 등의 탑승자 권리행사 방해의 죄, 기장의 항공기 이탈의 죄, 기장의 보고의무 등의 위반에 관한 죄, 비행장 불법 사용 등의 죄, 항행안전시설 무단설치의 죄, 초경량비행장치 불법 사용 등의 죄, 경량항공기 불법 사용 등의 죄, 항공운송사업자의 업무 등에 관한 죄, 항공운송사업자의 운항증명 등에 관한 죄, 외국인 국제항공운송사업자의 업무 등에 관한 죄, 항공운송사업자의 업무 등에 관한 죄, 검사 거부 등의 죄, 양벌 규정, 벌칙 적용의 특례, 과태료, 과태료의 부과·징수절차 등을 규정하고 있다.

본장에서는 항공정비업무에 관련된 자격증명 등의 취소와 주요벌칙만 기술하였다.

1. 증명취소

1.1 자격증명의 취소 제43조

국토교통부장관은 항공안전법 제43조(자격증명의 취소 등)에 근거하여 항공정비사가 다음 각 호의 어느 하나에 해당하면 그 자격증명이나 자격증명의 한정을 취소하거나 1년 이내의 기간을 정하여 자격증명등의 효력 정지를 명할 수 있다. 다만, 부정한 방법으로 자격증명 등을 받은 경우와 자격증명등의 정지명령을 위반하여 정지기간에 항공업무에 종사한 경우에는 해당 자격증명 등을 취소하고 2년간 이 법에 따른 자격증명 등의 시험에 응시하거나 심사를 받을 수 없다.

1. 거짓이나 그 밖의 부정한 방법으로 자격증명등을 받은 경우

2. 항공안전법을 위반하여 벌금 이상의 형을 선고 받은 경우

3. 항공종사자로서 항공업무를 수행할 때 고의 또는 중대한 과실로 항공기사고를 일으켜 인명피해나 재산피해를 발생시킨 경우

4. 정비 등을 확인하는 항공종사자가 기술기준에 적합하지 아니한 항공기등·장비품 또는 부품을 적합한 것으로 확인한 경우

5. 자격증명의 종류에 따른 항공업무 외의 항공업무에 종사한 경우

6. 자격증명의 한정을 받은 항공종사자가 한정된 종류·등급 또는 형식 외의 항공기나 한정된 정비업무 외의 항공업무에 종사한 경우

7. 주류, 마약류 또는 환각물질 등의 영향으로 항공업무를 정상적으로 수행할 수 없는 상태에서 항공업무에 종사한 경우

8. 항공업무에 종사하는 동안에 주류, 마약류 또는 환각물질 등을 섭취하거나 사용한 경우

9. 주류, 마약류 또는 환각물질 등의 섭취 및 사용 여부의 측정 요구에 따르지 아니한 경우

10. 고의 또는 중대한 과실로 항공안전장애 또는 경미한 항공안전장애를 발생시킨 경우

11. 항공종사자가 자격증명서를 지니지 아니하고 항공업무에 종사한 경우

12. 운항기술기준을 지키지 아니하고 비행을 하거나 업무를 수행한 경우

13. 운영기준을 지키지 아니하고 비행을 하거나 업무를 수행한 경우

14. 정비규정을 지키지 아니하고 업무를 수행한 경우

15. 자격증명 등의 정지명령을 위반하여 정지기간에 항공업무에 종사한 경우

1.2 항공운송사업 운항증명의 취소 제91조

국토교통부장관은 항공안전법 제91조(항공운송사업자의 운항증명 취소 등)에 근거하여 운항증명을 받은 항공운송사업자가 항공기 정비와 관련하여 다음 중 어느 하나에 해당하면 운항증명을 취소하거나 6개월 이내의 기간을 정하여 항공기 운항의 정지를 명할 수 있다. 다만, 거짓이나 그 밖의 부정한 방법으로 운항증명을 받은 경우, 항공기 운항의 정지처분에 따르지 아니하고 항공기를 운항한 경우와 항공기 운항의 정지명령을 위반하여 운항 정지 기간에 운항한 경우에는 운항증명을 취소하여야 한다.

1. 거짓이나 그 밖의 부정한 방법으로 운항증명을 받은 경우

2. 감항증명을 받지 아니한 항공기를 항공에 사용한 경우

3. 항공기의 감항성 유지를 위한 항공기등·장비품 또는 부품에 대한 정비 등에 관한 감항성 개선지시 또는 그 밖에 검사, 정비 등 명령을 이행하지 아니하고 이를 항공에 사용한 경우

4. 기술기준이 변경되어 형식증명을 받은 항공기가 변경된 기술기준에 적합하지 아니하게 되었는데도 불구하고 감항성에 관한 승인을 받지 아니하고 항공기를 항공에 사용한 경우

5. 수리·개조승인을 받지 아니한 항공기등을 운항하거나 장비품·부품을 항공기등에 사용한 경우

6. 형식승인을 받지 아니한 기술표준품이나 부품 등 제작자증명을 받지 아니한 장비품 또는 부품을 항공기등 또는 장비품에 사용한 경우

7. 정비 등을 한 항공기등·장비품 또는 부품을 기술기준에 적합하다는 확인을 받지 아니하고 운항하거나 항공기등에 사용한 경우

8. 항공기에 무선설비를 설치하지 아니한 항공기 또는 설치한 무선설비가 운용되지 아니하는 항공기를 항공에 사용한 경우

9. 항공기에 항공계기 등을 설치하거나 탑재하지 아니하고 항공에 사용하거나, 그 운용방

법 등을 따르지 아니한 경우

10. 항공종사자가 주류, 마약류 또는 환각물질 등의 영향으로 항공업무를 정상적으로 수행할 수 없는 상태에서 항공업무에 종사하게 한 경우

11. 항공기사고, 항공기준사고 또는 항공안전장애가 발생한 경우에 국토교통부령으로 정하는 바에 따라 사고 사실을 보고하지 아니한 경우

12. 운항기술기준, 운영기준을 지키지 아니하고 비행하거나 업무를 한 경우

13. 운항증명을 받지 아니하고 운항을 시작한 경우

14. 안전운항체계를 계속적으로 유지하지 아니하거나 변경된 안전운항체계를 검사받지 아니하거나 항공기 운항의 정지처분에 따르지 아니하고 항공기를 운항한 경우

15. 신고를 하지 아니하거나 인가를 받지 아니하고 정비규정을 제정하거나 변경한 경우

16. 정비규정을 지키지 아니하고 항공기를 운항하거나 정비한 경우

17. 항공안전활동을 수행하기 위한 공무원의 항공기등에의 출입이나 장부·서류 등의 검사를 거부·방해 또는 기피한 경우

18. 항공안전활동을 수행함에 따른 관계인에 대한 질문에 답변하지 아니하거나 거짓으로 답변한 경우

19. 고의 또는 중대한 과실에 의하거나 항공종사자의 선임·감독에 관하여 상당한 주의의무를 게을리함으로써 항공기사고 또는 항공기준사고를 발생시킨 경우

20. 이 조에 따른 항공기 운항의 정지명령을 위반하여 운항정지기간에 운항한 경우

2. 형사처벌

2.1 과실에 따른 항공상 위험 발생 등의 죄 제149조

항공정비사가 항공안전법 제149조(과실에 따른 항공상 위험 발생 등의 죄)에 근거하여 과실로 항공기·경량항공기·초경량비행장치·비행장·이착륙장·공항시설 또는 항행안전시설을 파손하거나, 그 밖의 방법으로 항공상의 위험을 발생시키거나 항행 중인 항공기를 추락 또는 전복시키거나 파괴하는 경우에는 1년 이하의 징역 또는 2천만원 이하의 벌금에 처하고, 업무상 과실 또는 중대한 과실로 상기의 죄를 지은 경우에는 3년 이하의 징역 또는 5천만원 이하의 벌금에 처한다.

2.2 감항증명을 받지 아니한 항공기 사용 등의 죄 제144조

항공정비사가 다음 각 호의 어느 하나에 해당하는 감항증명을 받지 아니하고 항공기를 사용하는 경우에는 항공안전법 제144조(감항증명을 받지 아니한 항공기 사용 등의 죄)에 근거하여 3년 이하의 징역 또는 5천만 원 이하의 벌금에 처한다.

1. 감항증명 또는 소음기준적합증명을 받지 아니하거나 감항증명 또는 소음기준적합증명이 취소 또는 정지된 항공기를 운항한 자

2. 기술표준품형식승인을 받지 아니한 기술표준품을 제작·판매하거나 항공기등에 사용한 자

3. 부품등제작자증명을 받지 아니한 장비품 또는 부품을 제작·판매하거나 항공기등 또는 장비품에 사용한 자

4. 수리·개조승인을 받지 아니한 항공기등, 장비품 또는 부품을 운항 또는 항공기등에 사용한 자

5. 정비등을 한 항공기등, 장비품 또는 부품에 대하여 감항성을 확인받지 아니하고 운항 또는 항공기등에 사용한 자

2.3 주류 등의 섭취·사용 등의 죄 제146조

항공정비사가 주류, 마약류 또는 환각물질 등의 영향으로 항공업무를 정상적으로 수행할 수 없는 상태에서 그 업무에 종사하거나, 주류, 마약류 또는 환각물질 등을 섭취 또는 사용하거나, 주류, 마약류 또는 환각물질 등의 섭취 및 사용 여부의 측정 요구에 따르지 아니하는 경우에는 항공안전법 제146조(주류 등의 섭취·사용 등의 죄)에 근거하여 3년 이하의 징역 또는 3천만원 이하의 벌금에 처한다.

2.4 무자격자의 항공업무 종사 등의 죄 제148조

항공정비사가 자격증명을 받지 아니하고 항공업무에 종사하거나 업무정지명령을 위반하거나 업무 범위를 위반하여 항공업무에 종사하는 경우에는 항공안전법 제148조(무자격자의 항공업무 종사 등의 죄)에 근거하여 2년 이하의 징역 또는 1천만원 이하의 벌금에 처한다.

2.5 운항증명 등의 위반에 관한 죄 제145조

항공사업자가 운항증명을 받지 아니하고 운항을 시작하거나, 항공기정비업자가 정비조직인증을 받지 아니하고 항공기등, 장비품 또는 부품에 대한 정비 등을 하는 경우에는 항공안전법 제145조(운항증명 등의 위반에 관한 죄)에 근거하여 3년 이하의 징역 또는 3천만원 이하의 벌금에 처한다.

Part 02

항공정비업무 관련법규

항공기 기술기준과 항공기 운항기술기준은 국토교통부의 항공관련 대표적인 고시로서 항공종사자가 필수적으로 학습하여야하는 내용들이다.

제2편에서는 항공정비업무분야와 관련된 내용들을 중심으로 항공기기술기준 및 운항기술기준을 다루었으며, 항공안전법에서 자세히 다루지 못했던 국제법상의 항공안전 및 항공보안에 대해서 국토교통부 표준교재 내용을 중심으로 다루었다. 또한, 과거 항공법에서 분법된 항공사업법과 공항시설법은 항공정비업무 관련내용 중심으로 요약하였다.

제1장 항공기 기술기준
(Korean Airworthiness Standards)

항공기 기술기준은 항공안전법 제19조에 따라 항행의 안전을 확보하기 위한 기술상의 기준을 규정하고 있으며, 국토교통부장관은 항공기가 이 기준에 부적합한 경우에는 항공기의 운용을 제한할 수 있다.

본 장에서는 Part 1 총칙과 Part 21 항공기 등, 장비품 및 부품 인증절차와 그 부록에서 다루고 있는 정비프로그램의 주요 내용들과 개념 및 Part 25 감항분류가 수송(T)류인 비행기에 대한 기술기준 중에서 항공기 정비영역의 내용을 중심으로 살펴본다.

1. 총칙(General)

1.1 용어의 정의

아래의 용어는 별도로 명시된 사항이 있는 경우를 제외하고, 각 감항분류별 항공기 기술기준에 적용된다.

항공기(Aircraft) 지표면의 공기반력이 아닌 공기력에 의해 대기 중에 떠오르는 모든 장치를 말한다.

비행기(Aeroplane) 엔진으로 구동되는 공기보다 무거운 고정익 항공기로써 날개에 대한 공기의 반작용에 의하여 비행 중 양력을 얻는다.

회전익항공기(Rotorcraft) 하나 이상의 로터가 발생하는 양력에 주로 의지하여 비행하는 공기보다 무거운 항공기를 의미한다.

헬리콥터(Helicopter) 수평수직 운동에 있어서 주로 엔진으로 구동하는 로터에 의지하는 회전익항공기를 말한다.

자이로다인(Gyrodyne) 수직축으로 회전하는 1개 이상의 엔진으로 구동하는 회전익에서 양력을 얻고, 추진력은 프로펠러에서 얻는 공기보다 무거운 항공기를 말한다.

자이로플레인(Gyroplane)이라 함은 시동 시는 엔진 구동으로, 비행 시에는 공기력의 작용으로 회전하는 1개 이상의 회전익에서 양력을 얻고, 추진력은 프로펠러에서 얻는 회전익항공기를 말한다.

활공기(Glider 주로 엔진을 사용하지 않고 자유 비행을 하며 날개에 작용하는 공기력의 등직 반작용을 이용하여 비행이 유지되는 공기보다 무거운 항공기를 의미한다.

비행선(Airship) 엔진으로 구동하며 공기보다 가벼운 항공기로서 방향 조종이 가능한 것을 말한다.

엔진(Engine) 항공기의 추진에 사용하거나 사용하고자 하는 장치를 말한다. 여기에는 엔진의 작동과 제어에 필요한 구성품(Component) 및 장비(Equipment)를 포함하지만, 프로펠러 및 로터는 제외한다.

동력장치(Powerplant) 엔진, 구동계통 구성품, 프로펠러, 보기장치(Accessory), 보조부품 (Ancillary Part), 그리고 항공기에 장착된 연료계통 및 오일계통 등으로 구성되는 하나의 시스템을 말한다. 다만, 헬리콥터의 로터는 포함하지 않는다.

임계엔진(Critical Engine) 어느 하나의 엔진이 고장난 경우 항공기의 성능 또는 조종특성에 가장 심각하게 영향을 미치는 엔진을 말한다.

감항성이 있는(Airworthy) 항공기, 엔진, 프로펠러 또는 부품이 인가된 설계에 합치하고 안전한 운용 상태에 있음을 말한다.

계속감항(Continuing Airworthiness) 항공기, 엔진, 프로펠러 또는 부품이 운용되는 수명기간 동안 적용되는 감항성 요구조건을 충족하고, 안전한 운용상태를 유지하기 위하여 적용하는 일련의 과정을 말한다.

표준대기(Standard atmosphere) 1962년 미국 표준 대기에 정의된 대기를 의미하며, 다음과 같은 상태의 대기를 말한다.

(1) 공기는 완전히 건조한 개스임

(2) 물리상수는 다음과 같은 공기;

— 해면고도에서 평균 분자의 질량

  $M_0 = 28.964420 \times 10^{-3} kg\ mol^{-1}$

— 해면고도에서 대기압

  $P_0 = 1013.250hPa$ 또는 수은주로 $760mm(29.92inch)$

— 해면고도에서 온도

  $t_0 = 15°C(59°F)$

  $T_0 = 288.15K$

— 해면고도에서 공기밀도

  $\rho_0 = 1.2250kg/m^3$

— 빙점 온도

  $Ti = 273.15K$

— 일반가스 상수

  $R* = 8.31432\ JK^{-1}mol^{-1}$

(3) 기온 변화도는 다음과 같은 공기;

Geopotential altitude (km)		Temperature gradient (Kelvin per standard geopotential kilometre)
From	To	
−5.0	11.0	−6.5
11.0	20.0	0.0
20.0	32.0	+1.0
32.0	47.0	+2.8
47.0	51.0	0.0
51.0	71.0	−2.8
71.0	80.0	−2.0

주1) 표준중력가속도는 9,80665 ms-2이다

주2) 온도, 압력, 밀도, 중력의 대응값 표 및 변수관계는 ICAO Doc 7488 참조

주3) 무게, 동점성계수, 점성계수 및 고도변화에서의 음속은 ICAO Doc 7488 참조

형상(Configuration) 항공기의 공기역학적 특성에 영향을 미치는 플랩, 스포일러, 착륙장치 기타 움직이는 부분 위치의 각종 조합을 말한다.

자동회전(Autorotation) 회전익항공기가 비행 중에 양력을 발생하는 로터가 엔진의 동력을 받지 않고 전적으로 공기의 작용에 의하여 구동되는 회전익항공기의 작동상태를 의미한다.

하버링(Hovering) 회전익항공기가 대기속도 영의 제자리 비행 상태를 말한다.

최종접근 및 이륙 지역[Final approach and take-off area (FATO)] 하버를 하기 위한 접근기동의 마지막 단계의 지역 또는 착륙이 완료되는 지역, 및 이륙이 시작되는 정해진 지역을 말한다. FATO는 Class A 회전익항공기에 사용되며, 이륙포기 가능 지역을 포함한다.

지상공진 회전익항공기가 지면과 접촉된 상태에서 발생하는 역학적 불안정진동을 말한다.

역학적불안정진동 회전익항공기가 지상 또는 공중에 있을 때 회전익과 기체구조부분의 상호작용으로 생기는 불안정한 공신상태를 말한다.

예상되는 운용 조건(Anticipated operating conditions) 경험으로 알게 된 상태 또는 해당 항공기가 제작 당시 운항이 가능하도록 만들어진 운항 조건을 고려할 때 항공기의 수명기간 내에 일어날 수 있는 것으로 예견될 수 있는 조건으로 대기의 기상상태, 지형의 형태, 항공기의 작동, 종사자의 능력 및 비행안전에 영향을 미치는 모든 요소들을 고려한 조건을 말한다. 예상되는 운용 조건에는 다음과 같은 사항은 포함되지 않는다.

(1) 운항절차에 따라서 효과적으로 피할 수 있는 극단 상황

(2) 아주 드물게 발생하는 극단적인 상태로써 적합한 국제표준(ICAO 표준)이 충족되도록 요구하는 것이 경험상 필요하고 실질적인 것으로 입증된 수준보다 높은 수준의 감항성을 부여하게 될 정도의 극단적인 경우

개별원인손상(Discrete source damage) 조류충돌, 통제되지 않은 팬블레이드· 엔진 및 고속회전 부품의 이탈 또는 이와 유사한 원인에 의한 비행기의 구조 손상을 말한다.

당해 감항성 요건(Appropriate airworthiness requirements) (인증등의) 대상이 되는 항공기, 엔진, 또는 프로펠러 등급에 대하여 국토교통부장관이 제정, 채택, 또는 인정한 포괄적이면서 구체적인 감항성 관련 규정을 말한다.

승인된(Approved) 특정인이 규정되어 있지 않는 한 국토교통부장관에 의해 승인됨을 의미한다.

인적요소 원칙(Human factors principles)이라 함은 항공기 설계, 인증, 훈련, 운항, 및 정비 분야에 대하여 적용되는 원칙이며 사람의 능력을 적절하게 고려하여 사람과 다른 시스템 구성요소들 간의 안전한 상호작용을 모색하는 원칙을 말한다.

인적 업무수행 능력(Human performance) 항공분야 운용상의 안전과 효율에 영향을 주는 인적 업무수행능력 및 한계를 말한다.

압력 고도(Pressure altitude) 어떤 대기압을 표준 대기압에 상응하는 고도로 표현한 값을 말한다.

이륙 표면(Takeoff surface) 특정 방향으로 이륙하는 항공기의 정상적인 지상활주 또는 수상 활주가 가능한 것으로 지정된 비행장의 표면 부분을 말한다.

착륙 표면(Landing surface) 특정 방향으로 착륙하는 항공기의 정상적인 지상활주 또는 수상 활주가 가능한 것으로 지정된 비행장의 표면 부분을 말한다.

형식증명서(Type certificate) 당해 항공기의 형식 설계를 한정하고 이 형식설계가 당해 감항성 요건을 충족시킴을 증명하기 위하여 국토교통부장관이 발행한 서류를 말한다.

설계이륙중량(Design takeoff weight) 구조설계에 있어서 이륙 활주를 시작할 때 계획된 예상 최대항공기 중량을 말한다.

설계착륙중량(Design landing weight) 구조설계에 있어서 착륙할 때 계획된 예상 최대항공기 중량을 말한다.

설계단위중량(Design unit weight) 구조설계에 있어 사용하는 단위중량으로 활공기의 경우를 제외하고는 다음과 같다.

(1) 연료 0.72kg/l (6 lb/gal) 다만, 개소린 이외의 연료에 있어서는 그 연료에 상응하는 단위중량으로 한다.

(2) 윤활유 0.9kg/l (7.5 lb/gal)

(3) 승무원 및 승객 77kg/인(170 lb/인)

무연료중량(Zero fuel weight) 연료 및 윤활유를 전혀 적재하지 않은 항공기의 설계최대중량을 말한다.

설계 지상활주 중량(Design taxiing wight) 이륙출발 이전에 지상에서 항공기를 이용하는 동안 발생할 수 있는 하중을 감당할 수 있도록 구조적인 준비가 된 상태의 항공기 최대 중량을 말한다.

지시대기속도(Indicated airspeed) 해면 고도에서 표준 대기 단열 압축류를 보정하고 대기속도 계통의 오차는 보정하지 않은 피토 정압식 대기속도계가 지시하는 항공기의 속도를 말한다.

교정대기속도(Calibrated airspeed) 항공기의 지시대기속도를 위치오차 및 계기오차로서 보정한 속도를 말한다. 수정대기속도는 해면고도에서 표준 대기 상태의 진대기속도와 동일하다.

등가대기속도(Equivalent airspeed) 항공기의 교정대기속도를 특정 고도에서의 단열 압축류에 대하여 보정한 속도를 말한다. 등가대기속도는 해면 고도에서 표준 대기상태의 교정대기속도와 동일하다.

진대기속도(True airspeed) 잔잔한 공기에 상대적인 항공기의 대기속도를 말한다. 진대기속도는 등가대기속도에 $(\rho 0/\rho)$ 1/2를 곱한 것과 같다.

제한하중(Limited loads) 예상되는 운용조건에서 일어날 수 있는 최대의 하중을 말한다.

극한하중(Ultimate load) 적절한 안전계수를 곱한 한계 하중을 말한다.

안전계수(Factor of safety) 상용 운용상태에서 예상되는 하중보다 큰 하중이 발생할 가능성과 재료 및 설계상의 불확실성을 고려하여 사용하는 설계계수를 말한다.

하중배수(Load factor) 공기역학적 힘, 관성력, 또는 지상 반발력과 관련한 표현으로 항공기의 어떤 특정한 하중과 항공기 중량과의 비를 말한다.

제한하중배수 제한중량에 대응하는 하중배수를 말한다.

극한하중배수 극한하중에 대응하는 하중배수를 말한다.

시험조작에 의한 세로 흔들림 운동 제한운동하중배수를 넘지 않는 범위 내에서 조종간이나 조종륜을 전방 또는 후방으로 급격히 조작하고 다음 반대방향으로 급격히 조작할 경우에 항공기의 세로 흔들림 운동을 말한다.

설계주익면적 익현을 포함하는 면 위에 있어서 주익윤곽(올린위치에 있는 플랩 및 보조익을 포함하는 필렛이나 훼어링은 제외한다)에 포함되는 면적을 말한다. 그 외형선은 낫셀 및 동체를 통하여 합리적 방법에 의하여 대칭면까지 연장하는 것으로 한다.

미익균형하중 세로 흔들림 각 가속도가 영이 되도록 항공기를 균형잡는데 필요한 미익하중을 말한다.

결합부품 하나의 구조부재를 다른 부재에 결합하는 끝부분에 쓰이는 부품을 말한다.

축출력 엔진의 프로펠러축에 공급하는 출력을 말한다.

왕복엔진의 이륙출력 해면상 표준상태에서 이륙시에 항상 사용 가능한 크랭크축 최대회전속도 및 최대흡기압력에서 얻어지는 축출력으로 연속사용이 엔진 규격서에 기재된 시간에 제한받는 것을 말한다.

정격 30분 OEI 출력(Rated 30-minute OEI power) 터빈 회전익항공기에 있어, 엔진이 Part 33의 규정에 따른 운용한계 내에 있을 때 지정된 고도 및 온도에서 정적 조건으로 결정되고 승인을 받은 제동마력을 말하는 것으로서 다발 회전익항공기의 한 개 엔진이 정지한 후에 30분 이내로 사용이 제한된다.

정격 2-1/2분 OEI 출력(Rated 2 1/2-minute OEI power) 터빈 회전익항공기에 있어서, 엔진이 Part 33의 규정에 따른 운용한계 내에 있을 때 지정된 고도 및 온도에서 정적 조건으로 결정되고 승인을 받은 제동마력을 말하는 것으로서 다발 회전익항공기의 한 개 엔진이 정지한 후에 2-1/2분 이내로 사용이 제한된다.

임계고도(Critical altitude) 표준 대기상태에서의 규정된 일정한 회전 속도에서 규정된 출력 또는 규정된 다기관 압력을 유지할 수 있는 최대 고도를 말한다. 별도로 명시된 사항이 없는 한, 임계고도는 최대연속회전속도에서 다음 중 하나를 유지할 수 있는 최대 고도이다.

 (1) 정격출력이 해면 고도 및 정격고도에서와 동일하게 되는 엔진의 경우에는 연속최대출력
 (2) 일정한 다기관 압력에 의하여 연속최대출력이 조절되는 엔진의 경우에는 최대연속정격 다기관압력

프로펠러(Propeller) 항공기에 장착된 엔진의 구동축에 장착되어 회전 시 회전면에 수직인 방향으로 공기의 반작용으로 추진력을 발생시키는 장치를 의미한다. 이것은 일반적으로 제작사가 제공한 조종 부품은 포함하나, 주로터 및 보조로터, 또는 엔진의 회전하는 에어포일(rotating airfoils of engines)은 포함하지 않는다.

보충산소공급장치(Supplemental oxygen equipment) 기내산소압력이 부족한 고도에서 산소의 결핍방지에 필요한 보충산소를 공급할 수 있도록 설계한 장치를 말한다.

호흡보호장치(Protective breathing equipment) 비상시에 항공기 내에 존재하는 유해가스의 흡입을 막을 수 있도록 설계한 장치를 말한다.

기체(airframe) 동체, 붐, 나셀, 카울링, 페어링, 에어포일 면(로터를 포함하며 프로펠러와 엔진의 회전하는 에어포일은 제외함) 및 항공기의 착륙장치와 그 보기류 및 조종 장치를 의미한다.

공항(airport) 항공기의 이착륙에 사용되거나 사용코자하는, 해당되는 경우 건물과 시설등을 포함하는 육지 또는 수면 영역을 의미한다.

고도 엔진(altitude engine) 해면고도에서부터 지정된 고고도까지 일정한 정격이륙출력을 발생하는 항공기용 왕복엔진을 말한다.

기구(balloon) 엔진에 의해 구동되지 않고 가스의 부양력 또는 탑재된 가열기의 사용을 통하여 비행을 유지하는 공기보다 가벼운 항공기를 의미한다.

제동마력(Brake horsepower) 항공기 엔진의 프로펠러 축(주 구동축 또는 주 출력축)에서 전달되는 출력을 말한다.

카테고리 A(Category A) 감항분류가 수송인 회전익항공기의 경우에 있어, Part 29의 규정에 따라 엔진과 시스템이 분리되도록 설계된 다발 회전익항공기로서, 엔진이 부작동하는 경우에 있어서도 지정된 적절한 지면과 안전하게 비행을 계속할 수 있는 적절한 성능을 보장하여야 한나는 임계엔진 부작농 개념 하에 계획된 이착륙을 할 수 있는 다발 회전익항공기를 말한다.

카테고리 B(Category B) 감항분류가 수송인 회전익항공기의 경우에 있어, 카테고리 A의 모든 기준을 충분히 충족하지 못하는 단발 또는 다발 회전익항공기를 말한다. 카테고리 B 회전익항공기는 엔진이 정지하는 경우의 체공능력을 보증하지 못하며 이에 따라 계획되지 않은 착륙을 할 수도 있다.

민간용 항공기(Civil aircraft) 군·경찰·세관용 항공기를 제외한 항공기를 의미한다.

승무원(Crewmember) 비행중 항공기 내에서 임무를 수행토록 지정된 자를 의미한다.

기외하중물(External loads) 항공기 기내가 아닌 동체의 외부에 적재하여 운송하는 하중물을 말한다.

기외하중물 장착수단(External-load attaching means) 기외하중물 적재함, 장착 지점의 보조 구조물 및 기외 하중물을 투하할 수 있는 긴급장탈 장치를 포함하여 항공기에 기외하중물을 부착하기 위하여 사용하는 구조적 구성품을 말한다.

최종이륙속도(Final takeoff speed) 한 개 엔진이 부작동하는 상태에서 이륙 경로의 마지막 단계에서 순항 자세가 될 때의 비행기 속도를 말한다.

불연성(Fireproof)

(1) 지정방화구역 내에 화재를 가두기 위하여 사용하는 자재 및 부품의 경우에 있어서, 사용되는 목적에 따라 최소 강철과 같은 정도의 수준으로 화재로 인한 열을 견딜 수 있는 성질로서 해당 구역에 생긴 큰 화재가 상당 기간 지속되어도 이로 인하여 발생하는 열을 견딜 수 있어야 한다.

(2) 기타 자재 및 부품의 경우에 있어서, 사용되는 목적에 따라 최소 강철과 같은 정도의 수준으로 화재로 인한 열을 견딜 수 있는 성질을 말한다.

내화성(Fire resistant)

(1) 강판 또는 구조부재의 경우에 있어서 사용되는 목적에 따라 최소한 알루미늄 합금 정도의 수준으로 화재로 인한 열을 견딜 수 있는 성질을 말한다.

(2) 유체를 전달하는 관, 유체시스템의 부품, 배선, 공기관, 피팅 및 동력장치 조절장치에 있어서, 설치된 장소의 화재로 인하여 있을 수 있는 열 및 기타 조건 하에서 의도한 성능을 발휘할 수 있는 성질을 말한다.

내염성(Flame resistant) 점화원이 제거된 이후 안전 한계를 초과하는 범위까지 화염이 진행되지 않는 연소 성질을 의미한다.

가연성(Flammable) 유체 또는 가스의 경우 쉽게 점화되거나 또는 폭발하기 쉬운 성질을 의미한다.

플랩 내린 속도(Flap extended speed) 날개의 플랩을 규정된 펼침 위치로 유지할 수 있는 최대 속도를 의미한다.

내연성(Flash resistant) 점화되었을 때 맹렬하게 연소되지 않는 성질을 의미한다.

운항승무원(Flightcrew member) 비행 시간중 항공기에서 임무를 부여받은 조종사, 운항 엔지니어 또는 운항 항법사를 의미한다.

비행 고도(Flight level) 수은주 압력 기준 29.92inHg와 관련된 일정한 대기 압력고도를 의미한다. 이는 세자리 수로 표시하는데 첫 자리는 100ft를 의미한다. 예를 들면 비행고도 250은 기압 고도 25,000ft를 나타내며 비행고도 255는 기압고도 25,500ft를 나타낸다.

비행 시간(Flight time)

 (1) 항공기가 비행을 목적으로 자체 출력에 의해 움직이기 시작한 때를 시작으로 하고 착륙 후 항공기가 멈춘 때까지의 조종 시간.

 (2) 자체 착륙능력이 없는 활공기의 경우, 활공기가 비행을 목적으로 견인된 때를 시작으로 착륙 후 활공기가 멈춘 때까지의 조종 시간.

전방날개(Forward wing) 카나드 형태(canard configuration) 또는 직렬형 날개(tandem-wing) 형태 비행기의 앞쪽의 양력 면을 의미함. 날개는 고정식, 움직일 수 있는 방식 또는 가변식 형상이거나 조종면의 유무와는 무관하다.

고-어라운드 출력 또는 추력 설정치(Go-around power or thrust setting) 성능 자료에 정의된 최대 허용 비행 출력 또는 추력 설정치를 의미한다.

헬리포트(Heliport) 헬리콥터의 이착륙에 사용되거나 사용코자하는 육상, 수상 또는 건물 지역을 의미한다.

공회전 추력(Idle thrust) 엔진 출력조절장치를 최소 추력 위치에 두었을 때 얻어지는 제트 추력을 의미한다.

계기비행 규칙 조건(IFR conditions) 시계비행 규칙에 따른 비행의 최소 조건 이하의 기상 조건을 의미한다.

계기(Instrument) 항공기 또는 항공기 부품의 자세, 고도, 작동을 시각적 또는 음성적으로 나타내기 위한 내부의 메카니즘을 사용하는 장치를 말한다. 비행 중 항공기를 자동 조종하기 위한 전기 장치를 포함한다.

착륙장치 내림속도(Landing gear extended speed) 항공기가 착륙장치를 펼친 상태로 안전하게 비행할 수 있는 최대 속도를 의미한다.

착륙장치 작동속도(Landing gear operating speed) 착륙장치를 안전하게 펼치거나 접을 수 있는 최대 속도를 의미한다.

대형항공기(Large aircraft) 최대인가 이륙중량이 5,700kg(12,500lbs)를 초과하는 항공기를 말한다.

공기보다 가벼운 항공기(Lighter-than-air aircraft) 공기보다 가벼운 기체를 채움으로서 상승 유지가 가능한 항공기를 의미한다.

공기보다 무거운 항공기(heavier-than-air aircraft) 공기 역학적인 힘으로부터 양력을 주로 얻는 항공기를 의미한다.

하중배수(Load factor) 항공기의 전체 무게에 대한 특정 하중의 비를 의미한다. 특정 하중은 다음과 같다. 공기 역학적 힘, 관성력 또는 지상 또는 수상 반력

마하수(Mach number) 음속 대 진대기속도와의 비율을 의미한다.

주 로터(Main rotor) 회전익기의 주 양력을 발생시키는 로터를 의미한다.

정비(Maintenance) 항공기의 지속감항성 확보를 위해 수행되는 검사, 분해검사, 수리, 보호, 부품의 교환 및 결함의 수정을 의미하며, 조종사가 수행할 수 있는 비행전 점검 및 예방 정비는 포함하지 않는다.

수리(Repair) 항공제품을 감항성 요구 조건에서 정의된 감항조건으로 복구하는 것을 말한다.

대개조(Major alteration) 항공기, 항공기용 엔진 또는 프로펠러에 대해서 다음에 열거된 영향을 미치지 않는 개조를 의미한다.

 (1) 중량, 평형, 구조적 강도, 성능, 동력장치의 작동, 비행특성 또는 기타 강항성에 영향을 미치는 특성 등에 상당한 영향을 미침.
 (2) 일반적인 관례에 따라 수행될 수 없거나, 기본적인 운용에 의하여 수행될 수 없음.

대검사 프로그램(Major repair) 다음과 같은 검사 프로그램을 의미한다. :

 (1) 부적당하게 수행될 경우, 중량, 평형, 구조적 강도, 성능, 동력장치의 작동, 비행특성 또는 기타 감항성에 영향을 미치는 특성 등에 상당한 영향을 미침
 (2) 일반적인 관례에 따라 수행될 수 없거나, 기본적인 운용에 의하여 수행될 수 없음.

흡기관 압력(Manifold pressure) 흡기계통의 적절한 위치에서 측정되는 절대 압력으로서 대개 수은주 inch로 표시한다.

안정성 최대속도(Maximum speed for stability characteristics), VFC/MFC 최대운항제한속도 (VMO/MMO)와 실증된 비행강하속도(VDF/MDF)의 중간 속도보다 작지 않은 속도를 말한다. 마하수가 제한배수인 고도에 있어서 효율적인 속도 경보가 발생하는 마하수를 초과할 필요가 없는 MFC는 예외이다.

최소 하강 고도(Minimum descent altitude) 계기접근 장치가 작동하지 않는 상태에서 표준 접근 절차를 위한 선회기동 중 또는 최종 접근이 인가된 하강 시 피트단위의 해발고도로 표현되는 가장 낮은 고도를 의미한다.

경미한 개조(Minor alteration) 대개조가 아닌 개조를 의미한다.

경미한 검사 프로그램(Minor repair) 대검사 프로그램이 아닌 검사 프로그램을 의미한다.

낙하산(Parachute) 공기를 통해서 물체의 낙하 속도를 감소시키는데 사용되는 장치를 의미한다.

피치세팅(Pitch setting) 프로펠러 교범에서 규정된 방법에 따라 일정한 반경에서 측정된 블레이드 각에 의하여 결정된 바에 따라 프로펠러 블레이드를 세팅하는 것을 말한다.

수직추력 이착륙기(Powered-lift) 공기보다 무거운 항공기로서 수직 이착륙이 가능하고 저속비행 시에는 비행시간 동안 양력을 주로 엔진구동 양력장치 또는 엔진 추력에 의존하고 수평비행시 양력을 회전하는 에어포일이 아닌(nonrotating airfoil, 회전익항공기) 장치에 의존하여 비행이 가능한 항공기를 의미한다.

예방정비(Preventive maintenance) 복잡한 조립을 필요로 하지 않는 소형 표준 부품의 교환과 단순 또는 경미한 예방 작업을 의미한다.

정격 30초 OEI 출력(Rated 30-second OEI power) 터빈 회전익항공기에 있어, 다발 회전익항공기의 한 개 엔진이 정지한 후에도 한 번의 비행을 계속하기 위하여 Part 33의 적용을 받은 엔진의 운용한계 내에 있는 특정고도 및 온도의 정적 조건에서 결정되고 승인을 받은 제동마력을 말한다. 어느 한 비행에서 매번 30초 내에 3 주기까지의 사용으로 제한되며 이후에는 반드시 검사를 하고 규정된 정비조치를 하여야 한다.

정격 2분 OEI 출력(Rated 2-minute OEI power) 터빈 회전익항공기에 있어, 다발 회전익항공기의 한 개 엔진이 정지한 후에도 한 번의 비행을 계속하기 위하여 Part 33의 적용을 받은 엔진의 운용한계 내에 있는 특정고도 및 온도의 정적 조건에서 결정되고 승인을 받은 제동마력을 말한다. 어느 한 비행에서 매번 2분 내에 3 주기까지의 사용으로 제한되며 이후에는 반드시 검사를 하고 규정된 정비조치를 하여야 한다.

정격 연속 OEI 출력(Rated continuous OEI power) 터빈 회전익항공기에 있어, Part 33의 적용을 받은 엔진의 운용한계 내에 있는 특정고도 및 온도의 정적 조건에서 결정되고 승인을 받은 제동마력을 말하는 것으로 다발 회전익항공기의 한 개 엔진이 정지한 후에도 비행을 완료하기 위하여 필요한 시간까지로 사용이 제한된다.

정격최대연속증가추력(Rated maximum continuous augmented thrust) 터보제트 엔진의 형식증명에 있어, 지정된 고도의 표준 대기조건에서 Part 33에 따라 규정된 엔진 운용한계 내에서 분리된 연소실에서 유체가 분사되고 있거나 또는 연료가 연소하고 있는 상태의 정적 조건 또는 비행 조건하에서 결정되고 승인을 받은 제트 추력을 말하는 것으로 사용 상 제한주기가 없는 것으로 승인을 받는다.

정격최대연속출력(Rated maximum continuous power) 왕복엔진, 터보프롭엔진 및 터보샤프트 엔진에 있어, 지정된 고도의 표준 대기조건에서 Part 33에 따라 규정된 엔진 운용한계 내에서 정적 조건 또는 비행 조건하에서 결정되고 승인을 받은 제동마력을 말하는 것으로 사용 상 제한주기가 없는 것으로 승인을 받는다.

정격최대연속추력(Rated maximum continuous thrust) 터보제트 엔진의 형식증명에 있어, 지정된 고도의 표준 대기조건에서 Part 33에 따라 규정된 엔진 운용한계 내에서 분리된 연소실에서 유체 분사나 연료 연소가 없는 상태의 정적 조건 또는 비행 조건하에서 결정되고 승인을 받은 제트 추력을 말하는 것으로 사용 상 제한주기가 없는 것으로 승인을 받는다.

정격이륙증가추력(Rated takeoff augmented thrust) 터보제트 엔진의 형식증명에 있어서, 표준 해면고도 조건에서 Part 33에 따라 규정된 엔진 운용한계 내에서 분리된 연소실에서 유체가 분사되고 있거나 또는 연료가 연소하고 있는 상태의 정적 조건 하에서 결정되고 승인을 받은 제트 추력을 말하는 것으로 이륙 운항 시 5분 이내의 주기로 사용이 제한된다.

정격이륙출력(Rated takeoff power) 왕복엔진, 터보프롭 엔진 및 터보샤프트 엔진의 형식증명에 있어, 표준 해면고도 조건에서 Part 33에 따라 규정된 엔진 운용한계 내에서 정적 조건 하에서 결정되고 승인을 받은 제동마력을 말하는 것으로 이륙 운항 시 5분 이내의 주기로 사용이 제한된다.

정격이륙추력(Rated takeoff thrust) 터보제트 엔진의 형식증명에 있어, 표준 해면고도 조건에서 Part 33에 따라 규정된 엔진 운용한계 내에서 분리된 연소실에서 유체 분사나 연료 연소가 없는 상태의 정적 조건 하에서 결정되고 승인을 받은 제트 추력을 말하는 것으로 이륙 운항 시 5분 이내의 주기로 사용이 제한된다..

기준착륙속도(Reference landing speed) 50ft 높이의 지점에서 규정된 착륙자세로 강하하는 비행기 속도를 말하는 것으로서 착륙거리의 결정에 관한 속도이다.

회전익항공기-하중물 조합(Rotorcraft-load combination) 회전익항공기와 기외하중물 장착장치를 포함한 기외하중물의 조합을 말한다. 회전익항공기-하중물 조합은 Class A, Class B, Class C 및 Class D로 구분한다.

(1) Class A 회전익항공기- 하중물 조합은 기외 하중물을 자유롭게 움직일 수 없으며 투하할 수도 없고 착륙장치 밑으로 펼쳐 내릴 수도 없는 것을 말한다.

(2) Class B 회전익항공기- 하중물 조합은 기외 하중물을 떼어내 버릴 수 있으며 회전익항공기의 운항 중에 육상이나 수상에서 자유롭게 떠오를 수 있는 것을 말한다.

(3) Class C 회전익항공기- 하중물 조합은 기외 하중물을 떼어내 버릴 수 있으며 회전익항공기 운항 중에 육상이나 수상과 접촉된 상태를 유지할 수 있는 것을 말한다.

(4) Class D 회전익항공기- 하중abf 조합은 기외 화물이 Class A, B 또는 C 이외의 경우로서 국토교통부장관으로부터 특별히 운항 승인을 받아야 하는 것을 말한다.

만족스러운 증거(Satisfactory evidence) 감항성 요구조건에 합치함을 보여 주기에 충분하다고 감항당국이 인정하는 문서 또는 행위를 말한다.

해면고도 엔진(Sea level engine) 해면 고도에서만 정해진 정격이륙출력을 낼 수 있는 왕복엔진을 말한다.

소형 항공기(Small aircraft) 최대 인가 이륙중량이 5700 kg(12,500 lbs) 이하인 항공기를 말한다.

이륙 출력(Takeoff power):

① 왕복엔진에 있어서, 표준해면고도 조건 및 정상 이륙의 경우로 승인을 받은 크랭크샤프트 회전속도와 엔진 다기관 압력이 최대인 조건 하에서 결정된 제동마력을 말한다. 승인을 받은 엔진 사양에서 명시된 시간까지 계속 사용하는 것으로 제한된다.

② 터빈 엔진에 있어서, 지정된 고도와 대기 온도에서의 정적 조건 및 정상 이륙의 경우로 승인을 받은 로터 축 회전속도와 가스 온도가 최대인 상태 하에서 결정된 제동마력을 말한다. 승인을 받은 엔진 사양에서 명시된 시간까지 계속 사용하는 것으로 제한된다.

안전이륙속도(Takeoff safety speed) 항공기가 부양한 후에 한 개 엔진 부작동시 요구되는 상승성능을 얻을 수 있는 기준대기속도를 말한다.

안전이륙속도(Takeoff safety speed) 항공기 이륙 부양 후에 얻어지는 기준 대기속도(referenced airspeed)로써 이때에 요구되는 한 개 엔진 부작동 상승 성능이 얻어 질 수 있다.

이륙추력(Takeoff thrust) 터빈 엔진에 있어서, 지정된 고도와 대기 온도에서의 정적 조건 및 정상 이륙의 경우로 승인을 받은 로터 축 회전속도와 가스 온도가 최대인 조건 하에서 결정된 제트 추력을 말한다. 승인을 받은 엔진 사양에서 명시된 시간까지 연속 사용이 제한된다.

탠덤 날개 형상(Tandem wing configuration) 앞뒤 일렬로 장착된, 유사한 스팬(span)을 가지는 2개의 날개 형상을 의미한다.

윙렛 또는 팁핀(Winglet or tip fin) 양력 면으로부터 연장된 바깥쪽 면을 말하며 이 면은 조종면을 가지거나 가지지 않을 수 있다.

1.2 항공기 적용기준(2007년 12월13일 이후 형식증명 항공기)

항공기는 모든 운용조건하에서 불완전한 특징 또는 특성이 나타나지 않아야 한다.

1.2.1 소프트웨어 인증

모든 시스템 소프트웨어 본 기술기준에서 요구하는 안전수준에 적합하고, 계통 내에서 의도하는 기능으로 작동되도록 설계되고, 검증되어야 한다. 소프트웨어의 설계 및 시험은 RTCA/DO-178 또는 EUROCAE ED12에 따른다.

1.2.2 인적요소를 고려한 설계

① 항공기에 대한 정해진 성능을 정할 때에는 인적능력에 대하여 고려하여야 한다. 특히, 운항승무원으로 하여금 예외적인 기량이나 주의를 요하는 것이 없어야 한다.

② 항공기는 승무원, 승객, 견인·정비·급유등 지상 조업자 및 정비사의 능력내에서 안전하게 운용될 수 있도록 인적요소를 고려하여 설계되어야 한다.

③ 항공기, 계기 및 장비품은 인적요소훈련지침서 ICAO Doc 9683 및 ICAO Doc 9758에 따라 인적요소원칙을 고려하여 설계하여야 한다.

1.2.3 비행승무원을 고려한 설계

비행승무원에 의해 안전하고, 효과적으로 조종될 수 있도록 설계되어야 한다.

① 비행승무원의 기술과 생리적인 변수를 포함한 예상되는 비행승무원의 기량으로 운용할 수 있도록 설계할 것

② 고장 및 윈드쉐어 등으로 인한 성능저하를 포함 여러 가지 예상되는 운항상태를 고려할 것

1.2.4 인간공학

다음의 인간공학적 요소들을 고려하여 설계하여야 한다.

① 부주의한 오작동을 방지하고, 사용이 편리하여야 한다.

② 접근성의 용이하여야 한다.

③ 작업환경을 고려하여야 한다.

④ 표준화 및 공용화되어야 한다.

⑤ 정비가 용이하여야 한다.

1.2.5 운용환경 요소

비행승무원의 조종환경을 고려하여 설계하여야 한다.

① 산소의 농도, 온도, 습도, 소음 및 진동 같은 항공의학적 요소에 의한 영향

② 정상비행중의 체력의 영향

③ 고도도 운항에 내한 넝향

④ 육체적 안락성

1.3 형식설계 자료의 유지·보관

국토교통부장관으로부터 형식증명, 부가형식증명 및 기술표준품 형식승인을 받은 자는 해당 항공기 또는 기술표준품이 운용되고 있는 동안 다음 각 호의 설계승인 기록물, 보고서, 도면 및 인증문서를 보관·유지하여야 한다.

① 제품에 적용된 기술기준에 적합함을 입증하고, 형상 정의에 필요한 도면, 사양서 및 도면, 사양서의 목록

② 적용된 기술기준에 적합함을 입증한 분석 및 시험 보고서

③ 항공기, 엔진 또는 프로펠러의 제작에 사용된 정보, 재료 및 공정서

④ 표준최소장비목(MMEL)과 외형변경목록(CDL)을 포함한 비행교범 또는 그와 동등한 문서(해당될 경우)

⑤ 승인된 정비검토위원회보고서(MRBR), 정비프로그램 또는 제작자가 권고하고 국토교통부장관이 인정한 계획정비와 세부 절차가 기술된 정비교범

⑥ 유사성 확인방식으로 동일 형식의 후속 제품에 대한 감항성과 소음특성(적용될 경우)을 판정하는데 필요한 자료

국토교통부장관은 타국의 형식증명에 대하여 승인을 한 경우 다음 각 호의 자료를 보관·유지하여야 한다.

① 항공기, 엔진 및 프로펠러에 승인된 타국의 기술기준과 우리나라 기술기준의 차이점을 허용하는 설계국가에서 발행한 기술서

② 설계국가에서 발행한 항공기, 엔진, 프로펠러 등에 대한 형식증명/설계승인 또는 이와 동등한 문서

③ 감항성개선지시 또는 이와 동등한 모든 문서와 목록

2. 항공운송사업자용 정비프로그램 (Air Carrier Maintenance Program)

항공운송사업자용 정비프로그램 기준(Standards for Air Carrier Maintenance Program)은 항공안전법 시행규칙 제38조에 따라 항공기의 감항성을 지속적으로 유지하기 위한 정비방법을 제공하기 위하여 항공운송사업자의 정비프로그램(Air Carrier Maintenance Program)이 갖추어야 하는 10가지 요소를 설명하는 것을 목적으로 한다. 항공운송사업자용 정비프로그램 기준의 구성은 다음과 같다.

제1장 총칙

제2장 감항성 책임

제3장 항공운송사업자 정비매뉴얼

제4장 정비조직

제5장 정비 및 개조의 수행 및 인가

제6장 정비계획

제7장 필수검사항목

제8장 정비기록 유지시스템

제9장 계약정비

제10장 종사자 훈련

제11장 지속적 분석 및 감시 시스템(CASS)

2.1 총칙

2.1.1 항공운송사업자용 정비프로그램 기준의 적용

항공운송사업자용 정비프로그램 기준은 국제항공운송사업자, 국내항공운송사업자 또는 소형항공운송사업자(이하 "항공운송사업자"라 한다)가 정비프로그램을 운용하고자 할 경우 적용하며, 항공안전법 제23조, 제90조의2 및 같은 법 시행규칙 제38조, 제260조 그리고 국토교통부 고시 운항기술기준 제9장 항공운송사업의 운항증명 및 관리를 근거로 한다.

2.1.2 항공운송사업자 정비프로그램의 인가

항공운송사업자는 항공안전법 제90조의2 및 동법 시행규칙 제262조에 따라 운항증명을 발급받을 때 운영기준(Operations Specifications)을 함께 발급받는다. 이 운영기준에는 항공운송사업자 소속 항공기는 지속감항유지프로그램(CAMP)에 따라 정비하여야 함을 명시하고 있다. 또한, 항공운송사업자는 항공안전법 제93조 및 같은 법 시행규칙 제269조, 제271조에 따라 정비규정을 제정하거나 변경하고자 하는 경우에는 국토교통부장관 또는 관할 지방항공청장(이하 "허가기관"이라 한다)의 인가를 받아야 한다. 이 정비규정에는 항공기의 감항성을 유지하기 위한 정비프로그램이 포함된다.

또한, 항공운송사업자는 정비프로그램을 제정하거나 변경하고자 할 경우에는 정비규정과 함께 운영기준의 제정 또는 개정 신청을 허가기관에 하여야 한다. 허가기관은 해당 항공운송사업자의 정비프로그램을 정비규정의 일부로서 인가하고 운영기준에 이를 반영하여 제정 또는 개정하여 승인한다.

2.1.3 항공운송사업자 정비프로그램의 목적

항공운송사업자의 정비프로그램은 적용되는 항공기와 항공기의 모든 부속품이 의도된 기능을 발휘할 수 있도록 보증하고, 항공운송에 있어서 가능한 최고의 안전도를 확보하는 것을 목적으로 하며, 다음 3가지의 세부 목표가 반영되어야 한다.

 (1) 항공운송용 항공기는 감항성이 있는 상태에서 항공에 사용되어야 하고, 항공운송을 위하여 적합하게 감항성이 유지되어야 한다.
 (2) 항공운송사업자가 직접 수행하거나 타인이 대신하여 수행하는 정비 및 개조는 항공운송사업자의 정비규정을 따라야 한다.
 (3) 항공기의 정비 및 개조는 적합한 시설과 장비를 갖추고 자격이 있는 종사자에 의해 수행되어야 한다.

항공운송사업자는 정비프로그램의 모든 사항이 효과적이고, 항공운송사업자의 매뉴얼에 따라서 수행되고 있다는 것을 보증하기 위하여 지속적인 감시, 조사, 자료 수집, 분석, 시정조치 및 시정조치의 검증을 모니터하는 시스템을 구축하여야 한다. 여기에서 '효과적'이란 정비프로그램의 목적에 따라 기대한 결과가 성취되고 항공운송사업자가 설정한 기준을 충족하는 것을 의미한다.

2.1.4 항공운송사업자 정비프로그램의 요소

항공운송사업자 정비프로그램은 다음과 같은 10개의 요소를 포함한다.

① 감항성 책임(Airworthiness Responsibility)

② 정비매뉴얼(Maintenance Manual)

③ 정비조직(Maintenance Organization)

④ 정비 및 개조의 수행 및 승인(Accomplishment and Approval of Maintenance and Alteration)

⑤ 정비계획(Maintenance Schedule)

⑥ 필수검사항목(Required Inspection Items)

⑦ 정비기록 유지시스템(Maintenance Recordkeeping System)

⑧ 계약정비(Contract Maintenance)

⑨ 종사자 훈련(Personnel Training)

⑩ 지속적 감독 및 분석 시스템(Continuing Analysis and Surveillance System)

2.2 감항성 책임

2.2.1 항공기 정비책임

항공운송사업자는 운영하는 항공기의 감항성에 대한 일차적인 책임이 있으며, 운영하는 항공기에 대한 모든 정비를 수행할 책임이 있다. 항공운송사업자는 운항증명을 승인받음에 따라, 운영하는 항공기에 대한 모든 정비, 예방정비 또는 개조를 직접 수행하거나, 항공안전법 제97조에 따라 정비조직인증(Approved Maintenance Organization)을 받은 자에게 정비, 예방정비 또는 개조를 위탁할 수 있다. 위탁받은 자는 반드시 항공운송사업자의 지시와 통제를 받아야 하고 항공운송사업자의 정비프로그램을 준수하여야 한다.

항공운송사업자의 항공기에 수행된 모든 작업에 대하여, 항공운송사업자는 그 작업을 자체 정비인력이 수행하였거나 위탁한 자가 수행하였을지라도, 모든 정비와 개조에 대한 수행 및 승인에 대한 일차적인 책임을 갖고 있다. 그러므로 항공운송사업자는 정비가 타인에 의해 수행되었다 할지라도 정비의 수행 및 승인에 대한 일차적인 책임을 갖고 있다.

2.2.2 정비프로그램에 관한 책임

(1) 정비프로그램 또는 검사프로그램의 사용

국내·국제 항공운송사업자는 항공안전법 제93조 및 같은 법 시행규칙 제269조에 따라 항공운송사업자용 정비프로그램을 인가받아 사용하여야 한다. 다만, 소형 항공운송사업자와 항공기 사용사업자는 조직의 규모에 따라 항공기 정비프로그램 또는 항공기 기술기준 부록 D에 따른 항공기 검사프로그램을 선택하여 인가받아 사용할 수 있으며, 그 밖의 비사업용 항공기 소유자 및 국가기관은 제작사가 제공하는 검사프로그램을 선택하거나 개발하여 사용할 수 있다.

(2) 항공운송사업자용 정비프로그램에 관한 책임

정비프로그램을 사용하는 항공운송사업자는 요구되는 정비사항을 정하고, 정해진 정비사항을 수행히어, 항공기의 감항성 여부에 대하여 확인하는 책임이 있다. 항공운송사업자는 정비를 수행하기 위하여 적합한 정비확인자 등을 지명할 수 있는 권한이 있다. 그러나 정비는 정비프로그램과 정비매뉴얼에 따라 수행되어야 한다. 항공운송사업자는 정비의 이행에 대한 책임이 있을 뿐만 아니라 정비규정에 따라 자체 정비프로그램을 개발하고 사용할 책임이 있다. 이를 위하여 정비규정에는 정비프로그램의 관리, 정비수행방법, 필수검사항목 확인에 관한 시스템, 지속적 분석 및 감시 시스템, 정비조직에 대한 설명 및 기타 필요한 사항 등을 정하여 종합적이면서 체계적으로 항공기가 감항성이 있는 상태로 유지될 수 있도록 하여야 한다. 항공운송사업자는 정비프로그램에 관한 최종적인 권한을 갖으며, 운영하는 항공기의 감항성에 대한 단독 책임이 있다.

(3) 항공기 검사프로그램에 관련한 책임

항공기 검사프로그램을 사용하는 항공기 운영자는 항공기를 지속적으로 감항성이 있는 상태로 유지할 책임이 있다. 이들은 기존의 검사프로그램을 선택하고 정비를 위한 검사 계획을 수립할 책임이 있다. 또한, 계획된 검사와 차이가 발생할 경우 이를 수정하여야 한다. 이 항공기 운영자는 자격을 갖추고 인가받은 자가 검사와 정비를 수행하도록 하여야 한다. 자격을 갖추고 인가받은 자는 제작사의 매뉴얼 또는 인가받은 검사프로그램에 따라 적합하게 정비를 수행하고 항공기를 사용가능상태로 환원(Return to service)할 책임이 있다. 운영자가 직접 정비를 수행하지 않는다면 여기에 대한 책임은 없다. 그러나 운영자는 정비를 수행하는 자가 해당 항공기 정비확인에 대한 정비기록을 적합하게 하였는지 확인할 책임이 있다.

2.3 항공운송사업자 정비매뉴얼

2.3.1 항공운송사업자 정비매뉴얼의 역할

항공운송사업자의 정비매뉴얼은 정비프로그램의 표준화 및 일관성 있는 정비 등을 위해 중요한 역할을 한다.

항공운송사업자 정비매뉴얼에는 정비프로그램에 대한 정의, 설명이 포함되어야 하며, 사용, 관리 및 개정 등을 위한 지침과 절차가 있어야 한다. 정비매뉴얼은 항공운송사업자가 작성한 도서이며, 구성 및 기술적인 사항이 포함된 내용에 대하여는 항공운송사업자가 전적인 책임을 진다. 또한, 정비매뉴얼은 전자도서로 운영될 수도 있다.

2.3.2 항공운송사업자 정비매뉴얼의 주요 구성

항공운송사업사의 정비매뉴얼의 구성은 실용적인 순서로 구성되어야 한다. 정비매뉴얼은 '관리정책 및 절차', '정비프로그램의 관리, 처리 및 이행을 위한 세부 지침' 및 '정비기준, 방법, 기술 및 절차를 서술하는 기술 매뉴얼'과 같이 적어도 3개 또는 그 이상으로 구성된다.

(1) 관리정책 및 절차

관리정책 및 절차는 항공운송사업자 정비프로그램을 구성하고, 지시하고, 개정하고, 통제하기 위한 처리지침 및 관리를 위한 부분이다.

조직상의 부서와 각 직원의 역할, 상호관계 및 권한을 도면으로 보여주는 조직도는 일반적으로 이 부분에 명시된다. 여기에는 정비조직 내에 있는 각 직책에 대한 설명, 임무, 책임 및 권한이 나열되어 있어야 한다. 권한과 책임에 대한 속성에 대하여는 누가 전반적인 권한과 책임을 갖고 있는지, 누가 권한과 책임에 대한 지시를 받는지 알 수 있어야 한다.

(2) 정비프로그램의 관리, 처리 및 이행을 위한 세부 지침

정비프로그램은 정비시간의 한계, 기록유지, 정비프로그램의 관리감독, 계약정비의 관리감독 및 종사자 교육과 같은 각 정비프로그램 요소의 다양한 기능과 상호관계에 대한 세부적인 절차가 수록된다.

일반적으로 정시정비작업에 대한 설명, 정비작업 수행을 위한 절차상 정보 및 세부 절차를 포함하여야 한다. 또한, 시험비행 수행 기준과 필요한 절차상의 요건, 그리고 낙뢰, 꼬리동체하부 지면접촉, 엔진온도 초과 및 비정상 착륙 등과 같은 비계획 점검에 대한 기준과 절차상의 정보를 포함하여야 한다.

(3) 정비 기준, 방법, 기술 및 절차를 서술하는 기술적 자료

특정 정비작업을 이행하기 위한 세부적인 절차를 다룬다. 항공운송사업자는 방법, 기법, 기술적 기준, 측정, 계측 기준, 작동시험 및 구조 수리 등에 대한 설명을 포함하여야 한다.

또한, 항공운송사업자는 항공기 중량과 평형, 들어 올림(Jacking, Lifting)과 버팀목 사용(Chocking), 저장, 추운 날씨에서의 작동, 견인, 항공기 지상주행, 항공기 세척 등에 대한 절차도 포함하여야 한다. 항공운송사업자는 제작사 매뉴얼 등을 참조하여 항공운송사업자 자체의 매뉴얼을 만들 수 있다. 그러나 항공운송사업자는 경험, 조직 및 운항환경에 맞추어 정비프로그램의 계속적인 유지할 수 있도록 정비매뉴얼을 지속적으로 개정하고 항공운송사업자의 체계에 맞추어 나가야 한다.

정비행위가 항공운송사업자 매뉴얼에 부합하는지를 확인하는 수단을 제공하는 한편 정비행위를 체계화시키고 통제하는 데 사용되는 구체적이고 간결한 절차 지침을 제공한다. 항공운송사업자의 정비작업 기록유지에 대한 요건에 부합하기 위한 수단을 제공하여 정비행위를 기록하도록 한다. 이 기능은 데이터 수집과 분석을 위하여 검사, 점검 및 시험 결과를 기록(문서화)하는 것이다.

2.3.3 작업카드(work cards)

작업카드는 법적으로 갖추어야할 요건은 아니지만, "최선의 실무 수행 방법"의 하나로써 작성된다.

작업카드는 항공운송사업자의 정비매뉴얼 또는 항공운송사업자 정비프로그램의 한 부분으로 간주된다. 이들은 감항성에 대한 책임의 한 부분으로서 무엇을 할 것인가, 어떻게 이것을 할 것인가에 해당한다. 작업카드는 정비작업에 대한 기록유지 방법뿐만 아니라 정비작업 수행을 법령에 부합하도록 하기 위한 수단으로 사용된다. 작업카드의 주요 기능은 다음과 같다.

● 정비행위가 항공운송사업자 매뉴얼에 부합하는지를 확인하는 수단을 제공하는 한편 정비행위를 체계화시키고 통제하는데 사용되는 구체적이고 간결한 절차 지침을 제공한다.

● 항공운송사업자의 정비작업 기록유지에 대한 요건에 부합하기 위한 수단을 제공하여 정비행위를 기록하도록 한다. 이 기능은 데이터 수집과 분석을 위하여 검사, 점검 및 시험 결과를 기록(문서화)하는 것이다.

2.4 정비조직

2.4.1 정비조직의 필요성 및 역할

항공운송사업자는 정비프로그램을 수행, 감독, 관리 및 개정할 수 있는 조직, 소속 정비직원에 대한 관리와 지도를 하는 조직, 그리고 정비프로그램의 목적을 완수하기 위해 필요한 지침을 내리는 조직을 갖출 필요가 있다.

항공운송사업자의 매뉴얼에는 조직도와 정비조직에 대한 설명이 포함되어야 한다. 이들 조직에 대한 규정은 항공운송사업자의 조직뿐만 아니라 항공운송사업자를 위하여 정비 서비스를 제공하는 다른 조직에도 적용된다. 조직도는 권한과 책임에 대한 전반적인 담당과 지휘체계를 보여주는 좋은 방법이다.

2.4.2 정비조직의 필수 관리자

「운항기술기준」 제9장에는 필수 관리자로서 정비본부장(Director of Maintenance)과 품질관리자(Quality Manager)를 포함하여 항공운송사업자의 정비조직 관리자의 직책에 대한 구체적 요건이 수록되어 있다.

항공운송사업자는 필수 관리자로서 정비본부장과 품질관리자, 또는 이와 동등한 직책을 두어야 한다. 그러나 이 직책이 정비부문을 관리하고 운영하기 위하여 필요한 관리직의 전부는 아니다.

① 필수 관리자는 충분한 자격과 경험을 갖추고 전임(Full-time)으로 근무하는 자이어야 한다.

② 항공운송사업자의 운영기준(Operations Specifications) Part A에는 이러한 필수 관리자 등 정비조직의 주요 보직자의 이름, 주소가 기재되어 있어야 하며, 정비매뉴얼에는 그들의 임무, 책임[1] 및 권한 권한[2]에 대하여 구체적으로 기술하여야 한다. 또한 이러한 필수 관리자가 바뀌거나 공석이 되었을 때는 국토교통부장관 또는 관할 지방항공청장에게 통보하여야 한다.

2.4.3 정비조직의 구조 요건

항공운송사업자의 다양한 형태와 규모를 반영하기 위하여 항공운송사업자의 정비조직에 관한 규정은 필연적으로 방대하다. 그러므로 하나의 수행 수단이나 하나의 조직체계로는 모든 항공운송사업자 정비조직에 적용하는 것은 불가능하다.

항공운송사업자는 모든 검사 기능을 포함하여 항공운송사업자의 전반적인 정비프로그램의 관리와 개선을 위하여 전적인 권한과 책임을 갖는 책임관리자(Accountable Manager)로서 한 사람을 임명하거나 보직을 지정하여야 한다.

검사기능(Inspection Functions)과 필수검사기능(Required Inspection Functions)은 정비프로그램의 일부이다. 항공당국은 정비본부장을 항공운송사업자의 정비프로그램을 위한 책임관리자로 임명할 것을 권장한다.

항공당국은 모든 운영이 가장 높은 수준의 안전도로 운영될 수 있도록 항공운송사업자의 정비조직을 3단계의 일반적 조직기능(Organizational Function)으로 갖출 것을 권장한다. 대규모 조직의 항공운송사업자라면 각 단계별로 다른 부서로 구성될 수 있으며, 최소 조직의 경우

---

1 책임(Responsibility)이란 작업(Task)이나 기능(Function)이 성공적으로 수행되도록 보증하는 의무(Obligation)를 말한다. 책임은 작업이나 기능을 수행하는 행위에 대한 책무(Accountability)를 포함한다.

2 권한(Authority)이란 더 높은 수준의 인가를 받지 않고 중요한 정책 또는 절차를 계획하거나 변경할 수 있는 힘을 말한다. 권한(Authority)은 허가(Permission)이다. 이것은 어떤 행위를 하거나 타인에게 행위를 하도록 하는 자율적인 힘과 결합한 권리이다. 고용주가 피고용자에게, 회사가 직원에게, 또는 정부당국이 어떤 기능을 수행하도록 하는 것처럼, 종종 한 사람이 다른 사람에게 행위를 하도록 권한이 부여된다.

이들 기능이 한두 사람에 의해 수행될 수 있다. 일반적으로 이들 3단계 조직기능은 다음과 같다.

① 1단계 조직기능(Operations): 작업(Work)을 수행하는 작업자(Mechanics) 또는 검사원(Inspector)

② 2단계 조직기능(Tactics): 중간관리자(Middle manager)와 감독자(Supervisor)

③ 3단계 조직기능(Strategy): 정비프로그램 책임관리자(Accountable Manager)

항공당국은 항공운송사업자가 전반적인 정비프로그램과 모든 정비프로그램의 요소와 기능 대한 권한과 책임(위임한 책임 포함)을 명확하게 보여주길 원한다. 항공운송사업자는 정비매뉴얼에 각각의 임무와 책임에 대한 설명을 포함하여야 하며, 주어진 요소, 과정 또는 작업에 대하여 누가 책임이 있는지 혼란스럽지 않아야 하고, 높은 위험성을 갖는 조직 시스템은 단절되지 않도록 하여야 한다.

2.4.4 정비본부장(Director of Maintenance)의 요건

정비본부장은 정비기능에 대한 책임을 지며 권한을 가진 담당 관리자이며 전체 정비프로그램과 기타 정비, 예방정비 및 개조 기능에 대한 전반적인 책임을 진다.

항공운송사업자는 정비정책을 규정하고 전반적인 정비프로그램과 정비 조직을 조직, 지휘 및 관리하는데 대한 전체적인 책임과 권한을 갖는 정비본부장을 보임하여야 할 것이다. 항공운송사업자의 정비본부장은 가능한 최상의 안전수준으로 정비작업을 수행하기 위하여 필요한 전체의 인원을 관리하고, 항공법령 및 관련 규정 등에서 정한 기술적인 문제를 해결할 수 있는 능력과 직무지식이 있는 자이어야 한다. 이와 같은 요건은 정비본부장이 감독, 정비업무 수행, 검사 및 항공운송사업자의 항공기와 구성품의 정비확인과 관련한 기본적인 안전 및 책임에 관한 지식이 있어야 함을 보장하기 위한 것이다.

2.4.5 품질관리자(Quality Manager)의 요건

품질관리자는 정비프로그램 중 필수검사 기능에 대한 책임을 진다. 대부분의 조직에 있어서 가장 작은 규모인 경우를 제외하고 품질관리자는 검사 지적사항과 관련한 의견대립에 대한 조정기능을 하는 것 뿐 만 아니라 일반 검사 기능에 대해 위임된 업무의 책임을 진다.

항공운송사업자의 품질관리자는 정비, 예방정비 및 개조 기능을 수행하는데 대한 책임이 있는 관리자의 아래에 있는 조직에 소속되도록 하여서는 아니 된다.

품질관리자는 자격증명을 가진 항공정비사이어야 한다. 이와 같은 기준은 품질관리자가 항공운송사업자의 항공기와 구성품들을 감독하고 검사하는 것과 관련된 고유한 책임에 관한 지식이 있다는 것을 보장한다. 품질관리자의 직위에 대한 기타 모든 법적인 요건들은 항공정비사 자격증명을 가진 자와 같은 기준이다.

2.4.6 검사와 정비부서의 분리·독립

검사부문은 정비조직 내부의 일부분이므로, 검사조직에 대한 법적인 요건은 없다. 항공법 등에는 정비를 "검사, 오버홀, 수리, 저장 및 부품의 교환"이라고 정의하고 있다. 만약 검사부문을 선택한다면, 정비조직의 내부에 하나의 독립된 부서로서 구성하여야 한다.

항공법 등에는 항공운송사업자는 정비, 예방정비 및 개조 행위의 기능으로부터 필수검사기능(Required inspection functions)을 분리하고, 검사, 수리, 오버홀 및 부품의 교환을 포함한 모든 정비기능을 수행하는 조직을 구성하여야 한다. 이 조직 분리는 다른 정비, 예방정비 및 개조 기능의 수행뿐만 아니라 필수검사기능의 전반적인 책임이 있는 관리감독(Administrative control) 단계 아래에 있어야 한다. 정비본부장은 다른 정비(검사 포함), 예방정비 및 개조 기능뿐만 아니라 필수검사기능의 요건에 대하여 전반적인 권한과 책임을 갖고 있다.

2.5 정비 및 개조의 수행 및 인가

2.5.1 정비의 수행

정비를 수행함에 있어서, 항공운송사업자는 정비에 관한 별도의 허가를 받지 않아도 자신의 항공기에 대한 정비를 수행하고 이를 사용가능상태로 환원(Return to service, 이하 "정비확인"이라 한다)할 수 있는 권한이 있다.

항공운송사업자는 정비조직인증을 받아 자신의 정비규정과 정비프로그램에 따라 다른 항공운송사업자의 정비 등을 대신하여 수행할 수 있다. 그러나 이러한 정비행위에 대한 정비확인의 권한은 대신 수행하는 항공운송사업자에게 있지 않다. 즉, 정비행위를 타인에게 위탁하였을지라도 정비확인에 대한 권한은 항공기를 운영하는 자에게 있다.

감항성에 대하여 결정을 내리는 각 개인은 반드시 적합한 자격을 갖고 있어야 한다. 항공운송사업자는 어떤 정비작업을 수행하고자 할 경우 항공정비사 자격증명 소지자가 하도록 하여야 한다.

항공운송사업자는 적합한 항공정비사 자격증명(Certified)을 소지하고, 적합한 교육을 이수(Trained)하여 자격검증(Qualified)이 된 자에게 필수검사항목(RII) 수행 권한을 부여하여야 한다.

항공운송사업자는 정비확인을 수행할 권한의 부여는 적합한 한정을 갖고 있는 항공정비사 자격증명 소지자에게 하여야 한다.

정비본부장과 품질관리자는 기체와 발동기 한정을 갖는 항공정비사 자격증명이 있어야 한다. 이 자격증명 요건은 항공운송사업자의 자격부여 요건이지, 정비작업을 수행하기 위해 필요한 요건은 아니다. 항공기에 수행되는 모든 정비에 대한 정비확인 행위는 운항증명에 따라 항공운송사업자의 정비조직 또는 항공운송사업자가 권한을 부여한 사람에 의해 수행되는 것이며, 개인의 자격증명이나 조직의 인증에 따라 수행하는 것은 아니다.

항공운송사업자가 국외의 인가된 정비업체에 정비수행을 위탁한 경우에는 각 항공종사자 자격요건에 대한 예외사항이 발생한다. 그런 정비업체에는, 직접적으로 정비수행 임무 또는 필수검사 업무를 부여받은 각 개인은 우리나라의 항공종사자 자격증명 소지 요건에 해당하지 않는다.

2.5.2 정비의 범위

(1) 계획정비

계획정비는 정비시간한계에 따라 수행되는 모든 개별 정비작업들로 구성된다. 항공운송사업자의 계획정비 행위에는 정비작업에 대한 절차적인 지침이 포함되어야 하고 검사, 점검, 시험 및 그 밖에 다른 정비 수행의 결과를 기록하는 요건이 포함되어야 한다.

(2) 비계획정비

비계획정비는 계획에 없거나 예측할 수 없는 상황에서 발생한 정비에 대한 절차, 지침, 및 기준들이 포함된다. 계획정비 작업의 결과, 조종사 보고서 및 고하중 발생, 경착륙, 초과중량 착륙, 동체후미 지상접촉(Tail strike), 지상손상, 낙뢰 또는 엔진 과열과 같은 예측하지 못한 사건들의 발생으로 비계획정비가 필요하게 된다.

항공운송사업자의 정비매뉴얼에는 비계획정비 수행과 기록에 관한 지침 및 기준, 모든 형태의 비계획정비의 기록에 대한 세부절차를 포함하고 있어야 한다.

항공기에 드물게 발생하지만 구조적 손상을 줄 수 있는 매우 높은 부하 발생(Very high-load events)에 대한 조치절차(발생 여부 기준, 구조손상에 대한 초도검사 및 추가적인 검사 등을 포함)가 항공운송사업자의 정비매뉴얼에 비계획정비로 포함되어 있어야 한다.

2.5.3 주요 항공기 장비품에 대한 점검 요건

(1) 엔진 정비프로그램

항공운송사업자의 엔진 정비프로그램은 항공운송사업자에서 운용 중인 모든 엔진형식, 즉 항공기에 장착된(installed) 엔진과 장탈된(off-wing) 엔진을 포함하여야 한다.

항공운송사업자의 항공기에 보조동력장치(Auxiliary Power Unit)가 장착되어 있을 경우, 항공운송사업자는 보조동력장치 정비를 항공운송사업자의 엔진 정비프로그램의 일부분으로 포함시킬 수 있다. 일반적으로, 항공기에 장착되어 있는 엔진과 보조동력장치의 요건들은 정비시간한계에 포함되어야 한다.

항공운송사업자 정비매뉴얼의 장탈 엔진에 대한 프로그램은 작업장 정비일정에 대한 정보 또는 엔진·보조동력장치의 각 부품에 요구되는 정비사항으로 세척, 조정, 검사, 시험 및 윤활 등의 주기가 규정되어 있어야 한다.

항공운송사업자 정비매뉴얼은 검사의 정도, 적용할 수 있는 마모 허용치, 엔진 또는 보조동력장치가 작업장에 있을 때 요구되는 작업을 수록하여야 한다.

(2) 프로펠러 정비프로그램

항공운송사업자 프로펠러 정비프로그램은 운용중인 모든 각 모델에 대한 장착된(installed) 프로펠러와 장탈된(off-wing) 프로펠러의 정비를 포함하여야 한다.

일반적으로, 항공기에 장착된 프로펠러 시스템의 계획정비 요건은 정비시간한계에 포함되어야 한다.

항공운송사업자 정비매뉴얼의 장탈 프로펠러에 대한 프로그램은 작업장 정비일정에 대한 정보 또는 프로펠러 시스템에 요구되는 정비사항으로 세척, 조정, 검사, 시험 및 윤활

등의 주기가 규정되어 있어야 한다.

일부 최근 모델의 프로펠러는 복합소재로 제작되어 있어, 전용 공구, 수리절차 및 항공정비사에 대한 전문화된 교육을 요구하기도 한다.

2.5.4 장비품 및 부품 정비프로그램

대부분의 장비품 및 부품 정비프로그램은 작업장(shop) 운영을 포함하며, 계획 또는 비계획 정비업무를 포함할 수 있다.

항공운송사업자는 이들 작업장을 항공기 정비를 수행하는 장소가 아닌 다른 장소에 설치하여 관리할 수도 있다.

항공운송사업자의 장비품 및 부품 정비프로그램은 운용 중인 모든 각 모델에 대한 장착된 부품·장비품 및 장탈된 부품·장비품의 정비를 포함하여야 한다. 일반적으로, 항공기에 장착된 부품·장비품의 계획정비 요건은 정비시간한계에 포함되어야 한다.

항공운송사업자 정비매뉴얼의 장탈 부품·장비품 프로그램은 작업장 정비일정에 대한 정보 또는 프로펠러 시스템에 요구되는 정비사항으로 세척, 조정, 검사, 시험 및 윤활 등의 주기가 규정되어 있어야 한다.

2.6 정비계획

2.6.1 정비계획의 구성 요소

항공운송사업자의 정비계획에는 최소한 다음과 같은 사항이 포함되어야 한다.

(1) 대상(Unique identifier)

대상은 항공운송사업자가 정비하고자 하는 항목의 목록으로 쉽고 정확하게 구별할 수 있는 고유번호(Unique Identifier)가 지정되어야 한다. 다음은 항공운송사업자의 정비계획(정비프로그램)에 포함될 수 있는 정비요목의 예이다.

● 감항성개선지시(Airworthiness Directives)

- 정비개선회보/기술서신(Service Bulletins/Service Letter)
- 수명한계품목(Life-limited items)의 교환
- 주기적인 오버홀 또는 수리를 위한 장비품(Components)의 교환
- 특별검사(Special inspections)
- 점검 또는 시험(Checks or Tests)
- 윤활(Lubrication) 및 서비싱(Servicing)
- 정비검토위원회보고서(MRBR)에 명시된 작업사항(Tasks)
- 감항성한계품목(Airworthiness Limitations)
- 인증정비요목(CMRs)
- 부가적인 구조검사 문서(SSID)
- 전기배선 내부연결시스템(Electrical Wiring Interconnection System, EWIS)

(2) 방법(Task)

방법은 정비요목(Maintenance Task)을 어떻게 수행할 것인가를 말하는 것이다. 계획된 정비요목은 정기적으로 수행하여야 하는 정비행위이다. 이 작업의 목적은 품목(Item)이 원래의 기능을 계속적으로 수행할 수 있도록 보장하고, 숨겨진 결함을 발견할 수 있어야 하고, 숨겨진 기능(Hidden function)의 정상작동 가능 여부를 확인할 수 있어야 한다. 정비계획은 요건에 맞게 수행될 수 있는 교환, 검사 및 시험 등 정비요목의 상태로 표시하여야 한다.

(3) 시기(Timing)

계획정비작업(일시 또는 반복 작업)은 적정 시기/주기에 수행되어야 하며, 시기/주기를 산정하는 데 비행시간, 비행횟수, 경과일수 또는 다른 적정한 단위요소들을 사용할 수 있다.

2.6.2 정비계획(Maintenance schedule)의 운영

종합적인 정비계획은 정확한 작업을 정확한 주기에 수행하는 것을 목적으로 한다. 자주 정비한다고 해서 항상 결과가 좋은 것은 아니므로, 주기를 단축하거나 정비요목을 추가할 때는 다른 정비프로그램 변경과 동일한 판단 과정을 통하여 처리하여야 한다.

Task의 관리, 자재목록 및 심사를 위하여, 항공운송사업자는 정비계획에서 각각의 계획된 정비작업에 해당하는 정비요목(Task) 또는 작업카드(Work card)는 식별번호를 부여(Identify)하여 명확히 확인할 수 있도록 하여야 한다. 이러한 방법은 계획된 정비작업이 일정에 따라 빠짐없이 수행될 수 있도록 한다.

2.6.3 정비시간한계의 결정을 위한 기준

항공운송사업자는 정비시간한계를 결정하는 기준을 갖는 것이 허용된다. 이는 1960년대 미연방항공청(FAA)이 인가한 신뢰성프로그램에 법적인 근거를 둔 것으로서 미항공운송협회(Air Transport Association of America's, ATA)에 바탕을 두고 있으며, 현재는 폐지된 MSG-2(Maintenance Steering Group - 2nd Task Force)의 결정논리에 따라 결함율과 정비하는 각각의 항공기의 부품에 초점을 맞춘 조치방법에 바탕을 두고 있었다.

항공산업의 계속적인 개발에 따라 1980년에 ATA의 정비요목(Task)에 바탕을 두고 있는 MSG-3(Maintenance Steering Group - 3rd Task Force) 개발기법이 도입되었다. MSG-3은 항공기 시스템과 각각의 부품의 결함보다 기능 상실에 초점을 두고 있다.

2.6.4 신뢰성 중심 정비방식(Reliability Centered Maintenance, RCM)

1970년대, 대량의 운용 자료를 수집하여 분석한 결과, 산업계는 결함율과 경보프로그램이 계획정비의 관리를 위한 가장 효율적인 방법이 아니라는 것을 깨달았고 막대한 양의 사용가능한 운용 자료를 활용하여 유나이티드에어라인은 미국 국방부와 신뢰성 중심의 정비방식(Reliability Centered Maintenance: RCM)을 1978년도에 개발하였다.

RCM은 항공기 시스템의 기능의 손실에 초점을 두고 있다. RCM은 모든 결함이 동일한 방법으로 발생하지 않으며, 6가지의 서로 다른 결함형태로 나타나므로 동일한 형식의 정비를 요구하지 않는다고 결론을 내렸으며, 거기에는 계획정비의 4가지의 다른 방식이 있다는 것을 발견하였다.

RCM은 또한, 계획정비가 필요하다고 결정할 때 시스템 기능감소 및 원 설계안전성뿐만 아니라 기능상실의 다른 중요한 요소(안전성, 운항성, 경제성)를 취한다. 어떤 경우, RCM은 계획정비가 요구되지 않는다고 결정함으로서 필요한 정비만 수행할 수 있게 하여 정비의 부담을 많이 줄이는 결과를 가져왔다.

2.6.5 MSG-3 결정논법(MSG-3 Decision Logic)

신뢰성 중심의 정비방식은 1980년 미국항공운송협회(ATA)의 MSG-3 결정논법(Decision logic) 개발을 위한 중요한 기반이 되었으며, 이후 대부분 항공기 제작은 계획정비요건을 개발하는 데 도움을 주는 ATA의 MSG-3 결정논법을 사용하였다.

MSG-3 진행의 기본적인 특성은 사용자가 계획정비작업(Task)의 필요를 결정하는 데 필요한 운용자료 없이도 초기의 계획정비 요건을 개발할 수 있다는 것이다. MSG-3 결정논법의 기법을 사용하면 초기 계획정비프로그램에 무슨 작업이 포함되어야 하는지 공정하고 간단하게 결정할 수 있다. 그러나 MSG-3 결정논법에는 사용자가 Task의 주기를 설정하거나 운용개시 후 초도 값을 조절하는 데 도움을 줄 수 있는 작업주기선택 결정논법이 포함되어 있지 않다.

MSG-3을 이용한 초기 Task의 주기는 설계의 지식과 워킹그룹요원의 가장 좋은 판단을 바탕으로 설정된다. MSG-3에 따라 초기 주기의 설정은 원래 가장 좋은 예측에 따른다. 그 결과로, 초도주기(Initial interval) 선정의 확인은 초도주기 설정이 불가능한 항공기 운용을 시작하기 전과 운용 자료를 생성하기 전에 실시되어야 한다.

2.6.6 통합된 계획정비 작업 단위 설정 방법

항공운송사업자는 각각의 정비작업들을 통합된 계획정비 작업 단위로 구분함으로써 개별 계획정비 작업들의 행정과 관리를 단순화 할 수 있다. 가장 높은 빈도로 요구되는 점검들 또는 작업 단위들은 특수 장비 또는 시설을 필요로 하지 않는 단기간의 정비작업들의 단위들이다.

일반적으로 "A", "B", "C" 등과 같이 주기에 따라 문자(Letter)로 표기되는 보다 복잡한 작업 단위들은 대개 연속적으로 보다 긴 주기로 계획된다. 일부 점검 단위들은 이전 점검에 의하여 처리되던 모든 작업을 포함하고 해당 점검 주기에 지정된 정비작업들을 합하여 설정될 수 있다. 따라서 각 연속되는 주기점검들은 보다 많은 인원, 기술 및 특수 장비 또는 시설이 요구될 수 있다.

항공운송사업자들은 관례적으로 주기점검에 대한 기간을 비행시간 또는 비행횟수로 표현하여 왔다. 그러나 많은 항공기 형식에 대한 정비계획 편의와 용이성을 목적으로, 항공운송사업자는 이들 주기를 항공기 일일 평균 사용시간에 기초하여 독립적인 날짜주기로 변환할 수도 있다. 만약 이러한 변환을 한다면, 항공운송사업자의 주기점검은 정비작업들을 하루, 일주일 또는 한 달에 한 번 등으로 수행하도록 포함시켜야 한다.

날짜주기를 사용하기 위하여, 항공운송사업자는 날짜주기가 해당 항공기의 평균 일일 사용빈도의 유효성이 유지되는지를 확인하기 위하여 항공기 사용빈도(Utilization)를 감시하여야 한다. 이는 단일 주기점검에 날짜, 횟수 및 시간으로 통제되는 정비작업들이 포함될 때 특히 중요하다.

항공운송사업자는 정비 인시수(Labor-hour)의 소비가 많고 한 달 또는 그 이상 동안 항공기의 운항을 중단해야 하는 "C"점검 및 "D"점검의 상당한 부담, 간헐적인 운항중단에 직면하기를 원하지 않을 수 있다. 대신에 항공운송사업자는 해당 "C" 및 "D" 점검 작업들을 보다 빈번한 주기점검들로 적절히 나눌 수 있다. 이러한 방법을 사용하면, 비록 동일한 주기점검을 위하여 수행된 실제 정비작업들이 첫 번째와 그 다음번에 크게 바뀔 수 있다 하더라도, 항공기가 장기간 운항이 중단되지 않으면서 실제 계획된 정비작업의 업무 부담은 상대적으로 일정하게 된다. 예를 들어, 수행 주기는 길지만 작업 소요 시간이 오래 걸리지 않는 정비작업은 짧은 주기의 주기점검 중의 어느 한 점검주기에 할당하되 이러한 점검의 매 2번째 점검주기 또는 4번째 점검주기에 계획할 수 있다. 반대로 특별히 소요시간이 긴 정비작업들의 그룹은 동일 명칭의 연속적인 주기점검들(1A, 2A, 3A, 등.) 중에 배분할 수 있다. 반면 독립적인 정비작업들은 주기점검 지명에 관계없이 가장 가까운 점검 시간에 계획될 수 있다.

결과적으로, 동일 문자점검이라도, 수행되는 실제 정비작업들은 항공기의 첫 번째 계획점검 때와 두 번째 점검 때에 크게 다를 것이다. 그러므로 주기점검의 명칭은 "1A", "3A", "1B", "4B", "1C", "2C", "4C", "8C" 등으로 표기할 수 있다.

2.6.7 경년 항공기(Aging Aircraft) 정비프로그램

항공사는 경년항공기에 대하여 제작사가 마련한 다음 각 호의 경년항공기 정비프로그램을 항공사 정비프로그램에 포함하여 국토교통부장관에게 인가를 받아야 한다.

① 부식방지 및 관리프로그램(Corrosion Preventive and Control Program)

② 기체구조에 대한 반복점검프로그램(Supplemental Structural Inspection Program)

③ 기체 구조부의 수리·개조 부위에 대한 점검프로그램(Aging Aircraft Safety Rule)

④ 동체 여압부위에 대한 수리·개조 사항에 대한 적합여부 검사(Repair Assessment Program)

⑤ 광범위 피로균열에 의한 손상(Widespread Fatigue Damage) 점검프로그램

⑥ 전기배선 연결체계 점검프로그램(Electrical Wire Interconnection System)

⑦ 연료계통 안전강화 프로그램

항공사는 경년항공기 운용 중 발생한 고장, 기능불량 등에 대한 분석결과를 검토하여 정비주기 단축, 점검신설 또는 점검강화 조치를 하여야 하며, 신뢰성관리지표(안전지표)를 등록기호별로 설정하고 운영하여야 한다.

2.7 필수검사항목(Required Inspection Items, RII)

항공운송사업자는 필수검사항목(RII)을 지정해야 한다. 이 필수검사항목은 정비가 부적절하게 수행되거나 혹은 부적절한 부품이나 자재를 사용하여 정비를 수행할 경우 고장, 기능불량 또는 결함으로 항공기의 계속적인 안전한 비행과 이착륙에 위험을 초래할 수 있는 최소한의 정비작업들을 말한다. 정비작업을 자체수행 또는 위탁 수행한 경우, 이들 필수검사항목에 대한 검사를 수행하는 것은 항공운송사업자의 권한이다. 항공운송사업자는 정비매뉴얼을 통하여 이를 마련하고 문서화 하여야 한다. 규정을 충족하기 위해, 필수검사항목을 위탁하여 수행하였더라도 수행에 대한 일차적인 책임은 항공운송사업자에게 있다.

필수검사항목은 비행안전에 직접적으로 관련되어 있다. 필수검사항목은 비행안전과 동일하게 간주되며, 시간이 부족하거나 불편한 장소에서 계획 또는 불시에 작업이 실시되어 비행계획에 부정적인 영향을 줄지라도 각각의 필수검사항목은 반드시 수행되어야 함을 강조하는 것이다.

2.7.1 필수검사항목 검사절차, 기준 및 한계

정비매뉴얼에는 항공운송사업자의 자체 정비조직 및 위탁 수행하는 다른 조직 내에 소속한 RII 검사원의 명단과 권한을 부여하는 절차가 있어야 한다.

각각의 RII 검사원은 적합한 자격증명을 갖고 있어야 하며, 항공운송사업자는 자격요건을 평가하여 임명하여야 하고, 필수검사항목의 검사를 수행하려고 할 때 자격을 부여하여서는 아니 된다. 이것은 항공운송사업자의 자격부여 요건이며, 이들 RII 검사원에게 인가사실과 권한의 범위를 공식적으로 통보하여야 한다.

항공운송사업자는 작업양식, 작업카드, 기술지시서 및 정비프로그램을 충족시키기 위한 서류 등에 필수검사항목 요건을 명확하게 명시하여야 한다. 필수검사항목 검사기능의 기본적인 개념은 작업항목을 수행하는 사람이 작업항목의 검사를 수행하는 사람이 아니어야 한다는 것이다. 그러므로 필수검사항목으로 명시한 항목은 필수검사항목으로서의 검사가 요구된다는 것을 모든 사람이 알고 있어야 하는 것이 중요한다.

항공운송사업자는 요구되는 검사의 수행을 위한 필요한 절차, 기준 및 한계를 갖고 있어야 한다. 항공운송사업자는 또한 각 필수검사항목 수행의 인정과 거절에 대해 필요한 절차, 기준 및 한계를 갖고 있어야 한다. 항공운송사업자는 필수검사항목 또는 기준, 절차 및 한계가 OEM(Original Equipment Manufacturer) 매뉴얼에 있어서는 아니 되며, 반드시 항공운송사업자가 개발하여 설정한 정비매뉴얼에 있어야 한다.

항공운송사업자는 검사부서의 감독자 또는 필수검사항목의 검사 및 정비·개조 기능 양쪽에 관한 총괄책임자 이외에는 필수검사항목에 대한 검사원의 판단을 변경할 수 없음을 보장하는 절차를 정비매뉴얼에 수립하여야 한다. 이는 항공운송사업자를 대신하여 정비를 수행하는 위탁 정비업자에게도 동일하게 적용된다.

2.7.2 필수검사항목에 대한 조직의 요건

필수검사기능에 초점을 둔 조직의 요건이 구체적으로 규정되어 있어야 한다. 항공운송사업자는 필수검사항목에 대한 기능을 수행하기 위하여 별도로 조직을 구성할 필요가 있다. 이러한 조직 분리는 필수검사항목 기능과 다른 정비, 예방정비 및 개조의 귀속은 전반적인 책임이 있는 관리감독의 수준(level of administrative control) 아래에 있어야 한다. 이는 항공운송사업자의 정비, 예방정비 및 개조 작업을 수행하는 조직은 항공운송사업자의 필수검사항목 기능을 수행하는 부문과 같은 조직에 있을 수 없다는 것을 의미한다.

대규모 정비조직의 경우 필수검사항목 기능은 오로지 필수검사항목 기능만 수행하는 한 조직에 있을 수 있다. 다시 말하면 필수검사항목 기능의 수행은 다른 일반검사기능의 수행과는 별개로 분리되어 수행되어야 한다. 소규모 조직의 경우 필수검사항목 기능은 한 두 사람에게 책임지게 할 수 있다. 이는 필수검사항목에 대한 업무가 매일 발생하지 않기 때문이다.

2.8 정비기록유지 시스템

2.8.1 정비기록의 작성 및 유지의 필요성

항공운송사업자는 운용중인 항공기가 신규 감항증명을 받은 이후 감항성을 지속적으로 유지하고 있다는 것을 입증하기 위하여 인가받은 정비프로그램에 따라 점검을 수행하고 그 결과를 작성·유지하여야 한다.

감항증명은 정비와 개조가 항공법의 요건에 따라 수행되는 한 계속 유효하다. 항공법에서 요구된 항공기 정비기록이 불완전하고 부정확한 경우 감항증명이 유효하지 않게 될 수 있다. 대부분의 경우 정비행위들은 일이 끝나면 실체가 없는 무형의 것이 된다. 그러므로 정비행위를 실체화하기 위해서 소유자등은 정비행위에 대하여 정확히 기록하여야 한다.

2.8.2 인증 받은 정비조직(AMO)에서 수행한 작업

인증 받은 정비조직은 「운항기술기준」에 따라 정비 등을 수행하였음을 증명하는 기록을 유지하여야 한다. 또한 이 조항은 인증 받은 정비조직이 항공당국이 정비기록물을 열람할 수 있게 하여야 함을 요구하고 있다. 그러나 이 조항은 인증 받은 정비조직이 항공운송사업자의 항공기에 수행한 작업에 대하여 적용하기 위한 것은 아니다.

인증 받은 정비조직이 항공운송사업자의 항공기에 대하여 정비 또는 개조를 수행할 때에는 항공운송사업자의 정비프로그램과 정비매뉴얼의 절차와 요건을 따라야 한다. 그러므로 인증 받은 정비조직은 자신의 매뉴얼 대신 반드시 기록유지요건을 포함하여 항공운송사업자의 정비 등에 관한 수행기준을 따라야 한다.

기록유지요건에 따른 기록유지 책임은 인증 받은 정비조직이 아니라 항공운송사업자에게 있다. 인증 받은 정비조직은 법령에 따라 항공운송사업자의 항공기에 대한 정비작업을 수행하면서 생산된 작업기록의 사본을 보관하여야 한다. 또한, 법령에 따라 항공운송사업자가 정비조직에게 항공운송사업자의 정비기록을 맡길 수도 있지만 그 기록을 유지하고 항공당국이 열람할 수 있게 하는 것은 항공운송사업자의 책임이다.

2.8.3 부적절한 정비기록 유지에 대한 처벌

항공운송사업자는 자신의 항공기의 감항성을 판단하는데 책임을 져야 하고, 항공당국은 항공기의 감항성과 안전한 상태를 판단하는 직접적인 수단으로 항공기 정비기록을 심사하는데 이용하기 때문에 정비기록은 매우 중요하다.

정비기록의 심사는 필수정비의 수행여부를 판단하는 유일하고 직접적인 수단이므로, 고의적으로 항공운송사업자의 항공기 정비기록을 위조, 문서 훼손, 또는 변경하는 행위뿐만 아니라 고의로 기록하지 않거나 유지하지 않는 행위는 불법행위로 간주하여 행정처분 또는 사법처리 될 수 있다.

2.8.4 기록유지 요건

항공운송사업자는 요구되는 항공기 정비기록을 위하여 기록유지시스템(Recordkeeping system)을 갖추고 이를 사용하여야 한다. 항공운송사업자의 정비매뉴얼에는 시스템 사용에 대하여 규정하고 있어야 한다. 이러한 시스템의 목적은 운송용 항공기의 정비기록을 정확하고 완전한 생성, 보관 유지 및 복구하는데 있다. 이와 같이, 정비기록은 항공기에 발급된 감항증명서가 유효하고, 항공기가 감항성을 유지하고 있으며 안전한 비행이 가능함을 입증한다.

항공운송사업자는 유지해야할 각각의 기록, 문서의 위치를 알 수 있는 목록과 이러한 기록, 문서 및 보고서에 대한 책임자를 알 수 있도록 목록을 유지하여야 한다.

항공운송사업자는 적용되는 감항성개선지시(AD)의 최신 현황자료를 유지해야 하며, 여기에는 시한과 수행방법, 반복인 경우 주기와 차기 시한 정보가 포함되어 있어야 한다.

2.8.5 항공당국의 기록열람

항공당국은 항공운송사업자의 정비기록 열람을 언제든지 요구할 수 있으며, 항공운송사업자는 이를 허용하여야 한다.

항공운송사업자는 항공당국의 요구에 따라 정비기록, 문서 또는 보고서를 제공할 책임을 가진 자를 지정하여야 한다. 또한 각각의 기록, 문서 또는 보고서의 위치에 관한 목록을 만들어 두어야 하며, 이를 최신의 상태로 유지하여야 한다. 이 목록은 항공운송사업자의 주 운영기지에 비치하여 항공당국이 열람할 수 있도록 하여야 한다.

2.8.6 기록 요건

항공운송사업자는 현황 기록물을 유지하고 있어야 한다. 현황을 유지하여야 하는 내용은 다음과 같다.

(1) 총 사용시간

항공기 기체, 장착된 각 엔진과 장착된 각 프로펠러의 총 사용시간(total time in service)은 제작 또는 재생[3]이후 누적된 사용시간의 기록을 의미하며 시간, 착륙횟수 또는 사이클로 표현된다.

(2) 각 수명한계품의 현황

각각의 항공기 기체, 엔진, 프로펠러 및 장비품의 수명한계부품(life-limited parts)의 현황[4]은 최소한 다음의 사항이 포함된 기록을 의미한다.

① 적절한 파라미터(시간, 횟수, 날짜)로 표시한 제작이후 사용시간

② 적절한 파라미터(시간, 횟수, 날짜)로 표시한 특정 수명한계까지 남아있는 사용시간

③ 적절한 파라미터(시간, 횟수, 날짜)로 표시한 특정 수명한계

④ 부품의 수명한계를 변경한 조치나 수명한계의 파라미터 변경에 대한 기록

(3) 오버홀 이후 시간

마지막 오버홀 이후 시간(time since last overhaul)[5]은 최소한 다음의 정보가 포함된 기록을 의미한다.

① 오버홀이 요구되는 품목의 식별과 이와 관련 계획된 오버홀 주기

② 마지막 오버홀이 수행된 이후 사용시간

③ 차기 계획된 오버홀까지 남아있는 사용시간

④ 차기 계획된 오버홀을 수행할 때의 사용시간

(4) 최근 항공기 검사 현황

항공기의 최근 검사 현황은 최소한 다음의 정보가 포함된 기록을 의미한다.

---

3 재생(Rebuilt)은 오버홀과는 다른 의미를 갖는다.

4 회전익 항공기의 경우 총 사용시간과 수명한계품의 현황에 로터를 포함한다.

5 마지막 오버홀 이후 시간을 목록화하는 것은 요약정보현황을 말한다. 이를 오버홀 기록과 혼동해서는 안된다. 오버홀 기록은 항공에 사용을 위하여 수행된 작업과 수행 및/또는 승인한 자를 명시한 기록을 의미한다.

① 항공기 정비프로그램이 요구한 각 계획된 검사 패키지와 각 작업과 이에 해당하는 주기의 목록

② 항공기 정비프로그램이 요구한 각 계획된 검사 패키지와 각 작업의 최종 수행 이후 누적된 사용시간

③ 항공기 정비프로그램이 요구한 각 계획된 검사 패키지와 각 작업의 차기 수행까지 남아있는 사용시간

④ 항공기 정비프로그램이 요구한 각 계획된 검사 패키지와 각 작업의 차기 수행할 때의 사용시간

(5) 감항성개선지시 이행 현황

적용되는 감항성개선지시(AD)의 이행 현황에는 최소한 다음의 정보가 포함된 기록이 있어야 한다.

① AD가 적용되는 특정 항공기 기체, 엔진, 프로펠러, 장비품 또는 부품의 식별

② AD 번호 (및/또는 발행당국의 개정번호)

③ 요구된 작업이 완료되어야 하는 날짜와 적절한 파라미터(시간, 횟수, 날짜)로 표현된 사용시간

④ 반복 수행하여야 하는 AD의 경우, 차기 수행날짜와 적절한 파라미터(시간, 횟수, 날짜)로 표현된 사용시간

⑤ AD에 관하여, AD요구사항을 이행하기 위한 조치의 간결한 설명을 이행수단(Method of Compliance)이라 한다. AD 또는 이에 관련된 제작사의 정비개선회보(SB)가 하나 이상의 이행수단을 허용할 경우, 작업 기록에는 이행수단으로 사용된 문서를 반드시 포함해야 한다. 운영자가 해당 AD 이행을 위해 다른 대체수행방법(AMOC)을 사용하고자 할 경우, 그 이행수단은 대체수행방법에 대한 설명과 항공당국의 승인 사본을 의미한다.[6]

(6) 각 항공기 기체, 엔진, 프로펠러 및 장비품의 최신의 대개조 목록

이 기록 목록은 최소한 다음의 정보가 포함되어야 한다.[7]

① 장착된 부품을 포함한 대개조 현황 목록[8]

---

6 AD이행현황 또는 이행수단을 목록화하는 것과 AD수행 기록과 혼동하지 않아야 한다. AD수행 기록은 항공에 사용을 위하여 수행된 작업과 수행 및/또는 승인한 자를 명시한 기록을 의미한다.

7 회전익 항공기의 경우 각 로터에 대한 대수리 및 대개조도 포함시켜야 한다.

8 대개조 현황을 목록화 하는 것은 최신의 요약정보현황을 말한다. 이 목록을 대개조 보고서와 혼동해서는 안된다. 대

② 대개조에 사용된 항공당국의 승인을 받은 기술자료, 참고자료 및 대개조의 설명

(7) 감항성 인증서의 발행요건을 충족함을 보여주는데 필요한 기록

이 기록은 항공기 정비기록의 일부가 아닌 감항성 인증서(Airworthiness Release Form)의 사용을 뒷받침해준다. 이들 기록에 대한 법적인 요건은 없지만 일반적으로 다음의 내용을 인정한다.

① 동등한 범위와 상세 작업 기록으로 대신할 수 없는 모든 계획정비의 상세 기록

② 오버홀이 요구되는 품목에 대한 최종 오버홀 상세 기록[9]

③ 최근 항공기 운항에 적용된 감항성 인증서 사본

2.8.7 그 밖의 요구되는 기록 및 보고

항공운송사업자는 이 부록에서 거론한 보고서와 기록을 유지하여야 한다. 항공운송사업자는 이들 보고서와 기록을 정비매뉴얼의 정비부문 충족성과 정비프로그램의 유효성을 판단하여 항공운송사업자의 운영 상태를 검토하는 자료로 활용할 수 있다. 이러한 기록은 항공운송사업자의 CASS에 관한 여러 정보 중의 하나이다. 항공당국은 항공운송사업자의 정비프로그램에 따른 조치에 대한 지속감독을 위하여 이들 보고서를 사용한다.

(1) 정비일지

보고되거나 확인된 고장 또는 결함에 책임 있는 조치를 취한 사람은 이들 조치사항을 탑재용 항공일지에 기록하여야 한다. 또한 항공운송사업지는 기장이 비행 중 발견한 모든 기계적 문제점을 비행시간이 끝나는 시점에 탑재용 항공일지에 확실히 기록하도록 조치하여야 한다.

(2) 감항승인서 또는 항공일지 기록

① 항공운송사업자는 항공기에 정비 등을 수행한 경우 항공에 사용승인(Return to service)을 위해 확인하는 행위로써 감항승인서 또는 항공일지에 기록을 하여야 한다. 특히 운송용 항공기의 경우 수행된 정비, 예방정비 또는 개조 등의 기록을 항공기

개조 보고서는 수행된 작업의 설명, 대개조를 수행하기 위해 사용된 항공당국의 승인을 받은 기술자료의 설명, 수행 및/또는 승인한 자를 명시한 기록을 의미한다. 이 목록을 항공당국에게 대개조의 보고서 사본을 제출하여야 하는 요건과 혼동하여서는 안된다.

9 AD 수행 기록에는 오버홀 기록을 포함시킬 것을 요구하지 않는다. 최신 AD현황 기록은 오버홀 기록과 분리하여 유지할 것을 권장한다.

를 운용하기 전에 감항승인서 또는 항공일지에 기록할 수 있는 준비가 되어 있어야 한다.

② 항공운송사업자의 정비확인을 위한 승인서와 문서는 하나의 요건이지만 다음 2가지의 방법으로 이를 수행할 수 있다.

● 감항 승인서를 작성하여 이를 기장에게 준다. 이 경우 탑재용 항공일지에 기록하지 않아도 되지만 탑재용 항공일지와는 별도로 보관되어야 한다. 현대의 환경상 감항 승인서를 사용하는 것보다 탑재용 항공일지에 기록하는 것이 편리하다. 감항 승인서를 사용하는 것과 탑재용 항공일지에 기록하는 것은 형식적인 차이 외에는 법적 또는 기술적인 차이점은 없다.

● 탑재용 항공일지에 기록한다. 이 경우 감항 승인서를 작성할 필요는 없다. 극히 일부의 항공운송사업자는 감항 승인서를 분리하여 사용하고 있다.

③ 항공운송사업자는 적합한 자격증명이 있고 개인별로 임명된 자가 정비프로그램에 따라 항공에 사용승인을 위하여 탑재용 항공일지에 서명할 수 있는 권한이 있다는 진술문을 항공운송사업자의 정비매뉴얼에 포함시킬 수 있다. 이런 승인된 서명은 진술문의 재기록 없이 항공기의 항공에 사용승인에 대한 네 가지의 상태에 대하여 확인한 행위가 된다. 항공운송사업자는 감항 승인서 또는 탑재용 항공일지의 기록 절차를 항공운송사업자의 정비매뉴얼에 정하고 있어야 하며, 공익을 위해 최고의 안전성을 고려한 다음의 4가지 내용이 포함되어 있어야 한다.

● 이 작업은 항공운송사업자의 정비매뉴얼의 요건에 따라 수행되었음

● 검사가 필요한 모든 항목은 그 작업이 만족하게 완료되었는지 판단할 수 있는 권한을 인가받은 자에 의해 검사되었음

● 항공기의 감항성이 상실될 수 있는 상태는 없음

● 수행된 지금까지의 작업으로 항공기는 안전하게 운항할 수 있는 상태에 있음

감항 승인서 또는 탑재용 항공일지의 기록은 반드시 항공운송사업자가 감항 승인서 또는 탑재용 항공일지에 기록, 서명할 수 있는 권한을 부여받은 적합한 자격증명이 있는 자의 서명이 있어야 한다.[10][11][12]

---

10 감항승인서 또는 탑재용항공일지는 반드시 운항증명 승인에 따라 인가된 정비사가 항공운송사업자를 대신하여 수행하여야 한다.

11 항공운송사업자가 권한을 위임하여 승인한 자가 아니면 어느 누구도 자신의 항공기를 항공에 사용하도록 기록, 서명할 수 없다.

12 정비조직인증을 받은 업체는 항공운송사업자의 감항승인서 또는 탑재용항공일지에 기록, 서명할 수 없다. 다만, 항

항공운송사업자의 정비매뉴얼에는 정비가 수행된 후 감항 승인서 또는 탑재용 항공일지의 기록에 대한 상세한 절차를 포함하고 있어야 한다. 이 절차에는 항공기가 정비, 예방정비 또는 개조가 수행된 후 감항 승인서 또는 탑재용 항공일지 기록 없이 운항하는 것은 막기 위한 확인 과정을 포함하여야 한다.

항공운송사업자의 정미매뉴얼에는 감항 승인서 또는 탑재용 항공일지 기록, 서명을 위해 승인된 자의 자격유지와 승인에 대한 상세한 절차를 포함하여야 한다. 이 절차에는 승인된 자의 업무범위와 제한사항을 포함하여야 하며, 이들의 승인을 문서화하고 전달하는 방법을 포함하여야 한다.

(3) 항공기 고장보고서(Service Difficult Reports)

항공운송사업자는 항공기 고장에 따른 장애보고를 하여야 한다. 이 보고서는 정비프로그램 안의 문제점을 확인할 수 있게 하며, 한편으로는 항공당국이 항공기 고장보고시스템을 통하여 정보를 수집하는 주요 수단이다.

(4) 기계적 결함 요약 보고서(Mechanical Interruption summary Reports)

항공운송사업자는 항공기의 기계적 결함으로 인한 장애발생 요약현황을 보고하여야 한다. 이 보고서는 정비프로그램 효과의 문제점을 나타내는 지표가 된다. 또한 이들 보고의 분석은 항공운송사업자의 정비프로그램의 효과의 정도를 감독하는데 있어서 가장 유용한 수단 중의 하나이다.

2.8.8 대수리 및 대개조 보고

항공운송사업자의 경우 대수리 및 대개조를 수행한 경우 대수리 및 대개조 보고서를 작성하여야 하며, 관할 지방항공청장에게 보고하여야 한다. 또한 대수리 및 대개조 보고서는 항공당국의 검사를 위해 열람 가능하도록 하여야 한다.

항공운송사업자는 대수리 및 대개조를 수행한 후 보고를 위해 반드시 대수리 및 개조(항공기 기체, 엔진, 프로펠러 또는 장비품) 보고서(운항기술기준 별표 별지 제13호 서식 또는 FAA 337 Form, EASA Form-1)[13] 양식을 사용할 필요는 없다.

공운송사업자의 운항증명에 따라 승인된 자가 항공운송사업자의 절차에 따라 수행하는 것은 허용이 된다. 이들은 정비조직인증을 받은 업체의 직원일 수도 있지만, 정비조직을 대신하는 것이 아니라 항공운송사업자를 대신하는 것이다.

13 항공운송사업자는 대수리 및 개조보고서를 개조 및 수리보고서 현황 목록과 혼돈하여서는 안된다.

2.8.9 이력 또는 기록물 원본에 대한 요건
(Requirements for Historical or Source Records)

항공운송사업자는 항공당국이 언제든지 열람할 수 있도록 유지하여야 하는 현황 기록과 같이 항공운송사업자에 요구되는 기록이 사실이고 정확하다는 것을 입증하기 위한 이력 또는 기록물을 반드시 원본으로 유지하지 않아도 된다.

항공운송사업자 정비프로그램의 원래의 요건과 목적은 항공운송사업자가 시스템을 갖추어 요구되는 정비기록을 저장하고 유지하여야 하는 것과 항공운송사업자가 항공운송사업자의 절차가 준수되고 효력이 있음을 보장하기 위해 항공운송사업자의 CASS에 따라 그 시스템을 감시하여야 한다는 것이다. 이는 항공운송사업자에 요구된 기록이 사실이며 정확함을 보장한다.

수명한계품목의 항공기 사용 이력(생산까지 추적 가능한) 또는 감항성개선지시(AD)의 이행 기록과 같은 기록물을 영구 보관할 필요는 없다. 그러나 항공운송사업자 기록을 작성하고 유지하는데 있어서 위조 또는 잘못이 있을 경우 심각한 과징금 등의 처벌을 받는다는 것을 기억하고 있어야 한다. 법령을 위반한 증거가 없는 한 항공운송사업자의 정비기록유지 시스템에 의해 생성된 항공기 정비기록은 이력 또는 기록물 원본 없이 그 자체로서 인정된다. 여기에서 중요한 고려사항은 항공운송사업자가 믿을 수 있고 적절하게 작동하는 기록유지시스템을 갖추고 있어야 한다는 것이다.

항공운송사업자는 자신의 정비시스템에 부품 또는 장비품 설명에 사용될 기록물 원본을 포함하기를 희망할 수 있다. 이러한 기록에는 향후 유용하게 사용될 수 있는 신규제품에 대한 제작사 송장, 수출 감항증명서, 대수리 및 개조 관련 문서 또는 이와 유사한 정보와 같은 문서가 포함될 수 있다. 또한 항공운송사업자는 사업상의 이유로 이력기록을 유지할 수 있다. 그러나 법령에는 사업상의 이유로 인한 이력 기록에 대한 요건은 없다. 항공운송사업자가 작성하고 보관해야할 기록은 관련 항공법 및 운항기술기준에 명시되어 있다.

2.9 계약 정비(Contract Maintenance)

2.9.1 타인이 수행한 정비에 대한 책임
(Responsibility for maintenance performed by others)

항공운송사업자의 항공기등, 장비품 및 부품 등에 대한 정비의 전부 또는 일부를 위탁한 경우, 정비위탁업체의 조직은 실질적으로 항공운송사업자의 정비조직 일부로 간주되며 항공운송사업자의 관리 하에 있다.

항공운송사업자의 항공기 등에 대하여 수행한 정비위탁업체의 모든 정비행위에 대한 책임은 여전히 항공운송사업자에게 있다. 항공운송사업자는 정비위탁업체의 작업 수행능력이 있는지 판단해야 하며, 그들의 작업이 항공운송사업자의 교범과 기준에 따라 만족스럽게 수행하였는지 판단하여야 한다. 항공기에 대한 모든 작업은 항공운송사업자의 정비매뉴얼과 정비프로그램에 따라 수행되어야 하기 때문에 항공운송사업자는 해당 작업 수행을 위하여 항공운송사업자의 정비매뉴얼에 따라 적합한 자료를 정비위탁업체에게 제공하여야 한다.

항공운송사업자는 정비위탁업체가 항공운송사업자가 제공한 매뉴얼에 있는 절차를 따른다는 것을 보장하여야 한다. 항공운송사업자는 정비위탁업체가 해당 작업을 수행하고 있는 동안 작업공정심사(work-in-progress audits)를 통해 이를 확인하여야 한다. 항공운송사업자의 매뉴얼 시스템에는 개별 정비위탁업체가 수행한 작업이 포함될 수 있도록 하여야 한다. 항공운송사업자 정비매뉴얼의 정책과 절차 부분에는 모든 계약 작업에 대하여 항공운송사업자의 직원이 수행할 행정, 관리 및 지시에 대한 권한과 책임 및 개략적인 절차가 명확하게 명시되어 있어야 한다.

항공운송사업자가 제공하는 기술 자료는 정비위탁업체가 사용할 수 있도록 정보 제공을 위해 준비가 되어 있어야 한다. 항공운송사업자는 정비작업을 지속적인 방식으로 수행할 경우 가능한 서면으로 계약을 해야 한다. 이것은 항공운송사업자의 책임을 명확하게 표시하는데 도움이 될 것이다.

엔진, 프로펠러 또는 항공기 기체 오버홀과 같은 주요 작업의 경우에는 계약서에 해당 작업에 대한 명세서(specification)를 포함하여야 한다. 항공운송사업자는 항공운송사업자의 매뉴얼 시스템 안에 그 명세서를 포함시키거나 참조시켜야 한다.

2.9.2 항공운송사업자 정비시설 이외의 장소에서 수행된 비계획 정비 (Unscheduled maintenance performed away from regular facilities)

항공운송사업자는 회사의 정비시설이 아닌 곳에서 항공기를 정비해야할 필요가 있거나, 짧은 시기에 정비 서비스가 필요할 수 있다. 항공운송사업자의 정비매뉴얼은 이러한 예기치 못한 조건하에서 정비를 수행하는 절차를 포함하여야 한다.

짧은 시기의 비계획 정비에 대해 기술하면서 항공운송사업자의 정비인력이 항공법령과 항공운송사업자의 절차를 따를 필요가 없다고 의미하는 "긴급 정비"라는 용어를 절대로 사용하지 말아야 한다. 긴급이란 단어는 예기치 못한 심각한 상황이 발생한 것을 의미하며 생명 또는 재산의 위험과 관련되며 즉각적인 조치행위가 요구된다. 공항 주기장에 주기된 사용불능의 항공기는 거의 생명과 재산을 위협하지 않는다.

항공운송사업자는 요구된 비계획 정비의 관리와 지시에 관한 절차적 단계를 구체화해야 한다. 비계획 정비, 짧은 주기에 따라 요구된 정비의 수행에 관한 정비위탁업체의 조직, 시설·장비, 인력 및 수행할 작업에 대한 적절한 매뉴얼 확보여부에 대한 책임은 여전히 항공운송사업자에게 있다. 이러한 판단은 정비위탁업체가 항공운송사업자의 항공기에 대한 작업을 수행하기 이전에 반드시 결정되어야 한다. 이러한 절차와 판단기준은 항공운송사업자의 교범에 포함되어 있어야 한다.

2.9.3 신규 정비위탁업체의 평가
(Evaluating New Contract Maintenance Providers)

정비위탁업체를 처음으로 이용하는 경우에는 항공운송사업자는 반드시 정비를 제공하려는 자가 항공법 및 운항기술기준의 정비에 관한 요건을 충족하는지를 항공운송사업자의 심사절차 및 기준에 따라 확인하여야 한다. 대부분의 경우 현장 평가(on-site audit)로 수행할 수 있다.

항공운송사업자는 심사 또는 기타 수단들을 통하여 외주정비업자가 다음의 요건들을 충족시키고 항공운송사업자 정비프로그램의 요건에 부합하여 작업을 수행할 능력이 있음을 증명하여야 한다.

① 작업을 수행할 수 있는 능력

② 작업을 수행하기 위한 조직 구성 및 충분한 인력

③ 작업을 수행하기 위한 기술도서

④ 작업 수행을 위한 적정한 설비와 장비

⑤ 항공운송사업자의 CASS[14]을 운영을 위해 필요한 자료와 정보를 수신하고 송부할 수 있는 능력

---

14 2.11 지속적 분석 및 감시 시스템(Continuous analysis and surveillance system : CASS) 참조

2.9.4 정비위탁업체에 대한 지속적인 감독
(Continuing Maintenance Provider Oversight)

각 정비위탁업체가 요건을 지속적으로 충족하고 있는지 확인하는 것은 항공운송사업자 CASS의 주요 기능 중 하나이다. 항공운송사업자는 각 정비위탁업체에 대해 심사계획을 수립 시 위험기반공정(Risk-based process)을 사용해야 한다.

위험기반공정에 따라 일부 정비위탁업체에 대한 현장 평가를 하지 않을 수도 있다. 정비위탁 업체의 작업자가 항공운송사업자의 교범을 따르는지 확인하기 위한 평가는 주로 작업진행 중에 대한 평가(work-in-progress audits)여야 한다.

평가는 훈련된 평가자가 수행해야 하며 결과분석은 훈련된 분석자가 수행해야 한다. 분석결 과는 정비위탁업체가 항공법령 및 필요한 경우 항공운송사업자의 정비프로그램에 지속적으 로 충족하고 있는지를 평가할 수 있어야 한다.

2.10 항공종사자 교육훈련

2.10.1 교육훈련프로그램의 요건

항공운송사업자는 작업을 수행하는 모든 항공종사자(검사원 포함)가 절차, 기법 및 사용하는 새로운 장비에 대해 충분히 정보를 얻고, 임무를 수행할 능력을 갖추고 있음을 보증하고, 정 비프로그램의 적합한 수행을 위하여 충분한 인력을 제공할 수 있도록 교육훈련프로그램을 개발하여야 한다.

2.10.2 교육훈련의 유형

항공운송사업자의 교육훈련프로그램에는 초기교육(initial training), 보수교육(recurrent training), 전문 교육(specialized training), 능력배양 훈련(competency-based training) 및 위 탁업체 교육(maintenance-provider training) 등이 있다.

항공운송사업자는 소속 인력과 정비위탁업체의 인력에 대하여 교육필요성의 평가에 기반을 둔 적절한 교육훈련을 수립해야 하며, 평가는 요구되는 지식수준, 기술 및 주어진 작업 또는 기능을 적절하게 수행할 수 있는 능력과 작업 또는 기능을 부여받은 자의 현재 역량을 반영한다.

2.10.3 초기교육(Initial Training)

초기교육은 신규 채용 인력, 새로운 장비 도입 또는 인사이동 등의 사유로 새로운 업무를 시작하기 전에 실시되어야 하며, 다음 사항을 포함한다.

- 회사입문교육 또는 회사소개 오리엔테이션
- 정비부서의 정책과 절차
- 정비 기록 유지와 문서화
- 항공기 시스템 또는 지상 장비
- 특수한 기술(항공전자, 복합소재 수리, 항공기 시동 및 지상주행, 기타)
- 인적요소(human factors)
- 작업세부(task-specific) 훈련
- 위험물 처리
- 그 밖에 항공운송사업자가 필요하다고 판단되는 사항

항공운송사업자의 교육훈련은 직원의 적성을 기반으로 한 평가를 포함해야 한다. 이 평가는 직원의 종전 교육과 경험을 평가하고 각 개인의 특성에 따른 교육훈련 필요성을 아는데 도움을 준다. 이 목적은 요구되는 수준의 업무숙련도와 직원이 가지고 있는 업무숙련도와의 차이를 보정해주는 교육훈련프로그램을 마련하는데 있다.

2.10.4 보수교육(Recurrent Training)

보수교육은 반복적으로 이루어지는 교육으로, 직원에게 요구되는 자격 수준을 유지하기 위하여 필요한 정보와 기술을 제공하여야 한다. 새로운 항공기와 항공기 개조, 신규 또는 상이한 지상 장비, 새로운 절차, 새로운 기법, 방법 또는 기타 새로운 정보를 제공하며 다음 사항을 포함한다.

- 항공종사자 자격유지 등을 위한 내용

- 수행 빈도가 낮은 작업 또는 기술에 대한 교육
- 특정 작업 또는 기술에 대한 능력 향상 교육
- 기술회보, 회보게시판 내용, 자기주도 학습과제, 컴퓨터 교육 등
- 정해진 주기에 따라 실시되지 않는 모든 교육
- 그 밖에 항공운송사업자가 필요하다고 판단되는 사항

보수교육은 반복되는 훈련에 기반을 두고 있지만 정해진 일정에 따라 실시되지 않아도 된다. 항공운송사업자는 해당 직원이 정해진 숙련도 수준을 유지하고 있다면 보수교육에서 반복적인 정보를 제공하지 않아야 한다.

2.10.5 전문교육(Specialized Training)

전문교육은 필수검사항목(RIIs), 내시경검사(borescope), 비파괴검사(non-destructive testing) 및 조종계통리깅(flight control rigging) 등과 같이 책임 있는 특수 정비업무 또는 분야에 대한 능력에 초점을 두고 이루어져야 한다.

항공운송사업자는 이 교육을 초기교육 또는 보수훈련과 함께 실시할 수 있으며, 정비와 관련된 주제로만 한정할 필요가 없으며, 새로운 관리자를 위한 관리기술 교육, 컴퓨터 활용교육 또는 기타 개인의 임무와 책임의 변화에 따른 교육을 포함시킬 수 있다.

2.10.6 위탁업체 직원 훈련(Maintenance Provider Training)

항공운송사업자의 교육프로그램은 항공운송사업자의 특정 프로그램에 대하여 위탁업체의 직원에게 해당 정보를 제공해야 한다. 이 교육에는 각 개인의 할당된 업무 또는 책임 분야에 알맞은 구체적인 교육 내용이 포함되어야 한다.[15]

2.10.7 능력배양 교육(Competency-Based Training)

---

15 만약 위탁 업체가 소속 직원을 위한 어떤 훈련과정을 가지고 있다면, 이와 동일한 교육은 중복하여 실시할 필요는 없다. 그러나 항공운송사업자는 위탁업체가 교육프로그램을 가지고 있다고 하더라도 이 교육이 항공운송사업자 자신의 필요와 교육기준을 충족시키는지를 확인해야 한다. 이것은 CASS 평가 대상이 될 수 있다.

항공운송사업자는 전통적으로 업무에 필요한 숙련도를 갖도록 직원들에게 일정한 정비교육 시간을 제공했었지만, 각종 연구결과는 숙련도에 기반들 둔 교육훈련이 더 나을 수도 있다는 것을 보여준다.

항공운송사업자는 이 형태의 교육을 정해진 일정이나 시간에 따라 수행할 필요는 없으나 소속 직원이 어떤 교육을 필요로 하는지 개인별 테스트 통해 평가하는 것이 좋다. 이 평가로 소속 직원이 높은 직무 숙련도를 갖고 있는지 그리고 어떤 교육을 필요로 하는지 알 수 있다. 또한, 항공운송사업자는 교육을 더 필요로 하는 직원을 파악해야 한다. 능력배양 교육은 소속 직원과 정비위탁업체의 특정 요구에 맞게 정비교육 프로그램을 제공할 수 있게 한다.

능력배양 교육은 직원의 직무숙련도를 개인별 업무와 책임에 따른 요구 수준까지 끌어 올릴 수 있다. 항공운송사업자는 직원이 이 교육이 필요한지 결정하기 위한 절차를 가지고 있어야 한다. 이 교육의 수요는 입사 전 시험이나 입사 후 시험 또는 CASS의 분석을 통해 결정할 수 있다.

항공운송사업자가 능력배양 교육을 채택하고 있다면 숙련도의 부족에 대해서 분명하게 다루어야 한다. 예를 들면, 이 교육은 직무교육을 하면서 단순히 절차를 복습함으로써 충분히 이해할 수 있는 교육생으로 진행할 수도 있다. 항공운송사업자는 이러한 교육과정을 만들어야 하고 교육은 각 개인이나 소규모 그룹으로 진행되어야 한다. 이 교육은 초기교육 또는 보수교육에 포함시킬 수 있다.

어떤 사건의 조사를 통해 나타난 숙련도 부족의 경우, 능력배양 교육은 개별적으로 어떤 일이 발생했고, 왜 발생했는지, 어떻게 재발을 방지할 수 있는지를 긍정적인 방법으로 시범을 통해 보여줘야 한다.

항공운송사업자의 능력배양교육은 CASS의 평가를 통해 나타난 개인의 부족한 숙련도를 교정에 방향을 두어야 한다.

2.11 지속적 분석 및 감시 시스템 (Continuous analysis and surveillance system : CASS)

2.11.1 지속적 분석 및 감시 시스템(CASS)의 배경

1950년대 미국에서 발생했던 일련의 정비관련 항공사고 연구를 통해 지속적 분석 및 감시 시스템(CASS) 도입의 필요성이 대두되었다. 이 연구에서 정비로 인한 사고요인이 정비사가 매뉴얼을 따르지 않고, 해당 정비작업을 수행하지 않았거나 비정상적으로 수행하는 등 기초적인 사항의 취약과 정비프로그램의 허점에서 비롯된 것으로 확인되었다.

이러한 사례로 인하여 미국 연방항공청(FAA)은 검사, 정비, 예방정비, 개조프로그램의 유효성, 지속적 분석 및 감시를 위한 시스템을 수립하고 유지할 것을 항공운송사업자에게 요구하는 규정(FAR 121.373 및 135.431)을 도입하였다. 이 규정은 항공운송사업자가 정비를 직접 수행하거나 위탁업체에서 맡겨 수행하는 것에 상관없이 항공운송사업자는 CASS에 따라 정비프로그램에서 발견된 미흡, 결함사항 등을 수정하는 절차를 마련할 것을 요구하고 있다.

한편, 우리나라는 항공안전법 시행규칙 제269조에 따른 정비규정과 운항기술기준 9.3.4.1에 따라 CASS를 마련하여 지속적인 항공기의 감항성을 유지하도록 하고 있다.

2.11.2 안전관리 도구 (Safety Management Tool)

CASS는 안전관리를 위한 하나의 도구로서, 정비기능과 관련된 안전을 관리하기 위한 항공운송사업자의 시스템이다. 이것은 항공운송사업자의 최상의 안전도를 유지할 수 있도록 하기 위한 정책과 절차의 전반적인 구조의 부분이며, 정비프로그램의 목적을 달성하게 하는 구조화된 체계적인 절차를 말한다.

항공운송사업자가 CASS를 적절히 운용한다면 안전위해 요소를 찾아내어 제거할 수 있는 공식적인 절차를 제공하여 회사의 안전문화를 장려할 수 있도록 도움을 줄 수 있을 것이다.

2.11.3 기본 CASS 과정(Basic CASS Processes)

CASS는 위험요소를 기반(risk-based)으로 하는 순환형 시스템(closed-loop system)으로 4가지 기본적인 절차로 구성된다.

① 감시(Surveillance) : 항공운송사업자의 프로그램 수행과 프로그램의 결과를 평가하기 위하여 자료를 모으기 위해 사용되는 정보수집, 평가 과정

② 분석(Analysis) : 정비프로그램의 문제점과 필요한 시정조치를 파악하기 위해 사용하는 분석 과정

③ 시정조치(Corrective Action) : 시정조치와 개선단계가 정확하게 규정되었는지 확인하기 위하여 사용하는 계획 과정

④ 후속조치(Followup) : 시정조치가 이행되고 효과적인지 확인하기 위하여 사용되는 목표 달성 측정 과정. 이 과정은 정보수집과 분석 과정이다. 즉, 이와 같이 일련의 과정이 순환된다.

첫 번째의 감시단계에서는 항공운송사업자는 평가프로그램에 사용할 자료를 수집한다. 평가프로그램은 위험요소 평가에 기반을 두어야 하며, 특히 평가를 위해 훈련받고 능력을 갖춘 인력을 통해 수행되어야 한다.

평가자는 매뉴얼이나 다른 정비기술자료, 항공기 상태, 실제 진행 중인 정비작업, 교육훈련, 발간물 및 지상조업 같은 영역도 보게 될 것이다. 추가적으로, 유효성(프로그램 결과)의 측정을 위해 사고/준사고, 정비로 인한 지연/결항, 비행 중 엔진정지, 불시착륙, 엔진 성능, 항공일지 기록사항 및 승인되지 않은 장비품/부품의 장탈과 같은 운항자료의 수집이 일반적이다.

두 번째 단계로, 정비프로그램의 취약점을 찾기 위해 자료를 분석한다. 분석은 분석가로서 경험이 있고 훈련을 받은 인력을 통해 수행되어야 한다. 이 단계의 주된 목적은 취약점을 밝혀내는 것뿐만 아니라 근원적인 원인을 밝히는 것이다. 여기에서 항공운송사업자 인적요소에 대한 지식이 결정적이 될 것이다.

세 번째 단계는, 분석결과를 기초로 하여 시정조치를 위한 절차를 마련한다. 필요시 인적요소를 고려한다면 더욱 성공적인 시정조치 준비가 될 것이다. 시정조치 준비가 완료되면 시정조치계획을 실행한다.

과정을 마무리하기 위하여, CASS의 네 번째 단계는 시정조치가 적절하고 완전하게 수행되고 발견된 취약점이 효과적으로 수정되었는지 확인하기 위해 감시와 분석을 이용하여 후속조치단계를 수행한다. 항공운송사업자는 특히 관심항목에 대한 후속조치로써 자료수집과정을 설계할 수 있고, CASS의 첫 번째 단계인 지속적인 감시의 일부로 정할 수 있다. 특별히 정보수집이 필요한지의 결정은 분석결과에 따른 세 번째 단계에서 한다.

초도 및 후속 감시(surveillance) 둘 모두 사전대책을 강구하게 하고 반응을 보이게 할 수 있다. 평가의 경우, 평가 시스템과 절차에 따라 평가결과의 분석으로 절차에서의 취약점을 찾아낼 수 있다. 문제점이 사고를 발생시키기 전에 취약점을 수정 보완하는 것은 사전대비적인 방법이다.

평가는 미 수행되거나 잘못 수행된 정비행위를 찾아낼 수 있다. 이러한 시급한 문제점을 발견

하고 수정하는 조사는 후속적 절차(reactive process)이다.

유사사례를 방지하기 위하여 시정조치를 개발하고 이행하는 것은 정비프로그램을 개선하는 것과 동일하게 중요하다. 이와 유사하게, 시스템 관점에서 운항자료의 분석은 원치 않는 결함이나 사고 전에 시스템의 취약점을 밝힐 수 있는 결과를 가져올 수 있으며, 이러한 것은 사전 대비적 절차(proactive precess)이다. 원치 않게 발생된 운항 사건들을 조사하고 수정하는 것은 후속적인 조치이지만, 또한 필요하고 권장되는 절차이다.

유효성 부분은 항공운송사업자의 정비프로그램의 모든 요소들이 항공운송사업자가 추구하는데 효과적인지를 확인하는 것으로 사전 감시 및 분석과 사후 감시 및 분석을 통해 이루어진다.

사전 감시 및 분석에 필요한 자료에는 다음과 같은 것이 포함될 수 있다.

- 비계획 부품 교환의 증가된 횟수 또는 비계획 정비의 증가 수요
- 비계획 장비품 교환의 증가된 횟수 또는 비계획 정비의 증가 수요
- 항공기 지연과 같은 운영 능력 또는 신뢰성의 변화
- 항공기 운항 정시율
- 장비품 또는 부품 고장률 경향

사후 감시 및 분석해야 하는 항목은 다음과 같다.

- 이륙단념
- 비계획 착륙
- 비행 중 엔진정지
- 항공기사고 또는 항공기준사고
- 비계획 정비로 인한 비행 취소
- 비계획 정비로 인한 15분 이상 지연
- 불안전한 조건이나 항공기 정시성 감소를 야기하는 그 밖의 사건

2.11.4 위험 기반 결정(Risk-Based Decision)

모든 효과적인 CASS는 결함사항을 처리할 때 당면하는 실제적인 제한사항뿐만 아니라 허용

한계치에 대하여도 위험 관리에 필요한 것으로 취한다. 결과적으로, 평가 계획의 우선순위를 정하여 선택하고 다른 정보수집활동, 자료 분석 및 시정조치를 선택하여 이행하여야 한다.

항공운송사업자는 위험요소 평가절차에 우선순위 같은 직접적인 설정사항 등을 결부시켜서 정비프로그램 결과 산출 소기의 목적을 이룰 수 있다.

2.11.5 CASS의 범위

CASS는 정비프로그램의 모든 10개 항목에 대하여 감시하여야 한다.

① 감항성 책임 (Airworthiness responsibility)

② 항공운송사업자의 정비매뉴얼 (Air carrier maintenance manual)

③ 항공운송사업자의 정비조직 (Air carrier maintenance organization)

④ 정비·개조의 수행과 승인 (Accomplishment and approval of maintenance and alterations)

⑤ 정비계획 (Maintenance schedule)

⑥ 필수검사항목 (RII)

⑦ 정비기록시스템 (Maintenance recordkeeping system)

⑧ 계약정비 (Contract maintenance)

⑨ 교육훈련 (Personnel training)

⑩ 지속적 분석 및 심사 시스템(CASS)

2.11.6 CASS 설계 원칙(CASS Design Principles)

다음 여섯 가지의 시스템 안전 속성은 항공운송사업자의 CASS 설계를 위한 시작점이다.

① 명확한 권한 (Clear authority)

② 명확한 책임 (Clear responsibility)

③ 문서화된 절차 (Specific written procedures)

④ 효과적인 통제 (Effective controls)

⑤ 목표달성의 측정 (Performance measures)

⑥ 명확하게 규정된 전달 수단 (Well-defined interfaces)

항공운송사업자의 조직 전반에 대하여 CASS에 대한 책임과 권한이 누구에게 있는지 분명해야 한다. 항공운송사업자는 평가와 운항자료 분석이 부실해질 수 있으므로, 책임과 권한을 둘 또는 그 이상의 부분으로 나누어서는 아니 된다.

전형적으로, 항공운송사업자는 원활한 의사소통과 모든 CASS 기능의 협력을 위해 전반적인 CASS 책임이 있는 자와 더불어 정규 고위 경영진의 참여를 유지하기 위한 경영이사회 또는 위원회를 조직하여야 한다. 이 평가 그룹은 항공운송사업자의 CASS 운용과 CASS 자체의 성과와 효과성에 대한 측정의 결정적인 방향에 대한 통제력을 가질 수 있다.

항공운송사업자 정비조직의 많은 요소에 추가적으로, CASS와 기능 또는 전형적 항공사 정비 외적인 조직적인 요소 사이에 많은 접촉면이 있다. 좀 더 명확하게 예를 들면, 기술 (Engineering), 운항(Flight operation), 구매, 안전 및 항공당국이 있다. 내부평가 프로그램, 운항품질평가프로그램, 자발적 보고 및 항공안전프로그램 등과 같은 다른 프로그램(만약 있다면)과 CASS와의 관계를 잘 규정하고 상호보완적인지 보증하는 것이 중요하다.

2.11.7 CASS 인력 요건(CASS Personnel Requirements)

효과적인 CASS는 정비조직 내에서 쉽게 얻을 수 없는 기술이 필요하다. 예를 들어 평가 기술은 정비분야에서 자동적으로 얻어지지 않는다. 분석능력, 위험분석, 근본적인 원인과 관련된 사항 및 인적요소 고려사항은 특별한 부분으로 일반적으로 해당 교육훈련과 경험을 필요로 한다.

모든 항공운송사업자, 특히 소규모 항공운송사업자는 인력을 공동 사용하고, 정비기능을 시간제로 수행하고, 일부 기능은 계약에 따라 수행할 수도 있다. 그러나 항공기 수리의 다년간 정비경험의 결과로 얻을 수 있는 지식과 기술은 항공기 안전관리에 지대한 영향을 미치므로 그러한 방법으로 수행하는 것은 권장하지 않는다.

3. 항공기 검사프로그램 기준 (Standards for Aircraft Inspection Program)

항공기 검사프로그램 기준은 항공운송사업자용 정비프로그램 기준을 적용하기 어려운 항공기 소유자 등이 「항공안전법 시행규칙」제38조에 따라 항공기의 감항성을 지속적으로 유지하기 위한 방법을 제공하는 것을 목적으로 한다.

즉, 소형항공운송사업자, 항공기사용사업자, 자가용 항공기 운영자, 국가기관등 항공기를 운영하는 국가, 지방자치단체 및 공공기관이 항공기 검사프로그램을 운용하고자 할 경우 적용된다.[16]

3.1 항공기 검사프로그램의 요건

항공기 검사프로그램에는 기체, 엔진, 항공전자장비 및 비상장비 등 항공기의 전 계통에 대한 다음 사항을 포함하여야 한다.

3.1.1 작업내용 및 일정

① 검사프로그램에는 각각의 작업항목(tasks) 또는 작업 그룹(group of tasks)에 대한 작업 수행 시기 및 반복주기(Interval)를 포함하여야 한다. 이들 검사주기는 항공기 운용시간이 매우 적을 때에도 적용된다.

② 하나의 작업 그룹은 동일한 주기의 작업(Task)을 포함한다. 작업 그룹은 각각의 작업사항(Task), 수행주기 뿐만 아니라 작업 형태의 윤곽을 알 수 있다. 작업지시서(work form)는 수행된 각 작업(task)이 완료된 경우에는 적절한 보고양식(report form)으로 확인할 수 있어야 한다.

---

16 운송사업자용 정비프로그램은 정비조직, 필수검사항목, CASS 등의 10가지 요소를 모두 충족하여야 하지만, 항공기 검사프로그램은 항공기의 감항성이 유지되고 있는지 검사하는 행위만을 포함하고 있다. 그러므로 검사프로그램을 운용하는 자는 소속 정비사의 능력범위를 초과하거나, 해당 항공기의 정비교범에 명시되지 않은 정비작업은 인가된 정비업체에 의뢰하여야 한다.

3.1.2 작업지시서(Work Forms)

① 작업지시서는 선정된 작업항목(tasks) 또는 작업그룹(group of tasks) 각각의 완료에 대한 서명란이 있어야 한다.

② 각 작업항목은 프로그램의 복잡성 즉, 정비작업의 특성, 정비시설의 규모 등에 따라 분할되거나 통합될 수 있다.

③ 작업지시서의 양식은 항공기 운영자에 의해 개발되거나 다른 자원으로부터 채택하여 사용할 수 있다.

3.1.3 작업수행을 위한 지침(Instructions)

작업수행을 위한 지침은 운항기술기준 제5장에서 언급한 방법, 기술, 절차, 공구 및 장비를 만족하도록 작성하여야 한다. 지침에는 또한 표준치수와 허용오차가 마련되어 있어야 하며, 작업을 수행하기 위하여 작업자가 사용하기에 적절한 정보가 포함되어야 한다.

지침(Instructions)을 작성할 때에는 다음 사항을 고려하여야 한다.

● 지침은 작업지시서에 직접 인쇄하여 사용될 수 있다.

● 지침은 매뉴얼의 한 부분을 수행하도록 명시하여 발행될 수 있다. 이 경우 작업지시서의 해당 항목에 교차참조(Cross-Referenced)가 표시되어 있어야 한다.

● 지침의 제정 또는 개정은 제작자의 매뉴얼에 명시된 지침 또는 항공기 운영자의 정비규정을 근거로 수행한다.

● 지침을 항공기 운영자가 개발하는 경우에는 이에 대한 절차가 정비규정에 마련되어 있어야 한다.

● 항공기 운영자는 검사가 종료된 작업지시서에 대한 평가 및 관리 방법이 있어야 한다.

● 지침은 같은 형식의 항공기에서 각 항공기별로 장비와 형태(Configuration)가 다른 경우에도 적용이 가능하도록 작성하여야 한다. 여기에는 항공기의 최초 형태와 다른 개조 및 추가 장비 장착에 관련된 사항을 포함한다.

● 다른 검사프로그램을 적용 받던 항공기가 현재 운용 중인 검사프로그램을 적용하려는 경우 이에 대한 절차가 있어야 한다.

3.2 항공기 검사프로그램의 개발

항공기 운영자의 검사프로그램은 다음과 같은 방법으로 개발할 수 있다.

- 항공기 제작자의 검사프로그램 채택
- 항공기 제작자의 검사프로그램을 변경 또는 수정
- 항공기 운영자가 자체적으로 개발

3.2.1 항공기 제작자의 검사프로그램 채택

항공기 제작자의 검사프로그램을 채택하는 경우에는 항공기 제작자의 프로그램(작업방법, 기술, 수행절차, 수행기준 및 검사주기를 포함한다) 전체를 채택하여야 한다. 만일 제작자의 프로그램에 동절기에 필요한 검사가 선택사항(option)으로 있다면 항공기 운영자는 해당 항목을 검사프로그램에 포함하여야 한다.

항공기 제작자의 프로그램이 개정되었다면, 즉시 이를 검토하여 항공기 검사프로그램에 반영하여야 한다.

다수의 항공기 제작자의 검사프로그램은 항공전자장비, 비상장비, 장비품 및 이에 관련된 장치에 대한 내용을 포함하고 있지 않으므로 관련 장비품 등의 제작자 매뉴얼 또는 항공법령, 운항기술기준 등을 검토하여 검사프로그램에 반영하여야 한다. 특히, 항공기 제작자의 검사프로그램에 포함되지 않은 장비품과 시스템의 정상 여부를 확인하기 위한 육안검사 절차를 검사프로그램에 반영하여야 한다.

시험장비의 사용 없이 정상적으로 결함을 발견할 수 없는 시스템 또는 운항승무원에게 매우 정상적으로 보이는 시스템일지라도 정확한 작동여부에 대한 작동점검(Operational Check) 항목을 검사프로그램에 반영하여야 한다.

항공기에 대한 검사 및 이에 따른 정비를 하려는 사람은 항공정비사 자격증명을 소지하고 해당 정비업무에 대한 교육을 받았거나 지식과 경험이 있는 자가 수행하여야 한다.

비상장비는 항공기 운영자 운영기준, 정비규정, 제작자 매뉴얼 또는 항공법 등에 따라 제작자 또는 해당 장비를 검사할 수 있는 자격을 갖은 자가 검사하여야 한다.

3.2.2 항공기 제작자 검사프로그램의 변경 또는 수정

항공기 운영자는 항공기 제작자의 검사프로그램에 근거하여 항공기 운영자에게 맞도록 적절하게 변경 또는 수정하여 운영할 수 있다. 이 경우 제작자의 검사프로그램과 동등하거나 그 이상의 안전기준을 확보할 수 있도록 하여야 한다.

3.2.3 항공기 운영자가 개발한 검사프로그램

항공기 운영자는 항공기 제작자 검사프로그램을 채택하지 않은 경우에는 스스로 검사프로그램을 개발할 수 있다. 이 경우 검사프로그램이 적절하게 수행되도록 작업방법, 기술, 수행절차 및 작업기준이 포함되어야 한다.

3.3 부식관리

부식이 발생하기 쉬운 부위에 대한 근본적인 부식예방 절차를 마련하여야 한다. 항공기 운영자는 부식예방관리프로그램, 기골개조프로그램 및 부가기골검사프로그램을 검사프로그램에 포함하여야 한다. 만일 제작자의 검사프로그램에 부식관리가 포함되어 있지 않다면 항공기 운영자가 검사프로그램을 개발할 수 있다.

3.4 항공기 검사프로그램 제정 및 개정

항공기 운영자는 검사프로그램을 제정 또는 개정할 경우에는 지방항공청의 인가를 받아야 하며, 지방항공청의 인가를 신청하기 전에 다음 사항을 고려하여 자체적으로 평가를 실시하여야 한다.

- 검사프로그램이 항공기의 제작, 모델, 구성 및 개조 내용을 반영하고 항공기에 장착된 모든 장비를 포함하도록 설정되었는지 확인한다.
- 검사프로그램은 항공기 운영자의 지리적 위치를 고려하여 적합한지 확인하여야 한다. 확인 내용에는 기후, 활동거리(비행시간) 및 특별한 목적의 운항에 대한 일시적인 검사

에 관한 사항이 포함되어야 한다.

● 검사프로그램의 초도인가 및 개정의 기초자료는 운용경험, 사용가능성을 결정하기 위한 시험·검사, 분해 분석, 개조 및 환경의 변화가 될 수 있다.

3.5 항공기 검사프로그램의 운영

항공기 운영자는 검사프로그램에 다음과 같은 절차 등을 마련하여 운영하여야 한다.

● 검사프로그램의 운영에 관계되는 모든 인력에 대한 의무와 책임

● 검사일정 수립, 수행 및 기록방법

● 검사프로그램, 관련 매뉴얼 또는 작업지시서 등의 제정 및 개정 절차

● 완료된 작업지시서의 분석 및 보관

● 위탁 정비 절차

● 정비/검사프로그램이 전산화되어 있을 경우, 비인가자의 기록수정 방지 및 자료의 보호 등을 위한 보안 절차

3.6 항공기 검사프로그램의 인가

항공기 운영자의 검사프로그램은 정비규정의 일부로서 인가되며, 정비규정과 분리하여 별권으로 관리할 수 있으며, 운영하는 항공기 모델별로 검사프로그램을 제정하여야 하고, 지방항공청장은 해당 항공기 운영자에게 각각의 항공기 모델별로 인가한다.

항공기 검사프로그램은 다른 항공기 운영자에게 이전되지 않는다. 그러므로 새로운 항공기 운영자는 자신의 운용환경, 정비능력을 고려하여 관할 지방항공청장의 인가를 받아야 한다.

4. 감항분류가 수송(T)류인 비행기에 대한 기술기준

감항분류가 수송(T)류인 비행기에 대한 기술기준은 별도로 정한 경우를 제외하고는 최대이
륙중량이 5,700kg 초과하는 수송류 비행기에 대하여 적용한다. 항공기 정비와 관련된 주요 항
목을 발췌하였고 그 내용은 아래와 같다.

4.1 기체구조

4.1.1 공허중량(Empty weight)과 대응 중량중심(Corresponding center of gravity)

공허중량과 이에 해당하는 중량중심은 다음 사항들을 포함한 비행기의 중량을 측정하여 결
정하여야 한다. 공허중량이 결정되는 비행기의 상태조건은 명확히 정의되고 용이하게 반복될
수 있어야 한다.

① 고정 밸러스트
② 사용불능 연료
③ 윤활유, 유압유, 비행기 계통의 정상운전에 필요한 기타 유체(단, 음료수, 화장실용수, 엔
   진 분사용물 등은 제외)를 포함하는 작동유체 전량

4.1.2 하중, 안전율

별도로 규정하지 않는 한, 제한하중(구조의 외부하중)에 대하여 1.5의 안전율을 적용한다. 하
중상태가 종극하중으로 할당되어 있을 때는 별도로 규정하지 않는 한 안전율을 적용할 필요
가 없다.

4.1.3 전면창 및 측면창

내측 유리판은 파편이 생기지 않는 재료를 사용하여야 하며, 조종사 정면에 있는 전면 유리창 및 지지구조는 조종사가 통상적인 임무를 수행할 때, 1.8kg(4lb)의 조류가 비행경로를 따라서 해면고도 기준의 Vc값과 같은 상대속도로 충돌해도 관통되지 않고 견딜 수 있어야 한다.

위험한 전면창 파편 발생 가능성이 극히 적다는 것을 해석 또는 시험으로 입증하지 않는 한, 조류충돌 때문에 생기는 전면창 파편으로 인한 조종사의 위험을 최소화하는 수단이 있어야 한다.

4.1.4 조종실 조종장치의 조작 및 효과

조종실의 조종면을 위한 조작장치와 동력장치 및 보조 조종장치는 공기역학적으로 작동하도록 설계하여야 하고 인체공학적으로 설계하여야 한다.

(1) 공기역학적인 조종장치

① 주조종장치

조종장치	조 작	효 과
보조익	오른쪽(시계방향)으로	우익이 내려감
승강타	후방으로	기수가 올라감
방향타	오른쪽페달 전방으로	기수가 오른쪽으로

② 2차 조종장치

조종장치	조 작	효 과
플랩 (또는 보조 양력장치)	전방으로	플랩을 올림
	후방으로	플랩을 내림
트림 탭 (또는 동등한 것)	회전	조종장치 축에 평행한 비행기 축을 기준으로 같은 방향 회전

(2) 동력장치 및 보조 조작장치

① 동력장치 조작장치

조종장치	조 작	효 과
출력 또는 추력	전방	전방추력 증가
	후방	후방추력 증가
프로펠러	전방	회전수 증가
혼합기 조작장치	전방 또는 위로	농도를 진하게 함
기화기 공기예열장치	전방 또는 위로	차갑게 함
과급기	전방 또는 위로	낮은 송풍
(터보 과급기)	전방, 위 또는 시계방향	압력 증가

② 보조 조작장치

조종장치	조 작	효 과
착륙장치	아래 방향	착륙장치 내림

4.1.5 비상탈출

충돌 착륙 시 비행기에 화재가 나는 것을 고려하여, 객실 및 조종실에는 착륙장치를 편 상태에서도 접은 상태와 마찬가지로 신속한 탈출이 가능한 비상수단이 있어야 한다.

승객정원이 44인을 넘는 비행기는, 모의 비상 상황으로 운용 규칙에서 요구하는 승무원 수를 포함하는 최대 탑승객이 90초 이내에 비행기에서 지상으로 탈출할 수 있다는 것을 입증하여야 한다. 이 요구조건에 대한 적합성은 항공기 기술기준 부록 J.에 규정된 시험기준으로 실물 시험을 함으로써 입증하여야 하나, 국토교통부장관이 해석과 시험을 조합하여 실물 시험과 동등한 자료를 얻을 수 있다고 인정하는 경우에는 해석과 시험을 조합하여 입증할 수 있다.

4.1.6 통로 폭

승객 좌석사이의 승객용 통로 폭은 다음 표의 값 이상이어야 한다.

승객 정원수	승객용 통로 폭의 최소값	
	바닥에서 64cm (25in)미만인 곳	바닥에서 64cm (25in)이상인 곳
10인 이하	30cm(12in)[17]	38cm(15in)
11인에서 19인까지	30cm(12in)	51cm(20in)
20인 이상	38cm(15in)	51cm(20in)

4.1.7 소화기

객실에는 사용에 편리한 위치에 적어도 다음 수량의 휴대용 소화기가 구비되어야 한다.

휴대용 소화기의 최소 수량	
승객수	소화기 수량
7 ~ 30인	1
31 ~ 60인	2
61 ~ 200인	3
201 ~ 300인	4
301 ~ 400인	5
401 ~ 500인	6
501 ~ 600인	7
601 ~ 700인	8

4.1.8 선기석 본딩 및 정전기 보호

정전기에 대비한 전기적 본딩 및 정전기 보호는 다음의 현상을 유발할 있는 정전기 전하의 축적이 최소화되도록 설계하여야 한다.

① 전기적 쇼크로 인한 인적 상해

② 가연성 증기의 발화

---

17 국토교통부장관이 요구하는 시험에 의해 입증된 경우에는 규정보다 좁은 것이 허용되지만, 그 값은 23cm(9in) 이상이어야 한다. 승객용 통로가 한 개밖에 없는 비행기는 통로 양쪽 옆의 좌석이 각각 세 개를 초과할 수 없다.

③ 장착된 전기장치나 전자장치에 대한 간섭

상기 사항에 대한 적합성은 다음과 같은 방법으로 입증할 수 있다.

① 기체구조물과의 적정한 전기적 본딩

② 비행기, 사람 또는 장착된 전기 및 전자시스템에 위험을 주지 않도록 정전기 전하를 방출시킬 수 있는 기타의 인정 가능한 수단을 구비

4.2 동력장치

4.2.1 연료계통

연료계통은 인증된 모든 기동과 엔진과 보조동력장치의 사용이 허용되는 조건을 포함한 모든 예상 운용조건에서 엔진 및 보조동력장치의 적절한 기능을 위해 설정된 유량 및 압력으로 연료흐름이 이루어지도록 구성하고 배치하여야 한다.

터빈 엔진의 각 연료 시스템은 초기에 26.7℃(80°F)에서 포화상태에 이른 연료에 리터당 0.198cc(0.75cc/gal)의 비율로 물을 넣고 운용 중에 예상되는 최악의 결빙조건에서 냉각시킨 연료를 사용하더라도 정상적인 유량 및 압력을 보이며 지속적으로 작동할 수 있어야 한다.

터빈 엔진을 장착한 비행기의 연료 시스템은 기술기준 Part 34에 따른 연료배출과 관련한 요구조건을 충족해야 한다. 모든 연료계통은 내부에 들어간 공기가 다음과 같은 상태를 유발하지 않도록 배치하여야 한다.

① 왕복엔진의 20초 이상의 출력 중단

② 터빈엔진의 운전정지

4.2.2 연료탱크의 일반적인 요구조건

각 연료탱크는 운용 중에 받을 수 있는 진동, 관성력, 유체 및 구조적인 하중에 결함 없이 견딜 수 있어야 한다. 유연성이 있는 연료탱크 라이너는 승인을 받은 것을 사용하거나 사용에 적합함을 입증해야 한다.

통합 연료탱크는 내부검사 및 수리가 용이해야 한다. 동체 외곽에 위치한 연료탱크는 비상착륙으로 인한 관성력을 받는 경우에도 파손되지 않고 연료를 보존할 수 있어야 한다. 또한, 이러한 연료탱크들은 탱크가 노출되어 지면과의 접촉이 발생할 수 없는 보호 위치에 두어야 한다.

연료탱크의 점검창 덮개는 위험한 양의 연료 손실이 발생하지 않도록 다음 기준에 적합하여야 한다. 모든 연료탱크에는 탱크 용량의 2% 이상의 팽창공간을 두어야 한다. 비행기가 정상적인 지상자세에 있으면 부주의한 경우에도 연료탱크의 팽창공간에는 연료가 공급되지 않아야 한다.

각 연료탱크에는 비행기가 정상적인 자세로 지상에 있을 때 탱크 용적의 0.1% 또는 0.24ℓ (1/16gal) 이상의 용량을 가진 고이개가 있어야 한다. 단, 운용 중에 축적되는 수분의 양이 고이개의 용량을 초과하지 않음을 보장하는 운용한계가 설정된 경우는 예외로 한다.

각 연료탱크에 있는 위험한 분량의 수분은 탱크 내의 어느 곳에 있든지 비행기가 지상에 정상적인 자세로 있는 상태에서 섬프 드레인 포트로 배출되어야 한다. 연료탱크의 드레인 섬프에는 다음과 같이 접근하기 쉬운 배출구가 있어야 한다.

① 지상에서 드레인 섬프를 완전히 배출할 수 있어야 함
② 비행기의 각 부분에서 확실하게 배출할 수 있어야 함
③ 닫힘 위치에서 확실하게 잠기는 수동 장치 또는 자동 장치가 있어야 함

4.2.3 윤활유 계통

상당한 분량의 오일이 남아있을 수 있는 오목한 오일탱크 주입구 연결부에는 비행기의 어떤 부분에도 흐르지 않게 배출하는 배출구가 있어야 한다. 또한, 각 오일탱크 주입구 덮개에는 오일차폐용 밀폐재가 있어야 한다.

오일탱크에는 다음과 같은 팽창공간이 있어야 한다.

① 피스톤엔진에 사용하는 각 오일탱크는 탱크용량의 10% 또는 1.9ℓ(0.5gal) 중 큰 값 이상인 팽창공간이 있어야 하며, 터빈 엔진에 사용하는 각 오일탱크는 탱크용량의 10% 이상인 팽창공간이 있어야 한다.
② 어떤 엔진에도 직접 연결되어 있지 않은 예비 오일탱크에는 탱크용량의 2% 이상인 팽창공간이 있어야 한다.

③ 비행기의 정상적인 지상 자세에서 부주의로 인해 오일탱크의 팽창공간을 오일로 채울 수 없어야 한다.

4.2.4 유압시스템

유압시스템의 각 부품은 다음의 규정을 만족하도록 설계하여야 한다.

① 소정의 기능발휘를 막는 영구변형을 일으키지 않으면서 내압을 견딜 수 있어야 하며 파괴가 발생함이 없이 극한압력을 견딜 수 있어야 한다. 내압 및 극한압력은 다음과 같이 설계작동압력(Design Operating Pressure, DOP)에 대한 비율로서 정의한다.

요소	내압 (× DOP)	극한압력 (× DOP)
1. 튜브 및 피팅	1.5	3.0
2. 압력가스를 담는 압력용기		
– 고압(축압기 등)	3.0	4.0
– 저압(레저버 등)	1.5	3.0
3. 호스	2.0	4.0
4. 기타	1.5	2.0

② 소정의 기능 발휘를 막는 영구변형을 일으키지 않으면서 발생할 수 있는 제한 구조하중과 설계작동 압력을 견딜 수 있어야 한다.

③ 발생할 수 있는 극한구조하중과 설계작동 압력의 1.5배의 압력을 동시에 받아도 파괴되지 않고 견디어야 한다.

④ 순간적인 압력을 포함하여 주기적으로 발생하는 모든 형태의 압력 및 이로 인하여 외부에서 유도되는 하중으로 인한 피로 효과를 견디어야 하며, 이때 부품 결함으로 인한 영향을 고려하여야 한다.

⑤ 비행기는 인증을 받은 모든 환경 조건에서 소정의 기능을 발휘하여야 한다.

4.3 전선연결시스템(EWIS)

전선연결시스템(EWIS, Electrical Wiring Interconnection System)은 전선, 전선기구, 또는 이들의 조합된 형태를 말한다. 이는 2개 이상의 단자 사이에 전기적 에너지, 데이터 및 신호를 전달할 목적으로 비행기에 설치되는 단자기구, 그리고 다음의 부품을 포함한다.

① 전선 및 테이블

② 버스 바(Bus bars)

③ 릴레이, 차단기, 스위치, 접점, 단자블록 및 회로차단기, 그리고 기타의 회로보호 기구를 포함하는 전기기구의 단자

④ 관통공급(Feed-through) 커넥터를 포함하는 커넥터

⑤ 커넥터 보조기구(Accessories)

⑥ 전기적인 접지 및 본딩 기구와 이에 관련된 연결기구

⑦ 전기 연결기(Splices)

⑧ 전선 절연, 전선 연결(Sleeving), 그리고 본딩을 위한 전기단자를 구비하고 있는 전기배관을 포함하여 전선의 추가적인 보호를 위하여 사용하는 재료

⑨ 쉴드(Shields) 또는 브레이드(Braids)

⑩ 클램프, 그리고 전선 번들을 배치 및 지지하는 데 사용되는 기타의 기구

⑪ 케이블 타이 기구(Cable tie devices)

⑫ 식별표시를 위한 사용되는 레이블 또는 기타의 수단

⑬ 압력 시일(Pressure seals)

⑭ 회로판 후면, 전선통합장치, 장치의 외부 전선을 포함하여 선반, 패널, 랙, 접속함, 분배패널, 그리고 랙의 후면 내부에 사용되는 전선연결시스템(EWIS) 구성품

4.3.1 전선연결시스템(EWIS) 기능 및 징칙

비행기의 모든 영역에 장착되는 각 전선연결시스템(EWIS) 구성품은 다음의 요건을 만족하여야 한다.

① 의도하는 기능에 적정한 종류 및 설계이어야 한다.

② 전선연결시스템(EWIS)에 적용되는 한계에 따라 설치하여야 한다.

③ 해당 비행기의 감항성을 저감시키지 않고 의도하는 기능을 수행하여야 한다.

④ 기계적인 응력변형을 최소화하는 방법으로 설계 및 장착하여야 한다.

4.3.2 전선연결시스템(EWIS) 안전성

각 전선연결시스템(EWIS)은 다음의 현상을 유발하지 않도록 설계 및 장착하여야 한다. 위험한 고장(Hazardous failure) 상태는 극히 희박(Extremely remote)하여야 한다. 파국적 고장(Catastrophic failure) 상태는 다음과 같아야 한다.

① 극히 불가능(Extremely improbable) 하여야 한다.
② 단일고장(Single failure)으로 인하여 발생하지 않아야 한다.

제2장 고정익항공기 운항기술기준
(Flight Safety Regulations for Aeroplanes)

항공기 운항기술기준은 항공안전법 제77조에 따라 항공기 안전운항을 확보하기 위하여 국제민간항공협약 및 같은 협약 부속서에서 정한 범위에서 자격증명, 항공훈련기관, 항공기 등록 및 등록부호 표시, 항공기 감항성, 정비조직인증기준, 항공기 계기 및 장비, 항공기 운항, 항공운송사업의 운항증명 및 관리 그 밖에 안전운항을 위하여 필요한 사항으로 항공기 소유자를 포함한 항공종사자가 준수하여야 할 최소의 안전기준을 정하였다.

본 장에서는 항공기의 안전운항 확보를 목적으로 구성된 운항기술기준의 내용 중 항공정비사가 숙지하여야 할 기본적인 내용을 중심으로 다루었다.

1. 총칙(General)

1.1 적용범위

항공기 운항기술기준은 대한민국에 등록된 항공기, 대한민국의 항공운송사업 면허를 받은 자가 운용하는 국제민간항공조약(이하 "조약"이라 한다) 체약국에 등록된 항공기, 대한민국 안에서 운용하고 있는 대한민국이 아닌 조약 체약국에 등록된 항공기를 대상으로 하고 있다.

운항기술기준에서 정한 일반요건은 대한민국 안에서 운항하는 모든 민간 항공기에 적용하되 운항증명 소지자에게만 적용되는 특정요건(운영기준 등 항공당국으로부터 인가받은 요건)이 일반요건과 상충될 경우에는 특정요건을 우선 적용한다.

또한 이 규정은 적절한 증명(서), 승인서, 운영기준 등의 소지자 및 민간 항공업무에 종사하는 모든 자, 법에 따라 항공기등, 장비품 및 부품의 설계, 제작, 정비 및 개조등에 대한 증명(승인 또는 인가) 신청자 및 소지자 그리고 항공관련 업무에 종사하는 자의 훈련을 담당하는 항공훈련기관을 운영하는 자에게 적용하는 것으로 정하였다.

1.2 증명서의 소지

항공종사자 자격증명, 항공신체검사증명 및 운항기술기준에 의한 증명서 소지자는 해당 자격증명서를 소지하거나 게시하여야 하고, 기타 항공종사자 자격증명서를 취득한 자는 해당 업무를 수행할 경우에 당해 자격증명서를 소지하거나 항공기내 또는 근무지의 접근하기 쉬운 곳에 보관하노록 하고 있다.

자격증명서 등의 소지자는 주소(permanent mailing address)변경 시 30일 이내에 서면으로 국토교통부장관 또는 교통안전공단이사장에게 신고하여야 한다. 항공종사자는 분실 또는 파손된 서류에 대하여 새로운 증명서를 다시 교부 받을 때까지 이전에 발급되었던 사실을 증명하는 서류를 국토교통부장관, 교통안전공단이사장 또는 항공전문의사로부터 교부 받아 60일 사용할 수 있다.

1.3 운항기술기준의 관리

항공기 소유자, 항공운송사업자 및 항공훈련기관 등은 최신 운항기술기준 사본을 소속 항공 종사자 등이 쉽게 사용할 수 있도록 사무실 또는 접근이 용이한 적절한 공간에 비치하거나 전 자매체 등을 활용하여 관련 자료를 이용할 수 있도록 하고 있다.

또한, 운항기술기준을 항상 최신 상태로 개정 · 관리하여야 하며, 국토교통부장관은 소속 공 무원 및 지방항공청 소속 공무원들의 운항기술기준 개정관리 상태를 주기적으로 확인하여야 한다.

2. 자격증명(Personal licensing)

2.1 항공정비사 관련 자격증명(Aviation Maintenance Technician)

2.1.1 항공정비사 자격조건
   (Aircraft maintenance Type II Licenses:Eligibility Requirements:General)

항공정비사 자격증명과 한정자격 신청자의 일반적인 자격요건 다음과 같다.

① 만 18세 이상인자

② 국어 또는 영어를 읽고, 쓰고, 말하고, 이해할 수 있는 자로서 적절한 정비교범을 읽고 설명하고 결함/수리 관련보고서를 작성할 수 있는 자

③ 항공정비사에 필요한 항공지식과 정비실무 경력을 소지한 자

항공정비사 자격증명을 소지한 자가 한정자격을 취득하고자 할 경우에는 국토교통부령에 규정된 응시경력을 반드시 충족시켜야 하고 학과시험을 합격한 날로부터 24개월 이내에 희망하는 날짜에 국토교통부령에 규정된 실기시험을 통과하여야 한다.

2.1.2 항공정비사 항공기 한정자격 지식
   (Aircraft Rating : Knowledge Requirements)

항공정비사 자격증명을 취득하려고 하는 자는 항공법령, 항공역학, 기체, 항공발동기, 전자·전기·계기에 대한 기본지식이 있어야 한다.(활공기는 항공법규, 항공역학, 활공기체에 대한 기본지식이 있어야 한다.)

신청자는 국토교통부령에서 규정한 구술과 실기시험(practical test)을 지원하기 전에 학과시험을 통과하여야 한다.

2.1.3 항공정비사 기량(Skill Requirements)

항공정비사 자격증명을 취득하고자 하는 자는 항공안전법 제38조의 규정에 의한 실기시험을

통과하여야 하며, 항공정비사로서 업무를 수행하기 위해서는 기체, 동력장치, 기타 장비품의 취급·정비와 검사방법, 항공기의 탑재 중량 등에 대한 기량을 소지하고 있어야 한다.

2.1.4 항공정비사 업무범위(Privileges and Limitations)

항공정비사 자격증명 소지자는 국토교통부령이 정하는 범위의 수리를 제외하고 정비한 항공기에 대하여 항공안전법 제32조의 규정에 의한 확인행위를 할 수 있다.

2.1.5 정비업무범위

국토교통부장관은 항공안전법 제37조제1항제2호에 따라 항공정비사의 정비업무범위는 기체관련분야, 피스톤발동기관련분야, 터빈발동기관련분야, 프로펠러관련분야, 또는 전자·전기·계기관련분야로 한정하여야 한다.

3. 항공기 등록 및 등록부호 표시 (Aircraft Registration and Marking)

3.1 항공기 등록요건(Registration Requirements)

항공안전법 제7조에 따라 항공기를 소유 또는 임차하여 항공기를 사용할 수 있는 권리가 있는 자(이하 "소유자등"이라 한다)는 국토교통부장관에게 등록한 후 사용하여야 하며, 다음 각 호의 어느 하나에 해당하는 자가 소유 또는 임차하는 항공기나 외국의 국적을 가진 항공기는 등록할 수 없다. 다만, 대한민국의 국민 또는 법인이 임차하거나 기타 사용할 수 있는 권리를 가진 항공기는 그러하지 아니하다.

① 대한민국의 국민이 아닌 사람

② 외국정부 또는 외국의 공공단체

③ 외국의 법인 또는 단체

④ 제1호부터 제3호까지의 어느 하나에 해당하는 자가 주식이나 지분의 2분의 1이상을 소유하거나 그 사업을 사실상 지배하고 있는 법인

⑤ 외국인이 법인등기부상의 대표자이거나 외국인이 법인등기부상의 임원 수의 2분의 1이상을 차지하는 법인

항공기를 등록하고자 하는 자는 법, 항공기 등록령 및 항공기 등록규칙에서 정한 절차에 따라 항공기 등록신청서를 제출하여야한다.

3.2 등록부호 표시 (Display of Nationality and Registration Marks)

등록부호를 표시하지 아니한 항공기는 항공에 사용할 수 없으며, 국적기호를 확인하기 위한 문자는 협약 부속서 7에서 정한 규정에 의한다. 이 경우 등록부호는 항공안전법 시행규칙 제13조의 규정에 의한 문자 및 숫자의 일련번호로 구성되어야 한다.

항공기 소유자등은 등록부호의 변형이나 혼동을 일으킬 수 있는 도안, 기호, 부호 등을 항공기에 표시할 수 없으며, 항공기의 등록부호는 다음의 기준에 따라 표시되어야 한다.

① 항공기에 페인트로 칠하거나 동등 수준 이상의 방법으로 부착하여야 한다.

② 장식을 하지 말아야 한다.

③ 배경색깔과 현저하게 차이가 있어야 한다.

④ 판독하기 쉬워야 한다.

국토교통부장관은 다음 각 호의 어느 하나에 해당하는 문자조합 등은 등록기호로 지정하지 아니한다.

① 국제 신호 코드(International Code of Signal)로 사용되는 다섯 자리 문자조합

② 국제통신(International Telecommunication)의 Q 코드에 사용되는 Q로 시작하는 세 자리 문자조합

③ 그 밖의 SOS, XXX, PAN 및 TTT 등 긴급 신호와 유사한 문자

3.2.1 등록부호 표시 : 일반(Display of Marks : General)

항공안전법 제18조의 규정에 의한 국적기호는 장식체가 아닌 로마자의 대문자 HL로 표시하여야 하며, 등록기호는 장식체가 아닌 4개의 아라비아 숫자로 표시하고 국적기호의 뒤에 이어서 표시하여야 한다.

국토교통부장관은 항공안전법 시행규칙 제14조부터 제16조까지의 규정에도 불구하고 부득이한 사유가 있다고 인정하는 경우에는 등록부호의 표시장소·높이·폭 등을 따로 정할 수 있다.

3.2.2 등록부호의 크기(Size of Marks)

등록부호에 사용하는 각 문자와 숫자의 높이는 다음의 기준에 따른다.

(1) 비행기와 활공기에 표시하는 경우

● 주 날개에 표시하는 경우에는 50센티미터 이상

● 수직꼬리날개 또는 동체에 표시하는 경우에는 30센티미터 이상

(2) 회전익 항공기에 표시하는 경우

- 동체 아랫면에 표시하는 경우에는 50센티미터 이상

- 동체 옆면에 표시하는 경우에는 30센티미터 이상

(3) 비행선에 표시하는 경우

- 선체에 표시하는 경우에는 50센티미터 이상

- 수평안정판과 수직안정판에 표시하는 경우에는 15센티미터 이상

등록부호의 폭은 숫자 "1"을 제외하고는 문자 및 숫자 높이의 3분의2가 되어야 하며, 국적기호 "H"와 "L"은 높이와 폭이 같아야 한다. 또한, 등록부호의 굵기는 등록부호 높이의 6분의1이어야 하며, 등록부호는 실선으로 표시하여야 한다.

등록부호의 간격은 각 문자 및 숫자 폭의 4분의1 이상 2분의1 이하 이어야 하며, 항공기의 양면에 표시한 등록부호는 동일한 높이, 폭, 두께, 간격이어야 한다.

등록부호의 각 문자 및 숫자의 높이는 같아야 한다.

3.2.3 비행기와 활공기의 등록부호 표시장소 (Location of Marks on Airplane and Glider)

주 날개와 꼬리날개 또는 주 날개와 동체에 다음과 같이 표시하여야 한다.

① 주 날개에 표시하는 경우에는 오른쪽 날개 윗면과 왼쪽 날개 아랫면에 주 날개의 앞 끝과 뒤 끝에서 같은 거리에 위치하도록 하고, 등록부호의 윗 부분이 주 날개의 앞 끝을 향하게 표시하여야 한다. 다만, 각 기호는 보조 날개와 플랩에 걸쳐서는 아니 된다.

② 수직 꼬리 날개에 표시하는 경우에는 수직 꼬리 날개의 양쪽 면에, 꼬리 날개의 앞 끝과 뒤 끝에서 5센티미터 이상 떨어지도록 수평 또는 수직으로 표시하여야 한다. 다만, 수직 꼬리 날개가 2개 이상인 경우, 좌우측 바깥쪽 수직 꼬리 날개의 바깥쪽 면에 표시하여야 한다.

③ 동체에 표시하는 경우에는 주 날개와 꼬리 날개 사이에 있는 동체의 양쪽면의 수평안정판 바로 앞에 수평 또는 수직으로 표시하여야 한다.

④ 제3호의 위치에 엔진 포드(Engine Pods)와 부속장치가 있는 경우, 당해 엔진포드나 부속장치에 등록부호를 표시할 수 있다.

3.2.4 회전익항공기의 등록부호 표시장소(Location of Marks on Rotorcraft)

회전익항공기의 경우에는 동체 아랫면과 동체 옆면에 다음과 같이 표시하여야 한다.

① 동체 아랫면에 표시하는 경우에는 동체의 최대 횡단면 부근에, 등록부호의 윗부분이 동체 좌측을 향하게 표시하여야 한다.

② 동체 옆면에 표시하는 경우에는 주 회전익의 축과 보조 회전익의 축 사이의 동체 또는 동력장치가 있는 부근의 양측 면에 수평 또는 수직으로 표시하여야 한다.

3.2.5 경항공기의 등록부호 표시장소
(Location of Marks on Lighter-Than-Air Aircraft)

비행선의 경우에는 선체 또는 수평안정판과 수직안정판에 다음과 같이 표시하여야 한다.

① 선체에 표시하는 경우에는 대칭축과 직교하는 최대횡단면 부근의 윗면과 양옆면에 표시하여야 한다.

② 수평안정판에 표시하는 경우에는 오른쪽 윗면과 왼쪽 아랫면에 등록부호의 윗부분이 수평안정판의 앞 끝을 향하게 표시하여야 한다.

③ 수직안정판에 표시하는 경우에는 수직안정판의 양쪽면 아랫부분에 수평으로 표시하여야 한다.

3.2.6 등록기호표의 부착(Affixment of Registration Number)

소유자등은 항공안전법 제17조제1항에 따라 강철 등 내화금속으로 된 등록기호표(가로 7센티미터 세로 5센티미터의 직사각형)를 항공기 출입구 윗부분의 안쪽 보기 쉬운 곳에 붙여야 하며, 등록기호표에는 등록부호와 소유자등의 명칭을 기재하여야 한다.

4. 항공기 감항성(Airworthiness)

4.1 일반(General)

4.1.1 용어의 정의(Definitions)

이 장에서 사용하는 용어의 정의는 다음과 같다.

① "개조(Alteration)"라 함은 인가된 기준에 맞게 항공제품을 변경하는 것을 말한다.

② "대개조(Major Alteration)"라 함은 항공기, 발동기, 프로펠러 및 장비품 등의 설계서에 없는 항목의 변경으로서 중량, 평행, 구조강도, 성능, 발동기 작동, 비행특성 및 기타 품질에 상당하게 작용하여 감항성에 영향을 주는 것으로 간단하고 기초적인 작업으로는 종료할 수 없는 개조를 말하며, 세부내용은 별표 5.1.1.2A와 같다.

③ "소개조(Minor Alteration)" 라 함은 대개조 이외의 개조작업을 말한다.

④ "대수리(Major repair)"라 함은 항공기, 발동기, 프로펠러 및 장비품 등의 고장 또는 결함으로 중량, 평행, 구조강도, 성능, 발동기 작동, 비행특성 및 기타 품질에 상당하게 작용하여 감항성에 영향을 주는 것으로 간단하고 기초적인 작업으로는 종료할 수 없는 수리를 말하며, 세부내용은 별표 5.1.1.2B와 같다.

⑤ "소수리(Minor Repairs)" 라 함은 대수리 이외의 수리작업을 말한다.

⑥ "등록국"이라 함은 항공기가 등록원부에 기록되어 있는 국가를 말한다.

⑦ "설계국가(State of Design)"이라 함은 항공기에 대해 원래의 형식 증명과 뒤이은 추가 형식 증명을 했던 국가 또는 항공제품에 대한 설계를 승인한 국가를 말한다.

⑧ "예방정비(Preventive maintenance)"라 함은 경미한 정비로서 단순하고 간단한 보수작업, 복잡한 결함을 포함하지 않은 소형 규격부품의 교환을 말한다.

⑨ "오버홀(Overhaul)"이라 함은 인가된 정비 방법, 기술 및 절차에 따라 항공제품의 성능을 생산 당시 성능과 동일하게 복원하는 것을 말한다. 여기에는 분해, 세척, 검사, 필요한 경우 수리, 재조립이 포함되며 작업 후 인가된 기준 및 절차에 따라 성능시험을 하여야 한다.

⑩ "재생(Rebuild)"이라 함은 인가된 정비 방법, 기술 및 절차를 사용하여 항공제품을 복원하

는 것을 말한다. 이는 새 부품 혹은 새 부품의 공차와 한계(tolerance & limitation)에 일치하는 중고부품을 사용하여 항공제품이 분해·세척·검사·수리·재조립 및 시험되는 것을 말하며, 이 작업은 제작사 혹은 제작사에서 인정받고 등록국가에서 허가한 조직에서만 수행할 수 있다.

⑪ "제작국가(State of Manufacture)"이라 함은 운항을 위한 항공기 조립 허가, 해당 형식증명서와 모든 현행의 추가형식증명서에 부합 여부에 대한 승인 및 시험비행 및 운항 허가를 하는 국가를 말하며, 제작국가는 설계국가일수도 있고 아닐 수도 있다.

⑫ "필수검사항목(Required Inspection Items)"이라 함은 작업 수행자 이외의 사람에 의해 검사되어져야 하는 정비 또는 개조 항목으로써 적절하게 수행되지 않거나 부적절한 부품 또는 자재가 사용될 경우, 항공기의 안전한 작동을 위험하게 하는 고장, 기능장애 또는 결함을 야기할 수 있는 최소한의 항목을 말한다.

⑬ "생산승인(Production Approval)"이라 함은 당국이 승인한 설계와 품질관리 또는 검사 시스템에 따라 제작자가 항공기등 또는 부품을 생산할 수 있도록 국토교통부장관이 제작자에게 허용하는 권한, 승인 또는 증명을 말한다.

⑭ "비행전 점검(Pre Flight Inspection)"이라 함은 항공기가 예정된 비행에 적합함을 확인하기 위하여 비행 전에 수행하는 점검을 말한다.

⑮ "전자식 자료(Electronic Data)"라 함은 항공기 제작사 등이 인터넷 홈페이지, DVD, CD, 디스켓을 통하여 제공하는 전자파일형태의 자료를 말한다.

4.1.2 약어(Acronyms)

이 장에서 사용되는 약어는 다음과 같다.

① AOC – 운항증명(Air Operator Certificate)

② AMO – 인증된 정비조직 (Approved Maintenance Organization)

③ MEL – 최소장비목록(Minimum Equipment List)

④ PIC – 기장(Pilot in Command)

⑤ TC – 형식증명서(Type Certificates)

⑥ TCV – 형식증명승인서(Type Certificates Validation)

⑦ STC – 부가형식증명서(Supplemental Type Certificates)

⑧ PC – 생산증명서(Production Certificates)

⑨ PMA – 부품제작자증명(Parts Manufacturer Approval)

⑩ KTSOA – 기술표준품 형식승인서(Korea Technical Standard Order Authorization)

⑪ AD – 감항성개선지시서(Airworthiness Directive)

⑫ TCDS – 형식증명자료집(Type Certification Data Sheet)

4.1.3 적용(Applicability)

항공기 운항기술기준은 항공기, 엔진, 장비품 및 부품 등의 지속적인 감항성 유지를 위한 정비, 예방정비, 수리·개조 및 검사에 대한 요건은 아래와 같이 정하고 있다.

① 형식증명, 수입 항공기 등의 형식증명승인 및 형식증명의 변경에 관한 사항: 항공기 기술기준 Part 21 Subpart B, Subpart D 및 Subpart N

② 부가형식증명에 관한 사항: 항공기 기술기준 Part 21 Subpart E

③ 소음기준적합증명의 기준과 소음의 측정방법: 항공기 기술기준 Part 36

④ 항공기 감항증명, 장비품 등의 감항승인, 수출감항승인 및 수입항공제품의 감항승인에 관한 사항: 항공기 기술기준 Part 21 Subpart H, Subpart K, Subpart L 및 Subpart N

⑤ 제작증명에 관한 사항은 항공기 기술기준 Part 21 Subpart G 그리고 기술표준품 형식승인에 관한 사항: 항공기 기술기준 Part 21 Subpart O

4.2 비인가부품 및 비인가의심부품
(Unapproved Parts and Suspected Unapproved Parts)

4.2.1 비인가부품 및 비인가의심부품의 사용금지

항공기 소유자등 및 정비조직인증을 받은 자를 포함한 어느 누구도 다음 각 호의 어느 하나에 해당되는 부품(이하 "인가부품(Approved part)"이라 한다)이 아닌 부품을 항공기등에 장착하기 위해 생산하거나 사용하여서는 아니 된다.

① 항공안전법 제20조에 따른 형식증명 및 같은 법 제20조4항에 따른 부가형식증명 과정 중

에 항공기 등에 사용되어 인가된 부품

② 항공안전법 제22조에 따른 제작증명을 받은 자가 생산한 부품

③ 항공안전법 제27조에 따른 형식승인을 받은 자가 생산한 기술표준품

④ 항공안전법법 제28조에 따른 부품등제작자증명을 받은 자가 생산한 장비품 또는 부품

⑤ 항공안전법 제35조제8호에 따른 자격증명을 가진 자 또는 같은 법 제97조에 의한 정비조직인증 업체 등이 해당 부품 제작사의 정비요건에 맞게 정비, 개조, 오버홀하고 항공에 사용을 승인한 부품

⑥ 외국에서 수입되는 부품의 경우 외국의 유자격정비사 또는 외국의 인가된 정비업체등이 해당 부품 제작사의 정비요건에 맞게 정비, 개조, 오버홀하고 항공에 사용을 승인한 부품

⑦ 우리정부와 상호항공안전협정(BASA)을 체결한 국가에서 생산된 부품으로 우리나라의 설계승인을 받아서 외국에서 생산된 부품

⑧ 산업표준화법 제11조에 따른 항공분야 한국산업표준(KSW)에 따라 제작되는 표준장비품 또는 표준부품

⑨ 다음의 미국 산업규격에 의하여 제작된 표준부품으로서 항공기 등의 형식설계서 상에서 참조되어 있는 부품

- National Aerospace Standards (NAS)
- Army-Navy Aeronautical Standard(AN)
- Society of Automotive Engineers (SAE)
- SAE Sematic
- Joint Electron Device Engineering Council
- Joint Electron Tube Engineering Council
- American National Standards Institute (ANSI)

항공기 소유자등은 인가된 부품의 요건을 충족시키지 못하는 것으로 의심이 가는 부품, 장비품 또는 자재(이하 "비인가의심부품(Suspected Unapproved Part: SUP)"이라한다) 또는 다음 각 호에 해당하는 부품(이하 "비인가부품(Unapproved Part)"이라 한다)을 항공기등에 장착하여 사용하여서는 아니된다.

① 인가부품에 해당하지 아니한 부품

② 인가부품을 모방하여 제작하거나 개조한 모조품

③ 수명한계(Life Limit)를 초과한 상태에서 항공에 사용을 승인한 부품

④ 서류상으로 인가된 부품인지를 최종적으로 확인이 불가능한 부품

마감처리, 크기, 색깔, 부적당하거나 불충분한 내용의 인식표, 불완전하거나 변조된 서류 또는 기타 의심스러운 사항이 발견된 경우에는 비인가 의심부품으로 처리하여야 한다.

4.2.2 비인가부품 및 비인가의심부품의 검사 방법

항공제품을 항공에 사용하려는 자는 비인가 부품 또는 비인가 의심부품이 항공기등에 장착되지 않도록 확인하여야 하며, 소유자등은 인가부품 여부를 확인하기 위하여 다음 각 호의 절차에 따른 방법을 적용할 수 있다.

(1) 획득절차(Procurement Process)

부품 공급자를 확인할 수 있는 방법으로써 부품 공급자가 서류관리시스템과 수령검사시스템을 갖추고 있어서 자신들의 취급 부품이 인가된 업체로부터 제작 또는 수리된 품목인지를 추적할 수 있는 시스템을 갖추고 있는 공급자인지를 확인할 수 있는 방법과 부품이 비인가 의심부품인지 여부를 판단하기 위하여 생소한 부품 공급자를 확인하기 위한 방법 등이 요구되며, 다음과 같은 경우 비인가 의심부품으로 간주될 수 있으므로 정확한 확인이 필요하다.

① 견적 가격이나 광고된 가격이 동일한 부품의 다른 공급자가 제시한 가격보다 훨씬 저렴할 경우

② 인도(delivery) 일정이 다른 공급자들에 비하여 훨씬 짧을 경우

③ 확인되지 않은 배급업자로부터 판매 견적서나 설명서를 통하여 부품, 장비품, 또는 자재를 최종 소비자에게 무한정으로 제공 가능하다고 알려올 경우

④ 공급자기 인가된 업체로부터 부품이 생산되었고 항공법등에서 규정한데로 검사, 수리, 오버홀, 저장 또는 개조되었음을 입증하는 서류를 제공할 수 없을 경우

(2) 수령절차(Acceptance Procedures)

부품의 포장(packing)에서 부품 공급자를 파악할 수 있는지를 확인하고 포장의 변형이나 손상여부를 확인하여야 하며, 실제 부품과 수령서류(delivery receipt)가 구매지시서(purchase order)에 기록된 부품번호, 제작일련번호 및 부품이력과 동일여부의 확인하여야 한다.

부품에 부착되어있는 식별표(identification)상에 일련번호가 이중으로 타각(stamped)되어있거나, 라벨이나 부품번호/제작 일련번호가 부적절하거나 생략되었거나, 바이브로-에치(vibro-etch) 또는 일련번호가 정상적인 위치가 아닌 곳에 있는 경우 등 임의로 변조되어있는지 확인하여야 한다.

부품의 보관기간(shelf life)이나 수명한계(life limit)가 유효기간 이내인지 확인하여야 하며, 부품 및 입증서류를 통하여 부품이 국토교통부장관 또는 외국 감항당국의 인가된 업체로부터 공급된 것임을 추적할 수 있는지를 판단하기 위하여 부품 및 입증서류의 검사를 실시하여야 한다. 국토교통부장관이 인정할 수 있는 부품 표찰은 다음과 같다.

● 항공안전법 시행규칙 제20조 서식(감항성인증서)

● FAA Form 8130-3, Airworthiness Approval Tag

● EASA Form 1 또는 JAA Form 1, Authorized Release Certificate

● 기타 외국감항당국의 감항성인증서

● 사용가능상태로 환원(return to service) 승인에 대한 정비기록 또는 확인서류(release document)

● 미국 연방항공청(FAA) 기술표준품(TSO) 표시(marking)

● 미국 연방항공청(FAA) 부품제작자승증명(PMA) 표시(marking)

● 인가된 제작사로부터의 선적서/송장(shipping ticket/invoice)

외관상 비정상적인 부품은 변조 또는 비정상적인 부품의 표면, 요구되는 식별판(plating)의 부재, 이전에 사용했던 흔적, 긁힌 자국(scratch), 중고품에 새 페인트칠한 것, 외부수리 시도 자국, 파인 자국이나 부식 여부 등을 확인하여야한다.

다량으로 포장(package)된 표준부품(standard hardware)의 경우 부품의 종류와 수량에 따라서 무작위로 표본점검(sampling)을 실시하여야하며, 비인가의심부품은 격리시키고 부주의로 서류를 빠뜨렸을 경우 필요 서류를 확보하거나, 비정상 상태가 선적과정에서의 손상인지 취급상의 손상인지를 판단하는 등 의문점이 있는 부분에 대한 조치를 하여야한다.

(3) 공급자 평가(Supplier Evaluation)

항공부품 제작업체의 경우 자신의 하청회사가 생산하여 납품하는 부품, 자재, 부분조립품 (subassembly)이나 서비스(예를 들어 공정처리, 교정 등)가 인가된 설계기준에 합치하고, 안전한 작동을 할 수 있는 상태에 있는지를 판단하기 위하여 하청회사(supplier)에 대하여 평가할 수 있으며, 국토교통부장관이나 기타 외국 감항당국이 발행하는 비인가 부품 또는 비인가 의심부품에 대한 통보서(Unapproved Parts Notification)의 확인이 요구된다.

4.2.3 비인가 부품 및 비인가의심부품의 신고

① 비인가 부품 또는 비인가 의심부품을 발견한 자는 이들 부품을 격리하고 국토교통부장관 및 형식증명 소지자에게 별지 제12호 서식(비인가 의심부품 신고서)을 작성하여 신고하여야 한다.

② 항공기 감항증명, 수리개조승인 및 항공안전감독활동 등의 업무를 수행하는 중에 비인가 부품 또는 비인가 의심부품을 발견한 경우에는 이를 국토교통부장관(항공기술과장)에게 보고하여야 하며, 국토교통부장관(항공기술과장)은 이를 형식증명 보유자에게 통보한다.

③ ①항에 따라 신고한 자가 익명으로 신고하고자 할 경우 국토교통부장관은 신고자의 익명성을 보장하여야 한다.

4.2.4 비인가 부품 및 비인가 의심부품의 격리

소유자등은 비인가 의심부품을 발견한 경우 해당 부품과 관련 서류 등을 즉시 격리시키고 국토교통부장관으로부터 증거물로서 더 이상 필요하지 않다고 판정받을 때까지 또는 해당 부품의 진위여부가 판명될 때까지 격리된 장소에 별도 보관하여야 하며, 비인가 부품으로 판명된 부품은 적절한 절차 및 방법에 의거 폐기하거나 처분하여야 한다.

비인가 부품으로 판명된 부품을 교육, 훈련 기자재 또는 연구 및 개발 등의 항공에의 사용 이외의 목적으로 이용할 수 있으며, 이 경우 항공에 재사용될 수 없도록 영구적인 표시를 하여야 한다.

4.2.5 비인가 부품 및 비인가 의심부품의 조사

국토교통부장관은 신고 된 비인가 부품 또는 비인가 의심부품에 대해 진위여부와 사용 경위 등에 대하여 조사할 수 있으며, 신고 된 부품이 비인가 부품이거나 비인가 의심부품인 것으로 판단될 경우에는 관련 항공기 등의 형식증명서 보유 국가 감항당국 또는 형식증명서 보유자에게 해당 비인가 의심부품 발견사실을 비인가 의심부품신고서를 첨부하여 통보하여 해당 항공기의 형식증명서 보유 국가의 감항당국 또는 형식증명서 보유자가 당해 항공기의 안전을 위한 조치를 취할 수 있도록 하고 해당 부품을 인가했는지 여부 등 조사 결과에 대하여 통보 받도록 하여야 한다.

국토교통부장관의 추가 정보 등에 대한 요구가 있을 경우 소유자등은 적극 협조하여야 하며, 조사결과 비인가품으로 판명된 경우 국토교통부장관은 비인가 부품통보서(Unapproved Parts Notification)를 발행하여 소유자등에게 전파하고, 필요한 경우 비인가 부품에 대한 조사, 교환, 정비 등을 지시하는 감항성 개선지시서(AD)를 발행할 수 있으며 이 경우 해당 소유자등은 이를 수행하여야 한다.

4.2.6 운항중지 항공기의 부품 사용

소유자등은 운항중지 항공기의 부품을 저장 환경과 기간 등을 감안하여 항공기 운항의 안전에 지장이 없을 경우에만 사용하여야 한다.

① 소유자등은 운항중지 항공기를 보존하여 부품을 재활용하기 위해서는 항공기 및 부품의 정비이력, 감항성 개선지시 수행상태 및 수리·개조 수행상태와 같은 정비기록들을 확인하고 보존하여야 한다. 저장하기 이전의 과 중력 착륙(heavy landings) 또는 낙뢰(light strikes)와 같은 비정상 사건들은 부품의 사용 가능성을 판단하는데 고려되어야 한다.

② 소유자 등은 운항중지 항공기로부터 부품을 장탈할 경우에는 사용 중인 항공기에 대한 일상적인 정비작업 시 적용되는 방식과 가능한 한 동일한 방식으로 작업이 이루어져야 한다.

③ 소유자 등은 운항중지 항공기로부터 장탈된 부품을 사용할 경우에는 해당 부품을 국토교통부장관 또는 관할 외국정부 감항당국에서 인가한 정비조직으로부터 점검을 받도록 하여야 한다.

소유자등이 운항중지 항공기의 부품을 사용하기 위한 작업을 수행할 경우에는 다음 각 호의 사항을 준수하여야 한다.

① 부품의 장탈 작업은 정비교범과 같은 정비자료에서 규정한 공구와 장비 또는 동등 이상의 대체 공구와 장비를 사용하여야 한다.

② 장탈할 부품에 접근할 경우에는 안전에 필요한 장비 등이 사용되어야 한다.

③ 혹독한 기상조건일 경우에는 야외에서의 부품의 분해작업은 실시되지 않아야 한다.

④ 모든 작업은 적절한 자격을 갖춘 자에 의하여 수행되어야 한다.

⑤ 모든 부품의 열린 연결부는 장탈작업을 수행한 후에는 오물의 이입을 방지하기 위하여 봉쇄하여야 한다.

⑥ 작업구역 인근에 장탈 부품을 안전하게 보관하기 위하여 별도의 격리된 저장 장소를 마련하여야 한다.

⑦ 부품의 장탈 등이 이루어 졌을 경우에는 정비기록서에 이를 기록하고, 각 부품에는 식별 표찰을 작성하여 부착하여야 한다.

4.2.7 사고 항공기의 부품 사용

소유자등이 사고 항공기의 부품을 사용할 경우에는 다음 각 호의 사항을 준수하여야 한다.

① 해당 부품이 손상을 입지 않았다는 증거로써 항공법 제138조에 의한 정비조직인증을 받은 업체가 해당 부품에 대하여 발행한 표찰(Airworthiness approval tag)이나 ①항 내지 ⑤항에 따른 자료가 있어야 한다.

② 오버홀과 재장착 작업 이전의 사고 상황, 사고 후의 저장 및 운반 상태, 사고 이전의 감항성 관련 기록 등 항공기 운용이력에 대한 자료를 종합하여 감항성에 대한 평가와 검사가 이루어져야 한다.

③ 충돌하중이 부품의 증명 강도를 초과할 경우에는 잔여응력(residual strain)이 해당 품목의 유효강도를 감소시키거나 기능을 부적절하게 할 수 있으므로 잠재적인 위험성을 판단하여야 한다.

④ 부품의 강도 약화는 화재와 같은 과열에 의한 자재의 물성 변화에 의해서도 야기될 수 있으므로 부품의 균열, 변형과 더불어 과열이 되었었는지를 확인하여 안전성을 입증하여야 한다.

⑤ 부품의 원래 크기를 알 수 없어 변형(distortion)의 정도를 확인할 수 없을 경우에는 당해 부품을 사용할 수 없다. 과열이 의심스러울 경우에는 연구기관 등에서 재료의 물성 변경에 대한 조사를 실시하여야 한다.

4.2.8 폐기부품의 처분

소유자 등이 다음 각 호와 같은 항공기의 폐기 부품과 자재(이하 "폐기부품"이라 한다)를 처분할 경우에는 당해 폐기부품이 사용 가능한 부품으로 날조되어 유통되지 않도록 하여야 한다.

① 육안으로 식별되거나 되지 않거나 간에 수리가 불가능한 결함을 갖고 있는 부품

② 형식증명, 부가형식증명, 기술표준품 형식승인, 수리·개조승인 등 인가된 설계(approved design)에서 정한 규격(specifications)의 범위 내에 있지 않는 부품

③ 해당 부품 및 자재들에 대한 추가적인 작업 공정이나 재작업이 이러한 부품과 자재를 승인된 시스템에 따라서 인증을 받을 수 있도록 자격 자체를 부여할 수 없는 경우

④ 인정할 수 없는 개조를 했거나 원상회복을 시킬 수 없는 재작업을 한 부품

⑤ 시한성 부품으로써 그 수명이 도달했거나 초과한 부품 또는 기록을 영구적으로 분실했거나 불완전한 기록을 갖고 있는 부품

⑥ 심한 힘을 받았거나 열에 노출됨으로써 감항성이 있는 상태로 회복될 수 없는 부품

⑦ 비행횟수가 많은(high-cycle) 항공기로부터 장탈된 일차적인 구조부재로써 해당 항공기가 노후항공기에 적용되는 의무적인 요건들을 충족시키지 못하는 자재

소유자 등은 시한성 품목의 시한 연장을 위한 평가, 사용이력기록의 재확인, 새로운 수리 방법 및 기술의 승인이 진행되는 것과 같은 상태가 진행 중일 경우에는 폐기부품의 폐기를 유보할 수 있다. 다만, 이 경우에 해당 폐기부품은 감항성이 환원 되거나 또는 폐기되어야 한다는 결정이 있을 때까지 사용이 가능한 부품들로부터 격리되어야 한다.

소유자등은 폐기부품을 사용 가능 부품 등과 항상 격리시켜야 하고, 이를 사용하지 못하도록 절단하거나 영구적으로 사용할 수 없다는 표시(mark)를 하여야 한다. 이러한 작업은 어떠한 경우에도 폐기부품을 원래 용도대로 사용될 수 없도록 하여야 하고 또한 사용 가능한 것처럼 보이도록 하기 위한 재작업이나 위조가 불가능하게 이루어져야 한다.

소유자등이 폐기부품을 훈련 및 교육 보조재, 연구·개발 또는 비 항공용으로 사용하여 절단 등의 작업이 곤란할 경우에는 어떠한 경우에도 실제 운항을 위한 항공기에는 사용할 수 없다는 표지(mark)를 영구적으로 부착하거나, 원래의 부품번호 또는 인식표(data plate)의 정보사항을 제거시키거나 해당 부품의 처분 기록을 유지하여야 한다.

4.3 항공기 및 장비품의 지속적인 감항성 유지 (Continued Airworthiness of Aircraft and Components)

4.3.1 책임(Responsibility)

항공기 소유자등은 항공기등에 대하여 지속적으로 감항성을 유지하고 항공기등의 감항성 유지를 위하여 다음사항을 확인하여야 한다.

① 감항성에 영향을 미치는 모든 정비, 오버홀, 개조 및 수리가 항공 관련 법령 및 이 규정에서 정한 방법 및 기준·절차에 따라 수행되고 있는지의 여부.

② 정비 또는 수리·개조 등을 수행하는 경우 관련 규정에 따라 항공기 정비일지에 항공기가 감항성이 있음을 증명하는 적합한 기록유지 여부

③ 항공기 정비작업 후 사용 가 판정(Return to Service)은 수행된 정비 작업이 규정된 방법에 따라 만족스럽게 종료되었을 때에 이루어질 것

④ 정비확인 시 종결되지 않은 결함사항 등이 있는 경우 수정되지 아니한 정비 항목들의 목록을 항공기 정비일지에 기록하고 있는지의 여부

4.3.2 고장, 기능불량 및 결함의 보고 (Reports of Failures, Malfunctions, and Defects)

항공기 소유자 또는 운영자는 항공안전법 제59조 및 같은 법 시행규칙 제134조에 따라 같은 법 시행규칙 별표 3의 항공안전장애 중 항공기 감항성에 관련한 고장, 기능불량 또는 결함이 발생한 경우에는 국토교통부장관에게 그 사실을 보고해야 한다.

보고 시기 및 내용은 다음과 같다.

① 보고해야 하는 고장, 기능불량 또는 결함이 발생한 때에는 인터넷(http://esky.go.kr) 또는 전화/텔렉스/팩스를 사용하여 발생한 날로부터 3일(72시간) 이내에 공식적인 보고가 이루어져야 한다.

② 보고 내용에는 아래의 내용을 포함하여야 한다.

  ● 항공기 일련 번호

  ● 고장, 기능불량 또는 결함이 기술표준품 형식승인서(KTSOA)에 따라 인가된 품목과 관련되어있을 경우, 해당 품목의 일련번호와 형식 번호

- 고장, 기능불량 또는 결함이 엔진 또는 프로펠러와 관련되어 있을 경우, 해당 엔진 또는 프로펠러의 일련 번호
- 생산품의 형식
- 부품번호를 포함하여 관련된 부품, 구성품 또는 계통의 명칭
- 고장, 기능불량 또는 결함의 양상

③ 보고양식은 별지 제9호 서식(항공기고장보고서)에 의한다.

국토교통부장관은 대한민국에 등록된 항공기일 경우 접수한 보고 내용을 해당항공기의 설계국가에 통보하고, 외국 국적 항공기의 경우 접수한 보고 내용을 해당 항공기의 등록국가에 통보한다.

4.3.3 감항성 개선지시(Airworthiness Directives)

국토교통부장관은 항공기 소유자 또는 운영에게 항공기의 지속적인 감항성 유지를 위하여 감항성 개선 지시서를 발행하여 정비 등을 지시할 수 있으며, 새로운 형식의 항공기가 등록된 경우 해당 항공기의 설계국가에 항공기가 등록되었음을 통보하고, 항공기, 기체구조, 엔진, 프로펠러 및 장비품에 관한 감항성 개선지시를 포함한 필수 지속 감항 정보(mandatory continuing airworthiness information)의 제공을 요청한다.

국토교통부장관은 설계국가에서 제공한 필수 지속 감항 정보를 검토하여 국내에 등록된 항공기 또는 운용 중인 엔진, 프로펠러, 장비품에 불안전한 상태에 있다고 판단된 경우에는 감항성 개선 지시서를 발행하여야 하며, 항공기의 불안전 상태를 해소하기 위해 필요한 경우에는 항공기, 엔진, 프로펠러 및 장비품 제작사가 발행한 정비개선회보(service bulletin), 각종 기술자료(service letter, service information letter, technical follow up, all operator message 등) 및 승인된 설계변경 사항을 검토하여 해당 항공기, 엔진, 프로펠러 및 장비품에 대한 정비, 검사를 지시하거나 운용절차 또는 제한사항을 정하여 지시할 수 있다.

대한민국에 등록된 항공기의 소유자 또는 운영자는 국토교통부장관이 발행한 감항성 개선지시의 요건을 충족하지 않은 항공기를 운용하거나 항공제품을 사용하여서는 아니 된다.

국토교통부장관은 항공기 소유자 또는 운영자가 보고한 고장, 기능불량 및 결함 내용을 검토하여 다음 각 호의 어느 하나에 해당되는 경우 감항성 개선 지시서를 발행할 수 있다.

① 항공기등의 감항성에 중대한 영향을 미치는 설계·제작상의 결함사항이 있는 것으로 확인

된 경우

② 「항공·철도 사고조사에 관한 법률」에 따라 항공기 사고조사 또는 항공안전 감독활동의 결과로 항공기 감항성에 중대한 영향을 미치는 고장 또는 결함사항이 있는 것으로 확인된 경우

③ 동일 고장이 반복적으로 발생되어 부품의 교환, 수리·개조 등을 통한 근본적인 수정조치가 요구되거나 반복적인 점검 등이 필요한 경우

④ 항공기 기술기준에 중요한 변경이 있는 경우

⑤ 국제민간항공협약 부속서 8에 따라 외국의 항공기 설계국가 또는 설계기관 등으로부터 필수 지속 감항 정보를 통보받아 검토한 결과 필요하다고 판단한 경우

⑥ 항공기 안전운항을 위하여 운용한계(operating limitations) 또는 운용절차(operation procedures)를 개정할 필요가 있다고 판단한 경우

⑦ 그 밖에 국토교통부장관이 항공기 안전 확보를 위해 필요하다고 인정한 경우

국토교통부장관은 감항성 개선 지시서를 발행할 경우 해당 항공제품을 장착한 국내의 항공기 소유자등은 물론, 국내 제작된 항공제품에 대하여 국외의 해당 항공제품을 장착한 항공기의 등록국가, 운영국가 또는 통보를 요청하는 국가가 확인할 수 있도록 인터넷을 이용하여 게시하거나 이메일, 팩스 또는 우편물 등으로 알려야 한다.

항공기 소유자 또는 운영자는 해당 감항성 개선지시서에서 정한 방법 이외의 방법으로 수행하고자 할 경우 국토교통부장관에게 대체 수행방법(alternative methods of compliance)에 대하여 승인을 요청하여야 한다. 다만, 감항성 개선지시서 발행국가가 승인한 대체수행방법을 적용하고자 하는 경우 사전에 보고(관련 SB의 개정 등 경미한 변경 사항은 보고 불필요) 후 시행할 수 있으며, 국토교통부장관은 대체수행방법을 승인할 경우 항공기 감항성 유지에 문제가 없는지를 확인한 후 승인하여야 한다.

4.4 항공기 정비등(Aircraft Maintenance, Preventive maintenance, Rebuilding and Alteration)

4.4.1 적용(Applicability)

이 절은 대한민국의 감항증명을 받은 항공기 또는 이 항공기의 기체, 엔진, 프로펠러, 장비품 및 구성품 부품의 정비, 예방정비, 재생, 개조 작업에 적용한다.

4.4.2 정비, 예방정비, 재생 및 개조를 수행하도록 인가된 자(Persons Authorized to Maintenance, Preventive maintenance, Rebuilding and Alteration)

(1) 항공안전법 제35조제1호부터 제3호까지의 규정에 따른 조종사 자격증명 소지자

● 형식한정을 받은 항공기(형식한정이 해당되지 아니한 항공기를 포함한다)에 대하여 비행 전 점검을 수행할 수 있다. 이 경우 비행 전 점검이 만족하게 수행되었는지에 대한 책임은 기장 또는 소속 항공사에 있다.

● 자신이 소유하거나 운영하는 항공기에 대한 예방정비를 수행할 수 있다. 다만, 당해 항공기가 운항증명을 받아 운용되거나 감항분류가 커뮤터(C) 또는 수송(T)으로 구분되는 경우에는 제외한다.

(2) 항공안전법 제35조제8호에 따른 항공정비사 자격증명을 소지하고 해당 정비업무에 대한 교육을 받았거나 지식과 경험이 있는 자(이하 "유자격정비사"라 한다)

항공기 종류 및 정비업무의 범위 내에서 정비 등을 수행하거나, 유자격정비사가 아닌 자로 하여금 정비 등을 수행하게 할 수 있다. 이 경우 유자격정비사의 감독 하에 있어야 한다.

(3) 유자격정비사의 감독 하에 있는 유자격정비사가 아닌 자

다음의 조건이 모두 충족되는 경우 유자격정비사의 감독 하에서 정비 등을 수행할 수 있다. 다만, 필수검사항목 및 대수리·개조 이후 수행되는 검사업무는 제외한다.

● 유자격정비사가 아닌 자가 정비 등을 적절하게 수행하고 있음을 보증할 수 있도록 작업사항에 대한 유자격정비사의 확인이 가능한 경우

● 유자격정비사는 유자격정비사가 아닌 자가 직접 자문을 구할 수 있는 위치에 있을 경우

4.4.3 항공제품에 대한 정비등의 수행 후 사용가능상태로의 승인
(Approval for return to service after maintenance, preventive maintenance, rebuilding, or alteration)

항공기, 기체, 엔진, 프로펠러 또는 장비품에 대한 정비 등의 작업을 수행 후 사용가능상태로 승인하려는 자는 다음 각 호의 조치사항을 수행하여야 한다.

① 정비작업 내용을 기록하여야 한다.

② 국토교통부장관이 인가한 수리 또는 개조 서식은 국토교통부장관이 정한 방식으로 작성하여야 한다.

③ 수리 또는 개조 결과, 인가된 비행교범에 수록된 운용한계사항이나 비행자료에 변경이 있는 경우에는 운용한계사항이나 비행자료가 적절하게 개정되고 기술되어 있어야 한다.

4.4.4 항공제품에 대한 정비등의 수행 후 사용가능상태로 승인할 수 있는 자 (Authorized Personnel to Approve for Return to Service)

항공제품에 대한 정비 등(비행 전 점검은 제외 한다)을 수행한 후 사용가능상태로 승인할 수 있는 자와 그 범위는 다음과 같다.

● 유자격조종사는 자신이 소유하거나 운영하는 항공기에 대하여 예방정비를 수행한 후 항공기를 사용가능상태로 승인할 수 있다.

● 유자격정비사는 인가받은 항공기 종류 및 정비 업무의 범위 내에서 정비등을 수행, 감독 및 검사를 한 후 사용가능상태로 승인할 수 있다.

● 정비조직인증을 받은 자는 운항기술기준 제6장(정비조직의 인증)에 따라 사용가능상태로 승인할 수 있다.

● 항공안전법 제90조에 따른 운항증명소지자 및 같은 법 제30조에 따른 항공기사용사업자는 보유 항공기등에 대하여 인가받은 운영기준 및 정비규정에 따라 사용가능상태로 승인할 수 있다.

● 제작자는 작업 후 사용가능상태로 승인할 수 있다. 다만, 소개조를 제외한 설계가 변경되는 작업에 관한 기술자료는 국토교통부장관의 인가를 받아야 한다.

4.4.5 정비수행 원칙(Performance Rules : Maintenance)

정비, 예방 정비 또는 개조를 수행하는 자는 다음에 명시된 방법, 기술, 절차를 사용하여야 한다.

- 지속적인 감항성 유지를 위하여 제작사가 발행한 최신의 정비교범 또는 지침서
- 국토교통부장관이 요구하는 추가적인 방법, 기술 및 절차 (제작사 제공 문서가 없을 경우에는 국토교통부장관이 지정한 방법, 기술 및 절차 사용)

작업자는 작업 수행이 완료되었음을 보증하기 위하여 해당 산업분야에서 인정된 방식에 의한 도구, 장비 및 시험도구를 사용하여야 한다. 만일, 관련 제작사가 특수한 장비, 시험기구의 사용을 권고할 경우에는 정비를 수행하는 자는 해당 장비, 기구(또는 국토교통부장관이 인정하는 동등 장비, 기구)를 사용하여야 한다.

항공 제품에 대한 정비, 예방정비 또는 개조를 수행하는 자는 작업 대상품의 상태가 적어도 원형 또는 적합하게 개조된 상태(이 상태는 공기 역학적 기능, 구조강도, 진동, 퇴화 및 기타 감항성에 영향을 주는 품질과 관련된다)와 동등한 품질이 되도록 하는 방식으로 자재를 사용하여 작업하여야 한다.

운항증명(AOC) 소지자 또는 항공기사용사업자의 운영기준, 정비규정, 정비프로그램 또는 검사프로그램에 포함되어 있는 방법, 기술, 작업은 이 장에서 요구하는 조건을 만족하고 인정받을 수 있는 방식이어야 한다.

4.4.6 추가적인 검사수행 원칙(Additional Performance Rules for Inspections)

수행된 정비작업에 요구되는 추가적인 검사를 수행하는 자는 다음과 같이 수행하여야 한다.

- 검사대상 항공기 또는 해당 작업부위가 적용되는 모든 감항성 요건을 충족하는지 판정하여야 한다.
- 인가받은 검사프로그램이 있는 검사대상 항공기의 경우에는 해당 검사프로그램의 지침과 절차에 따라 수행하여야 한다.

(1) 연간 및 100시간 검사(국토교통부장관으로부터 정비프로그램 또는 검사프로그램을 인가받아 사용하는 경우는 제외한다)

① 연간 또는 100시간 검사를 수행하는 자는 검사 수행시 점검표를 사용해야 한다. 점검표는 검사자 자신이 작성하거나, 검사 대상 장비품 제작자 또는 다른 출처로부터 제공받아 사용할 수 있다. 이 점검표에는 국토교통부장관이 규정한 항목들에 대한 범위 및 세부사항들이 포함되어야 한다.

② 왕복엔진을 장착한 항공기의 연간 및 100시간 검사를 수행한 후 사용가능상태로 승인

하려는 자는 승인하기 전에 제작사가 제공한 지침에 따라 다음 사항이 항공기 성능이 만족스러운지 엔진을 작동하여 검사하여야 한다.

- 엔진 출력(정적 및 무부하상태의 엔진회전수)
- 마그네토
- 연료 및 오일 압력
- 실린더 및 오일 온도 등

③ 터빈엔진을 장착한 항공기의 연간, 100시간 검사 또는 진보적 검사(Progressive inspection)를 수행한 후 사용가능상태로 승인하려는 자는 승인하기 전에 제작사가 제공한 지침에 따라 항공기 성능이 만족스러운지 엔진을 작동하여 검사하여야 한다.

(2) 진보적 검사(Progressive inspection)

진보적 검사를 수행하려는 자는 진보적 검사 체계를 시작하는 시점에 항공기의 전면적인 검사를 수행하여야 한다. 이 초도 검사 후, 진보적 검사계획에 일상검사(Routine inspection) 및 정밀검사(Detailed inspection)가 명시되어 있어야 한다.

- 일상검사는 실질적인 재조립과정이 없다면 시각적인 검사 또는 장치, 항공기, 장비품 및 시스템의 점검이 포함되어 있어야 한다.
- 정밀검사는 필요시 실질적인 재조립과정을 포함하여 장치, 항공기, 장비품 및 시스템의 철저한 점검이 포함되어 있어야 한다. 이 항의 목적을 위한 장비품 또는 시스템의 오버홀은 정밀검사로 간주된다.

항공기가 원격지에 있고 검사가 평소와 같은 방법으로 수행된다면, 적합한 한정을 갖은 항공정비사, 인증 받은 정비조직, 또는 항공기 제작자는 절차에 따라 검사를 수행할 수 있다.

4.4.7 수명한계부품의 처리(Disposition of life-limited aircraft parts)

(1) 용어정의

- 수명한계부품(Life-limited parts)이란 부품에 대한 강제적인 교환 한계가 형식설계서(형식증명자료집), 계속감항성 유지지침서 또는 정비교범 등에 정하여진 부품을 말한다.
- 수명상태(life status)란 수명한계부품의 누적된 사용횟수(Cycles), 시간(Hours) 또는 별

도로 규정된 강제 교환 한계(Mandatory replacement limit)를 말한다.

(2) 수명한계부품의 일시적 장탈

수명한계부품을 정비 등의 목적으로 일시적으로 장탈하여 재장착하는 경우로서 다음과 같은 경우 다항에 따른 처리를 필요로 하지 않는다.

● 해당 부품의 수명상태가 변하지 않은 경우

● 동일한 제작일련번호의 제품으로 장탈 및 재장착된 경우

● 이 부품이 장탈되어 있는 동안 사용시간이 누적되지 않은 경우

(3) 장탈한 부품의 관리

항공기등에서 수명한계부품을 장탈하는 자는 해당 부품이 관리되고 있다는 것을 보증하기 위하여 수명한계에 도달한 이후에는 다음 각 호의 하나의 방법으로 장착되지 않도록 하여야 한다.

① 기록유지체제(Record keeping system)

부품번호, 제작일련번호 및 현재의 수명상태 등을 기록 유지하고, 장탈될 때마다 수명상태를 최신으로 갱신한다. 이 기록유지체제는 전자적 방법, 문서 또는 그밖에 다른 수단 등으로 관리할 수 있다.

② 표찰 또는 기록표 부착

부품에 표찰 또는 기록표를 부착한다. 이 표찰 또는 기록표에는 부품번호, 제작일련번호 및 현재의 수명상태가 기재되어 있어야 한다. 부품이 장탈될 때마다 새로운 표찰 또는 기록표를 작성하거나, 기존의 표찰 또는 기록표에 현재의 수명상태를 갱신한다.

③ 비 영구적인 표기

부품에 현재의 수명상태를 알 수 있도록 비영구적인 표기방법을 사용한다. 이 수명상태는 항공기등에서 장탈될 때마다 갱신되어야 하며, 표기를 제거할 경우 이 항의 다른 방법으로 관리할 수 있다.

④ 영구적인 표기

부품에 현재의 수명상태를 알 수 있도록 영구적인 표기방법을 사용한다. 이 수명상태는 항공기 등에서 장탈될 때마다 갱신되어야 한다.

⑤ 격리

항공기 등에 장착되는 것을 방지하기 위하여 다음과 같은 내용을 포함하여 부품을 격리한다.

- 부품번호, 일련번호 및 현재의 수명상태에 대한 기록의 유지

- 해당 부품은 장착이 가능한 부품과 물리적으로 분리된 공간에 보관

⑥ 파쇄(절단)

항공기등에 장착될 수 없도록 파쇄한다. 파쇄는 해당 부품이 수리될 수 없도록 하고, 감항성이 있는 것처럼 보이도록 재작업이 이루어질 수 없도록 하여야 한다.

⑦ 그밖에 국토교통부장관이 인정한 방법

(4) 수명한계부품의 양도

항공기 등에서 수명한계부품을 장탈하여 판매 또는 양도하려는 자는 이 규정에 부합하기 위하여 사용된 표시, 표찰 또는 다른 기록물을 해당 부품과 함께 양도하여야 한다. 다만, 파쇄된 부품의 경우는 제외한다.

4.4.8 정비 기록 및 기재(Maintenance Records and Entries)

항공기 또는 항공제품에 대하여 정비, 예방정비, 재생 또는 개조 작업을 수행한 자는 수행한 작업이 만족스럽게 완료되었다고 확인한 경우, 해당 정비기록부(Maintenance records)에 다음 사항을 기재하거나 이와 동등한 시스템으로 관리하여야 한다.

① 수행 작업의 내용(또는 국토교통부장관이 인정하는 참고자료)

② 수행 작업의 완료일

③ ④항에 따라 작업을 승인한 자가 아닌 자가 작업을 수행한 경우, 그 작업을 수행한 자의 성명

④ 작업을 승인한 자의 성명, 서명 또는 날인, 자격증 번호 및 소지 자격증명의 종류

5. 정비조직의 인증
(Approval for Maintenance Organization)

5.1 총칙(General)

이 장은 항공안전법 제97조의 규정에 따른 정비조직인증을 위한 기준을 정함으로써 법 집행의 일관성 및 객관성을 제고하고 항공기 안전성 확보를 도모함을 목적으로 하며, 타인의 수요에 맞추어 항공기, 기체, 발동기, 프로펠러, 장비품 및 부품 등에 대하여 정비 또는 수리·개조 등(이하 "정비등"이라 한다)의 작업을 수행하고 감항성을 확인하거나, 항공기 기술관리 또는 품질관리 등을 지원하기 위하여 항공안전법 제97조에 따라 정비조직 인증을 받고자 하는 자 또는 인증을 받은 자에게 적용한다.

5.1.1 인증서 및 운영기준의 요건
(Certificate and Operations Specifications Requirements)

누구든지 정비조직인증서, 한정 및 운영기준 없이 또는 이 장을 위반하여 운영하여서는 아니되며, 정비조직인증서 및 운영기준은 국토교통부장관 및 공공의 점검을 위하여 사업장 내에 비치하여야 한다.

5.1.2 안전정책 수립(Safety policy)

정비조직을 인증 받고 자 하는 자는 정비조직에 대한 안전정책을 수립·발전시킬 책임이 있으며, 이 안전정책을 수립·발전시키며 승인사항이 포함된 다양한 업무를 관리할 수 있는 적절한 경험과 자격을 갖춘 관리자를 지정하여야 한다.

항공사업법 제42조에 따라 항공기정비업을 등록하고 정비조직인증을 받으려는 자는 항공안전법 제58조제2항, 같은 법 시행규칙 제130조 및 제131조에 따른 항공안전관리시스템을 마련하여 국토교통부장관의 승인을 받아야 한다.

5.1.3 정비분야 인적요소(Human factors in aircraft maintenance)

정비조직은 정비계획, 정비인력관리, 정비정책 등을 수립 시 인적요소를 고려하여야 한다.

5.2 인증(Certification)

5.2.1 인증의 신청(Application for Certificate)

정비조직인증을 받으려는 자(이하 "신청자"라 한다)는 항공안전법 시행규칙 별지 제98호 서식 정비조직인증신청서에 다음의 각호의 내용을 포함한 정비조직절차교범을 첨부하여 국토교통부장관에게 제출하여야 한다.

① 수행하려는 정비의 범위

② 정비방법 및 그 절차

③ 정비에 관한 품질관리 방법 및 절차

④ 정비 등을 수행하려는 각 품목에 대한 형식, 제작사, 모델별 목록

⑤ 조직도, 관리 및 감독인원에 대한 이름 및 직위

⑥ 현 주소와 건물과 시설에 대한 설명

⑦ 타인과의 계약된 정비기능(Maintenance function)의 목록

⑧ 교육훈련 프로그램

정비조직의 인증 및 한정, 한정추가 및 변경을 위하여 요구된 건물, 시설, 장비, 인력 및 기술자료 등은 인증기관(서울지방항공청, 부산지방항공청 또는 제주지방항공청)의 검사관이 현장검사를 할 때에는 반드시 정 위치에 있어야 한다. 다만, 인증받기 위해 필요한 장비를 확보하지 못한 경우에는 정비조직이 인증을 받는 동안 또는 관련 정비작업을 수행하는 동안에는 언제든지 사용할 수 있다는 내용이 포함된 계약을 체결된 경우에는 예외로 할 수 있다.

신청자가 대한민국 밖에 위치한 경우에는 대한민국 국적기 또는 이에 장비되는 품목에 대하여 정비 등을 수행한다는 것을 입증하여야 하며, 신청자는 정비조직인증을 받기 위해 국토교통부장관이 정한 수수료를 지불하였음을 입증하여야 한다.

5.2.2 인증서의 발행 및 인증서의 유효성에 대한 수시점검 (Issue of Certificate and Surveillance for the validate of certificate)

지방항공청장은 신청자가 이 장에서 정한 요구조건에 적합하다고 판단한 경우 항공안전법 시행규칙 별지 제99호 서식 정비조직인증서(이하 인증서라 한다)에 정비의 범위·방법 및 품질관리절차 등을 정한 운영기준을 첨부하여 발행하여야 한다.

지방항공청장은 신청자가 소속한 국가가 대한민국과 정비조직인증에 관한 협정을 체결한 경우에는 체결된 이행절차에 따라 인증서를 발급하고, 인증서를 발부한 때에는 당해 조직이 인증기준을 유지하고 있는지 여부를 정기적으로 점검하여 당해 조직이 인증기준을 충족하고 있지 않을 경우 인증서에 대한 효력을 정지하거나 취소하여야 한다.

5.2.3 인증서의 유효기간 및 갱신(Duration and Renewal of Certificate)

대한민국 내에 위치한 정비조직에 발행된 인증서 또는 한정의 유효기간은 발행일로부터 정비조직이 양도되거나 국토교통부장관이 효력정지 또는 취소할 때까지 유효하다.

대한민국 외에 위치한 정비조직에 발행된 인증서 또는 한정의 유효기간은 정비조직이 양도되거나 국토교통부장관이 효력정지 또는 취소시키지 않았다면 발행일 이후 24개월까지 유효하다.

대한민국 밖에 위치한 정비조직이 인증서 유효기간을 갱신하고자 하는 경우에는 인증서 유효기간 만료 30일전에 항공안전법 시행규칙 별지 제98호 서식 정비조직인증 신청서를 작성하여 관할 지방항공청장에게 제출하여야 한다. 이 경우 관할 지방항공청장은 유효기간 갱신을 위하여 항공안전법 제97조제1항에 따라 정비조직인증기준에 적합한지 여부를 매 2년마다 서류 또는 현장검사를 순차적으로 실시하여야 한다. 다만, 인증서 발급 이후 대한민국 국적 항공기등에 대한 정비 수행실적이 없는 경우에는 인증서 갱신을 승인하지 않을 수 있으며, 해당 정비조직이 정비한 국적항공기, 발동기 등에서 고장 및 결함 등이 발생하여 안전관리 강화가 필요하다고 판단되는 경우에는 현장검사를 실시하여야 한다. 정비조직인증을 갱신하려는 자가 이 기간 내 갱신 신청을 아니하면 신규 인증의 신청절차를 따라야 한다.

인증서 보유자는 인증서의 유효기간 만료, 효력정지 또는 취소된 경우에는 관할 지방항공청장에게 인증서를 반납하여야 한다.

5.2.4 인증서의 개정(Amendment to or Transfer of Certificate)

인증서 보유자는 다음 각 호의 경우에 항공안전법 시행규칙 별지 제98호 서식 정비조직인증 신청서를 작성하여 지방항공청장에게 제출하여야 한다.

① 정비조직의 소재지 변경

② 한정의 추가 또는 개정

인증서의 보유자가 그의 자산을 매각 또는 양도할 경우 새로운 보유자는 인증서 개정을 신청하여야 한다.

5.2.5 업무한정(Ratings)

정비조직인증을 받아 수행할 수 있는 업무한정은 다음과 같다.

(1) 항공기 등급(Class Aircraft)

　　① A1 한정(A1 Rating): 최대이륙중량 5,700킬로그램을 초과하는 비행기 또는 비행선

　　② A2 한정(A2 Rating): 최대이륙중량 5,700킬로그램 이하의 비행기 또는 비행선

　　③ A3 한정(A3 Rating): 회전익항공기

(2) 엔진 등급(Class Engines)

　　① B1 한정(B1 Rating): 터빈 엔진

　　② B2 한정(B2 Rating): 왕복 엔진

　　③ B3 한정(B3 Rating): 보조동력장치

(3) 장비품/부품 등급(Class Components/parts)

　　① C1 한정(C1 Rating): ATA Chapter 21(에어컨디셔너 및 여압)계통에 해당하는 장비품/부품

　　② C2 한정(C2 Rating): ATA Chapter 22(자동비행)계통에 해당하는 장비품/부품

　　③ C3 한정(C3 Rating): ATA Chapter 23 및 34(통신 및 항법)계통에 해당하는 장비품/부품

　　④ C4 한정(C4 Rating): ATA Chapter 52(도어 및 해치)계통에 해당하는 장비품/부품

⑤ C5 한정(C5 Rating): ATA Chapter 24, 33(전력 및 조명) 및 85 계통에 해당하는 장비품/부품

⑥ C6 한정(C6 Rating): ATA Chapter 25, 38, 45(장비?장구, 식?폐수 및 중앙정비) 및 50 계통에 해당하는 장비품/부품

⑦ C7 한정(C7 Rating): ATA Chapter 49, 71, 72, 73, 74, 75, 76, 77, 78, 79, 80, 81, 82 및 83(보조동력, 파워플랜트, 엔진, 엔진연료제어, 점화, 에어, 엔진제어, 엔진 계기, 배기, 윤활, 시동, 왕복엔진의 터빈, 물 분사 및 보기 기어박스)계통에 해당하는 장비품/부품

⑧ C8 한정(C8 Rating): ATA Chapter 27, 55, 57.40, 57.50, 57.60 및 57.70(비행제어, 수평안정판, 날개의 전연 및 전연장치, 후연 및 후연장치, 보조익 및 승강타 및 스포일러)계통에 해당하는 장비품/부품

⑨ C9 한정(C9 Rating): ATA Chapter 28(연료) 및 47계통에 해당하는 장비품/부품

⑩ C10 한정(C10 Rating): ATA Chapter 62, 64, 66 및 67(회전익, 꼬리 회전익, 접이식 블레이드 및 회전익비행제어) 계통에 해당하는 장비품/부품

⑪ C11 한정(C11 Rating): ATA Chapter 63 및 65(회전익구동 및 꼬리 회전익구동)계통에 해당하는 장비품/부품

⑫ C12 한정(C12 Rating): ATA Chapter 29(유압)계통에 해당하는 장비품/부품

⑬ C13 한정(C13 Rating): ATA Chapter 31, 42 및 46 계통에 해당하는 장비품/부품

⑭ C14 한정(C14 Rating): ATA Chapter 32(랜딩기어)계통에 해당하는 장비품/부품

⑮ C15 한정(C15 Rating): ATA Chapter 35(산소)계통에 해당하는 장비품/부품

⑯ C16 한정(C16 Rating): ATA Chapter 61(프로펠러)계통에 해당하는 장비품/부품

⑰ C17 한정(C17 Rating): ATA Chapter 36 및 37(공압 및 진공)계통에 해당하는 장비품/부품

⑱ C18 한정(C18 Rating): ATA Chapter 26 및 30(화재보호 및 제방빙·강우보호)계통에 해당하는 장비품/부품

⑲ C19 한정(C19 Rating): ATA Chapter 56(창)계통에 해당하는 장비품/부품

⑳ C20 한정(C20 Rating): ATA Chapter 53, 54, 57.10, 57.20 및 57.30(동체, 나셀·파이론, 중앙날개, 외측날개 및 날개 팁)계통에 해당하는 장비품/부품

㉑ C21 한정(C21 Rating): ATA Chapter 41(Water Ballast) 계통에 해당하는 장비품/부품

㉒ C22 한정(C22 Rating): ATA Chapter 84(Propulsion Augmentation) 계통에 해당하는 장비품/부품

(4) 특수서비스 등급(Class Specialized Service)

D1 한정(D1 Rating): 비파괴시험(NDT)

5.2.6 업무한정의 제한(Limited Ratings)

지방항공청장은 인증된 정비조직에 대하여 특정 형식의 항공기, 엔진 및 장비품 등의 정비 등을 할 수 있는 한정을 제한하거나 일반적 수행으로는 할 수 없는 장비 및 숙련기술이 요구되는 정비 등에 한하여 수행하도록 한정할 수 있으며, 이러한 한정은 항공기의 모델, 엔진 또는 구성 장비품 등 마다 또는 특정 제작자가 제작한 부품의 수로도 할 수 있다.

지방항공청장은 다음 각 호에 따라 한정을 제한할 수 있다.

① 특정 제작사 또는 모델의 항공기 또는 해당 정비과업(Task)

② 특정 제작사 또는 모델의 엔진 또는 해당 정비과업(Task)

③ 특정 제작사 또는 모델의 장비품/부품 또는 해당 정비과업(Task)

④ 비파괴 검사, 시험 및 절차 등

⑤ 특정 모델의 항공기 등에 관한 기술관리 및 품질관리 업무

5.3 인력(Personnel)

5.3.1 인력의 요건(Personnel Requirements)

정비조직의 인력은 다음 각 항에 적합하여야 한다.

① 책임관리자를 임명하여야 한다.

② 정비 등의 작업계획, 감독, 수행 및 항공에 사용하도록 환원하기 위한 자격자를 보유하여야 한다.

③ 정비 등을 수행함에 있어 훈련 또는 지식 및 경험을 갖춘 충분한 수의 인력을 보유하여 한

다.

④ 항공안전법 제35조제8호에 따른 자격증명이 없는 자가 정비 등을 수행할 경우 훈련, 지식, 경험 또는 기능시험 등으로 업무능력을 분별하여야 한다.

5.3.2 감독자의 요건(Supervisory Personnel Requirements)

감독자는 다음 각항에 적합하여야 한다.

① 품목에 대한 정비 등을 수행하는 현장에서 감독할 수 있는 충분한 수의 감독인력을 확보하여야 한다.

② 감독인력은 항공안전법 제35조제8호에 따른 자격증명을 갖추어야 한다. 다만, 대한민국 외의 지역에 위치한 정비조직인 경우 해당 항공당국이 정한 규정에 따른 자격요건을 갖춘 자이어야 한다.

③ 감독자는 당해 실무경험이 최소한 36개월 이상이어야 하며, 정비 등을 수행하기 위하여 사용된 방법, 절차, 기술, 기능, 보조물, 장비 및 공구 등에 대하여 훈련을 받았거나 유사경험이 있어야 한다.

④ 감독자는 정비조직 관련 제 규정에 익숙하며, 영어를 읽고 이해할 수 있어야 한다.

5.3.3 검사원의 요건(Inspection Personnel Requirements)

검사원은 다음 각항에 적합하여야 한다.

① 품목에 대하여 정비 등을 수행한 후 감항성 유무를 결정하기 위하여 사용된 검사방법, 절차, 기술, 기능, 보조재, 장비 및 공구 등에 대하여 훈련되고 익숙하여야 한다.

② 품목의 다양한 검사대상에 따라 적합한 측정·검사장비 및 시각점검 보조기구 등을 능숙하게 사용하여야 한다.

③ 검사원은 항공안전법 제35조제8호에 따른 자격증명을 갖춘 자이어야 한다. 다만, 대한민국외의 지역에 위치한 정비조직인 경우 해당 항공당국이 정한 규정에 따른 자격요건을 갖춘 자이어야 한다.

④ 관련 법규, 규정에 익숙하여야 하며, 관련 매뉴얼, 작업지시서 등을 충분히 이해할 수 있어야 한다.

5.3.4 품목의 항공에 사용승인 인력 요건
(Personnel Authorized to Approve an Article for Return to Service)

정비 등을 수행한 품목에 대하여 항공에 사용승인 권한을 갖는 인력(이하 "감항성 확인자"이라 한다)은 다음 각항에 적합하여야 한다.

① 감항성 확인자는 항공안전법 제35조제8호에 따른 자격증명을 갖추어야 한다. 다만, 대한민국 외의 지역에 위치한 정비조직인 경우 해당 항공당국이 정한 규정에 따른 자격요건을 갖춘 자이어야 한다.

② 감항성 확인자는 정비 등을 수행하기 위하여 사용된 방법, 절차, 기술, 기능, 보조재, 장비 및 공구 등에 대하여 교육을 받았거나 18개월 이상의 실무경험이 있어야 한다.

③ 감항성 확인자는 정비 등을 수행한 품목에 대하여 감항성 유무를 결정하기 위하여 사용된 검사방법, 절차, 기술, 기능, 보조재, 장비 및 공구 등에 대하여 익숙하여야 한다.

④ 감항성 확인자는 관련 법규, 규정에 익숙하여야 하며, 관련 매뉴얼, 작업지시서 등을 충분히 이해할 수 있어야 한다.

5.3.5 교육훈련의 요건(Training Requirements)

정비조직은 인력에 대하여 다음 각항에 적합한 교육훈련 프로그램을 갖추어야 한다.

① 국토교통부장관이 승인한 초도 및 보수 교육과정이 포함된 교육훈련 프로그램

② 교육훈련 프로그램은 정비조직에서 정비 등을 수행하기 위하여 고용된 각 인력 및 검사기능의 담당 직무 수행능력을 보증하여야 한다.

③ 교육훈련 이수현황은 개인별로 문서화하여 기록 유지하여야 한다.

④ 정비요원의 직무와 책임을 부여하고 부여된 임무를 적절하게 수행할 수 있도록 훈련프로그램을 개발하고 시행하여야 한다.

⑤ 훈련프로그램은 인적수행능력(Human performance)에 관한 지식과 기량에 대한 교육을 포함하여야 하고, 정비요원과 운항승무원과의 협력에 대한 교육을 포함하여야 한다.

⑥ 훈련프로그램은 훈련과정, 훈련방법, 강사자격, 평가, 훈련기록에 대한 내용이 포함되어야 하고 훈련시간 등은 다음의 최소요구량 이상을 실시하여야 한다.

- 안전교육 : 년 8시간 이상
- 초도교육 : 60시간 이상

- 보수교육 : 1회당 4시간 이상

- 항공기 기종교육 : 항공기 제작회사 또는 제작회사가 인정한 교육기관이 실시하는 교육 시간 이상

- 인적요소 : 년 4시간 이상

- 초도 및 항공기 기종교육 이수기준 : 평가시험 70% 이상 취득

⑦ 인증받은 정비조직의 교육훈련 교관은 정비분야 3년 이상의 근무경력을 가져야 한다.

5.3.6 기술관리 및 품질관리 업무의 인력요건 (Personnel Requirements of Engineering support and Quality control)

타인의 요구에 따라 기술관리 및 품질관리 업무를 지원하려는 정비조직에서 수행한 업무에 대한 책임을 갖는 자는 다음 각 항을 충족하여야 한다.

① 항공안전법 제35조제8호에 따른 항공정비사 자격증명이 있을 것

② 해당 항공기 형식에 친숙하기 위한 교육을 받을 것

③ 수행하려는 업무에 필요한 전문교육 이수 또는 실무경험이 있을 것

5.4 운영준칙(Operating Rules)

5.4.1 품질관리시스템(Quality Control System)

정비조직은 정비 등을 수행하는 사업장의 품목 또는 외주계약 정비 등의 품목에 대한 감항성을 보증하도록 국토교통부장관이 인정할 수 있는 독립된 품질관리시스템을 갖추고 유지하여야 하며, 정비조직의 인력은 정비 등을 수행할 때에는 품질관리시스템에 따라야 한다.

정비조직은 다음 각 호의 내용이 포함된 품질관리매뉴얼을 제정하여야 한다.

① 입고 원자재의 적합한 품질을 보증하기 검사절차

② 정비 등의 전 대상품목에 대한 예비검사 절차

③ 정비 등을 수행하기 이전 품목에 숨겨진 손상에 연관된 검사절차

④ 검사 인력의 숙련도 유지절차

⑤ 품목의 정비 등을 하기 위한 최신 기술자료 유지 및 설정절차

⑥ 정비 등을 수행하는 무자격증명 자의 인력배치 및 감독절차

⑦ 최종검사 수행 및 항공에의 사용을 위한 정비해제 절차

⑧ 정비 등을 수행하기 위해 사용되는 시험 및 측정 장비의 검교정 주기 및 절차

⑨ 결함에 대한 수정조치의 수행절차

⑩ 특수하게 수행되는 정비 등에 있어서는 제작사의 검사기준 또는 지정자료의 근거

⑪ 검사와 정비 양식의 견본 및 양식 기입 방법 또는 각각의 양식 매뉴얼에 대한 참조

⑫ 품질관리매뉴얼의 개정절차

5.4.2 정비등의 검사
(Inspection of Maintenance, Preventive Maintenance or Alterations)

정비조직은 정비 등 수행한 해당 품목이 감항성이 있다는 정비확인(Maintenance release)을 다음의 절차에 따라 승인하여야 한다.

① 정비조직이 해당 품목에 대한 작업을 수행하여야 한다.

② 유자격정비사는 수행한 작업에 대하여 감항성이 있음을 확인하여야 한다.

③ 필수검사항목 등 재확인이 필요한 사항에 대하여 검사원이 검사를 수행하여야 한다.

대한민국 외의 지역에 위치한 인가받은 정비조직에서는 유자격정비사 또는 정비조직절차교범에 감항성 확인자로 명시된 자만이 최종적인 검사 및 정비확인을 위한 서명을 할 수 있다.

5.4.3 고장 등의 보고(Service Difficulty Reports)

인증 받은 정비조직은 인가 받은 한정품목에 대하여 비행안전에 중대한 영향을 미칠 수 있는 고장, 기능불량 및 결함 등을 발견한 경우에는 96시간 이내 다음 각항의 내용을 포함하여 국토교통부장관 및 항공기 운영자에게 보고 또는 통보하여야 한다.

- 항공기 등록부호
- 형식, 제작사 및 품목의 모델
- 고장, 기능불량 및 결함이 발견된 날짜

- 고장, 기능불량 및 결함의 현상
- 사용시간 또는 오버홀 이후의 경과시간 (해당될 경우)
- 고장, 기능불량 및 결함의 확실한 원인
- 사안의 중대성 또는 수정조치의 결정 등에 필요하다고 판단되는 기타정보

정비조직이 항공운송사업자, 형식증명(부가형식증명 포함), 부품제작자증명 또는 기술표준품 인증 소지자에 속한 경우에는 어느 한곳에서 보고하여도 된다.

6. 항공기 계기 및 장비(Instrument and Equipment)

본 장은 항공안전법 제51조 및 제52조, 국제민간항공협약 부속서에서 정한 요건에 따라, 항공기를 소유 또는 임차하여 사용할 수 있는 권리가 있는 자(이하 "소유자등"이라 한다)가 항공기를 항공에 사용하고자 하는 경우 항공기에 갖추어야 할 계기 및 장비 등에 관한 최소의 요건을 규정하고 있으며, 특별히 명시된 것을 제외하고 항공에 사용하는 모든 민간항공기(이하 "모든 항공기"라 한다)에 적용된다.

6.1 계기 및 장비 일반요건
(General Instruments and Equipment Requirements)

모든 항공기에는 감항증명서 발행에 필요한 최소장비에 추가하여 해당 운항에 투입되는 항공기 및 운항상황에 따라 이 장에서 규정한 계기, 장비 및 비행서류 등을 적합하도록 장착하거나 탑재하여야 하며, 감항성 요건에 따라 요구되는 인가된 계기 및 장비가 장착되어야 한다.

대한민국에 등록되지 않은 항공기를 운항할 경우 대한민국이 요구하는 계기 및 장비를 장착하지 않은 항공기는 등록국의 요건에 따라 장착되고 검사되어야 한다.

항공기 운항 중 1명의 항공기승무원에 의해 사용되는 장비는 좌석에서 쉽게 작동시킬 수 있도록 장착되어야 하며, 하나의 장비가 2명 이상의 항공기승무원에 의해 작동되는 경우에는 어느 좌석에서도 작동이 가능하도록 장착되어야 한다.

운항증명소지자는 항공기에 장착된 계기 및 장비가 다음의 요건을 충족하지 않는 한 항공기를 운항하여서는 아니 된다.

① 최소성능기준과 운항 및 감항 요건을 충족할 것
② 항로 비행 중 통신이나 항법에 필요한 장비들 중에서 어느 하나의 장비에 결함이 발생하여도 안전하게 통신이나 항법을 수행할 수 있을 것
③ 최소장비목록(MEL)에 적용되는 경우를 제외하고는 운항에 적합한 작동상태를 유지할 것

항행 및 통신장비의 장착은 통신 또는 항행 목적으로 필요하거나 또는 두 목적을 동시에 만족

시키기 위해 필요한 하나의 장비가 고장 시, 그 고장으로 인해 통신 또는 항행 목적에 필요한 다른 장비가 고장 나지 않도록 독립적으로 장착되어야 한다.

6.2 비상, 구조 및 구명장비
(Emergency, Rescue and Survival Equipment)

6.2.1 비상장비(Emergency Equipment)

항공안전법 제52조의 규정에 의한 비상 및 부양 장비는 다음 각 호의 사항을 갖추어야 한다.

① 객실에 있는 장비는 승무원이나 승객이 즉시 사용가능 해야 함

② 작동법에 대한 명확한 구분과 표시

③ 최근의 검사날짜의 표시

④ 저장소나 용기로 운반되는 경우는 내용물을 표시

6.2.2 파괴위치 표시(Marking of Break-in Points)

항공기 비상시 구조요원들이 파괴하기에 적합한 동체부분이 있다면 그 장소를 그림과 같이 동체부분에 적색 또는 황색으로 표시하여야 한다. 필요하다면 배경과 대조되는 백색으로 윤곽을 나타내어야 하며, 양쪽 모퉁이의 표지가 2미터 이상 벌어지면 중간지점에서 9x3 센치미터 선을 표시하고, 간격이 2미터가 되지 않도록 다음 그림과 같이 표시하여야 한다.

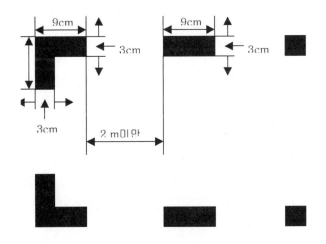

6.2.3 탑재하는 비상장비 및 구명장비에 관한 기록
(Records of emergency and survival equipment carried)

항공기 소유자 등은 구조조정센터와의 신속한 통신이 가능하도록 긴급통신체제를 유지하여야 하며, 항공기에 탑재하는 비상장비 및 구명장비의 정보를 포함한 일람표를 만들어 관리해야 한다. 탑재하는 비상장비 및 구명장비 일람표에 포함되어야 할 정보에는 구명보트 및 불꽃신호장비의 수량, 색상, 형식, 비상의료구호품 및 수상 구호품(water supplies) 그리고 휴대용 비상위치지시용 무선표지설비(ELT)의 종류 및 주파수 등을 포함시켜야 한다.

6.2.4 비상 탈출 장비(Emergency Exit Equipment)

비행기가 지상에 있는 상태에서 지상으로부터 6피트 이상 높이에 장착되어 있는 승객운송용 비행기의 비상구(날개 위에 있는 비상구는 제외)는 승객이 지상으로 내려오는데 도움을 줄 수 있도록 항공당국에 의해 인가된 비상탈출장비가 있어야 한다.

모든 항공기에는 승객 비상구 위치 및 접근방법, 비상구 여는 방법 등이 주 객실 통로를 따라 승객들이 접근할 때 잘 보일 수 있도록 표시되어야 하며, 운항증명소지자는 최대승객 좌석수가 19석을 초과하는 여객운송용 비행기에 비상조명장비 및 다음 각 호와 같은 독립된 주 조명장비를 갖추어야 한다.

① 각 객실 비상구의 표시와 위치 조명
② 객실에 충분한 밝기 제공
③ 객실 바닥에 비상탈출로 표시

6.2.5 수중위치전파발생기(Underwater Locating Device)

최대이륙중량 27,000kg을 초과하는 항공운송사업에 사용되는 모든 비행기로서, 다음 각 호와 같이 장거리 해상을 비행하는 비행기는 8.8kHz 주파수로 작동되는 수중위치전파발생기 1개를 2018년 1월 1일 이전까지 장착하여야 한다. 수중위치전파발생기는 최소 30일간 작동될 수 있어야 하며, 주익 또는 미익에 장착되어서는 아니 된다.

비상착륙에 적합한 육지로부터 120분 또는 740킬로미터(400해리) 중 짧은 거리 이상의 해상을 비행하는 다음의 경우

- 쌍발비행기는 임계발동기가 작동하지 않아도 최저안전고도 이상으로 비행하여 교체비행장에 착륙할 수 있는 경우
- 3발 이상의 비행기는 2개의 발동기가 작동하지 않아도 항로상 교체비행장에 착륙할 수 있는 경우

상기 외의 비행기는 30분 또는 185킬로미터(100해리) 중 짧은 거리 이상의 해상을 비행하는 경우

6.3 조종실음성기록장치(Cockpit Voice Recorders) 및 조종실음향기록시스템 (Cockpit Audio Recording Systems)

CVR과 CARS는 자력으로 비행기가 움직이기 전에 기록이 시작되어야 하고, 자력으로 더 이상 비행기가 움직일 수 없어서 비행이 종료될 때까지 기록이 지속되어야 한다. 또한 CVR 및 CARS는 가용 전력 사정에 따라서 비행 시작 시에는 엔진 시동 전, 조종실 점검(cockpit check)시 가능한 한 신속히 기록되어야 하고 비행 종료 시에는 엔진이 꺼진 직후 조종실 점검을 마무리할 때까지 기록이 이루어져야 한다.

CVR은 아래 내용을 기록하여야 한다.

① 비행기 내의 무선설비를 사용하여 송수신 되는 음성통화

② 조종실내의 모든 소리

③ 조종실내에서 비행기 내선 통화 장치를 사용한 운항승무원 사이의 음성통화

④ 헤드 셋이나 스피커에서 나오는 항행 또는 진입 보조물 식별에 관한 음성이나 청각신호

⑤ 기내 방송 시스템이 설치되어 있는 경우 이를 이용하여 안내한 운항승무원의 방송 내용

6.4 지상접근경고장치(Ground Proximity Warning System)

항공기 소유자 또는 항공운송사업자가 비행기에 장착해야 하는 지상접근경고장치는 비행기가 지상의 지형지물에 접근하는 경우 조종실내의 화면상에 비행기가 위치한 지역의 지형지

물을 표시하여 조종사에게 사전에 예방조치를 할 수 있도록 경고해 주는 기능을 가진 구조이어야 한다.

지상접근경고장치는 강하율, 지상접근, 이륙 또는 복행 후 고도손실, 부정확한 착륙 비행형태 및 활공각 이하로의 이탈 등에 대하여 시각신호와 함께 청각신호로 시기적절하고 분명한 청각신호를 운항승무원에게 자동으로 제공하여야 하며, 과도한 강하율, 과도한 지형 접근율, 이륙 또는 복행 후 과도한 고도상실, 착륙외형(Landing Configuration, 착륙장치와 고양력장치)이 아닌 상태로 장애물 안전고도를 확보하지 못한 상태에서 불안전한 지형근접, 계기 활공각(Instrument glide path) 아래로 과도한 강하와 같은 상황을 추가로 경고하여야 한다.

6.5 공중충돌경고장치 (Airborne Collision Avoidance System)

항공기 소유자는 공중충돌경고장치(Airborne Collision Avoidance System, ACAS II)를 항공기에 장착하여야 한다. 공중충돌경고장치는 조종사에게 타 항공기의 위치 및 접근율 등이 계기 상에 나타나야 하며, 위험한 상황을 피할 수 있는 지시계기 및 청각경고를 제공하여야 한다.

7. 항공기 운항

7.1 항공기 및 장비 검사요건
(Required Aircraft and Equipment Inspections)

항공기는 다음에서 정한 검사를 받지 아니하고 운항하여서는 아니 된다. 다만, 국토교통부장관의 허가를 받은 때에는 그러하지 아니하다.

① 최근 12월 이내의 연간 검사

② 항공운송사업용 항공기의 경우 100시간 검사.

③ 계기비행을 하고자 하는 비행기의 경우 24월 이내의 고도계 및 동정압계기 검사

④ 트랜스폰더가 장착된 항공기의 경우 최근 24월 이내의 트랜스폰더 검사

⑤ 자동으로 작동되는 구조의 비상위치지시용 무선표지설비(ELT)가 장착된 항공기의 경우 12월 이내의 비상위치지시용 무선표지설비 검사

「항공기 기술기준」 Part 21, Subpart H의 부록 C에 따라 국토교통부장관으로부터 인가받은 정비프로그램에 따라 정비가 수행되는 항공기의 경우에는 12월 이내의 연간검사 또는 100시간 검사를 하지 않아도 된다.

7.2 항공기 탑재 서류
(Documents to be Carried on Aircraft : All Operations)

다음 각 호에서 정한 서류를 항공기에 비치하지 아니하고 항공기를 운항하여서는 아니 된다.

● 항공기 등록증명서

● 감항증명서

● 항공기 탑재용 항공일지

● 항공기 무선국 허가증

- 승객명단, 승하기 지점 (적용할 수 있는 경우에 한한다)

- 특별탑재정보가 포함된 화물목록

- 항공운송사업의 운항증명서 사본으로서 항공당국의 확인을 받은 것 및 운영기준 사본 (국제운송사업에 사용되는 항공기의 경우에는 영문으로 된 것을 포함한다)

- 소음기준적합증명서, 적용할 수 있는 경우에 한한다.(국외 비행에 사용되는 항공기의 경우에는 영문으로 된 것을 포함한다.)[18]

- 비행교범(AFM) [19]

- 업무수행에 필요한 운항규정의 관련부분, 적용할 수 있는 경우에 한한다.

- 최소장비목록(MEL)

- 정밀계기접근 제2종 또는 제3종(CAT-II 또는 CAT-III) 규정, 적용할 수 있는 경우에 한한다.

- 운항비행계획서(Operational Flight Plan)

- 항공교통관제기관에 제출된 비행계획서(Filed ATS flight plan), 단, 반복비행계획서를 제출한 경우에는 그러하지 아니하다.

- 항공고시보(NOTAM) 브리핑 서류

- 기상정보(Meteorological information)

- 항공기 중량배분 서류(Mass and balance documentation)

- 특별승객명단(Roster of Special situation passenger)[3]

- 운항하고자 하는 지역 및 회항에 대비한 노선지침서

- 비행에 관한 보고양식

- 국제선의 경우 세관신고서

- 다음의 기술교범, 항공지도 및 정보사항:

① 비행경로의 변경까지를 고려한 예상 비행경로에 적합한 최신의 항로지도 및 비행장 이·착륙절차 차트(Terminal Chart)

② ICAO 부속서 2에 규정된 비행기가 요격받는 경우 기장이 취하여야 하는 절차

---

18 소음기준적합증명서는 ICAO Annex 16. Volume 1에서 정한 기준에 따른다. 정부인가를 받은 경우 다른 서류에 포함하여 탑재할 수 있다.

19 항공기 운영교범(FCOM) 등으로 항공기 운항 제한치를 포함한 성능자료가 제공되는 경우에는 이를 대체할 수 있다.

20 특별승객이라 함은 무장 보안요원, 국외 추방자, 호송되는 사람 및 특별진료가 필요한 사람 등을 말한다.

③ ICAO 부속서 2에 규정된 비행기가 요격되고 있거나 요격된 경우 사용하는 시각신호

● 기타 국토교통부장관이 요구하거나 운항 하고자 하는 국가에서 요구하는 서류

7.3 항공기 정비요건(Aircraft Maintenance Requirement)

항공기 정비요건은 대한민국에 등록되어 국내외를 운항하고 항공법령의 적용을 받는 민간 항공기에 대한 검사행위를 규정하며, 항공기가 대한민국에 등록되었는지의 여부와 관계없이 모든 민간 항공기에 적용된다. 또한, 타 등록국에서 승인하고 인정한 점검프로그램에 의하여 운영되는 외국적 항공기가 대한민국 내를 운항하기 위하여 요구되는 장비를 구비하지 못한 경우 대한민국 내를 운항하기 전에 그 항공기의 소유자/운영자는 해당 장비를 장착한 후 운항 하여야 한다.

7.3.1 일반(General)

등록된 항공기의 소유자 또는 운영자는 항공안전법 제23조에 따라 모든 감항성개선지시서의 이행을 포함하여 항공기를 감항성이 있는 상태로 유지할 책임이 있으며, 누구든지 항공법령 또는 이 운항기술기준을 따르지 아니하고 항공기 정비, 예방정비, 수리 또는 개조를 하여서는 아니 된다.

항공기 소유자 또는 운영자가 인가받은 정비프로그램 또는 검사프로그램에는 항공기의 지속 적인 감항성 유지를 위하여 제작사에서 발행한 정비교범 또는 지침서에서 요구하는 부품 등 의 강제교환시기, 점검주기 및 관련 절차가 포함되어있어야 한다.

국토교통부장관으로부터 정비프로그램 또는 검사프로그램을 인가받은 자는 해당 정비프로 그램 또는 검사프로그램에 따라 정비 등을 수행하여야 하며, 그러하지 아니한 자는 제작사가 제공하는 정비교범에 따라 정비 등을 수행하여야 한다.

국내에 등록된 항공기의 소유자 또는 운영자는 항공기 형식증명소유자가 권고하는 주기마 다 중량측정을 수행하여야 하며, 중량측정을 수행한 경우에는 중량측정기록, 중량 및 중심위 치 명세서 및 기본 장비목록을 포함한 중량 및 평형보고서를 작성하여 유지하여야 한다. 또 한, 사고 등으로 감항성을 상실했던 항공기가 감항성 회복을 위하여 중량 및 평형(weight and

Balance)이 변화한 경우 소유자 또는 운영자는 감항증명 또는 수리개조승인을 위한 신청서류에 라항의 중량 및 평형보고서를 추가하여야 한다.

7.3.2 항공기 검사(Inspections)

항공기 소유자 또는 운영자는 다항에 명시된 항공기를 제외하고 지난 12개월 이내에 다음 각호의 어느 하나를 수행하지 않은 항공기를 운항하여서는 아니 된다.

① 항공안전법 제23조에 따른 감항증명

② 제5장에 따른 연간검사(annual inspection)를 수행하고 5.10.4 따른 인가된 정비조직 또는 사람에 의한 사용가능상태로의 환원

항공기 소유자 또는 운영자는 다항에 명시된 항공기를 제외하고 지난 100시간 이내에 다음 각 호의 어느 하나를 수행하지 않은 항공기를 운항하여서는 아니 된다.

① 항공안전법 제23조에 따른 감항증명

② 항공기 사용시간(time in service) 100시간 이내에 연간검사 또는 100시간검사를 수행하고 5.10.4에 따라 인가된 정비조직 또는 사람에 의한 사용가능상태로의 환원. 이 경우 10시간을 초과할 수 없으며 초과된 시간은 차기 100시간 검사 시기를 산정하는데 포함되어야 한다.

다음 각 호의 항공기는 상기 사항들을 적용하지 않는다.

① 특별감항증명(특별비행허가)을 받은 항공기

② 국토교통부장관으로부터 정비프로그램 또는 진보적인 검사프로그램을 인가받아 정비 등을 수행하는 항공기

항공기 소유자 또는 운영자는 항공기 사양서(specifications), 형식자료집(type data sheets) 또는 국토교통부장관으로부터 인가받은 도서에 명시된 수명한계품목(life limited parts)의 교환요건을 충족하지 않거나 선택한 검사프로그램에 따라 설정된 기체, 엔진, 프로펠러, 장비품(appliances), 구명장비(survival equipment) 및 비상장비(emergency equipment)를 포함한 항공기에 대한 검사가 수행되지 않은 항공기를 운항하여서는 아니 된다.

검사프로그램을 제정하거나 개정하려는 자는 국토교통부 고시 「항공기 기술기준」Part 21

Subpart H 부록 D에 따라 다음 사항을 포함한 검사프로그램을 수립하여 관할 지방항공청장의 승인을 받아야 한다.

① 항공기 검사에 요구되는 시험(tests), 확인(checks)을 포함한 지침 및 절차. 이 지침과 절차에는 검사가 요구되는 기체, 엔진, 프로펠러, 장비품, 구명장비 및 비상장비의 부품 및 대상 부위가 상세하게 명시되어 있어야 한다.

② 검사의 수행은 사용시간(time in service), 사용일자(calendar time), 시스템 작동 횟수 또는 이들의 조합으로 표현된 프로그램에 따른 일정에 따라 수행되어야 한다.

운영자가 적용 중인 검사프로그램을 다른 프로그램으로 변경하고자 하는 경우 새로운 프로그램에 따른 검사시기의 결정은 이전 프로그램에 따라 누적된 사용시간, 사용일자, 작동횟수를 적용하여야 하며, 항공기 검사프로그램은 사용자가 사용에 편리하도록 인적요인(Human Factors) 개념을 반영하여 설계하여야 한다. [21]

7.3.3 정비기록 보존(Maintenance Records Retention)

① 항공기 소유자 또는 운영자는 반복되는 차기 작업 또는 동등한 작업범위의 다른 작업에 의해 대체될 때까지 최소 1년 이상 정비기록을 보존하도록 하고 있다.

② 소유자등은 항공기를 매각 또는 임대할 경우 ①항에 따른 기록을 항공기와 함께 양도하여야 하고, 결함 현황은 결함이 해소되어 항공기가 사용 가능한 상태로 환원될 때까지 보존한다.

③ 항공기 소유자 또는 운영자는 국토교통부장관 또는 항공철도사고조사위원회의 검사가 가능하도록 모든 정비사항을 기록하여야 하고, 대한민국에 등록된 항공기를 매각하거나 임대하는 소유자 혹은 운영자는 항공기를 매각하거나 임대할 때 구매자 혹은 임차자에게 항공기 정비기록을 양도해야 한다.

7.4 항공안전장애 보고(Reporting of Incidents)

항공운송사업자, 항공기사용사업자 또는 항공기의 소유자등은 소속 운항승무원 등이 항공기

---

21 인적요인의 적용에 관한 지침은 ICAO Doc 9683(Human Factors Training Manual)을 참조한다.

를 운영하는 과정 중 항공안전법 제59조 및 같은 시행규칙 제134조에 따라 같은 법 시행규칙 별표 3의 항공안전장애를 발생시키거나 발생한 것을 알게 된 때부터 72시간 이내(같은 법 시행규칙 별표 3 제6호 나목 및 다목의 경우에는 즉시 보고하여야 한다)에 다음 각 호의 구분에 따라 보고하여야 한다.

① 국제항공운송사업자: 국토교통부장관

② 국제항공운송사업자 이외의 항공운송사업자, 항공기사용사업자 또는 항공기의 소유자 등: 지방항공청장

7.5 연료, 오일탑재 계획 및 불확실 요인의 보정 (Fuel, Oil Planning and Contingency Factors)

항공기는 계획된 비행을 안전하게 완수하고 계획된 운항과의 편차를 감안하여 충분한 연료를 탑재해야만 한다.

탑재연료량은 적어도 연료소모감시시스템에서 얻은 특정 항공기의 최신자료 또는 항공기 제작사에서 제공된 자료, 비행계획에 포함되어야 할 운항 조건(예상 항공기 중량, 항공고시보(NOTAM), 현재 기상보고 또는 기상보고 및 기상예보의 조합, 항공교통업무 절차, 제한사항 및 예측된 지연, 정비이월, 외장변경의 영향, 항공기 착륙지연 또는 연료와 오일의 소모를 증가시킬만한 사항) 사항을 근거로 산출되어야 한다.

기장은 착륙할 때 계획된 최종예비연료가 남아있고 안전한 착륙이 가능한 공항까지 도달하는데 필요한 연료보다 탑재된 사용 가능한 연료량을 지속적으로 확인하여야 한다.   최종예비연료(final reserve fuel) 보호는 기존의 계획대로 안전한 운항이 종료될 수 없는 예기치 못한 사건이 발생할 경우 어떠한 공항에도 안전하게 착륙할 수 있기 위함이다. 재분석, 조정, 재계획 검토를 포함한 비행 중 계획에 관한 세부사항은 Flight Planning and Fuel Management Manual(Doc 9976)을 참조한다.

7.6 항공기 등불의 사용(Use of Aircraft Lights)

항공기에 적색 충돌 방지등이 장치되었을 경우 기장은 엔진 시동 전에 스위치를 켜야 하며 엔진이 작동되고 있는 동안에는 항상 등을 켜고 있어야 한다.

기장은 다음 각 호와 같은 항공기 등불을 켜지 않으면 일몰과 일출사이의 시간동안 항공기를 운항하여서는 아니 된다. [22]

① 항행등

② 공중충돌방지등(장착되어 있을 경우)

기장은 다음 각 호의 1의 등화 조건이 충족되지 않은 경우에는 야간에 공항의 이동지역 내에서 항공기를 계류시키거나 이동시켜서는 아니된다.

① 항공기가 조명에 의해 명확하게 보일 것

② 항공기가 항행등을 켤 것

③ 항공기가 장애등에 의해 표시된 지역에 있을 것

항공기 운영자는 다음 각 호의 등화 조건이 충족되지 않을 경우에는 항공기를 정박 시켜서는 아니 된다.

① 항공기가 정박등(Anchor lights)을 켤 것

② 항공기가 정박등이 요구되지 않는 지역에 있을 것

7.7 승객이 기내에 있거나 승·하기 중일 때 연료보급 (Refueling with Passengers on Board)

비행기의 경우, 기장은 승객이 기내에 있을 때나 탑승 또는 하기 중에는 다음의 경우를 제외하고 연료보급을 하도록 허용하여서는 아니 된다.

① 항공기에 탈출 시작과 탈출을 지시할 준비가 되어있는 자격을 갖춘 자를 배치한 때.

② 항공기에 배치한 자격을 갖춘 자와 연료보급을 감독하는 지상요원 간에 상호 송수신 통신이 유지될 때.

---

22 섬광등이 임무를 수행하는데 나쁜 영향을 미치거나 외부에 있는 사람에게 눈부심을 주어 위험을 유발할 수 있는 경우 조종사는 섬광등을 끄거나 빛의 강도를 줄일 수 있다.

7.8 정비 기록(Maintenance Records)

국외비행에 사용되는 항공기 운영자는 다음의 정비기록을 유지하여야 한다.

① 항공기와 수명한계 장비품의 총 사용 시간(시간, 사용일수 및 사이클)

② 모든 의무적인 지속적 감항성 정보에 대한 현재 이행 기록

③ 항공기와 중요 장비품에 대한 개조와 수리의 세부사항

④ 정해진 오버홀 수명에 근거한 항공기 또는 그 부분품의 마지막 오버홀 이후에 사용된 시간(시간, 사용일수 및 사이클 등)

⑤ 정비 및 검사프로그램 이행 기록

⑥ 정비확인과 감항성확인에 대한 서명을 위한 요건이 충족되었음을 증빙하는 세부 정비 기록

상기의 ①내지 ⑤호에 있는 항목들은 영구적으로 운영을 중지한 후 최소한 90일 동안 보관되도록 하여야 하고, ⑥에 있는 기록은 정비확인 또는 감항성 확인서명 이후 최소한 1년 동안 보관되도록 하여야 한다.

7.9 표준운항절차(Standard Operation Procedures)

항공운송사업자는 운항승무원들이 비행임무 시 사용할 수 있는 표준운항절차(SOP)를 수립하여 국토교통부장관의 승인을 받아야 하고, 표준운항절차에 포함되는 내용은 아래와 같다.

① 조종실 점검절차 및 점검표(Checklists)

② 승무원 브리핑

③ 당해 항공기 운영교범에 명시된 비행절차

④ 표준복창절차(Standard call-outs)

⑤ 점검표의 표준화된 사용방법(정상, 비정상 및 비상) 및 운항승무원간의 임무의 구분과 배정 사항

항공운송사업자는 점검표에 운항승무원이 비행안전과 관련하여 반드시 확인하고 수행하여

야 하는 운항단계별 행위절차를 명시하도록 하여야 하며, 운항승무원에게 항공기와 시스템 형태를 확인하는 데 있어 인간행동방식의 취약성(vulnerabilities in human performance)을 보완할 수 있는 형식으로 작성하여 제공하도록 하고 있다.

정상상황에 사용되는 점검표는 운항승무원에게 조종실 조작판의 범위와 논리적인 순서, 내부 및 외부 조종실 운영조건을 모두 만족하는 논리적인 행동순서, 운항승무원이 동일상황에 대한 인지를 동시에 공유하도록 하는 상호 확인절차, 조종실 임무의 논리적인 배분을 보장하게 하는 승무원 협력 등의 정보를 제공 한다.

비정상과 비상상황에서 사용되는 점검표는 운항승무원에게 비정상과 비상상황의 조치사항을 인식하게끔 하여야 하며, 과중된 임무상황 하에서 발생될 수 있는 인적오류를 최소화하도록 보완되어야 하고, 각 운항승무원이 수행하여야 할 역할과 임무, 문제해결과 의사결정, 진단에 대한 지침과 행위, 시간적, 순차적 방법에 의한 비상조치절차 등의 사항을 포함 한다.

제3장 항공안전 · 보안 관련

항공분야에서 사고 예방 및 안전 확보를 위해 '항공안전' 및 '항공보안'은 함께 고려된다. 일반적으로 항공법규에서 안전(safety)은 돌발적인 사고위험(accidental harm)으로부터의 방지를 말하며 보안(security)은 의도적 위해(intentional harm)로부터의 방지를 의미한다.

본장에서는 항공법상의 항공안전 및 항공보안을 비롯하여 항공기 사고조사, 항공정비관련 위험물 취급 등에 대하여 다루었다.

1. 항공안전

1.1 항공안전 및 항공보안 개념

항공분야에서 사고 예방 및 안전 확보를 위해 '항공안전' 및 '항공보안'은 함께 고려된다. 일반적으로 항공법규에서 안전(safety)은 돌발적인 사고위험(accidental harm)으로부터의 방지를 말하며 보안(security)은 의도적 위해(intentional harm)로부터의 방지를 의미한다.

국내 사전에서 정의하고 있는 용어를 종합하여 고려하면 '항공안전'은 '비행기로 공중을 날아다님과 관련하여 위험이 생기거나 사고가 날 염려가 없거나 없는 상태'로 정의할 수 있으며, '항공보안'은 '비행기로 공중을 날아다님과 관련하여 항공기 내의 안녕 및 안전을 저해하는 행위를 방지하는 일'이라고 정의할 수 있다.

2001년 9월 11일의 비극적인 테러사건은 '항공안전'이 기술적인 관점의 사고 예방을 넘어 더욱 넓게 정치적, 전략적 차원까지 확장된다는 것을 보여주고 있으며, '항공안전'이 예방적이고 징벌적인 수단들을 포함한다는 것을 재확인하게 되었고 위험요인 관리가 더욱 중요하게 인식되는 계기가 되었다.

1.1.1 항공안전·보안관련 용어정의

항공안전 및 항공보안과 관련한 국제 협약 및 미국과 유럽의 항공법규(FAR, EU regulation)에서도 'aviation safety'나 'aviation security'에 대한 용어를 직접적으로 정의하고 있지 않은 상태에서 'aviation safety' 및 'aviation security' 증진을 위한 국제기준을 규정하고 있다. 다만, 시카고협약 부속서 17 Security와 부속서 19 Safety Management에서는 항공안전 및 항공보안과 관련하여 다음과 같이 용어를 정의하고 있다.

① '안전(Safety)'이란 항공기 운항과 관련되거나 직접적 지원 시 항공 활동과 관련된 위험상태가 수용 가능한 수준으로 줄어들고 통제가 가능한 상태를 말한다. [23]

② '안전관리시스템(Safety Management System)'이라 함은 정책과 절차, 책임 및 필요한 조

---

23 부속서 상의 '안전(safety)'이라는 용어정의는 항공활동에 대한 안전임을 규정하고 있어 '안전'이라는 용어 자체가 '항공안전(aviation safety)'을 의미한다고 볼 수 있다.

직구성을 포함한 안전관리를 위한 하나의 체계적인 접근방법을 말한다.

③ '국가안전프로그램(State safety programme)'이란 항공안전을 확보하고 안전목표를 달성하기 위한 항공 관련 제반 규정 및 안전 활동을 포함한 종합적인 안전관리체계를 말한다.

④ '보안(security)'이란 폭파, 납치, 위해정보 제공 등 불법 방해 행위(acts of unlawful interference)에 맞서 행하는 항공기 및 항행안전시설 등 민간항공을 보호하기 위한 제반 활동으로, 보안은 적절한 대응조치 및 인적·물적 자원의 결합으로 그 목적이 달성된다.

⑤ '불법방해 행위(acts of unlawful interference)'란 항공기의 안전운항을 저해할 우려가 있거나 운항을 불가능하게 하는 행위로서 다음 각 행위를 말한다.

- 지상에 있거나 운항 중인 항공기를 납치하거나 납치를 시도하는 행위
- 항공기 또는 공항에서 사람을 인질로 삼는 행위
- 항공기, 공항 및 항행안전시설을 파괴하거나 손상시키는 행위
- 항공기, 항행안전시설 및 보호구역에 무단 침입하거나 운영을 방해하는 행위
- 죄의 목적으로 항공기 또는 보호구역 내로 무기 등 위해물품을 반입하는 행위
- 지상에 있거나 운항 중인 항공기의 안전을 위협하는 거짓 정보를 제공하는 행위 또는 공항 및 공항시설 내에 있는 승객, 승무원, 지상근무자의 안전을 위협하는 거짓 정보를 제공하는 행위
- 사람을 사상에 이르게 하거나 재산 또는 환경에 심각한 손상을 입힐 목적으로 항공기를 이용하는 행위 등

이상과 같이 여러 상황을 종합하여 고려할 때, 항공활동을 행함에 있어 '항공안전'이란 '안전을 저해하는 위험 요인에 대하여 중요한 3가지 개념(① 인적 물적 피해 위험이 없는 상태, ② 위험정도가 수용이 가능하도록 줄어든 상태, ③ 위험요인을 통제할 수 있는 상태)을 포함하는 상태'라고 정의할 수 있고, '항공보안'은 '폭파, 납치, 위해정보 제공 등 불법 방해 행위(acts of unlawful interference)에 맞서 민간항공을 안전하게 보호하기 위한 제반 활동'으로 정의할 수 있다.

1.2 항공안전관리

1.2.1 국제민간항공기구의 항공안전관리

ICAO는 2013년에 체계적인 안전관리를 위해 시카고협약 부속서 19 안전관리(Safety Management)가 새롭게 탄생시켰으며, 항공당국의 안전관리 책임 및 운영자의 안전관리시스템의 중요성이 더욱 더 확산되는 계기가 되었다. 부속서 19는 ICAO 체약국의 동의를 거쳐 최종적으로 채택되어 2013.11.14.부로 적용되고 있다.

시카고협약 부속서 19는 대부분 각 부속서에서 이미 적용하고 있는 국가안전프로그램(State Safety Programme, SSP), 안전관리시스템(Safety Management System, SMS), 안전 데이터의 수집 및 사용 등에 관한 기존의 6개 부속서(부속서 1, 6, 8, 11, 13, 14)에 산재되어 있던 안전관리 기준을 통합하여 작성되었다.

1.2.2 국내 항공안전관리체계 및 항공안전프로그램

한국의 항공안전관리체계 및 항공안전프로그램은 기본적으로 시카고협약 부속서에서 정한 기준과 절차를 준수하고 있다. 시카고협약 부속서 19는 국가항공안전프로그램(State Safety Programme, SSP) 및 항공안전관리시스템(Safety Management System, SMS)을 운영함에 있어 예방안전체계로의 전환을 유도하고 있고 한국도 이에 부응하여 항공안전법 제58조에 항공안전프로그램을 규정하고 있다(본서 제1편 항공안전법 제5장 항공기운항, 4. 항공안전프로그램 참조).

항공안전관리시스템(SMS)이란 처벌 중심의 사후적 안전관리방식에서 탈피하여 잠재적인 안전저해요소들을 발굴하여 이에 대한 방지책을 수립 및 이행하는 사전예방적인 안전관리방식을 말하며, 전문교육기관, 항행안전시설 관리자, 공항운영자, 항공운송사업자 등은 항공기사고 등의 예방 및 비행안전의 확보를 위한 항공안전관리시스템을 마련하고 국토교통부장관의 승인을 받아 운용하여야 한다. 항공안전관리시스템에는 ① 안전정책 및 목표, ② 위험요소관리절차, ③ 안전보증활동, ④ 안전증진활동 등이 포함되어야 한다.

1.3 항공안전평가

항공안전평가제도와 관련하여 미국은 1990년 미국에서 발생한 콜롬비아 국적 아비앙카 항공기의 사고 이후인 1992년에 항공안전평가(IASA) 제도를 도입하여 미국에 출·도착하는 항공기를 운항하는 항공사의 항공당국을 대상으로 ICAO SARPs 준수 여부를 평가하고 있다.

FAA의 IASA 평가 도입은 ICAO, EU, IATA에서 연이어 항공안전평가제도를 도입하는 시발점이 되었다. 결국 ICAO, EU 및 IATA의 항공안전평가제도는 ICAO SARPs로 규정한 항공안전기준 준수여부에 대한 문제의 심각성을 인식하면서 FAA의 조치에 동참하여 항공기 사고 방지를 위해 ICAO SARPs 이행 여부를 평가하고 그에 합당한 조치를 취하도록 한 것이다. 이는 항공안전기준에 관한한 시카고협약 제33조의 취약성이 미국이라는 체약당사국에 의하여 현실적으로 보완된 것인바, 이러한 관계는 EU도 가세한 가운데 유지되는 형국이다.

주요 항공안전평가는 다음과 같으며, 각 각의 평가기관은 실질적인 항공안전 증진을 위해 개선방식을 지속적으로 연구하여 적용하고 있다.

- FAA가 미국을 운항하는 항공사의 항공당국을 평가하는 항공안전평가(IASA IASA: International Aviation Safety Assessment)

- ICAO가 체약국을 대상으로 항공안전수준, 구체적으로는 항공안전관리체계 및 이행수준을 평가하는 항공안전평가(USOAP USOAP(Universal Safety Oversight Audit Program)[24]

- SAFA 참가국이 SAFA 참가국을 취항하는 항공사를 평가하는 항공안전평가(SAFA: Safety Assessment of Foreign Aircraft)

- IATA가 항공사를 대상으로 평가하는 항공안전평가(IOSA: IATA Operational Safety Audit)

1.3.1 미국의 항공안전평가(IASA)

미연방항공청(FAA)의 항공안전평가(International Aviation Safety Assessment: IASA)란 미국을 출발 및 도착하는 항공사의 항공당국에 대한 항공안전평가를 말한다.

FAA는 미국을 운항하거나 운항하고자 하는 항공사의 항공당국에 대하여 항공안전평가를 실시하며, 평가 결과 특정 국가의 항공당국의 안전기준이 ICAO의 안전기준에 미달하여 안전상의 결함이 있다고 판단되면 그 국가를 항공안전 2등급으로 분류하고 항공안전 2등급으로 분류된 국가에 속해있는 항공사에 운항제한 및 신규 운항허가 불허 등의 실질적인 불이익을 주고 있다.

24 항공안전에 대하여 국가가 행하는 종합적인 관리감독체계 및 이행수준을 평가('항공안전종합평가'라고도 함)

한국은 2001년 FAA로부터 항공안전 2등급 판정을 받은 적이 있으며, 이로 인해 국가 위상 손상은 물론, 국적 항공사 코드쉐어 제한, 미주노선 증편 불가, 미국 군인 및 공무원의 우리 국적 항공기 이용금지 등의 제재 등 막대한 경제적 피해 및 사회적 물의를 경험하고, 4개월 후 1등급으로 회복한 바 있다.

IASA의 내용을 요약하여 정리하면 다음 표와 같다.

표 3-1 FAA의 항공안전평가(IASA)

구분	내용
개요	○ 미국을 출발 및 도착하는 항공사의 항공당국에 대한 항공안전평가 ○ 항공안전기준 미달 시 외국 항공사에게 운항허가 불허 또는 운항제한 등의 실질적 불이익 줌
도입 배경	○ 1990년 초 항공교통량 급증, 항공기 사고 증가 ○ 미국 출/도착 항공기에 대해 ICAO 기준에 의거 항공안전감독 필요성 대두 ○ 1990년 콜롬비아 국적 아비앙카(Avianca) 항공 Boeing 707 사고 (뉴욕 롱아일랜드 Cove Neck 항공기 추락, 승무원 8명 전원 및 승객 150명 중 65명 사망 등 총 73명 사망)
IASA 도입	○ 1992년 8월 IASA 도입
IASA 운영	○ Checklist 구성: 일반 내용을 포함하여 9 Sections으로 구성 ○ Checklist 점검: 각 부문 전문가가 평가항목 점검(변호사, 운항전문가, 감항전문가 등) ○ Category 2 해당 사유: 법규 미흡, 항공당국 임무수행 조직 미흡, 기술인력 부족, 국제기준 준수 지침 미 제공, 항공사 감독 기능 미흡 등 ○ Category 2 분류 국가 불이익: 미국 신규 취항 허용 금지, 미국노선 신규/확대 제한 및 코드쉐어 허용 금지, 운항허가 취소 및 중지 가능 ㈜ 한국은 2001년 2등급으로 분류된 적이 있으나 4개월 만에 1등급 회복함

1.3.2 ICAO의 항공안전평가(USOAP)

ICAO의 항공안전평가(Universal Safety Oversight Audit Program: USOAP, '항공안전종합평가'라고도 함)란 ICAO가 전 세계에 통일적으로 적용되는 국제기준의 국가별 안전관리체계 및 이행실태를 종합적으로 평가하는 제도로서, 1990년대 초 세계적으로 항공기 사고가 빈발하고 국제기준 불이행이 주요 사고원인으로 지적됨에 따라 그 중요성이 부각되었다.

USOAP의 내용을 요약하여 정리하면 다음 표와 같다.

표 3-2 ICAO의 항공안전평가(USOAP)

구분	내용
개요	○ ICAO가 체약국에 대하여 항공안전관련 국제기준 이행실태 점검, 평가 ○ USOAP 평가 결과를 open함으로써 간접적 제재 효과
도입 배경	○ 1990년 초 항공교통량 급증, 국제기준 불이행으로 인한 항공기 사고 증가, 항공안전문제 심각
도입 효과	○ 항공기 사고 발생률 감소 ○ 항공안전의식 및 항공안전감독능력 증진 ○ 국제기준에 대한 통일적 이행 기준 및 평가체계 마련
USOAP 발전 단계	○ Voluntary(1996~1998: 부속서 1,6,8) ○ Mandatory(1999~2004: 부속서 1,6,8, 2005~2010, 16개 부속서) ○ USOAP CMA(항공안전 상시평가): 2년(2011~2012)간의 전환기간 후, 2013년부터 전면 시행

USOAP CMA	○ 시행근거: ICAO와 체약국간 MOU(Memorandum of Understanding)
	○ 8 USOAP Audit Area: 법령, 조직, 자격, 운항, 감항, 사고조사, 관제/항행, 비행장
	○ 8 USOAP Critical Elements: 법령, 규정, 조직, 자격, 기술지침, 면허/인증, 지속감독, 안전 위해 요소
	○ 운영단계(4단계)
	  1) 정보수집 2) 정보분석/안전도 평가 3) 현장평가 방식 결정 4) 현장평가 시행
	○ 정보수집
	  – 회원국 정보: 사전질의서(SAAQ), 세부평가항목(PQ), 국제기준이행실적자료(CC), 차이점 정보(EFOD)
	  – ICAO 및 외부기관 정보: ICAO, COSCAP, IATA IOSA, EU SAFA 등
	○ 평가결과
	  – 국제기준 미 이행률(LEI: Lack of Effective Implementations)
	  – 중대 안전 우려 국가(SSC: Significant Safety Concern State)

1.3.3 유럽의 항공안전평가(SAFA)

유럽의 항공안전평가(Safety Assessment of Foreign Aircraft: SAFA)란 유럽 내 SAFA 참가국[25]을 운항하는 제3국 항공기(TCA: third country aircraft)[26]에 대하여 점검하는 항공안전평가 프로그램을 말한다. 유럽은 EU를 포함한 SAFA 참가국을 취항하는 외국항공사를 대상으로 지속적으로 안전점검을 시행한 후 최소 안전기준에 미달하는 국가 및 항공사를 '블랙리스트(Blacklist)'로 선정하여 해당 항공사의 운항허가를 중지시키거나 제한하고 있다.

SAFA의 내용을 요약하여 정리하면 다음 표와 같다.

표 3-3 유럽의 항공안전평가(SAFA)

구분	내용
개요	◦ EU에서 TCA(Third Country Aircraft) Ramp Inspection을 통해 시행하는 외국 항공사 대상 항공안전평가 ◦ 항공안전기준 미달 시 외국 항공사에게 운항금지 또는 운항제한 등의 실질적 불이익 줌
도입 배경	◦ 항공교통량 급증, 항공 안전에 부담 가중 및 유럽 도착 출발 항공기에 대한 체계적 관리 필요성 대두함에 따라 TCA 점검 강화 및 행정처분 강화 ◦ 초기 자율 프로그램으로 시작(1996년)하여 2004년 의무 프로그램으로 전환하였으며 2005년 행정처분 강화 ◦ 2004.6 Egyptian Flash Airlines Boeing 737 홍해 추락 133명 사망 ◦ 2005.8 West Caribbean Airways MD 82 베네수엘라 추락 160명 사망
SAFA 도입	◦ 최초 도입: 1996년 Voluntary ◦ 의무 시행: 2004(Directive 2004/36/CE) ◦ Regulation(EC) No. 2011/2005 공포(2005.12.14): 운항금지 근거 마련
SAFA 운영	◦ EU 집행위원회(European Commission)에서 제반 책임과 입법권 가짐 ◦ EASA는 총체적인 자료 수집 및 분석과 프로그램 개발 및 운영 관장 ◦ SAFA 참가국: TCA에 대한 Ramp Inspection 및 점검결과 전파 ◦ SAFA Ramp Inspection 주요 check 항목(총 54개 항목): 조종사 자격증명, 탑재 매뉴얼, 절차 준수, 안전장비, 화물, 항공기 상태

---

25 SAFA 참가국은 모든 EASA 회원국을 포함하여 총 46개국임(2014.10.1. 기준).

26 TCA. The official definition of 'third-country aircraft' is an aircraft which is not used or operated under the control of a competent authority of a(European) Community Member State. 실질적으로 TCA는 SAFA 참가국 이외의 국가에서 운영하는 항공기를 말함.

	◦ 안전상 문제가 아니면 항공기 운항 지연하지 않도록 함 ◦ 심각한 지적 사항(Serious Finding)은 항공사의 항공당국에도 알리고 수정 조치 요청 ◦ EU 집행위원회가 운항금지 및 운항제한(Operating ban and Operational restriction) 결정[27] 　－ Annex A: 항공사 운항금지, 　－ Annex B: 운항 가능한 항공기를 기종으로 제한 ◦ SAFA Ramp Inspection Database: 매년 1만회 이상 보고서 추가되고 있으며 총 10만 건 이상의 자료 보유 중(2013 년 기준)

1.3.4 IATA의 항공안전평가(IOSA)

국제항공운송협회(IATA)의 항공안전평가(IATA Operational Safety Audit: IOSA)란 IATA가 인정하는 평가기관이 항공사의 항공안전 상태를 평가하는 것이다. IOSA는 항공사의 항공안전과 관련하여 국제적으로 인증된 평가 시스템을 적용하여 항공사의 종합적인 운영관리와 통제체제를 평가한다.

IOSA의 내용을 요약하여 정리하면 다음 표와 같다.

표 3-4 IATA의 항공안전평가(IOSA)

구분	내용
개요	◦ IATA가 항공안전부문 국제기준 준수관련 항공사를 대상으로 실시하는 항공안전평가 ◦ IOSA 평가 합격 시 IATA 회원사 간 항공안전수준 인정 및 항공사 간 code share 정책 등에 활용
도입 배경	◦ 공동운항 확대로 항공사간 사전 수시 안전평가 실시로 비용 및 운영상 불합리 ◦ 평가제도 개선 및 체계적인 평가제도 필요성 공감 ◦ IOSA 평가결과 공유 필요성 대두
IOSA 도입	◦ 2001년 개발, 2003년 IATA 정기총회에서 채택 ◦ 주요 매뉴얼: ISM(IOSA Standards Manual), IPM(IOSA Programme Manual), IAH(IOSA Auditor Handbook)

IOSA 프로그램 절차	◦ 항공사가 IATA에 수검 신청 ◦ 항공사가 등록된 평가기관(AO) 하나 선정 및 계약 ◦ 평가기관에 의한 평가 실시 ◦ 문제점이 없거나 개선조치 완료 후 IOSA Registry에 등록 ◦ 매 24개월 IOSA Registry 갱신을 위한 IOSA Audit 수검
IOSA 도입 이점 (항공사)	◦ 국제적으로 인증된 항공 안전 품질 기준 적용 ◦ IATA에 의한 품질 보증 ◦ 표준화된 항공 안전 평가 체계 ◦ 평가 횟수 감소로 비용 절감 효과 ◦ 품질 보증으로 Code-share 등 운항 기회 확대 ◦ 평가 공유 체계

1.3.5 항공안전평가 관련 착안사항

ICAO는 항공당국 전반에 대하여 항공안전평가를 실시하고 있고, IATA도 항공사에 대하여 항공안전평가를 실시하고 있으며, 항공 안전 결함 해소를 위해 FAOSD(Foreign Air Operator Surveillance Database) 활성화를 장려하고 있다.

미국 및 유럽도 자체적으로 자국 및 회원국을 운항하는 외국 항공 당국 및 항공사에 대하여 항공안전평가를 실시하여 그 평가 결과를 공포하고 항공 안전 불합격으로 평가된 경우 항공사에게 운항금지 또는 운항 제한과 같은 엄중한 행정처분을 하여 불이익을 주고 있다.

이와 같은 체약국의 항공당국 및 외국 항공사 등에 대하여 실시하는 항공안전평가는 공통적으로 항공교통량 급증 및 항공기 사고 증가가 직접적인 계기가 되었으며, ICAO SARPs를 제대로 준수하고 있는지에 대한 이행 여부를 확인하고 이들 통해 항공기 사고로부터 당해 소속 국가의 국민을 보호하겠다는 의지가 강하게 담겨 있다고 볼 수 있다.

평가 방식으로는 정해진 기간 내 평가의 한계를 극복하기 위해 상시 평가방식을 강화하고 있으며, 평가 결과에 대해서도 상호 공유 수준을 확대하고 있다. 특히, IASA 및 SAFA 평가는 불합격 수준으로 판단하는 경우 운항금지 또는 운항제한과 같이 실질적인 불이익을 주고 있는데 이는 항공안전수준이 낮은 국가 및 항공사의 본질적인 문제점을 분석하고 해결하는 데 매우 긍정적으로 기여하고 있다고 평가할 수 있다.

시카고협약체계에서의 ICAO SARPs 및 관련 지침 수립 및 이행은 항공안전 달성에 초석이 되었으며, AOC & Operations Specifications 제도 및 전 세계 다양한 항공안전평가제도 운영은 실질적인 항공안전 수준을 한 단계 올리는 성과를 가져왔다. 그 결과 항공안전기준 미흡으로 인한 항공기 사고도 점차 감소하는 효과를 낳았으며 2012년과 2013년의 항공기 사고는 사상 최저인 100만 편당 3.2회와 2.8회를 기록하였다.

2. 항공보안

9.11 테러 이후, 항공보안 분야에서 민간항공에 있어 진화하는 위협에 대응하여 항공보안의 흠점이 새롭게 인식되면서 항공보안의 중요성이 더욱 강조되고 있다.

2.1 ICAO의 항공보안 발전 연혁 및 동향

시카고협약 체결 초기단계에는 항공안전 및 체계적인 항공발전에 초점을 두었을 뿐 항공보안은 관심 밖의 주제였다. 2001년 9.11 테러 이전에는 민간 항공기를 불법적으로 압류하여 테러 공격에 사용한다는 것은 상상하기 어려웠고, 1944년 시카고협약 체결 당시에는 이러한 보안 위협 및 보안조치의 필요성을 예견하지 못했다. 1960년대 후반에는 항공보안상에 심각한 문제가 발생했을 때는 불법방해 행위(acts of unlawful interference)를 해결하기 위해 국제적 공조를 채택할 필요가 있었다. 이후 국제수준의 항공보안 정책과 대응조치가 요구되었으며 이런 연유로 국제 항공보안에 대한 규정은 시카고협약이 체결된 지 30년 후인 1974년이 되어서야 부속서 17로 채택되었다.

이상과 같이 ICAO는 뒤늦게나마 항공보안의 발전과 혁신을 위해 노력하고 있고, 체약국 간 best practices 및 정보 공유를 통한 국가 간 협력방안을 강구하고 있다.

9.11 테러 이후 항공보안의 중요성이 새롭게 부각되면서 ICAO는 항공보안 증진을 위해 다양한 활동을 하고 있다.

ICAO는 현재 3개년(2014~2016년) 전략 목표를 5가지(① Safety, ② Air Navigation Capacity and Efficiency, ③ Security & Facilitation, ④ Economic Development of Air Transport, ⑤ Environmental Protection)로 설정하여 추진하고 있으며, 그중의 하나가 '항공보안'이다. 또한, 항공보안에 대한 전략적 목표는 ICAO Annex 17 Security(항공보안) 및 Annex 9 Facilitation(출입국 간소화)과 관련하여 항공보안을 증진하는 것이다. 아울러 항공보안, 출입국 간소화 및 보안 관련사항에 대한 ICAO의 역할을 반영하고 강화하는 것이다.

최근 항공보안 활동이 확대되고 있으며 기본적으로 세 개 영역(① policy initiatives ② Universal Security Audit Programme ③ assistance to States)으로 수행되며, 보안점검은 항

공보안평가(USAP: Universal Security Audit Programme)로 수행된다.

2.2 시카고협약 부속서 17 항공보안

항공보안과 관련하여 시카고협약 부속서 17(Security)은 불법방해 행위로부터 국제민간항공을 보호하기 위해 체약국이 이행해야 하는 국제표준 및 권고방식을 내용으로 하며, 1970년 ICAO 총회에서 채택함으로써 탄생하였다.

1944년 시카고협약 체결 당시에는 이러한 보안 위협 및 보안조치의 필요성을 예견하지 못했다. 이런 연유로 국제 항공보안에 대한 규정은 시카고협약이 체결된 지 30년 후인 1974년에야 부속서 17을 채택하게 되었다.

1974년 부속서 17을 채택한 후 초기에는 SARPs 조항의 개정 및 보완에 초점을 맞추었다.

부속서 17의 출현으로, ICAO는 국제 보안 조치의 이행을 지원하기 위해 국가에 가이드를 제공하기 시작했으며, 항공보안 관련하여 가장 기본적인 가이드가 되는 매뉴얼인 Doc 8973[28]을 마련하여 접근제한 문서 형태로 유지하고 있다.

시카고협약 부속서 17에서는 항공보안관련 용어정의 및 일반원칙과 함께 조직, 사전보안대책 및 불법 방해 행위에 대한 대응관리 등에 대하여 규정하고 있다.

2.3 국내 항공보안 체계

헌법 제6조 제1항에는 "헌법에 의하여 체결·공포된 조약과 일반적으로 승인된 국제법규는 국내법과 같은 효력을 가진다."라고 규정하고 있으며, 항공보안법 제1조와 제3조에서는 다음과 같이 국제협약과 항공보안법과의 관계를 명시하고 있다.

2.3.1 항공보안법 제1조(목적)

---

28 ICAO Doc 8973 Security Manual for Safeguarding Civil Aviation Against Acts of Unlawful Interference(Restricted).

이 법은 국제민간항공협약 등 국제협약에 따라 공항시설, 항행안전시설 및 항공기 내에서의 불법행위를 방지하고 민간항공의 보안을 확보하기 위한 기준·절차 및 의무사항 등을 규정함을 목적으로 한다.

2.3.2 항공보안법 제3조(국제협약의 준수)

① 민간항공의 보안을 위하여 이 법에서 규정하는 사항 외에는 다음 각 호의 국제협약에 따른다.

　1. 항공기 내에서 범한 범죄 및 기타 행위에 관한 협약

　2. 항공기의 불법납치 억제를 위한 협약

　3. 민간항공의 안전에 대한 불법적 행위의 억제를 위한 협약

　4. 민간항공의 안전에 대한 불법적 행위의 억제를 위한 협약을 보충하는 국제민간항공에 사용되는 공항에서의 불법적 폭력행위의 억제를 위한 의정서

　5. 가소성 폭약의 탐지를 위한 식별조치에 관한 협약[29]

② 제1항에 따른 국제협약 외에 항공보안에 관련된 다른 국제협약이 있는 경우에는 그 협약에 따른다.

2.4 항공보안평가(USAP)

ICAO는 체약국을 대상으로 항공당국 전반에 대하여 항공보안수준, 구체적으로는 항공보안 관리체계 및 이행수준을 평가하는 항공보안평가(USAP)[30]를 실시하고 있다.

항공보안평가는 시카고협약 부속서 17(항공보안)뿐만 아니라 부속서 9(출입국간소화)의 보안 분야까지 평가범위를 확대하였으며, 항공보안평가 결과에 의하면 한국의 항공보안체계는 세

---

29 "Convention on the Marking of Plastic Explosives for the Purpose of Detection"을 말하며 일반적으로 "탐색목적의 플라스틱 폭발물의 표지에 관한 조약" 또는 "플라스틱 폭약의 탐지를 위한 식별조치에 관한 협약"이라고 함. 이 협약은 1987.11.29. 대한항공 858편 보잉707 미얀마 인접 상공 폭발사건, 1988.12.21. 팬암103편 보잉747 영국 스코틀랜드 로커비 상공 폭발사건을 계기로 플라스틱 폭약의 탐지 어려움을 방지하기 위하여, 플라스틱 폭약 탐지가 가능하도록 플라스틱 폭약에 표지(marking)를 의무화 함.

30 USAP: Universal Security Audit Programme. 항공보안에 대하여 국가가 행하는 종합적인 관리감독체계 및 이행수준을 평가함. '항공보안종합평가'라고도 함

계적 수준으로 평가되고 있다.

USAP의 내용을 요약하여 정리하면 다음 표와 같다.

표 3-5 ICAO의 항공보안평가(USAP)

구분	내용
개요	◦ ICAO가 체약국에 대하여 항공보안 관련 국제기준 이행실태 점검, 평가하는 제도 ◦ USAP 평가 결과를 공개함으로써 간접적 제재 효과
도입 배경	◦ 2001. 9/11 테러에서는 민간항공기 자체가 불법방해 행위의 수단으로 사용됨 ◦ ICAO 총회 긴급 개최(제33차, '01.10월): 「민간항공기를 테러행위 및 파괴무기로 오용하는 것을 방지하는 선언」 결의안 A33-1호로 채택 ◦ ICAO 이사회(제166차, '02.6): 「CAO 항공보안활동계획」 시행 채택
USAP 도입	◦ ICAO 항공보안 활동계획 시행에 따라 ICAO 항공보안평가(USAP) 도입 실시(2002.11)
USAP 발전 단계	◦ 제1차 USAP(2002.11~2007, 181 member states, 9개국 보안 문제로 인해 미실시) * 정부조직, 법령·규정분야, 공항시설·장비분야, 공항보안검색 및 경비분야, 항공기보안 분야, 유사시의 비상조치 상황 등 시카고협약 부속서 17의 표준항목에 대하여 평가 ◦ 제2차 USAP(2008~2013) * 국가별 보안체계, 보안감독활동 및 미비점에 대한 개선절차 등을 집중 평가 * 평가범위 확대(Annex 17 이외에 Annex 9도 평가 범위에 포함) ◦ 항공보안평가 상시모니터평가방식(USAP CMA: Continuous Monitoring Approach, 2013년 이후)

3. 사고조사

시카고협약 제26조는 항공기사고 발생 시 사고 발생지 국가가 사고조사를 하도록 규정하고 있다. 또한, 시카고협약 부속서 13(Aircraft accident and incident Investigation)은 "항공기 사고조사"를 항공기 사고 등과 관련된 정보·자료 등의 수집·분석 및 원인규명과 항공안전에 관한 안전권고 등 항공기 사고 등의 예방을 목적으로 사고조사위원회가 수행하는 과정 및 활동으로 정의하였다.

항공기 사고조사의 경우 기본적으로 항공기 사고가 발생한 영토가 속한 국가가 사고조사의 권리와 의무를 갖는다. 항공기사고 발생국은 사고조사 업무의 전부 또는 일부를 항공기 등록국 또는 항공기 운영국에 위임할 수 있으며, 협약 체결국에게 기술적인 지원을 요청할 수 있다. 만약 항공기 사고가 어느 국가의 영토도 아닌 곳에서 발생하면 항공기 등록국이 항공기 사고의 권리와 의무를 갖는다. 항공기 사고 발생 시 발생지국은 항공기 사고 발생을 국제민간 항공기구 및 관련국에 통보하고 사고조사를 실시해야 한다.

3.1 사고·준사고·항공안전장애

ICAO와 체약국은 물론 모든 항공 종사자에게 사고 및 사고조사와 관련하여 Accident, Serious Incident, Incident는 매우 중요한 의미를 갖고 있다. 시카고협약 부속서 13 및 부속서 19는 Accident, Serious Incident, Incident 발생 시 의무적으로 보고할 것을 규정하고 있으며, incident에 대해서는 동시에 자율적인 보고를 장려하고 있다. 아울러 Accident 및 Serious Incident에 대해서는 ICAO에 보고하도록 규정하고 있다.

Accident, Serious Incident, Incident 자체가 절대적으로 항공안전의 수준을 매길 수 있는 것은 아니지만 경우에 따라서는 항공안전 수준을 가늠하는 잣대로 활용될 수 있어 이들 용어에 대한 명확한 인식을 토대로 정확한 용어를 사용하는 것이 필요하다.

사고조사와 관련하여 시카고협약 부속서 13에서 Accident, Serious Incident, Incident를 규정하고 있고, 우리나라는 "항공안전법" 및 "항공·철도 사고조사에 관한 법률"에서 이를 각기 항공기 사고, 항공기 준사고, 항공안전장애로 규정하고 있다.

국내항공법에 따르면 "항공기 사고(Accident)"란 사람이 항공기에 비행을 목적으로 탑승한 때부터 탑승한 모든 사람이 항공기에서 내릴 때까지 항공기의 운항과 관련하여 발생한 사람의 사망[31]·중상[32] 또는 행방불명, 항공기의 중대한 손상·파손 또는 구조상의 고장 및 항공기에 접근이 불가능한 경우를 말하고, "항공기 준사고(Serious Incident)"란 항공기사고 외에 항공기사고로 발전할 수 있었던 것으로서 항공기 간 근접비행(항공기간 거리가 500피트 미만으로 근접) 등 항공안전법 시행규칙 별표 2에 명시된 사항을 말하며, "항공안전장애(Incident)"란 항공기사고, 항공기준사고 외에 항공기 운항 및 항행안전시설과 관련하여 항공안전에 영향을 미치거나 미칠 우려가 있었던 것으로서 항공기와 관제기관 간 양방향 무선통신이 두절된 경우 등 항공안전법 시행규칙 별표 3에 명시된 사항을 말한다.

사고조사의 대상, 요건 및 책임 등에 있어 무엇보다 중요한 것은 accident, serious incident, incident에 대한 개념 및 국내외 기준이다. 특히, 시카고협약 부속서 13에 따라 모든 체약국은 5700kg 초과 항공기에 대하여 serious incident에 해당하는 경우가 발생하면, ICAO에 예비보고(Preliminary Report)와 항공기 사고 및 항공안전장애 데이터 보고(accident/incident Data Report)를 해야 할 의무가 있기 때문에 각 체약국에서 serious incident(심각한 항공안전장애, 준사고) 항목으로 분류하여 규정하는 것은 더욱 중요한 의미를 가진다. 또한, 시카고협약 부속서 19에 따라 incident가 발생한 경우 필수적인 보고가 요구되기도 하지만 한편으로는 자율보고가 권장되기도 하며, 자율보고의 경우 비처벌의 면책기준이 적용되고 있다.

3.2 항공기 사고조사

시카고협약은 조난 항공기나 항공기 사고조사와 관련하여 항공기 조난이나 사고 발생 시 발생지국의 의무를 규정하고 있으며, 사고조사에 대한 세부 기준은 시카고협약 부속서 13에 규정하고 있다.

3.2.1 시카고협약 제25조 조난 항공기

---

[31] 부속서 13 제1장은 단지 통계상 통일을 위하여 사고일로부터 30일 이내에 사망한 손상을 사망(fatal injury)으로 분리함.

[32] 부속서 13 제1장은 중상(serious injury)을 사람이 상해를 입은 지 7일 이내에 48시간 이상의 입원을 요하는 경우 등으로 정의하였음.

각 체약국은 그 영역 내에서 조난한 항공기에 대하여 실행 가능하다고 인정되는 구호조치를 취할 것을 약속하고 또 동 항공기의 소유자 또는 동항공기의 등록국의 관헌이 상황에 따라 필요한 구호조치를 취하는 것을, 그 체약국의 관헌의 감독에 따르는 것을 조건으로, 허가할 것을 약속한다. 각 체약국은 행방불명의 항공기의 수색에 종사하는 경우에 있어서는 본 협약에 따라 수시 권고되는 공동조치에 협력한다.

3.2.2 시카고협약 제26조 사고조사

항공기가 타 체약국의 영역에서 사고를 발생시키고 또 그 사고가 사망이나 중상을 포함하거나 항공기 또는 항공보안시설의 중대한 기술적 결함이 발생한 경우에는 사고가 발생한 국가는 자국의 법률이 허용하는 한 ICAO가 권고하는 절차에 따라 사고 조사를 실시한다. 그 항공기의 등록국에는 조사에 참여할 기회를 준다. 조사를 하는 국가는 등록국가에 대하여 그 사항에 대한 보고와 소견을 통보하여야 한다.

시카고협약 부속서 13에 따라 시카고협약 체약국은 항공기 사고가 체약국 영토상에서 발생할 경우 항공기 사고조사를 해야 하며 항공기 사고 조사국은 항공기사고와 이해관계가 있는 국가에게 연락을 취하여야 한다. 즉, 사고 조사국이 사고에 이해관계가 있는 항공기 제조국, 설계국, 등록국은 물론 항공기 사고로 희생된 승객의 소속 국가도 상호 연락을 취하도록 기술하고 있다.

사고 조사국은 또한, 사고조사 최종 결과를 항공기 등록국을 포함한 이해관계국은 물론 ICAO에도 통보하여야 한다. 자국 항공기의 사고가 자국 영토 내에서나 공해상에서 발생할 경우 사고 조사국은 항공기 등록국이 된다. 이 경우에도 사고 조사국은 조사 결과를 ICAO와 관계 국가에 통보하여 재발방지에 기여하여야 한다.

항공기 사고조사와 관련하여 ICAO Annex 13(Aircraft accident and incident Investigation)에서는 사고조사 관련 용어정의, 사고조사 목적 및 대상, 사고조사 실시, 사고조사 보고 및 사고 대응 조치 등에 대하여 규정하고 있다.

3.3 항공안전 의무보고 및 자율보고

ICAO는 부속서 19에서 항공기 사고를 방지하고 안전을 증진하기 위하여 '항공안전장애 의무보고시스템(mandatory incident reporting system)' 및 '항공안전장애 자율보고시스템(voluntary incident reporting system)' 도입을 의무화하고 있는데 주요 내용은 다음과 같다.

● 각 체약국은 항공안전장애 의무보고시스템 및 항공안전장애 자율보고시스템을 수립해야한다. 자율보고시스템은 의무보고시스템에서 수집되지 않는 실질적, 잠재적 안전 결함에 대한 정보 수집을 촉진하기 위한 것이다.

● 항공안전장애 자율보고시스템은 비처벌(non-punitive)로 운영되어야 하며 비행자료 정보원이 적합하게 보호되어야 한다.

● 각 체약국은 항공안전장애 의무보고시스템 및 항공안전장애 자율보고시스템으로 수집되지 않는 안전정보를 수집하기 위해 또 다른 '안전 데이터의 수집 및 처리 시스템(Safety Data Collection and Processing Systems; 이하 "SDCPS"라고 한다)'을 마련하는 것이 권고된다.

● 항공안전 보고시스템 및 안전데이터 분석결과로 얻어진 안전데이터는 안전과 관련된 목적 이외의 용도로 사용하지 않는다. 단, 해당 국내법에 따라 합당한 승인권자에 의해 특정 목적을 위해 공개 및 사용하는 것이 공개로 인한 악영향보다 훨씬 중요하다고 결정된 경우에는 예외로 적용할 수 있다.

3.3.1 의무보고시스템

의무보고시스템은 자율보고시스템에서 다루는 문제점 및 위험보다 다소 높은 수준의 위험요소를 보고 대상으로 한다.

일반적으로 항공기 사고, 심각한 항공안전장애(준사고), 항공안전장애, 활주로 침범 등의 실질적, 잠재적 안전결함은 의무보고 항목에 포함된다.

3.3.2 자율보고시스템

자율보고시스템은 의무보고시스템으로 수집되지 않는 실질적, 잠재적 안전 결함에 대한 정보 수집을 촉진하기 위한 보고시스템으로서 조종사, 관제사, 정비사 등이 의무보고시스템을 통해 수집되지 않는 운영상의 결함, 인적요소 등 위험요소와 관련된 안전정보를 보고하는 시스템이다.

기명 및 무기명으로 보고가 가능하며, 의무보고와 달리 자율보고는 자율보고시스템의 사용자들이 안전 및 예방을 위해서는 유용하지만 보고하지 않으면 확인하기 어려운 사항임으로 자율보고로 인해 처벌받지 않는다는 확신이 있어야 한다. 이런 연유로 자율보고시스템은 비처벌 원칙에 따라 운영된다.

자율보고의 성공적인 운영을 위해 보고자에 대한 면책과 관련 정보의 보호가 필수적으로 요구되며 자율보고에 대한 효과적인 장려제도(incentive) 운영이 필요하다. 보고자를 공개하거나 처벌할 경우, 오히려 사실을 감추는 역효과를 초래할 수 있기 때문에 자율보고를 기대할 수 없다. 이런 연유로 자율보고시스템은 사고예방을 위하여 보고자를 보호하고 비처벌 및 면책을 부여하는 것이 일반적인 특징이다.

ICAO는 이러한 목적에 부응 및 적절한 이행을 위하여 항공안전 자율보고시스템을 제3의 기관이 독립적으로 운영할 것을 권고하고 있다. 안전 정보의 지속적인 사용을 위해서는 부적절한 사용을 예방하는 것이 필수적이다. 안전과 관련되지 않은 다른 이유로 안전 정보를 사용하는 것은 안전에 부정적인 영향을 미칠 뿐만 아니라 향후 안전 정보의 이용가능성을 저해할 수 있기 때문이다.

3.3.3 ICAO의 정보 보호에 관한 법적 지침

"정보의 공개가 그로 인해 향후 조사를 받게 될 불리한 영향보다 더 중요하다고 관할당국이 결정하지 않는 한" 보고제도를 통해 얻은 정보가 항공기 사고 또는 준사고 조사 이외의 목적으로 사용될 수 없다.

ICAO Annex 13의 Attachment E 및 Annex 19의 Attachment B는 "안전데이터 수집 및 처리 시스템으로부터의 정보 보호에 관한 법적 지침"에 대한 안내 지침을 동시에 제공하고 있으며, 이 안내 지침에는 각국의 법규에 반영이 필요한 안전정보의 보호원칙 등과 같은 핵심적인 내용을 제시하고 있다.

항공기 사고 및 심각한 항공안전장애 조사는 형사 또는 민사 책임을 결정하는 "법적(legal)" 조사로부터 분리, 독립되어야 한다. 항공기 사고조사는 관련자에게 책임을 지우려는 것이 아니라 사고 또는 심각한 항공안전장애의 원인을 밝히고자 하는 것이다. 안전정보는 반드시 항공기 사고조사 등에 사용하기 위해 기밀로 취급되어야 한다.

예를 들어, 안전 데이터는 법에 명시된 조사를 거쳐 비행안전 향상이라는 맥락에서 최소한으로 필요한 한도 내에서만 공개되어야 한다.

3.3.4 우리나라의 항공안전 의무보고 및 자율보고

우리나라는 항공안전법에 '항공안전 의무보고' 및 '항공안전 자율보고'에 대하여 규정하고 있으며 주요 내용은 다음과 같다.

● 항공안전 의무보고와 관련하여 항공기사고, 항공기준사고 또는 항공안전장애를 발생시키거나 항공기사고, 항공기준사고 또는 항공안전장애가 발생한 것을 알게 된 항공종사자 등 관계인은 국토교통부장관에게 그 사실을 보고하여야 한다.

● 항공안전 자율보고와 관련하여 항공기사고, 항공기준사고 및 항공안전장애 외에 항공안전을 해치거나 해칠 우려가 있는 경우로서 국토교통부령으로 정하는 상태(이하 "경미한 항공안전장애"라 한다)를 발생시켰거나 경미한 항공안전장애가 발생한 것을 안 사람 또는 경미한 항공안전장애가 발생될 것이 예상된다고 판단하는 사람은 국토교통부령으로 정하는 바에 따라 국토교통부장관에게 그 사실을 보고할 수 있다.

● 국토교통부장관은 항공안전 자율보고를 한 사람의 의사에 반하여 보고자의 신분을 공개하여서는 아니 된다.

● 경미한 항공안전장애를 발생시킨 사람이 그 장애가 발생한 날부터 10일 이내에 항공안전 자율보고를 한 경우에는 관련 위반행위에 대한 처분을 하지 아니할 수 있다. 다만, 고의 또는 중대한 과실로 경미한 항공안전장애를 발생시킨 경우에는 그러하지 아니하다.

● 항공안전 의무보고 및 항공안전 자율보고에 포함되어야 할 사항, 보고방법, 절차 등은 국토교통부령인 항공법시행규칙에서 규정하고 있으며, 경미한 항공안전장애에 대하여 보고하는 항공안전 자율보고는 안전공단 이사장에게 보고할 수 있다.

● 항공기 사고 및 준사고는 즉시 보고하고, 항공안전장애는 항공안전장애를 발생시키거나 항공안전장애가 발생한 것을 알게 된 때부터 96시간 이내에 보고한다. 단, 항공안전장애에 해당하는 항목 중 활주로, 유도로 및 계류장이 항공기 운항에 지장을 줄 정도로 중대한 손상을 입은 경우 등의 경우에는 즉시 보고하여야 한다.

이상과 같이 우리나라는 항공안전 의무보고와 항공안전 자율보고의 대상을 명확히 구분하여 운영하고 있으며, 심각한 항공안전장애(준사고) 및 항공안전장애 이외의 경미한 항공안전장애에 한하여 자율보고로 운영하는 특징이 있다. 즉, 항공기 사고, 준사고, 항공안전장애에 대해서는 의무보고로 규정하고 있고, 이에 해당하지 않는 것 중에서 경미한 항공안전장애 항목을 별도로 설정하고 경미한 항공안전장애에 한해서만 자율보고로 운영하고 있다. 이는 ICAO Annex 19에서 규정하고 있는 incident(항공안전장애)에 해당되는 내용을 자율보고가 아닌 의무보고 항목으로 규정하고 있는 것을 의미한다.

4. 항공위험물 운송기준

항공위험물 운송기술기준(이하 "기술기준"이라 한다)은 항공안전법 제70조(위험물 운송 등) 내지 제72조(위험물 취급에 관한 교육 등)에 따라 항공기에 의하여 운송되는 폭발성 또는 연소성이 높은 물건 및 물질 등(이하 "위험물"이라 한다)의 포장·적재·저장·운송 또는 처리하는 자의 위험물 취급절차 및 방법 등에 관하여 국제민간항공기구(ICAO) 부속서18 및 기술지침서(Doc9284)필요한 사항을 규정함을 목적으로 한다.

4.1 위험물의 정의

항공안전법 시행규칙 제209조(위험물 운송허가 등)에 따르면, "폭발성이나 연소성이 높은 물건 등 국토교통부령으로 정하는 위험물"이란 다음 각 호의 어느 하나에 해당하는 것을 말한다.

1. 폭발성 물질
2. 가스류
3. 인화성 액체
4. 가연성 물질류
5. 산화성 물질류
6. 독물류
7. 방사성 물질류
8. 부식성 물질류
9. 그 밖에 국토교통부장관이 정하여 고시하는 물질류

4.2 항공정비사의 위험물취급

항공안전 관련하여 선진 항공국 등의 위험물운송규정 준수여부 점검 및 위반사례에 대한 벌칙이 강화되고 있으며, 위험물의 범위가 넓고 작업자 개개인의 각별한 주의가 없으면 규정을 위반할 소지가 상존하고 있음에 따라 위험물 취급은 항공기 적재화물 취급자에게만 적용될 것이라는 인식에서 탈피하여야 한다.

특히 항공기계통의 위험물을 장탈·착하거나 취급하는 항공정비사들의 위험물 식별 및 인식 제고 노력이 필요하다.

4.3 항공기계통의 위험물

위험물(Dangerous Goods)은 Hazardous Material이라고도 불리며, 항공기 계통에 사용되는 대표적인 물질은 아래와 같다.

- 축전지(Battery)류 : 항공기에 장착되어 있는 각종 축전지(Battery), 셀(Cell) 및 축전지(Battery)를 내장하고 있는 구성품(Component)류(DFDR/IRU 등)

- 카트리지(Cartridge)류 : 기폭장치(Detonator), 카트리지(Cartridge), 기폭약(Initiator) 등 명칭을 가지고 있는 품목이나 기타 전기 등 외부자극으로 인해 폭발작용을 하게 되어 있는 모든 품목.

- 산소 발생기(Oxygen Generator)류 : 화학적 산소 발생기(Chemical Oxygen Generator)류 및 이를 장착하고 있는 PSU(Passenger Service Unit)류.

- 고압가스(Compressed Gas)류 : 질소(Nitrogen), 산소(Oxygen), 핼론(Halon) 등의 가스류가 충전된 소화기(Fire Extinguisher), 보틀(Bottle), 실린더(Cylinder) 류가 이에 속하며, 이를 내장하고 있는 비상탈출 미끄럼대(Escape Slide), 구명정(Life Raft), 구명동의(Life Vest) 등도 해당

- 방사능 물질(Radio Active)류 : 우라늄, 세슘, 크립톤 등의 방사능 물질을 포함하고 있는 모든 품목.

- 연료계통(Fuel System)류 : 연료제어장치(FMU, FCU 및 HMU 등), 연료펌프(Fuel Pump), 연료가열밸브(Fuel Heat Valve) 등 연료가 완전하게 제거되지 않은 연료 계통의 부품류

- 화공약품(Chemical/Liquid)류 : 폭발물, 독극물, 부식제, 인화성 물질 등.

제4장 항공사업법 및 공항시설법

항공사업법은 과거의 항공법 중에서 항공사업 분야와 "항공운송사업진흥법"을 통합하여 제정되었으며, 총칙, 항공운송사업, 항공기사용사업, 외국인 국제항공운송사업, 항공교통이용자 보호, 항공사업의 진흥, 보칙 및 벌칙 등 8개의 장으로 구성되어있으며, 공항시설법은 과거 항공법의 공항시설 분야와 "수도권 신 공항 건설촉진법"을 통합하여 제정한 것으로서 총칙, 공항 및 비행장의 개발, 공항 및 비행장의 관리·운영, 항행안전시설, 보칙, 벌칙 등 6개의 장으로 구성되어있다.

본장에서는 항공정비사 자격시험 등에 출제되는 항공정비업무와 관련된 내용에 한정해서 다루었다.

1. 항공사업법

항공사업법은 항공정책의 수립 및 항공사업에 관하여 필요한 사항을 정하고 대한민국 항공사업의 체계적인 성장과 경쟁력 강화 기반을 마련하는 한편, 항공사업의 질서유지 및 건전한 발전을 도모하고자 이용자의 편의를 향상시켜 국민경제의 발전과 공공복리의 증진에 이바지함을 목적으로 항공사업법을 제정하였다. 항공사업법 제1조

1.1 용어정의 및 사업범위 항공사업법 제2조

항공운송사업 등에 대한 용어정의 및 사업 범위는 다음과 같다.

● "항공사업"이란 이 법에 따라 국토교통부장관의 면허, 허가 또는 인가를 받거나 국토교통부장관에게 등록 또는 신고하여 경영하는 사업을 말한다.

● "항공운송사업"이란 국내항공운송사업, 국제항공운송사업 및 소형항공운송사업을 말한다.

● "소형항공운송사업"이란 타인의 수요에 맞추어 항공기를 사용하여 유상으로 여객이나 화물을 운송하는 사업으로서 국내항공운송사업 및 국제항공운송사업 외의 항공운송사업을 말한다.

● "항공기사용사업"이란 항공운송사업 외의 사업으로서 타인의 수요에 맞추어 항공기를 사용하여 유상으로 농약살포, 건설자재 등의 운반, 사진촬영 또는 항공기를 이용한 비행훈련 등 국토교통부령으로 정하는 업무를 하는 사업을 말한다.

● "항공기취급업"이란 타인의 수요에 맞추어 항공기에 대한 급유, 항공화물 또는 수하물의 하역과 그 밖에 국토교통부령으로 정하는 지상조업(地上操業)을 하는 사업을 말한다.

항공기취급업은 다음 각 호와 같이 구분한다. 항공사업법 시행규칙 제5조

1. 항공기급유업: 항공기에 연료 및 윤활유를 주유하는 사업

2. 항공기하역업: 화물이나 수하물(手荷物)을 항공기에 싣거나 항공기에서 내려서 정리하는 사업

3. 지상조업사업: 항공기 입항·출항에 필요한 유도, 항공기 탑재 관리 및 동력 지원, 항공기 운항정보 지원, 승객 및 승무원의 탑승 또는 출입국 관련 업무, 장비 대여 또는 항공기의 청소 등을 하는 사업

- "항공기정비업"이란 다른 사람의 수요에 맞추어 다음 각 목의 어느 하나에 해당하는 업무를 하는 사업을 말한다.

  가. 항공기, 발동기, 프로펠러, 장비품 또는 부품을 정비·수리 또는 개조하는 업무

  나. 가목의 업무에 대한 기술관리 및 품질관리 등을 지원하는 업무

- "항공교통사업자"란 공항 또는 항공기를 사용하여 여객 또는 화물의 운송과 관련된 유상서비스(이하 "항공교통서비스"라 한다)를 제공하는 공항운영자 또는 항공운송사업자를 말한다.

- "항공레저스포츠사업"이란 타인의 수요에 맞추어 유상으로 다음 각 목의 어느 하나에 해당하는 서비스를 제공하는 사업을 말한다.

  가. 항공기(비행선과 활공기에 한한다), 경량항공기 또는 국토교통부령으로 정하는 초경량비행장치를 사용하여 조종교육, 체험 및 경관조망을 목적으로 사람을 태워 비행하는 서비스

  나. 다음 중 어느 하나를 항공레저스포츠를 위하여 대여 해주는 서비스

  1) 활공기 등 국토교통부령으로 정하는 항공기

  2) 경량항공기

  3) 초경량비행장치

  다. 경량항공기 또는 초경량비행장치에 대한 정비, 수리 또는 개조 서비스

- "항공기대여업"이란 타인의 수요에 맞추어 유상으로 항공기, 경량항공기 또는 초경량비행장치를 대여(貸與)하는 사업(제26호나목의 사업은 제외한다)을 말한다.

- "초경량비행장치사용사업"이란 타인의 수요에 맞추어 국토교통부령으로 정하는 초경량비행장치를 사용하여 유상으로 농약살포, 사진촬영 등 국토교통부령으로 정하는 업

무를 하는 사업을 말한다.

1.2 항공정비업

항공기정비업이란 타인의 수요에 맞추어 항공기, 발동기, 프로펠러, 장비품 또는 부품을 정비·수리 또는 개조하거나, 이러한 업무에 대한 기술관리 및 품질관리 등을 지원하는 업무를 하는 사업을 말한다.

항공기정비업은 2007년 이전까지는 항공기에 대한 급유, 항공화물·수하물의 하역, 지상조업 등과 함께 항공기취급업으로 구분되어 있었으나 이러한 항공기취급업과 달리 항공기정비업은 전문인력, 기술, 대규모 자본 투자, 항공기 안전운항과 직접 관련성 등의 특징이 있어 2007년 별도의 업종으로 분리하였다.

1.2.1 항공기정비업의 등록 [항공사업법 제42조]

① 항공기정비업을 경영하려는 자는 국토교통부령으로 정하는 바에 따라 국토교통부장관에게 등록하여야 한다. 등록한 사항 중 국토교통부령으로 정하는 사항을 변경하려는 경우에는 국토교통부장관에게 신고하여야 한다.

② 제1항에 따른 항공기정비업을 등록하려는 자는 다음 각 호의 요건을 갖추어야 한다.

　1. 자본금 또는 자산평가액이 3억원 이상으로서 대통령령으로 정하는 금액 이상일 것

　2. 정비사 1명 이상 등 대통령령으로 정하는 기준에 적합할 것

　3. 그 밖에 사업 수행에 필요한 요건으로서 국토교통부령으로 정하는 요건을 갖출 것

③ 다음 각 호의 어느 하나에 해당하는 자는 항공기정비업의 등록을 할 수 없다.

　1. 제9조제2호부터 제6호(법인으로서 임원 중에 대한민국 국민이 아닌 사람이 있는 경우는 제외한다)까지의 어느 하나에 해당하는 자

　2. 항공기정비업 등록의 취소처분을 받은 후 2년이 지나지 아니한 자

항공기정비업 등록신청서에 해당 신청이 항공기정비업 등록요건에 적합함을 증명 또는 설명하는 서류와 사업계획서를 첨부하여 지방항공청장에게 제출한다. 사업계획서에는 자본금, 상호·대표자의 성명, 사업소의 명칭 및 소재지, 해당 사업의 취급 예정수량 및 그 산출근거와 예상 사업수지계산서, 필요한 자금 및 조달방법, 사용시설 및 설비개요, 작업용 공구 및 정비작업에 필요한 장비 개요, 유자격 정비사를 포함한 종사자의 수, 사업 개시 예정일 등을 포함하여야 한다.

항공기정비업 신청을 받은 지방항공청장은 등록신청서의 내용이 항공기정비업 등록기준에 적합한지 여부를 심사한 후 그 신청내용이 적합하다고 인정되면 등록대장에 이를 기재하고 항공기정비업 등록증을 발급하여야 한다. 지압항공청장은 등록 신청 내용을 심사하는 경우 항공기정비업의 등록 신청인과 계약한 항공종사자, 항공운송사업자, 공항 또는 비행장 시설·설비의 소유자 등이 해당 계약을 이행할 수 있는지 여부에 관하여 관계 행정기관 또는 단체의 의견을 들을 수 있다. 항공사업법 시행규칙 제41조

2. 공항시설법

공항시설법은 공항·비행장 및 항행안전시설의 설치 및 운영 등에 관한 사항을 정함으로써 항공산업의 발전과 공공복리의 증진에 이바지함을 목적으로 제정하였다. 공항시설법 제1조

2.1 용어정의 공항시설법 제2조

공항시설 등에 대한 용어정의는 다음과 같다.
- "비행장"이란 항공기·경량항공기·초경량비행장치의 이륙[이수(離水)를 포함한다. 이하 같다]과 착륙[착수(着水)를 포함한다. 이하 같다]을 위하여 사용되는 육지 또는 수면(水面)의 일정한 구역으로서 대통령령으로 정하는 것을 말한다.

대통령령으로 정하는 비행장의 구분은 다음 각 호의 것을 말한다. 공항시설법 시행령 제2조

1. 육상비행장
2. 육상헬기장
3. 수상비행장
4. 수상헬기장
5. 옥상헬기장
6. 선상(船上)헬기장
7. 해상구조물헬기장

- "공항"이란 공항시설을 갖춘 공공용 비행장으로서 국토교통부장관이 그 명칭·위치

및 구역을 지정·고시한 것을 말한다.

● "공항구역"이란 공항으로 사용되고 있는 지역과 공항·비행장개발예정지역 중「국토의 계획 및 이용에 관한 법률」제30조 및 제43조에 따라 도시·군계획시설로 결정되어 국토교통부장관이 고시한 지역을 말한다.

● "비행장구역"이란 비행장으로 사용되고 있는 지역과 공항·비행장개발예정지역 중「국토의 계획 및 이용에 관한 법률」제30조 및 제43조에 따라 도시·군계획시설로 결정되어 국토교통부장관이 고시한 지역을 말한다.

● "공항시설"이란 공항구역에 있는 시설과 공항구역 밖에 있는 시설 중 대통령령으로 정하는 시설로서 국토교통부장관이 지정한 다음 각 목의 시설을 말한다.

　가. 항공기의 이륙·착륙 및 항행을 위한 시설과 그 부대시설 및 지원시설

　나. 항공 여객 및 화물의 운송을 위한 시설과 그 부대시설 및 지원시설

대통령령으로 정하는 공항시설의 구분은 다음 각 호의 시설을 말한다. 시행령 제3조

　1. 기본시설

　　가. 활주로, 유도로, 계류장, 착륙대 등 항공기의 이착륙시설

　　나. 여객터미널, 화물터미널 등 여객시설 및 화물처리시설

　　다. 항행안전시설

　　라. 관제소, 송수신소, 통신소 등의 통신시설

　　마. 기상관측시설

　　바. 공항 이용객을 위한 주차시설 및 경비·보안시설

　　사. 공항 이용객에 대한 홍보시설 및 안내시설

　2. 지원시설

　　가. 항공기 및 지상조업장비의 점검·정비 등을 위한 시설

　　나. 운항관리시설, 의료시설, 교육훈련시설, 소방시설 및 기내식 제조·공급 등을 위한 시설

　　다. 공항의 운영 및 유지·보수를 위한 공항 운영·관리시설

　　라. 공항 이용객 편의시설 및 공항근무자 후생복지시설

　　마. 공항 이용객을 위한 업무·숙박·판매·위락·운동·전시 및 관람집회 시설

바. 공항교통시설 및 조경시설, 방음벽, 공해배출 방지시설 등 환경보호시설

사. 공항과 관련된 상하수도 시설 및 전력·통신·냉난방 시설

아. 항공기 급유시설 및 유류의 저장·관리 시설

자. 항공화물을 보관하기 위한 창고시설

차. 공항의 운영·관리와 항공운송사업 및 이와 관련된 사업에 필요한 건축물에 부속되는 시설

카. 공항과 관련된 「신에너지 및 재생에너지 개발·이용·보급 촉진법」 제2조제3호에 따른 신에너지 및 재생에너지 설비

3. 도심공항터미널

4. 헬기장에 있는 여객시설, 화물처리시설 및 운항지원시설

5. 공항구역 내에 있는 「자유무역지역의 지정 및 운영에 관한 법률」 제4조에 따라 지정된 자유무역지역에 설치하려는 시설로서 해당 공항의 원활한 운영을 위하여 필요하다고 인정하여 국토교통부장관이 지정·고시하는 시설

6. 그 밖에 국토교통부장관이 공항의 운영 및 관리에 필요하다고 인정하는 시설

- "비행장시설"이란 비행장에 설치된 항공기의 이륙·착륙을 위한 시설과 그 부대시설로서 국토교통부장관이 지정한 시설을 말한다.
- "활주로"란 항공기 착륙과 이륙을 위하여 국토교통부령으로 정하는 크기로 이루어지는 공항 또는 비행장에 설정된 구역을 말한다.
- "착륙대"(着陸帶)란 활주로와 항공기가 활주로를 이탈하는 경우 항공기와 탑승자의 피해를 줄이기 위하여 활주로 주변에 설치하는 안전지대로서 국토교통부령으로 정하는 크기로 이루어지는 활주로 중심선에 중심을 두는 직사각형의 지표면 또는 수면을 말한다.
- "장애물 제한표면"이란 항공기의 안전운항을 위하여 공항 또는 비행장 주변에 장애물(항공기의 안전운항을 방해하는 지형·지물 등을 말한다)의 설치 등이 제한되는 표면으로서 대통령령으로 정하는 구역을 말한다.

대통령령으로 정하는 장애물 제한표면의 구역이란 다음 각 호의 것을 말한다. 시행령 제5조

1. 수평표면

2. 원추표면

3. 진입표면 및 내부진입표면

4. 전이(轉移)표면 및 내부전이표면

5. 착륙복행(着陸復行)표면

● "항행안전시설"이란 유선통신, 무선통신, 인공위성, 불빛, 색채 또는 전파(電波)를 이용하여 항공기의 항행을 돕기 위한 시설로서 국토교통부령으로 정하는 시설을 말한다.

국토교통부령으로 정하는 항행안전시설이란 항공등화, 항행안전무선시설 및 항공정보통신시설을 말한다. 시행규칙 제5조

● "항공등화"란 불빛, 색채 또는 형상(形象)을 이용하여 항공기의 항행을 돕기 위한 항행안전시설로서 국토교통부령으로 정하는 시설을 말한다.
● "항행안전무선시설"이란 전파를 이용하여 항공기의 항행을 돕기 위한 시설로서 국토교통부령으로 정하는 시설을 말한다.

국토교통부령으로 정하는 항행안전무선시설이란 다음 각 호의 시설을 말한다. 시행규칙 제7조

1. 거리측정시설(DME)

2. 계기착륙시설(ILS/MLS/TLS)

3. 다변측정감시시설(MLAT)

4. 레이더시설(ASR/ARSR/SSR/ARTS/ASDE/PAR)

5. 무지향표지시설(NDB)

6. 범용접속데이터통신시설(UAT)

7. 위성항법감시시설(GNSS Monitoring System)

8. 위성항법시설(GNSS/SBAS/GRAS/GBAS)

9. 자동종속감시시설(ADS, ADS-B, ADS-C)

10. 전방향표지시설(VOR)

11. 전술항행표지시설(TACAN)

● "항공정보통신시설"이란 전기통신을 이용하여 항공교통업무에 필요한 정보를 제공·교환하기 위한 시설로서 국토교통부령으로 정하는 시설을 말한다.

국토교통부령으로 정하는 항공정보통신시설이란 다음 각 호의 시설을 말한다. 시행규칙 제8조

  1. 항공고정통신시설

    가. 항공고정통신시스템(AFTN/MHS)

    나. 항공관제정보교환시스템(AIDC)

    다. 항공정보처리시스템(AMHS)

    라. 항공종합통신시스템(ATN)

  2. 항공이동통신시설

    가. 관제사·조종사간데이터링크 통신시설(CPDLC)

    나. 단거리이동통신시설(VHF/UHF Radio)

    다. 단파데이터이동통신시설(HFDL)

    라. 단파이동통신시설(HF Radio)

    마. 모드 S 데이터통신시설

    바. 음성통신제어시설(VCCS, 항공직통전화시설 및 녹음시설을 포함한다)

    사. 초단파디지털이동통신시설(VDL, 항공기출발허가시설 및 디지털공항정보방송시설을 포함한다)

    아. 항공이동위성통신시설[AMS(R)S]

  3. 항공정보방송시설: 공항정보방송시설(ATIS)

● "이착륙장"이란 비행장 외에 경량항공기 또는 초경량비행장치의 이륙 또는 착륙을 위하여 사용되는 육지 또는 수면의 일정한 구역으로서 대통령령으로 정하는 것을 말한다.

대통령령으로 정하는 이착륙장의 구분은 다음 각 호의 것을 말한다. 시행령 제6조

  1. 육상이착륙장

2. 수상이착륙장

● "항공학적 검토"란 항공안전과 관련하여 시계비행 및 계기비행절차 등에 대한 위험을 확인하고 수용할 수 있는 안전수준을 유지하면서도 그 위험을 제거하거나 줄이는 방법을 찾기 위하여 계획된 검토 및 평가를 말한다.

2.2 항공통신업무 등 공항시설법 제53조

① 국토교통부장관은 항공교통업무가 효율적으로 수행되고, 항공안전에 필요한 정보 · 자료가 항공통신망을 통하여 편리하고 신속하게 제공 · 교환 · 관리될 수 있도록 항공통신에 관한 업무(이하 "항공통신업무"라 한다)를 수행하여야 한다.
② 항공통신업무의 종류, 운영절차 등에 관하여 필요한 사항은 국토교통부령으로 정한다.

지방항공청장(항공로용으로 사용되는 항공정보통신시설 및 항행안전무선시설의 경우에는 항공교통본부장을 말한다)이 수행하는 항공통신업무의 종류와 내용은 다음 각 호와 같다. 시행규칙 제44조

1. 항공고정통신업무: 특정 지점 사이에 항공고정통신시스템(AFTN/MHS) 또는 항공정보처리시스템(AMHS) 등을 이용하여 항공정보를 제공하거나 교환하는 업무

2. 항공이동통신업무: 항공국과 항공기국 사이에 단파이동통신시설(HF Radio) 등을 이용하여 항공정보를 제공하거나 교환하는 업무

3. 항공무선항행업무: 항행안전무선시설을 이용하여 항공항행에 관한 정보를 제공하는 업무

4. 항공방송업무: 단거리이동통신시설(VHF/UHF Radio) 등을 이용하여 항공항행에 관한 정보를 제공하는 업무

2.3 금지행위 공항시설법 제56조

> ① 누구든지 국토교통부장관, 사업시행자등 또는 항행안전시설설치자등의 허가 없이 착륙대, 유도로(誘導路), 계류장(繫留場), 격납고(格納庫) 또는 항행안전시설이 설치된 지역에 출입해서는 아니 된다.
>
> ② 누구든지 활주로, 유도로 등 그 밖에 국토교통부령으로 정하는 공항시설 · 비행장시설 또는 항행안전시설을 파손하거나 이들의 기능을 해칠 우려가 있는 행위를 해서는 아니 된다.

"국토교통부령으로 정하는 공항시설 · 비행장시설 또는 항행안전시설"이라 함은 다음 각 호의 시설을 말한다. 시행규칙 제47조 제1항

1. 착륙대, 계류장 및 격납고

2. 항공기 급유시설 및 항공유 저장시설

> ③ 누구든지 항공기, 경량항공기 또는 초경량비행장치를 향하여 물건을 던지거나 그 밖에 항행에 위험을 일으킬 우려가 있는 행위를 해서는 아니 된다.

항행에 위험을 일으킬 우려가 있는 행위는 다음 각 호와 같다. 시행규칙 제47조 제2항

1. 착륙대, 유도로 또는 계류장에 금속편 · 직물 또는 그 밖의 물건을 방치하는 행위

2. 착륙대 · 유도로 · 계류장 · 격납고 및 사업시행자등이 화기 사용 또는 흡연을 금지한 장소에서 화기를 사용하거나 흡연을 하는 행위

3. 운항 중인 항공기에 장애가 되는 방식으로 항공기나 차량 등을 운행하는 행위

4. 지방항공청장의 승인 없이 레이저광선을 방사하는 행위

5. 지방항공청장의 승인 없이 「항공안전법」 제78조제1항제1호에 따른 관제권에서 불꽃 또는 그 밖의 물건(「총포 · 도검 · 화약류 등의 안전관리에 관한 법률 시행규칙」 제4조에 따른 장난감용 꽃불류는 제외한다)을 발사하는 행위

6. 그 밖에 항행의 위험을 일으킬 우려가 있는 행위

④ 누구든지 항행안전시설과 유사한 기능을 가진 시설을 항공기 항행을 지원할 목적으로 설치·운영해서는 아니 된다.

⑤ 항공기와 조류의 충돌을 예방하기 위하여 누구든지 항공기가 이륙·착륙하는 방향의 공항 또는 비행장 주변지역 등 국토교통부령으로 정하는 범위에서 공항 주변에 새들을 유인할 가능성이 있는 오물처리장 등 국토교통부령으로 정하는 환경을 만들거나 시설을 설치해서는 아니 된다.

다음 각 호의 구분에 따른 지역에서는 해당 호에 따른 환경이나 시설을 만들거나 설치하여서는 아니 된다. 시행규칙 제47조 제6항

1. 공항 표점에서 3킬로미터 이내의 범위의 지역: 양돈장 및 과수원 등 국토교통부장관이 정하여 고시하는 환경이나 시설

2. 공항 표점에서 8킬로미터 이내의 범위의 지역: 조류보호구역, 사냥금지구역 및 음식물 쓰레기 처리장 등 국토교통부장관이 정하여 고시하는 환경이나 시설

⑥ 누구든지 국토교통부장관, 사업시행자등, 항행안전시설설치자등 또는 이착륙장을 설치·관리하는 자의 승인 없이 해당 시설에서 다음 각 호의 어느 하나에 해당하는 행위를 해서는 아니 된다.

1. 영업행위

2. 시설을 무단으로 점유하는 행위

3. 상품 및 서비스의 구매를 강요하거나 영업을 목적으로 손님을 부르는 행위

4. 그 밖에 제1호부터 제3호까지의 행위에 준하는 행위로서 해당 시설의 이용이나 운영에 현저하게 지장을 주는 대통령령으로 정하는 행위

대통령령으로 정하는 금지행위란 다음 각 호의 행위를 말한다. 시행령 제50조

1. 노숙(露宿)하는 행위

2. 폭언 또는 고성방가 등 소란을 피우는 행위

3. 광고물을 설치·부착하거나 배포하는 행위

4. 기부를 요청하거나 물품을 배부 또는 권유하는 행위

5. 그 밖에 항공안전 확보 등을 위하여 국토교통부령으로 정하는 행위

⑦ 국토교통부장관, 사업시행자등, 항행안전시설설치자등 또는 이착륙장을 설치·관리하는 자는 제6항을 위반하는 자의 행위를 제지(制止)하거나 퇴거(退去)를 명할 수 있다.

Part 03

모의고사

제1회 모의고사

01 다음과 같은 목적으로 제정된 국내 항공 관련 법은?

> 이 법은 「국제민간항공협약」 및 같은 협약의 부속서에서 채택된 표준과 권고되는 방식에 따라 항공기, 경량항공기 또는 초경량비행장치가 안전하게 항행하기 위한 방법을 정함으로써 생명과 재산을 보호하고, 항공기술 발전에 이바지함을 목적으로 한다.

① 항공안전법
② 항공보안법
③ 항공・철도사고조사에 관한 법률
④ 항공운송사업진흥법

02 소음기준적합증명은 언제 받아야 하는가?
① 감항증명을 받을 때
② 운용한계를 지정할 때
③ 기술표준품의 형식승인을 받을 때
④ 항공기를 등록할 때

03 항공기 등록의 제한사유에 대한 설명으로 틀린 것은?
① 대한민국의 국민이 아닌 자
② 외국의 공공단체 또는 법인
③ 외국의 국적을 가진 항공기를 임차한 자
④ 외국인이 주식의 1/2 이상을 소유하는 법인

04 "그 밖에 대통령령으로 정하는 항공기"의 범위에 해당하는 것은?
① 자체중량, 속도, 좌석수 등이 국토교통부령으로 정하는 범위를 초과하는 비행장치
② 지구 대기권 내외를 비행할 수 있는 항공우주선
③ 자체중량이 150kg을 초과하는 1인승 비행장치
④ 자체중량이 200kg을 초과하는 2인승 비행장치

05 제주에서 김해로 정치장이 변경된 경우, 신청하여야 하는 등록은?
① 이전등록　　　　② 임차등록
③ 변경등록　　　　④ 말소등록

06 항공기 등록의 종류가 아닌 것은?
① 이전등록　　　　② 임차등록
③ 변경등록　　　　④ 말소등록

07 항공안전법이 규정하고 있는 항공종사자는?
① 항행안전시설의 보수업무에 종사하는 자
② 항공기의 정비업무에 종사하는 자
③ 항공기의 객실업무에 종사하는 자
④ 항공안전법 제34조 제1항의 규정에 의한 자격증명을 받은 자

08 감항증명에 대한 설명으로 틀린 것은?

① 국토교통부장관이 승인한 경우를 제외하고는 대한민국 국적을 가진 항공기만 감항증명을 받을 수 있다.
② 유효기간은 1년이며, 항공기의 형식 및 소유자 등의 정비능력 등을 고려하여 연장이 가능하다.
③ 감항증명을 받은 경우 유효기간 이내에는 감항성 유지에 대한 확인을 받지 않는다.
④ 안전성검사 결과 안정성 확보가 곤란하다고 인정하는 경우에는 감항증명의 효력을 정지시키거나 유효기간을 단축시킬 수 있다.

09 항공기에 탑승하여 비상시 승객을 탈출시키는 등 승객의 안전을 위한 업무를 수행하는 사람은?

① 운항승무원
② 운항관제사
③ 객실승무원
④ 기내 보안관

10 항공정비사의 업무범위는?

① 정비 또는 수리한 항공기에 대한 확인
② 징비 또는 개조한 항공기에 대한 확인
③ 정비한 항공기에 대한 확인
④ 수리 또는 개조한 항공기에 대한 확인

11 항공기 운항과 관련하여 발생한 항공기 사고에 포함되지 않는 것은?

① 사람의 사망·중상 또는 행방불명
② 항공기의 중대한 손상·파손 또는 구조상의 고장
③ 항공기의 위치를 확인할 수 없거나 항공기에 접근이 불가능한 경우
④ 착륙 중 활주로를 벗어난 경우

12 항공일지의 종류가 아닌 것은?

① 지상비치용 프로펠러 항공일지
② 지상비치용 발동기 항공일지
③ 탑재용 발동기일지
④ 탑재용 항공일지

13 긴급한 업무를 수행하는 항공기가 아닌 것은?

① 긴급 복구 자재 수송 헬기
② 재난 구조 비행기
③ 범인 추적 헬기
④ 화재 감시 헬기

14 국적 및 등록기호를 항공기에 표시하는 방법에 대한 설명으로 틀린 것은?

① 등록기호표는 항공기 출입구 윗부분 안쪽 보기 쉬운 곳에 붙여야 한다.
② 등록기호표는 가로 7cm, 세로 5cm의 직사각형이다.
③ 등록기호표는 강철 등 내화금속으로 되어 있어야 한다.
④ 등록기호표에는 국적기호 또는 등록기호, 소유자의 명칭 중 하나만 표시한다.

15 정비규정에 포함할 사항에 해당하지 않는 것은?

① 항공기등, 부품등의 정비에 관한 품질관리 방법 및 절차
② 직무능력 평가
③ 정비에 종사하는 자의 훈련방법
④ 항공기등, 부품등의 신뢰성 관리절차

16 국토교통부령으로 정하는 비행장의 중요한 시설에 해당하지 않는 것은?

① 에이프런　　② 급유시설
③ 정비시설　　④ 격납고

17 항공등화시설 변경사항 중에서 국토교통부장관에게 통보하지 않아도 되는 것은?

① 관리책임자의 변경
② 등의 규격 또는 광도의 변경
③ 운용시간의 변경
④ 등화의 배치 및 조합의 변경

18 정비규정에 포함되어야 할 사항이 아닌 것은?

① 중량 및 평형 계측절차
② 중량 및 균형관리
③ 정비 및 검사프로그램
④ 정비에 종사하는 사람의 훈련방법

19 유선통신, 무선통신, 불빛, 색채 또는 형상(形象)을 이용하여 항공기의 항행을 돕기 위한 시설은?

① 항행안전시설　　② 통신시설
③ 공항시설　　　　④ 항행유도시설

20 항공안전법에서 규정하고 있는 '항공안전장애'는 국제민간항공협약 부속서 13에서 어떤 용어로 규정하고 있는가?

① Accident　　② Serious Incident
③ Incident　　④ Event

21 무자격 정비사가 항공기를 정비하였을 경우 처벌규정은?

① 2년 이하의 징역 또는 2천만원 이하의 벌금
② 2년 이하의 징역 또는 1천만원 이하의 벌금
③ 1년 이하의 징역 또는 2천만원 이하의 벌금
④ 1년 이하의 징역 또는 1천만원 이하의 벌금

22 위험물에 사용되는 포장 및 용기를 제조 수입할 때, 포장 및 용기의 안전성에 대한 검사를 하는 주체는?

① 검사주임　　　② 교통안전공단 이사장
③ 지방항공청장　④ 국토교통부장관

23 항공기의 항행안전을 확보하기 위한 "기술상의 기준"은 누가 정하여 고시하는가?

① 교육과학기술부장관
② 국토교통부장관
③ 교통안전공단 이사장
④ 항공기 제작사 사장

24 항공기 사고조사의 기준을 정하고 있는 국제민간항공조약 부속서는?

① 부속서 6　　② 부속서 8
③ 부속서 11　④ 부속서 13

25 항공·철도사고 조사에 관한 법률의 목적은?
① 항공사고를 발생시킨 자의 행정처분
② 항공시설의 설치와 관리의 효율화
③ 유사사고의 재발 방지
④ 항공기 항행의 안전 도모

제2회 모의고사

01 초경량비행장치의 범위에 해당하지 않는 것은?

① 동력활공기
② 행글라이더
③ 유인자유기구
④ 동력패러글라이더

02 항공 안전법의 목적 중의 하나로 올바른 것은?

① 항공시설을 효율적으로 설치·관리
② 항공운송사업 등의 질서를 확립
③ 항공의 발전과 공공복리의 증진
④ 항공기술 발전에 이바지

03 감항증명의 유효기간 연장에 대한 설명으로 맞는 것은?

① 정비조직인증을 받은 자에게 정비 등을 위탁하는 경우 유효기간을 연장할 수 있다.
② 정비조직인증을 받은 자의 정비능력을 고려하여 기종별 소음등급에 따라 유효기간을 연장할 수 있다.
③ 항공기 소유자등의 정비능력 등을 고려하여 국토교통부령으로 정하는 바에 따라 유효기간을 연장할 수 있다.
④ 항공기의 감항성을 지속적으로 유지하기 위하여 관련규정에 따라 정비 등이 이루어지는 경우 유효기간을 연장할 수 있다.

04 항공 안전법에서 항공기의 정의는?

① 지표면에 대한 반작용으로 힘을 받는 기기
② 공기의 반작용(지표면 또는 수면에 대한 공기의 반작용은 제외한다. 이하 같다)으로 뜰 수 있는 기기
③ 비행기, 비행선, 활공기(滑空機), 회전익(回轉翼)항공기, 그 밖에 대통령령으로 정하는 것으로서 항공에 사용할 수 있는 기기(機器)를 말한다.
④ 최대이륙중량, 속도, 좌석 수 등이 국토교통부령으로 정하는 범위를 초과하는 동력비행장치(動力飛行裝置)

05 항공기등의 형식증명을 위한 검사시 검사 범위는?

① 해당 형식의 설계, 제작과정 및 완성 후의 상태
② 해당 형식의 설계, 완성 후의 상태와 비행성능
③ 해당 형식의 설계, 제작과정 및 완성 후의 비행성능
④ 해당 형식의 설계, 제작과정 및 완성 후의 상태와 비행성능

06 이전등록은 그 사유가 발생한 날부터 며칠 이내에 신청하여야 하는가?

① 20일 이내
② 15일 이내
③ 10일 이내
④ 7일 이내

07 무인으로 원격조종하는 비행기 또는 헬리콥터의 자체중량 기준은?

① 100킬로그램 초과
② 150킬로그램 초과
③ 200킬로그램 초과
④ 250킬로그램 초과

08 감항증명신청시 첨부하여야 할 서류가 아닌 것은?

① 당해 항공기의 정비방식을 기재한 서류
② 감항증명의 종류별 신청서류
③ 정비교범
④ 비행교범

09 항공정비사 자격증명시험에 응시할 수 없는 사람은?

① 외국 정부가 발행한 항공기 종류 한정 자격증명을 소지한 자
② 전문교육기관에서 항공기 정비에 필요한 과정을 이수한 자
③ 4년 이상의 항공기 정비 실무경력이 있는 자
④ 2년 이상의 정비와 개조의 실무경력과 2년 이상의 검사경력이 있는 자

10 항공공역 중 항공교통의 안전을 위하여 항공기의 비행이 금지되거나 제한되는 공역은?

① 관제공역
② 통제공역
③ 주의공역
④ 비관제공역

11 항공종사자의 자격증명 종류에 해당하지 않는 것은?

① 항공사
② 항공정비사
③ 항공교통관제사
④ 화물적재관리사

12 국토교통부령이 정하는 "긴급한 업무"를 수행하는 항공기가 아닌 것은?

① 긴급 구호물자 수송 항공기
② 자연재해시의 긴급 복구 항공기
③ 응급환자의 후송 등 구조, 구급활동 항공기
④ 재난, 재해 등으로 인한 수색, 구조 항공기

13 항공운송사업용 비행기가 시계비행을 할 경우 최초 착륙예정비행장까지 비행에 필요한 양에 추가로 필요한 연료의 양은?

① 순항속도로 15분간 더 비행할 수 있는 양
② 순항속도로 30분간 더 비행할 수 있는 양
③ 순항속도로 45분간 더 비행할 수 있는 양
④ 순항속도로 60분간 더 비행할 수 있는 양

14 항공기 정비업에 대한 설명으로 올바른 것은?

① 항공기등, 장비품 또는 부품에 대하여 정비 또는 수리, 개조를 하는 사업
② 항공기등, 장비품 또는 부품에 대하여 정비 또는 개조를 하는 사업
③ 항공기등, 장비품 또는 부품에 대하여 정비 또는 수리를 하는 사업
④ 항공기등, 장비품 또는 부품에 대하여 정비를 하는 사업

15 공항 안에서 운항하는 차량은 어디에 등록하여야 하는가?

① 공항 관리, 운영기관
② 교통안전공단
③ 지방항공청
④ 국토교통부

16 공항시설관리규칙의 내용으로 틀린 것은?

① 공항시설의 관리와 규제를 행한다.
② 공항시설을 능률적으로 운영하기 위함이다.
③ 모든 항공기에 동일하게 적용한다.
④ 질서를 유지하기 위하여 필요한 사항을 정한다.

17 운항기술기준에 포함되어야 할 사항이 아닌 것은?

① 항공기 정비
② 항공종사자의 훈련
③ 항공종사자의 자격증명
④ 항공기 계기 및 장비

18 국제항공운송협회(IATA)의 설립목적이 아닌 것은?

① 국제민간항공기구 및 기타 국제기관과의 협력을 도모한다.
② 국가항공기를 관리한다.
③ 안전한 항공운송의 발달을 촉진한다.
④ 항공기업 간의 협력을 위한 수단을 제공한다.

19 항공기 전문검사기관의 검사규정에 포함되어야 할 사항이 아닌 것은?

① 증명 또는 검사업무의 체제 및 절차
② 항공기 및 장비품의 운용, 관리
③ 기술도서 및 자료의 관리, 유지
④ 증명의 발급 및 대장의 관리

20 공중충돌 등 항공사고의 예방을 위하여 항공안전법의 일부만 적용받는 항공기는?

① 군용항공기　　② 경찰항공기
③ 응급구조항공기　④ 산림청 항공기

21 외국인이 국내에서 여객 또는 화물을 운송하는 사업을 하려면?

① 국토교통부장관에게 등록하여야 한다.
② 지방항공청장에게 등록하여야 한다.
③ 국토교통부장관의 허가를 받아야 한다.
④ 지방항공청장의 허가를 받아야 한다.

22 안전성 검사 또는 출입을 거부하거나 방해, 기피한 사람에 대한 처벌은?

① 300만원 이하의 벌금
② 500만원 이하의 벌금
③ 1천만원 이하의 벌금
④ 3천만원 이하의 벌금

23 공항시설을 관리, 운영하는 기관에 해당하지 않는 것은?

① 항공교통센터　　② 지방자치단체
③ 지방항공청　　　④ 공항공사

24 ICAO 체약국에서 항공기 사고 발생하였을 때 사고조사 수행의 책임은?

① 사고발생 국가
② 항공기 등록국가
③ 항공기 운용국가
④ 항공기 제작국가

25 항공기 사고조사 업무를 담당하는 곳은?

① 국토교통부
② 항공운항본부
③ 항공안전위원회
④ 항공사고조사위원회

항공법규 제3회 모의고사

01 항공업무에 해당하지 않는 것은?

① 무선설비의 조작
② 항공교통관제
③ 조종연습
④ 운항관리

02 항공법의 목적은?

① 항공시설의 설치와 관리의 효율화
② 항공운송사업의 질서 확립
③ 국내 항공산업의 보호와 육성
④ 항공기의 항행안전 도모

03 항공안전법에서 규정하고 있는 '항공기준사고'에 상응하는 국제민간항공협약 부속서 13에서 규정하고 있는 용어는?

① Accident
② Serious Incident
③ Incident
④ Event

04 대한민국 국적으로 등록할 수 있는 항공기는?

① 외국에서 우리나라 국민이 수리한 항공기
② 외국 항공기의 국내 사용 단서에 따라 국토교통부장관의 허가를 받은 항공기
③ 외국인 국제항공운송사업자가 국내에서 해당 사업에 사용하는 항공기
④ 외국에서 우리나라 국민이 제작한 항공기

05 수리 또는 개조의 승인신청시 첨부하여야 할 서류는?

① 수리 또는 개조설비, 인력현황
② 수리 또는 개조계획서
③ 수리 또는 개조규정
④ 수리 또는 개조의 방법과 기술 등을 설명하는 자료

06 정비조직인증을 받은 업무범위를 초과하여 항공기를 수리, 개조한 경우에는?

① 국토교통부장관에게 신고하여야 한다.
② 국토교통부장관의 검사를 받아야 한다.
③ 국토교통부장관의 승인을 받아야 한다.
④ 항공정비사 자격증명을 가진 자에 의하여 확인을 받아야 한다.

07 시계비행시 갖추어야 할 항공계기가 아닌 것은?

① 시계
② 나침반
③ 승강계
④ 정밀기압고도계

08 항공장애표시등 및 항공장애주간표지를 설치하여야 하는 구조물의 높이는 지표면이나 수면으로부터 몇 미터 이상인가?

① 50m
② 60m
③ 80m
④ 100m

09 감항증명을 받은 항공기의 소유자등이 당해 항공기를 국토교통부령이 정하는 범위 안에서 수리 또는 개조하고자 할 때에는 누구의 승인을 받아야 하는가?

① 국토교통부장관

② 지방항공청장

③ 항공공장검사원

④ 검사주임

10 예외적으로 감항증명을 받을 수 없는 항공기는?

① 법 제101조 단서에 따라 허가를 받은 항공기

② 국내에서 수리, 개조 또는 제작한 후 수출할 항공기

③ 자가용으로 사용하려는 항공기

④ 수입할 항공기의 국적 취득 전 감항검사신청을 한 항공기

11 제작증명 신청서에 첨부하여야 할 서류가 아닌 것은?

① 제작설비 및 인력현황

② 제작하려는 항공기의 제작방법 및 기술 등을 설명하는 자료

③ 제작하려는 항공기의 감항성 유지 및 관리체계

④ 비행교범 또는 운용방식을 기재한 서류

12 형식증명을 받지 않아도 되는 것은?

① 자동조종장치

② 프로펠러

③ 발동기

④ 항공기

13 항공기등의 검사관으로 임명 또는 위촉될 수 있는 사람?

① 항공공장정비사 자격증명을 받은 자

② 항공정비사 자격증명을 받은 자

③ 항공산업기사 자격을 취득한 자

④ 3년 이상 항공기의 설계, 제작, 품질보증업무에 종사한 경력이 있는 자

14 항공기 등록기호표에 대한 설명으로 틀린 것은?

① 국적기호는 등록기호 앞에 있다.

② 국적기호는 로마자 대문자로 표시한다.

③ 등록기호는 영어로 표시한다.

④ 등록기호는 지워지지 않게 선명하게 한다.

15 특별감항증명의 대상이 아닌 것은?

① 감항검사를 받기 위해 공수비행을 하는 경우

② 생산업체, 연구기관 등이 개발을 위하여 시험비행을 허가받은 경우

③ 항공기의 수리 또는 개조 후 시험비행을 하는 경우

④ 형식증명을 변경하기 위해 운용한계를 초과하는 시험비행을 하는 경우

16 항공기의 안전운항을 위하여 필요한 운항기술기준 중에서 국토교통부령으로 정하는 사항이 아닌 것은?

① 항공기의 감항성

② 항공훈련기관의 인가 및 운영

③ 항공기 등록 및 등록부호

④ 형식증명 및 수리개조능력 인정

17 공항에서의 금지행위에 해당하지 않는 것은?

① 휘발성 가연물을 사용하여 건물의 마루를 청소하는 것
② 금속성 용기 이외에 기름이 묻은 걸레를 버리는 것
③ 통풍설비가 없는 장소에서 도포도료의 도프작업을 하는 것
④ 정차된 항공기 옆으로 지나다니는 것

18 격납고 내에 있는 항공기의 무선설비를 조작하려면?

① 점검시에는 누구나 할 수 있다.
② 무선설비 자격증이 있어야 한다.
③ 지방항공청장의 승인을 받아야 한다.
④ 공항 운영, 관리기관의 승인을 받아야 한다.

19 항공업무정지를 받은 사람이 항공업무에 종사한 경우 그 벌칙규정은?

① 3년 이하의 징역 또는 3천만원 이하의 벌금
② 3년 이하의 징역 또는 5천만원 이하의 벌금
③ 2년 이하의 징역 또는 1천만원 이하의 벌금
④ 1년 이하의 징역 또는 1천만원 이하의 벌금

20 공항에서 화재가 발생한 것을 알았을 때, 누구에게 알려야 하는가?

① 교통안전공단
② 공항공사 직원
③ 주변의 군수사관
④ 관할지역 자치단체장

21 항공작전기지에서 근무하는 군인이 자격증명이 없더라도 국방부장관으로부터 자격인정을 받아 수행할 수 있는 업무인 것은?

① 관제
② 급유 및 배유
③ 항공정비
④ 조종

22 외국인이 국제항공운송사업을 하려면 허가신청서를 운항개시 예정일 며칠 전까지 제출하여야 하는가?

① 30일
② 60일
③ 90일
④ 120일

23 지방항공청장, 항공교통센터장 또는 공항운영자가 관리, 운영하는 공항시설이 아닌 것은?

① 항행안전본부시설
② 공항 주차시설
③ 항행안전시설
④ 화물 터미널

24 국토교통부장관이 권한을 위임할 수 있는 사항이 아닌 것은?

① 감항증명
② 형식증명의 검사범위에 관한 사항
③ 소음기준적합증명에 관한 사항
④ 수리 · 개조승인에 관한 사항

25 감항분류와 기호가 잘못된 것은?

① 커뮤터 - C
② 곡기 - K
③ 보통 - N
④ 실용 - U

항공법규 제4회 모의고사

01 항공안전법에서 규정하는 용어의 설명 중 틀린 것은?

① "객실승무원"이란 항공기에 탑승하여 비상시 승객을 탈출시키는 등 안전업무를 수행하는 승무원을 말한다.
② "공항"이란 공항시설을 갖춘 공공용 비행장으로서 국토교통부장관이 그 명칭, 위치 및 구역을 지정, 고시한 것을 말한다.
③ "비행장"이란 항공기의 이착륙을 위하여 사용되는 육지 또는 수면의 일정한 구역으로서 대통령령으로 정하는 것을 말한다.
④ "항공종사자"란 항공업무에 종사하는 종사자를 말한다.

02 항공법에서 규정하는 항행안전시설이 아닌 것은?

① 항공등화
② 주간장애표지시설
③ 항공정보통신시설
④ 항행안전무선시설

03 항공기등의 수리 · 개조승인의 범위는?

① 계획서를 통한 수리 또는 개조의 기술기준 적합 여부 확인
② 수리 또는 개조과정 및 완성 후의 상태
③ 수리 또는 개조과정 및 완성 후의 상태와 비행성능
④ 수리 또는 개조과정 및 완성 후의 비행성능

04 항공기의 수리 · 개조승인을 위한 검사관에 위촉될 수 없는 사람은?

① 항공정비사 자격증명을 받은 사람
② 항공기술 관련 학사 이상의 학위를 취득한 후 항공업무에 3년 이상 경력이 있는 사람
③ 국가기술자격법에 의한 항공기사 이상의 자격을 취득한 사람
④ 국가기관등에서 항공기의 설계, 제작, 정비업무에 3년 이상 종사한 경력이 있는 사람

05 항공기의 수리 또는 개조시 국토교통부장관의 승인을 받아야 하는 경우는?

① 수리 · 개조승인을 받지 않은 장비품 또는 부품을 사용하여 항공기를 수리, 개조하는 경우
② 정비조직인증을 받은 업무범위 안에서 항공기를 수리, 개조하는 경우
③ 정비조직인증을 받은 업무범위를 초과하여 항공기를 수리, 개조하는 경우
④ 형식승인을 얻지 않은 기술표준품을 사용하여 항공기를 수리, 개조하는 경우

06 항공기의 등록기호표는 언제 부착하는가?

① 감항증명을 받았을 때
② 감항증명을 신청할 때
③ 항공기를 등록할 때
④ 형식증명을 신청할 때

07 항공기 등록의 제한사유에 해당하지 않는 것은?

① 외국의 법인 또는 단체
② 외국 정부 또는 외국의 공공단체
③ 외국의 국적을 가진 항공기를 임차한 자
④ 대한민국의 국민이 아닌 자

08 감항증명의 유효기간은?

① 1년으로 하며, 국토교통부장관이 정하여 고시하는 항공기는 6월의 범위 내에서 단축할 수 있다.
② 1년으로 하며, 항공운송사업에 사용되는 항공기에 대해서는 항공기의 사용연수·비행시간 등으로 고려하여 국토교통부장관이 정하여 고시한다.
③ 1년으로 하며, 항공기의 형식 및 소유자등의 정비능력 등을 고려하여 국토교통부령이 정하는 바에 따라 그 기간을 연장할 수 있다.
④ 국토교통부령이 정하는 기간으로 하며, 항공운송사업 외에 사용되는 항공기에 대해서는 6월의 범위 내에서 연장할 수 있다.

09 회전익항공기가 계기비행으로 적당한 교체비행장이 없을 경우 비행장 상공에서 2시간 동안 체공하는 데 필요한 연료의 양 이외에 추가로 필요한 연료 탑재량은?

① 최초 착륙예정비행장까지 비행예정시간에 10%의 시간을 더 비행할 수 있는 양
② 최대 항속속도로 20분간 더 비행할 수 있는 양
③ 이상사태 발생시에 대비하여 국토교통부장관이 정한 추가의 양
④ 최초 착륙예정비행장까지 비행에 필요한 양

10 조작 또는 정비할 수 있는 업무범위가 한정되어 있는 자격증명은?

① 항공기관사
② 항공교통관제사
③ 운항관리사
④ 항공정비사

11 항공정비사가 받은 자격증명의 효력으로 올바른 것은?

① 비행기에 대한 자격증명을 취득하면 비행선에 대한 자격증명을 받은 것으로 본다.
② 비행기에 대한 자격증명을 취득하면 활공기에 대한 자격증명을 받은 것으로 본다.
③ 비행기에 대한 자격증명을 취득하면 회전익항공기에 대한 자격증명을 받은 것으로 본다.
④ 비행기에 대한 자격증명을 취득하면 모든 종류의 항공기에 대한 자격증명을 받은 것으로 본다.

12 항공안전자율보고서는 장애가 발생한 날로부터 며칠 이내에 제출하여야 하는가?

① 7일
② 10일
③ 15일
④ 30일

13 공항에서 화재가 발생하였을 때 누구에게 신고하여야 하는가?

① 교통안전공단
② 공항운영자 소속 직원
③ 관할 지역 자치단체장
④ 주변의 군수사관

14 항공운송사업용 및 항공기사용사업용 회전익항공기가 계기비행으로 교체비행장이 요구될 경우 실어야 할 연료의 양은?

① 최대 항속속도로 20분간 더 비행할 수 있는 양

② 교체비행장에서 표준기온으로 450미터(1,500피트)의 상공에서 30분간 체공하는 데 필요한 양에 그 비행장에 접근하여 착륙하는 데 필요한 양을 더한 양

③ 최초의 착륙예정비행장까지 비행예정시간의 10%의 시간을 비행할 수 있는 양

④ 최초 착륙예정비행장의 상공에서 체공속도로 2시간 동안 체공하는 데 필요한 양

15 외딴 지역이나 수색구조가 특별히 어려운 산악지역 등을 횡단비행하는 비행기가 갖추어야 할 구급용구는?

① 불꽃조난신호장비

② 음성신호발생기

③ 구명보트

④ 구급의료용구

16 공항 안에서 차량의 사용 및 취급에 대한 다음 설명으로 틀린 것은?

① 자동차량을 주차하는 경우에는 주차구역 내에서 지방항공청장이 정한 규칙에 따라 주차하여야 한다.

② 정기출입 버스는 공항 관리, 운영기관이 승인한 장소에서만 승하차가 가능하다.

③ 배기에 대한 방화장치가 있는 차량은 모두 격납고 내에서 운전할 수 있다.

④ 공항 관리, 운영기관이 승인한 자 외는 보호구역 내에서 차량을 운전할 수 없다.

17 국토교통부령에서 규정하는 비행장의 중요한 시설은?

① 유도로, 계류장, 관제탑, 비행장 표지시설, 격납고, 급유시설

② 착륙대, 에이프런, 격납고, 비행장 표지시설, 급유시설

③ 활주로, 유도로, 격납고, 에이프런, 항공교통관제탑

④ 활주로, 유도로, 계류장, 격납고, 항행안전시설, 급유시설

18 항공기 전문검사기관이 제정하여 국토교통부장관의 인가를 받아야 하는 것은?

① 검사규정

② 정비규정

③ 운항기준

④ 설비인력 및 장비규정

19 항공안전장애에 해당하는 항목으로 묶여진 것은?

> 가. 항공기 운항 중 발동기의 연소 정지
>
> 나. 항공기 비행 중 의도하지 아니한 착륙장치의 내림
>
> 다. 항공기 구조물 손상이 발생하여 정비매뉴얼에 근기히여 수리힌 경우
>
> 라. 항공기 지상 이동 중 제동력 상실을 일으키는 제동시스템 구성품의 고장이 발생한 경우

① 나 - 다 - 라   ② 가 - 다 - 라

③ 가 - 나 - 라   ④ 가 - 나 - 다

20 공항시설물들을 촬영하는 경우 사용료를 면제받을 수 없는 경우는?

① 지방자치단체의 교육용

② 공항 상주기관의 촬영

③ 비영리목적의 교육프로그램 보도

④ 비영리목적의 언론 보도

21 정비조직인증을 받은 후 규정을 위반하였을 때의 행정처분은?

① 중대한 규정위반시 업무정지처분과 더불어 과징금을 부가할 수 있다.

② 업무정지처분을 갈음하여 과징금을 부과할 수 있다.

③ 과징금은 50억원을 초과하면 안 된다.

④ 과징금 납부기간을 어길 시 국토교통부령에 따라 징수한다.

22 외국 국적 항공기가 국토교통부장관의 허가를 받아 항행하는 경우가 아닌 것은?

① 대한민국 안에서 이륙하여 대한민국 밖에 착륙하는 항행

② 대한민국 밖에서 이륙하여 대한민국 밖에 착륙하는 항행

③ 대한민국 밖에서 이륙하여 대한민국에 착륙함이 없이 대한민국을 통과하여 대한민국 밖에 착륙하는 항행

④ 대한민국 밖에서 이륙하여 대한민국 안에 착륙하는 항행

23 항공기 운항과 관련하여 발생한 항공기의 중대한 손상·파손 또는 구조상의 고장은 항공기 사고에 포함된다. 여기에 해당되지 않는 것은?

① 항공기에서 발동기가 떨어져 나간 경우

② 발동기의 덮개 또는 역추진장치 구성품이 떨어져 나가면서 항공기를 손상시킨 경우

③ 항공기 내부의 감압 또는 여압을 조절하지 못하게 되는 구조적 손상이 발생한 경우

④ 덮개와 부품(accessory)을 포함하여 한 개의 발동기의 고장 또는 손상

24 국제민간항공조약 부속서는 몇 개의 부속서로 이루어져 있는가?

① 13개   ② 16개

③ 18개   ④ 19개

25 국제민간항공기구에 관한 설명으로 틀린 것은?

① 국제민간항공기구는 국제민간항공의 안전 및 건전한 발전의 확보를 목적으로 한다.

② 1944년 시카고 국제민간항공회의의의제로서 국제민간항공기구의 설립이 제안되었다.

③ 1946년 국제민간항공에 관한 잠정적 협정에 의거 정식으로 설립되었다.

④ 국제민간항공기구의 소재지는 캐나다 몬트리올이다.

제5회 모의고사
항공법규

01 초경량비행장치의 범위에 해당하지 않는 것은?

① 무인비행장치
② 패러글라이더
③ 행글라이더
④ 동력 활공기

02 항공기의 등록에 대한 설명으로 틀린 것은?

① 등록된 항공기는 대한민국의 국적을 취득한다.
② 국토교통부장관의 허가를 필요로 한다.
③ 세관이나 경찰업무에 사용하는 항공기는 등록할 필요가 없다.
④ 항공기에 대한 임차권은 등록하여 제3자에게 효력이 있다.

03 항공기에 장비하여야 할 구급용구에 대한 설명으로 올바른 것은?

① 승객좌석수 200석 이상의 항공운송사업용 여객기에는 2개의 메가폰을 갖추어야 한다.
② 승객좌석수 201석부터 300석까지의 객실에는 4개의 소화기를 갖추어야 한다.
③ 승객좌석수 201석부터 300석까지의 모든 항공기에는 3조의 구급의료용품을 갖추어야 한다.
④ 항공운송사업용 및 항공기사용사업용 항공기에는 도기를 갖추어야 한다.

04 경량항공기 사고에 해당되지 않는 것은?

① 경량항공기에 의한 사람의 사망·중상 또는 행방불명
② 경량항공기의 추락·충돌 또는 화재 발생
③ 경량항공기의 위치를 확인할 수 없거나 경량항공기에 접근이 불가능한 경우
④ 비상연료를 선포한 경우

05 항공종사자의 면허에 관한 국제민간항공조약 부속서에 해당하는 것은?

① 부속서 1
② 부속서 7
③ 부속서 8
④ 부속서 13

06 다음 그림의 수신호 의미는?

① 고임목 제거
② 브레이크 정렬
③ 직진
④ 출입문 닫기

07 항공기 수리 · 개조승인을 위한 검사관의 자격요건이 아닌 것은?

① 국가기술자격법에 의한 항공기사 이상의 자격을 취득한 사람

② 국가기관등에서 항공기의 설계, 제작, 정비 업무에 3년 이상 종사한 경력이 있는 사람

③ 항공정비사 자격증명을 받은 사람

④ 항공기술 관련 학사 이상의 학위를 취득한 후 항공업무에 3년 이상 경력이 있는 사람

08 말소등록을 해야 하는 경우는?

① 대한민국 국민이 아닌 자에게 항공기를 양도하였다.(단, 대한민국 국적은 유지함)

② 보관을 위하여 항공기를 해체하였다.

③ 임차기간이 만료되었다.

④ 항공기사고 등으로 항공기의 위치를 1개월 이내에 확인할 수 없다.

09 항공정비사의 자격증명을 한정하는 경우 정비업무범위에 해당하지 않는 것은?

① 기체 관련분야

② 장비품 관련분야

③ 프로펠러 관련분야

④ 왕복발동기 관련분야

10 정기항공운송사업자가 취항하고 있는 공항에 대한 정기적인 안전성 검사 항목이 아닌 것은?

① 공항 내 비행절차

② 항공기운항, 정비 및 지원에 관련된 업무, 조직 및 교육훈련

③ 비상계획 및 항공보안사항

④ 항공기부품과 예비품의 보관 및 급유시설

11 지상비치용 발동기 항공일지에 기록하여야 할 사항은?

① 제작자, 제작연월일

② 수리, 개조 또는 정비관련 사항

③ 사용연월일 및 시간

④ 감항증명번호

12 국토교통부령에서 규정하는 긴급한 업무를 수행하는 항공기에 해당하지 않는 것은?

① 응급환자의 수송 등 구조, 구급활동 항공기

② 재난, 재해 등으로 인한 수색, 구조 항공기

③ 응급환자를 위한 장기(臟器) 이송

④ 긴급 구호물자 수송 항공기

13 지표면이나 수면으로부터 몇 m 이상 되는 구조물을 설치하려는 경우 항공장애표시등을 설치하여야 하는가?

① 50m

② 60m

③ 80m

④ 100m

14 공항 내에서 항공 위험을 일으킬 우려가 있는 행위에 해당하지 않는 것은?

① 격납고 내에 금속편, 직물 또는 그 밖의 물건을 방치하는 행위

② 착륙대, 유도로 또는 에이프런에 금속편, 직물 또는 그 밖의 물건을 방치하는 행위

③ 착륙대, 유도로, 에이프런에서 화기를 사용하는 행위

④ 운항중인 항공기에 장애가 되는 방식으로 항공기나 차량 등을 운행하는 행위

15 국토교통부장관이 정하여 고시하는 운항 기술기준에 포함되는 사항이 아닌 것은?

① 항공종사자의 자격증명
② 항공기 계기 및 장비
③ 항공종사자의 훈련
④ 항공기 정비

16 항공기 취급업 중 토잉 트랙터, 지상발전기(GPU), 엔진시동지원장치(ASU) 및 스텝카 등을 사용하여 수행하는 사업은 무엇인가?

① 항공기 급유업
② 지상조업사업
③ 항공기 정비업
④ 항공기 하역업

17 외국인 국제항공운송사업의 허가신청서에 첨부할 서류가 아닌 것은?

① 운송약관 및 그 번역본
② 최근의 손익계산서와 대차대조표
③ 사업경영 자금의 내역과 조달방법
④ 「국제민간항공조약」 부속서 6에 따라 해당 정부가 발행한 운항증명 및 운영기준

18 공항 내에서의 금지행위에 해당되지 않는 것은?

① 착륙대, 유도로에 금속편, 직물 또는 그 밖의 물건을 방치하는 행위
② 착륙대, 유도로에서 화기를 사용하는 행위
③ 격납고에 금속편, 직물 또는 그 밖의 물건을 방치하는 행위
④ 에이프런에 금속편, 직물 또는 그 밖의 물건을 방치하는 행위

19 항공법에 의한 항공정비시설의 검사 또는 출입을 거부하거나 기피하였을 경우에 대한 행정처분은?

① 200만원 이하의 벌금
② 300만원 이하의 벌금
③ 400만원 이하의 벌금
④ 500만원 이하의 벌금

20 항공기의 등록원부에 기재하여야 할 등록 사항이 아닌 것은?

① 항공기의 형식
② 항공기의 제작자
③ 항공기의 감항분류
④ 등록기호

21 항공기에 급유 또는 배유를 할 수 있는 경우는?

① 발동기가 운전중이거나 가열상태에 있는 경우
② 안전이 강구된 항공기에 승객이 탑승중 건물에서 25m 떨어진 경우
③ 항공기가 격납고 기타 폐쇄된 장소 내에 있을 경우
④ 항공기가 건물의 외측 15m 이내에 있을 경우

22 항공정비사의 업무범위에 해당하는 것은?

① 수리 또는 개조한 항공기에 대한 확인
② 정비한 항공기에 대한 확인
③ 정비 또는 개조한 항공기에 대한 확인
④ 정비 또는 수리한 항공기에 대한 확인

23 비행기의 감항분류와 기호연결이 틀린 것은?

① 곡기 – A   ② 실용 – C

③ 보통 – N   ④ 수송 – T

24 우리나라의 국적기호는?

① HL   ② KAL

③ KOR   ④ ZK

25 워싱턴에서 여객 및 화물을 적재하여 자국인 우리나라로 비행하여 하기하는 자유와 관련 있는 것은?

① 제5의 자유

② 제4의 자유

③ 제3의 자유

④ 제2의 자유

제6회 모의고사

01 항공 안전법의 목적 중의 하나로 올바른 것은?

① 항공시설을 효율적으로 설치·관리
② 항공운송사업 등의 질서를 확립
③ 항공의 발전과 공공복리의 증진
④ 항공기술 발전에 이바지

02 중상의 범위로 볼 수 없는 것은?

① 골절
② 심한 출혈, 신경, 근육 또는 힘줄의 손상
③ 내장의 손상
④ 부상을 입은 날부터 7일 이내에 24시간을 초과하는 입원치료를 요하는 부상

03 감항성에 영향을 미치는 수리, 개조를 한 경우 승인을 위한 검사를 할 수 있는 자격을 가진 사람은?

① 항공기사 이상의 자격을 취득한 후 1년 이상 항공기의 설계, 제작, 정비 또는 품질업무에 종사한 경력이 있는 사람
② 항공기술 관련 학사 이상의 학위를 취득한 후 5년 이상 항공기의 설계, 제작, 정비 또는 품질업무에 종사한 경력이 있는 사람
③ 항공정비사 자격증명을 받은 사람
④ 국가기관등 항공기의 설계, 제작 정비 또는 품질보증업무에 3년 이상 종사한 경력이 있는 사람

04 항공기의 등록기호표는 언제 부착하는가?

① 감항증명을 받았을 때
② 감항증명을 신청할 때
③ 항공기를 등록할 때
④ 형식증명을 신청할 때

05 다음은 소음기준적합증명에 대한 설명으로 틀린 것은?

① 항공기의 감항증명을 반납해야 하는 경우 소음기준적합증명도 반납하여야 한다.
② 국제선을 운항하는 항공기는 소음기준적합증명을 받아야 한다.
③ 소음기준적합증명으로 운용한계를 지정할 수 있다.
④ 소음기준적합증명은 감항증명을 받을 때 받는다.

06 항공기의 말소등록을 신청하여야 하는 경우는?

① 항공기의 일부분에 화재가 발생한 경우
② 항공기를 정비 또는 보관하기 위하여 해체한 경우
③ 항공기의 존재 여부가 2개월 이상 불분명한 경우
④ 항공기의 소유자가 외국의 국적을 취득한 경우

07 감항증명의 검사범위에 해당하지 않는 것은?

① 항공기 정비과정
② 완성 후의 상태
③ 설계, 제작과정
④ 비행 성능

08 소유자 등이 항공기의 등록을 신청한 경우 국토교통부장관이 항공기등록원부에 기재할 사항에 해당하지 않는 것은?

① 등록기호
② 제작연월일
③ 항공기의 형식
④ 항공기의 정치장

09 항공정비사 자격증명시험의 응시자격은?

① 3년 이상의 항공기 정비실무경력
② 교통안전공단에서 지정한 전문교육기관에서 항공기 정비에 필요한 과정을 이수
③ 국토교통부장관이 지정한 전문교육기관에서 항공기 정비에 필요한 과정을 이수
④ 외국 정부가 발행한 자격증명 소지

10 불꽃조난신호장비를 갖추어야 하는 항공기는?

① 수색구조가 어려운 산악지역이나 외딴지역을 비행하는 비행기
② 착륙에 적합한 해안으로부터 93km 이상의 해상을 비행하는 비행기
③ 수상비행기
④ 해안으로부터 활공거리를 벗어난 해상을 비행하는 육상단발 비행기

11 항공정비사 자격증명의 한정에 해당하는 것은?

① 항공기의 종류에 의한다.
② 항공기 종류, 등급 또는 형식에 의한다.
③ 항공기 등급 및 정비업무 범위에 의한다.
④ 항공기 종류 및 정비업무 범위에 의한다.

12 탑재용 항공일지의 수리, 개조 또는 정비의 실시에 관한 기록 사항이 아닌 것은?

① 수리, 개조 또는 정비한 항공기의 확인연월일
② 비행중 발생한 항공기의 결함
③ 실시연월일 및 장소
④ 실시 이유

13 자격증명의 한정을 받은 항공종사자가 한정된 항공기의 종류, 등급 또는 형식 외의 항공기나 한정된 정비업무 외의 항공업무를 2차 위반하여 종사하였을 때 해당하는 행정처분은?

① 효력정지 30일
② 효력정지 60일
③ 효력정지 90일
④ 효력정지 180일

14 항공사고조사위원회가 설치되어 있는 부서는?

① 국토교통부
② 행정안전부 재난안전대책본부
③ 국무총리실
④ 서울지방항공청

15 급유 또는 배유가 가능한 경우는?

① 항공기가 격납고 기타 폐쇄된 장소 내에 있을 경우

② 항공기가 건물의 기타의 외측 20m에 있는 경우

③ 필요한 위험예방조치가 강구되었을 경우를 제외하고 여객이 항공기 내에 있을 경우

④ 발동기가 운전중이거나 가열상태에 있는 경우

16 국내 또는 국제항공운송사업자가 운항을 시작하기 전에 국토교통부장관으로부터 인력, 장비, 시설, 운항관리지원 및 정비관리지원 등 안전운항체계에 대한 무엇을 받아야 하는가?

① 운항증명
② 운항개시증명
③ 항공운송사업면허
④ 항공운송사업증명

17 변경된 운영기준은 언제부터 적용되는가?

① 국토교통부장관이 고시한 날
② 변경 후 바로
③ 30일 후
④ 70일 후

18 외국항공기 운항허가신청서에 기재하여야 할 사항은?

① 운항의 목적
② 여객의 성명, 국적 및 여행의 목적
③ 항공기의 등록부호, 형식 및 식별부호
④ 목적 비행장 및 총 예상소요 비행시간

19 국토교통부령으로 정하는 항공기준사고의 범위에 포함되지 않는 것은?

① 엔진 화재
② 조종사가 비상선언을 하여야 하는 연료부족 발생
③ 이륙 또는 초기 상승 중 규정된 성능에 도달실패
④ 비행 중 엔진 덮개의 풀림이나 이탈

20 공항에서의 금지행위가 아닌 것은?

① 금지된 장소에서의 흡연
② 정차되어 있는 항공기 주변에서의 운전행위
③ 통풍설비가 없는 장소에서의 도포작업
④ 휘발성 가연물을 사용한 건물 마루의 청소

21 외국 국적 항공기가 국토교통부장관의 허가를 받아 항행하는 경우가 아닌 것은?

① 대한민국 밖에서 이륙하여 대한민국 밖에 착륙하는 항행
② 대한민국 밖에서 이륙하여 대한민국 안에 착륙하는 항행
③ 대한민국 안에서 이륙하여 대한민국 밖에 착륙하는 항행
④ 대한민국 밖에서 이륙하여 대한민국에 착륙함이 없이 대한민국을 통과하여 대한민국 밖에 착륙하는 항행

22 표시등 및 표지는 지표면이나 수면으로부터 몇 미터 이상의 구조물을 설치하고자 할 때 설치하여야 하는가?

① 50m ② 60m
③ 80m ④ 100m

23 다음 수신호의 의미는?

① 엔진시동 걸기
② 엔진정지
③ 서행
④ 후진하면서 선회

24 정기국제항공에서의 운송권의 자유를 일컫는 말은 무엇인가?

① 제1의 자유
② 제2의 자유
③ 제2의 자유와 제3의 자유
④ 제3의 자유와 제4의 자유

25 국제민간항공의 운송절차, 운임의 결정 및 항공운송대리점에 관한 규정을 결정하는 기관은?

① 미국운송협회
② FAA
③ IATA
④ ICAO

제7회 모의고사

항공법규

01 항공안전법의 목적이 아닌 것은?

① 항행 방법을 정함
② 항공시설의 효율적 설치, 관리
③ 생명과 재산 보호
④ 항공기술발전 이바지

02 예외적으로 감항증명을 받을 수 없는 항공기는?

① 국내에서 수리, 개조 또는 제작한 후 수출할 항공기
② 국내에서 제작 또는 수리 후 시험비행을 하는 항공기
③ 국내에서 제작되거나 외국으로부터 수입하는 항공기로서 대한민국의 국적을 취득하기 전에 감항증명을 위한 검사를 신청한 항공기
④ 법 제145조 단서에 따라 허가를 받은 항공기

03 항공기를 소유하거나 임차하여 등록을 할 수 있는 경우는?

① 외국의 국적을 가진 항공기를 임차한 법인 또는 단체
② 외국인이 주식이나 지분의 2분의 1 이상을 소유하고 있는 법인
③ 외국 정부 또는 외국의 공공단체
④ 외국 법인 또는 단체

04 소유자 등이 말소등록의 사유가 있는 날부터 15일 이내에 국토교통부장관에게 말소등록을 신청하지 않았을 때의 조치사항은?

① 국토교통부장관은 즉시 직권으로 등록을 말소하여야 한다.
② 국토교통부장관은 말소등록을 하도록 독촉장을 발부하여야 한다.
③ 300만원 이하의 벌금에 처하고, 말소등록을 하도록 사용자 등에게 통보하여야 한다.
④ 국토교통부장관은 7일 이상의 기간을 정하여 말소등록을 할 것을 최고하여야 한다.

05 항공기등의 수리·개조승인의 범위에 해당하지 않는 것은?

① 개조승인신청시 개조계획서가 기술기준에 적합하게 이행될 수 있을지 여부를 확인한 후 승인한다.
② 수리승인신청시 수리계획서가 기술기준에 적합하게 이행될 수 있을지 여부를 확인한 후 승인한다.
③ 수리계획서 또는 개조계획서만으로 확인이 곤란하다고 판단되는 때에는 항공기등의 수리, 개조결과서를 제출하여야 한다.
④ 수리계획서 또는 개조계획서만으로 확인이 곤란하다고 판단되는 때에는 항공기등의 수리, 개조결과서를 제출할 것을 조건으로 승인할 수 있다.

06 형식증명을 받지 않아도 되는 것은?

① 자동조종장치

② 프로펠러

③ 발동기

④ 항공기

07 항공기에 등록기호표는 누가 부착하는가?

① 국토교통부 공무원

② 유자격 정비사

③ 항공기 소유자등

④ 항공기 제작자

08 자격증명의 업무범위에 대한 설명으로 틀린 것은?

① 국토교통부령으로 정하는 항공기의 경우 국토교통부장관이 허가한 경우에는 적용하지 않는다.

② 항공기의 개조 후 시험비행을 하는 경우 국토교통부장관이 허가한 경우에는 적용하지 않는다.

③ 새로운 종류의 항공기의 경우 국토교통부장관이 허가한 경우에는 적용하지 않는다.

④ 새로운 등급 또는 형식의 항공기의 경우 국토교통부장관이 허가한 경우에는 적용하지 않는다.

09 항공정비사 자격증명시험에 응시할 수 없는 연령은?

① 18세 미만

② 20세 미만

③ 22세 미만

④ 24세 미만

10 국제민간항공조약에서 규정한 국가항공기에 해당하지 않는 것은?

① 경찰 항공기

② 군 항공기

③ 산림청 항공기

④ 세관 항공기

11 항공운송사업용 비행기가 시계비행을 할 경우 최초 착륙예정비행장까지 비행에 필요한 연료의 양에 순항속도로 몇 분간 더 비행할 수 있는 연료를 실어야 하는가?

① 30분

② 45분

③ 60분

④ 90분

12 항공기의 국적기호 및 등록기호 표시방법에 대한 설명으로 틀린 것은?

① 등록기호는 장식체의 아라비아숫자로 표시하여야 한다.

② 등록기호는 국적기호 뒤에 이어서 표시하여야 한다.

③ 등록부호는 지워지지 않도록 선명하게 표시하여야 한다.

④ 국적기호는 장식체가 아닌 로마자의 대문자 HL로 표시하여야 한다.

13 외국인 국제항공운송사업을 하려는 사람은 허가신청서를 운항개시예정일 며칠 전까지 제출하여야 하는가?

① 30일　　② 60일

③ 90일　　④ 120일

14 "항공안전장애를 발생시키거나 발견한 자는 _____ 이내에 국토교통부장관에게 그 사실을 보고하여야 한다." 밑줄 친 곳에 들어갈 알맞은 내용은?

① 즉시
② 24시간 이내
③ 72시간 이내
④ 10일 이내

15 공항 내 차량의 취급과 사용에 대한 설명으로 틀린 것은?

① 격납고 내에서는 배기에 대한 방화장치가 있는 트랙터를 제외하고는 자동차량을 운전하여서는 안 된다.
② 공항에서 자동차량을 주차하는 경우 공항 관리, 운영기관이 지정한 곳에서만 주차가 가능하다.
③ 보호구역 내에서는 공항 관리, 운영기관이 승인한 자만이 운전 가능하다.
④ 자동차량의 수선 및 청소는 공항 관리, 운영기관이 정해준 곳에서만 가능하다.

16 다음 중 항공에 사용할 수 없는 항공기는?

① 형식증명은 받았으나 감항증명을 받지 않은 항공기
② 항공우주산업개발촉진법에 의한 성능 및 품질검사는 받지 않았으나 표준감항증명을 받은 항공기
③ 시험비행 등을 위하여 특별감항증명을 받은 항공기
④ 형식증명은 받지 않았으나 표준감항증명을 받은 항공기

17 항공시설에 대한 금지행위에 해당하지 않는 것은?

① 격납고에 금속편, 직물 기타의 물건을 방치하는 행위
② 착륙대, 유도로에 금속편, 직물 기타의 물건을 방치하는 행위
③ 에이프런에 금속편, 직물 기타의 물건을 방치하는 행위
④ 비행장 안으로 물건을 투척하는 행위

18 정비규정에 포함하여야 할 사항이 아닌 것은?

① 정비 매뉴얼, 기술문서의 관리방법
② 항공기등 부품등의 정비방법 및 절차
③ 교육훈련
④ 감항성을 유지하기 위한 정비 및 검사프로그램

19 국내항공운송사업 또는 국제항공운송사업자의 운항증명을 위한 검사는 구분하여 실시한다. 이에 해당하는 검사는?

① 상태검사, 서류검사
② 상태검사, 현장검사
③ 현장검사, 시설검사
④ 현장검사, 서류검사

20 항공기등의 감항기준이 포함되어 있는 고시는?

① 항공기 운항기술기준
② 항공기기술기준
③ 항공기 감항증명
④ 항공기 형식증명

21 항행중인 항공기를 전복 또는 추락시키거나 파괴한 사람에 대한 처벌규정은?

① 사형 또는 5년 이상의 징역이나 금고에 처한다.
② 사형 또는 7년 이상의 징역이나 금고에 처한다.
③ 사형, 무기 또는 5년 이상의 징역에 처한다.
④ 사형, 무기 또는 7년 이상의 징역에 처한다.

22 항공기를 항공에 사용하기 위하여 필요한 절차는?

① 항공기의 등록 → 감항증명 → 시험비행
② 감항증명 → 항공기의 등록 → 시험비행
③ 시험비행 → 항공기의 등록 → 감항증명
④ 항공기의 등록 → 시험비행 → 감항증명

23 항공사고가 발생하였을 때, 사고의 원인 규명과 예방을 위한 조사를 담당하는 곳은?

① 지방항공청
② 교통안전공단
③ 재난관리본부
④ 항공·철도사고조사위원회

24 급유작업이 가능한 경우는?

① 항공기가 격납고 기타 폐쇄된 장소 내에 있을 경우
② 항공기가 건물의 외측 15m 이내에 있을 경우
③ 안전조치가 취해진 항공기 내에 승객이 있을 경우
④ 발동기가 운전중이거나 가열상태에 있는 경우

25 외국인 국제항공운송사업의 허가신청서에 첨부하여야 할 서류에 해당하지 않는 것은?

① 국제민간항공조약 부속서 6에 따라 해당 정부가 발행한 운항증명 및 운영기준
② 사업경영 자금의 내역과 조달방법
③ 운항규정 및 정비규정
④ 최근의 손익계산서와 대차대조표

항공법규

제8회 모의고사

01 다음과 같은 자격증명별 업무를 수행하는 항공종사자는?

> 비행기에 탑승하여 다음 각 호의 행위를 하는 것
>   1. 자가용 조종사의 자격을 가진 자가 할 수 있는 행위
>   2. 기장 외의 조종사로서 비행기를 조종하는 행위

① 운송용조종사
② 사업용조종사
③ 자가용조종사
④ 부조종사

02 국외 정비확인자의 자격조건에 대한 설명으로 올바른 것은?

① 법 제138조의 규정에 의한 정비조직인증을 받은 외국의 항공기정비업자
② 외국 정부가 인정한 항공기의 수리사업자로서 항공정비사 자격증명을 받은 사람과 같은 이상의 능력이 있다고 국토교통부장관이 인정한 사람
③ 외국 정부로부터 자격증명을 받은 사람
④ 외국 정부가 인정한 항공기 정비사업자에 소속된 사람으로서 항공정비사 자격증명을 받은 사람과 같은 이상의 능력이 있다고 국토교통부장관이 인정한 사람

03 정비조직인증을 취소하여야 하는 경우는?

① 승인을 받지 아니하고 항공안전관리시스템을 운용한 경우
② 고의 또는 중대한 과실에 의하여 항공기 사고가 발생한 경우
③ 정비조직인증기준을 위반한 경우
④ 부정한 방법으로 정비조직인증을 받은 경우

04 소유하거나 임차한 항공기를 등록하는 데 제한 없이 할 수 있는 경우는?

① 외국의 국적을 가진 항공기를 임차한 법인 또는 단체
② 외국의 법인 또는 단체
③ 외국정부 또는 외국의 공공단체
④ 외국인이 주식이나 지분의 2분의 1 이상을 소유하고 있는 법인

05 항공기이 기술표준품 형식승인을 받기 위하여 기술표준품 형식승인신청서에 첨부하여야 할 서류가 아닌 것은?

① 감항성 확인서
② 제조규격서 및 제품사양서
③ 기술표준품 관리체계를 설명하는 자료
④ 기술표준품의 감항성 유지를 설명하는 자료

06 항공기의 등록을 신청하여야 할 사유에 해당하지 않는 것은?

① 항공기 정치장을 이동하였다.
② 항공기를 타인에게 양도하였다.
③ 항공기 소유자의 주소지가 변경되었다.
④ 외국인의 항공기를 소유할 권리가 있다.

07 항공기준사고의 범위가 아닌 것은?

① 운항중 엔진 덮개가 풀리거나 이탈한 경우
② 다른 항공기와 충돌위험이 있었던 것으로 판단되는 근접비행이 발생한 경우
③ 운항중 발동기 화재가 발생한 경우
④ 조종사가 연료량으로 인해 비상선을 한 경우

08 긴급항공기로 지정받을 수 없는 항공기는?

① 응급환자 후송 항공기
② 재난, 재해 등으로 인한 수색 및 구조 항공기
③ 화재 진화 항공기
④ 해난 신호로 인한 수색 및 구조 항공기

09 격납고 안에서 무선설비조작을 하기 위한 필요한 절차는?

① 공항 관리, 운영기관의 승인을 얻어야 한다.
② 공항공사 사장이 정한 구역 내에서 조작하여야 한다.
③ 지방항공청장의 승인을 얻어야 한다.
④ 무선설비자격증이 있어야 한다.

10 항공기 관련 등록의 종류에 해당하지 않는 것은?

① 이전등록
② 임차등록
③ 말소등록
④ 변경등록

11 태평양을 횡단 비행하는 항공운송사업용 항공기가 갖추어야 할 구급용구등에 해당하지 않는 것은?

① 구명동의
② 불꽃조난신호장비
③ 도끼
④ 음성신호발생기

12 항공정비사의 자격증명에 대한 한정에 대한 설명으로 올바른 것은?

① 항공기의 종류에 의한다.
② 항공기 종류, 등급 또는 형식에 의한다.
③ 항공기 등급 및 정비업무범위에 의한다.
④ 항공기 종류 및 정비업무범위에 의한다.

13 결심고도가 60m(200ft) 이상이고 시정(visibility)이 800m 이상 또는 활주로가시범위(RVR)가 550m 이상의 기상조건하에서 실시하는 계기접근방식은?

① Category-I
② Category-II
③ Category-III
④ Category-IIIa

14 항공기의 감항증명시 지정하는 운용한계는 무엇으로 지정하는가?

① 항공기의 종류, 등급, 형식

② 항공기의 사용연수

③ 항공기의 감항분류

④ 항공기의 종류

15 항공기를 항공에 사용하기 위하여 반드시 표시하여야 할 사항과 관계없는 것은?

① 국적기호

② 등록기호

③ 당해국의 국기

④ 소유자등의 성명 또는 명칭

16 탑재용 항공일지의 수리, 개조 또는 정비의 실시에 관한 기록 사항에 해당하지 않는 것은?

① 실시연월일

② 교환할 부품의 위치

③ 확인연월일, 확인자 성명 또는 날인

④ 실시이유, 수리, 개조,. 정비의 위치

17 항공운송사업에 사용되는 항공기 이이 항공기가 "시계비행방식"에 의한 비행을 하는 경우, 설치·운용하지 않아도 되는 무선설비는?

① 무선전화 송수신기

② 항공교통관제 레이더용 트랜스폰더

③ 자동방향탐지기(ADF)

④ 기상레이더

18 항공기 정비업 등록자가 국토교통부령으로 정하는 정비등을 하려고 할 때 갖추어야 할 것은?

① 정비조직인증

② 안전성인증

③ 수리·개조승인

④ 형식승인

19 자격증명을 받지 아니하고 항공업무에 종사하였다면 이에 대한 처벌규정은?

① 1년 이하의 징역 또는 1천만원 이하의 벌금

② 1년 이하의 징역 또는 2천만원 이하의 벌금

③ 2년 이하의 징역 또는 1천만원 이하의 벌금

④ 2년 이하의 징역 또는 2천만원 이하의 벌금

20 항공기의 최소장비목록(MEL)의 제정은 누가하는가?

① 국토교통부장관

② 지방항공청장

③ 항공기 제작자

④ 전문검사기관

21 항공기를 이용하여 운송하고자 할 때, 국토교통부장관의 허가를 받지 않아도 되는 것은?

① 가소성 물질

② 방사성 물질류

③ 산화성 물질류

④ 인화성 액체

22 국제항공운송협회(IATA)의 설립목적이 아닌 것은?

① 국제민간항공기구 협력
② 안전한 항공운항 발달 촉진
③ 국제항공사업 기회균등 보장
④ 국제민간항공 및 기타 국제기관 협력

23 업무보고를 국토교통부장관에게 하여야 하는 사람이 아닌 것은?

① 공항출입사무소 관리소장
② 항공정비사
③ 소형항공운송사업자
④ 항행안전시설 관리직원

24 사고조사위원회의 목적에 대한 설명으로 틀린 것은?

① 항공기 항행의 안전을 확보한다.
② 항공사고의 재발을 방지한다.
③ 사고원인의 규정한다.
④ 사고 항공기에 대한 고장을 탐구한다.

25 항공기 사고발생시 사고조사의 책임국가는?

① 사고 발생지역 국가
② 항공기 제작국
③ 항공기 등록국
④ 항공기 운영국

항공법규 제9회 모의고사

01 정밀접근절차 중 결심고도가 30m(100ft) 이상, 60 m (200 ft) 미만이고, 활주로 가시범위가 300 m (1,200 ft) 이상 550m 미만의 기상조건 하에서 실시하는 계기접근 방식은?

① Category-II
② Category-IIIa
③ Category-IIIb
④ Category-IIIc

02 특별감항증명의 대상이 되는 항공기는?

① 항공기의 정비, 수리 또는 개조 후 시험비행을 하는 항공기
② 국내에서 수리, 개조 또는 제작한 후 수출할 항공기
③ 외국항공기의 국내사용의 규정에 의하여 허가를 받은 항공기
④ 국적을 취득하기 전에 감항증명을 위한 검사를 신청한 항공기

03 감항증명의 유효기간 내에 항공기를 수리 또는 개조하고자 하는 때의 설명으로 올바른 것은?

① 국토교통부장관에게 보고하여야 한다.
② 국토교통부장관의 승인을 받아야 한다.
③ 항공정비사의 확인을 받아야 한다.
④ 안전에 이상이 있을 경우에만 국토교통부장관에게 보고한다.

04 항공정비사의 업무범위는?

① 정비한 항공기에 대한 확인
② 수리 또는 개조한 항공기에 대한 확인
③ 정비 또는 개조한 항공기에 대한 확인
④ 정비 또는 수리한 항공기에 대한 확인

05 부품등제작자증명 신청서에 첨부하여야 할 서류가 아닌 것은?

① 장비품 또는 부품의 설계서
② 적합성 계획서 또는 적합성 확인서
③ 제조규격서 및 제품사양서
④ 그 밖에 참고사항 및 해당 부품등의 감항성 유지 및 관리체계를 설명하는 자료

06 공항시설물의 촬영 승인을 얻은 자가 공항 관리, 운영기관에 사용료 납부를 면제받는 경우에 해당하지 않는 것은?

① 국가 또는 지방자치단체가 비영리 공익목적으로 촬영하는 경우
② 교육방송 등 방송사업자가 비영리 공익목적의 방송프로그램을 제작하기 위하여 촬영하는 경우
③ 신문사업자가 비영리 목적의 텔레비전 등 언론의 보도 등을 위하여 촬영하는 경우
④ 공항의 상주기관 또는 업체가 업무목적 외에 당해 기관 또는 업체의 전용시설을 촬영하는 경우

07 감항증명시 국토교통부령에 따라 검사의 일부를 생략할 수 있는 경우가 아닌 것은?

① 형식증명을 받은 항공기
② 형식증명승인을 받은 항공기
③ 제작증명을 받은 제작자가 제작한 항공기
④ 부가형식증명을 받은 항공기

08 등급에 따른 항공기의 구분으로 옳은 것은?

① A-300, B-747
② 육상단발, 수상다발
③ 비행기, 비행선, 활공기
④ 보통, 실용, 수송

09 국토교통부령으로 정하는 '경미한 정비'에 해당하지 않는 것은?

① 복잡한 결합작용을 필요로 하지 아니하는 규격장비품 또는 부품의 교환작업
② 복잡하고 특수한 장비를 필요로 하는 작업
③ 간단한 보수를 하는 예방작업으로서 리깅 또는 간극의 조정작업
④ 감항성에 미치는 영향이 경미한 범위의 수리작업

10 항공기에 장비하여야 할 구급용구에 대한 설명으로 올바른 것은?

① 항공운송사업용 및 항공기사용사업용 항공기에는 도끼 1개
② 항공운송사업용 여객기의 승객이 200명 이상일 때 메가폰 3개
③ 승객이 200명일 때 소화기 3개
④ 승객이 500명일 때 소화기 5개

11 특별감항증명의 대상에 해당하지 않는 것은?

① 운용한계를 초과하지 않는 시험비행을 하는 경우
② 항공기의 생산업체 또는 연구기관이 시험, 조사, 연구를 위하여 시험비행을 하는 경우
③ 항공기의 제작, 정비, 수리 또는 개조 후 시험비행을 하는 경우
④ 항공기를 수입하기 위하여 승객이나 화물을 싣지 아니하고 비행을 하는 경우

12 다음 수신호의 의미는?

① 직진
② 브레이크 정렬
③ 브레이크 풀기
④ 비상정지

13 항공기에 탑재하여야 할 서류가 아닌 것은?

① 항공기등록증명서
② 무선국 허가증명서
③ 화물적재분포도
④ 운용한계지정서

14 정밀접근절차 중 결심고도가 없거나 15m(50ft) 미만이고, 활주로 가시범위가 50m(150ft) 이상이고 175m 미만인 기상조건 하에서 실시하는 계기접근 방식은?

① Category-II
② Category-IIIa
③ Category-IIIb
④ Category-IIIc

15 공항의 시설관리를 하는 주체에 해당하지 않는 것은?

① 국토교통부장관
② 교통관리공단
③ 항공교통센터
④ 지방항공청

16 최소장비목록(MEL) 제정은 누가하는가?

① 국토교통부장관
② 지방항공청장
③ 항공기 제작사
④ 전문검사기관

17 항공기에 급유 또는 배유작업을 할 수 있는 경우는?

① 발동기가 운전중이거나 가열상태에 있을 경우
② 위험예방조치가 강구된 항공기 내에 여객이 있을 경우
③ 항공기가 건물의 외측 15m 이내에 있을 경우
④ 항공기가 격납고 기타 폐쇄된 장소 내에 있을 경우

18 항공기에 사고가 발생했을 경우 해당 사고조사의 책임은?

① 국제민간항공기구(ICAO)
② 사고 발생지역 국가
③ 항공기 제작국
④ 항공기 등록국

19 국토교통부장관이 고시하는 기술기준에 포함되어야 할 사항이 아닌 것은?

① 감항기준
② 환경기준
③ 지속 감항성 유지를 위한 기준
④ 정비기준

20 자격증명의 한정을 받은 항공종사자가 한정된 항공기의 종류, 등급 또는 형식 외의 항공기나 한정된 정비업무 외의 항공업무를 2차 위반하여 종사하였을 때 해당하는 행정처분은?

① 효력정지 30일
② 효력정지 60일
③ 효력정지 90일
④ 효력정지 180일

21 항공·철도사고조사위원회의 수행업무가 아닌 것은?

① 사고조사보고서의 작성·의결 및 공표
② 사고조사에 필요한 조사·연구
③ 재발방지를 위한 안전권고
④ 사고조사결과 교육

22 항공기소유자에게 발급되는 운용한계 지정서에 포함될 사항이 아닌 것은?

① 항공기의 종류 및 등급
② 항공기의 국적 및 등록기호
③ 항공기의 제작일련번호
④ 감항증명번호

23 정비자격이 없는 사람이 항공기를 정비했을 때의 처벌규정은?

① 1년 이하의 징역 또는 1천만원 이하의 벌금
② 1년 이하의 징역 또는 2천만원 이하의 벌금
③ 2년 이하의 징역 또는 1천만원 이하의 벌금
④ 2년 이하의 징역 또는 2천만원 이하의 벌금

24 운항증명신청을 할 때 제출하여야 할 서류가 아닌 것은?

① 비상탈출절차교범
② 지속감항정비 프로그램
③ 최소장비목록 및 외형변경목록
④ 부동산을 사용할 수 있음을 증명하는 서류

25 항공운송사업용 회전익항공기가 착륙예정 비행장의 도착예정시간 기상상태가 양호할 것이 확실한 경우, 비행장 상공에서 몇 분간 체공하는 데 필요한 연료의 양을 채워야 하는가?

① 20분　　　　② 30분
③ 45분　　　　④ 60분

제10회 모의고사

01 다음의 운항을 무엇이라 하는가?

> 비행고도 29,000피트~41,000피트 사이의 고고도 공역에서 항공기 간에 수직안전거리 간격을 2,000피트에서 1,000피트(300m)로 축소하여 적용함으로써 효율적인 공역 활용을 도모하고 공역수용능력을 증대시키는 진보된 공역 운항 기법을 말한다.

① 저 시정운항
② 회항시간 연장운항
③ 수직분리축소공역 운항
④ 성능기반항행운항

02 감항증명신청서는 누구에게 제출하여야 하는가?

① 국토교통부장관
② 지방항공청장
③ 해당 자치단체장
④ 국토교통부장관 또는 지방항공청장

03 운용한계지정서에 포함되어야 할 사항이 아닌 것은?

① 감항증명 번호
② 항공기의 제작일련번호
③ 항공기의 등급
④ 항공기의 국적 및 등록기호

04 감항증명을 받은 항공기의 수리·개조승인이 요구되는 경우는?

① 규정에 의한 정비조직인증을 받은 자에게 수리, 개조를 위탁하는 경우
② 규정에 의한 부품을 증명을 받은 자가 수리, 개조하는 경우
③ 규정에 의한 정비조직인증을 받은 자가 항공기등 또는 장비품, 부품을 수리, 개조하는 경우
④ 규정에 의한 정비조직인증을 받은 업무범위를 초과하여 수리, 개조하는 경우

05 감항증명의 신청은 검사희망일 며칠 전까지 하여야 하는가?

① 7일 전까지
② 10일 전까지
③ 15일 전까지
④ 20일 전까지

06 수리·개조승인을 위한 검사의 범위에 해당하지 않는 것은?

① 수리, 개조의 과정 및 완성 후의 상태
② 개조계획서의 개조가 기술기준에 적합하게 이행될 수 있을지의 여부
③ 수리계획서의 수리가 기술기준에 적합하게 이행될 수 있을지의 여부
④ 수리개조결과서 확인

07 항공법에서 규정하는 항행안전시설이 아닌 것은?

① 항행안전무선시설
② 항공장애주간표지
③ 항공정보통신시설
④ 항공등화

08 항공기의 항행안전을 확보하기 위한 기술상 기준에 적합한지의 여부를 검사하여야 하는 항공기가 아닌 것은?

① 항공법에 의한 감항증명을 받는 항공기
② 항공법에 의한 형식증명을 받는 항공기
③ 항공법에 의한 수리·개조승인을 받는 항공기
④ 항공법에 의한 소음기준적합증명을 받는 항공기

09 항공기에 탑재하여야 할 서류가 아닌 것은?

① 감항증명서
② 항공기등록증명서
③ 탑재용 항공일지
④ 형식증명서

10 공항 내에서의 금지행위가 아닌 것은?

① 비행장 주변에서 레이저를 발사하는 행위
② 착륙대, 유도로 또는 에이프런에 금속편, 직물 기타의 물건을 방치하는 행위
③ 공항 안에서 정치된 항공기 근처로 항공기를 운행하는 행위
④ 착륙대, 유도로, 에이프런 또는 격납고에서 함부로 화기를 사용하는 행위

11 활공기 소유자가 갖추어야 할 서류는?

① 지상비치용 발동기 항공일지
② 지상비치용 프로펠러 항공일지
③ 활공기용 항공일지
④ 탑재용 항공일지

12 항공정비사 자격증명시험에 응시할 수 있는 연령은?

① 17세
② 18세
③ 19세
④ 21세

13 공역의 종류에 대한 다음 설명 중 틀린 것은?

① 관제공역 : 항공교통의 안전을 위하여 항공기의 비행순서·시기 및 방법 등에 관하여 국토교통부장관의 지시를 받아야 할 필요가 있는 공역
② 비관제공역 : 관제공역 외의 공역으로서 조종사에게 비행에 필요한 조언·비행정보 등을 제공하는 공역
③ 통제공역 : 항공기의 안전을 보호하거나 기타의 이유로 비행허가를 받지 아니한 항공기의 비행을 제한하는 공역
④ 주의공역 : 항공기의 비행시 조종사의 특별한 주의·경계·식별 등이 필요한 공역

14 업무의 범위를 한정하는 항공종사자는?

① 부조종사
② 운송용 조종사
③ 항공정비사
④ 항공기관사

15 정비규정에 포함되어야 할 사항이 아닌 것은?

① 정비종사자의 훈련방법

② 직무적성검사

③ 중량 및 평형 계측절차

④ 정비품질관리방법 및 절차

16 긴급항공기 지정신청서에 기재하여야 할 사항으로 틀린 것은?

① 긴급한 업무수행에 관한 업무규정

② 긴급한 업무의 종류

③ 장비내역 및 정비방식

④ 항공기의 형식 및 등록부호

17 항공기를 운항하는 데 필요한 준비가 끝난 것을 확인하지 않고 출발시켰다면 누구의 책임인가?

① 기장

② 확인 정비사

③ 항공교통관제사

④ 항공기 소유자

18 다음 중 항공운송사업에 사용되는 항공기가 국내에서 운항시 설치하지 않아도 되는 무선설비는?

① 초단파(VHF) 또는 극초단파(UHF) 무선전화 송수신기

② 계기착륙시설(ILS) 수신기

③ 거리측정시설(DME) 수신기

④ 기상레이더

19 급유하거나 배유할 수 있는 경우에 해당하는 것은?

① 발동기가 운전중이거나 가열상태에 있는 경우

② 항공기가 건물의 외측 20m 이상 떨어져 있는 경우

③ 항공기가 격납고 기타 폐쇄된 장소 내에 있을 경우

④ 필요한 위험 예방조치가 강구되었을 경우를 제외하고 여객이 항공기 내에 있을 경우

20 다음 밑줄 친 부분에 들어가 적당한 말은?

> 국내 또는 국제항공운송사업자가 사업계획을 정하거나 변경하려는 경우에는 국토교통부장관의 _____를 받아야 한다. (다만, 국토교통부령으로 정하는 경미한 사항은 제외한다.)

① 제출

② 신고

③ 인가

④ 등록

21 공항 내에서 승인을 받지 않고 사진촬영이 가능한 사유에 해당하는 것은?

① 공익목적으로 촬영

② 공항업체가 전시나 업무목적으로 촬영

③ 보안지역 외의 지역에서 단순한 기념촬영

④ 언론의 보도프로그램 제작

22 소음기준적합증명의 기준에 적합하지 아니한 항공기의 운항허가를 받을 수 있는 경우는?

① 항공기의 생산업체, 연구기관 또는 제작자 등이 항공기 또는 그 장비품 등의 시험·조사·연구·개발을 위하여 시험비행을 하는 경우

② 항공기의 제작 또는 정비등을 한 후 운송비행을 하는 경우

③ 항공기의 정비등을 위한 장소까지 화물만을 싣고 비행하는 경우

④ 항공기의 설계에 관한 형식증명을 변경하기 위하여 운용한계를 초과하지 않는 시험비행을 하는 경우

23 '회항시간 연장운항(EDTO: Extended Diversion Time Operations)'에서 비행기의 엔진 개수별 기준시간으로 올바른 것은?

① 2개의 발동기를 가진 비행기: 1시간

② 2개의 발동기를 가진 비행기: 2시간

③ 3개 이상의 발동기를 가진 비행기: 2시간

④ 3개 이상의 발동기를 가진 비행기: 4시간

24 항공기기술기준이 변경되어 형식증명을 받은 항공기가 변경된 항공기기술기준에 적합하지 아니하게 된 경우에는?

① 형식증명을 받거나 양수한 자 또는 소유자 등은 변경전의 항공기술기준에 따라야 한다.

② 항공기정비업자로서 제97조제1항에 따른 정비조직인증을 받은 자는 항공기기술기준과 무관하다.

③ 국토교통부 장관은 형식증명을 받거나 양수한 자 또는 소유자등에게 변경된 항공기기술기준을 따르도록 요구할 수 있다.

④ 국토교통부 장관은 형식증명을 받거나 양수한 자 또는 소유자등에게 1년간의 유예기간 후에 변경된 항공기기술기준을 따르도록 요구할 수 있다.

25 워싱턴에서 화물 및 여객을 적재하여 자국인 우리나라로 비행하여 하기하는 자유는?

① 제2의 자유

② 제3의 자유

③ 제4의 자유

④ 제5의 자유

항공법규 제11회 모의고사

01 항공법에서 정하는 항공기의 종류는?

① 여객용 항공기, 화물용 항공기

② 육상단발, 육상다발, 수상단발, 수상다발

③ 수상기, 특수 활공기, 초급 활공기, 중급 활공기

④ 비행기, 비행선, 활공기, 회전익항공기, 항공우주선

02 항공기 항법등의 색깔은?

① 우현등 : 적색, 좌현등 : 녹색, 미등 : 백색

② 우현등 : 녹색, 좌현등 : 적색, 미등 : 백색

③ 우현등 : 백색, 좌현등 : 녹색, 미등 : 적색

④ 우현등 : 적색, 좌현등 : 백색, 미등 : 녹색

03 공항에서 금지하는 사항이 아닌 것은?

① 강아지를 데리고 청사에 들어가는 행위

② 승인을 받지 않고 불을 피우는 행위

③ 격납고 내에서 휘발성 물질로 바닥을 청소하는 행위

④ 쓰레기를 지정한 장소에 버리는 행위

04 소음기준적합증명서 발급시 지정할 수 있는 운용한계에 해당하지 않는 것은?

① 계기와 조종장치

② 착륙장치

③ 최대이륙중량 및 착륙중량

④ 동력장치

05 등록부호에 사용하는 각 문자와 숫자의 높이로 잘못된 것은?

① 비행기와 활공기 : 주 날개에 표시하는 경우에는 50cm 이상

② 회전익 항공기 : 동체 옆면에 표시하는 경우에는 50cm 이상

③ 비행기와 활공기 : 수직 꼬리날개 또는 동체에 표시하는 경우에는 30cm 이상

④ 비행선 : 선체에 표시하는 경우에는 50cm 이상

06 부품등제작자증명 신청을 할 때 필요 없는 사항은?

① 품질관리규정

② 장비품 또는 부품의 식별서

③ 제작자, 제작번호 및 제작연월일

④ 적합성 계획서 또는 확인서

07 항공기관사의 업무범위에 해당하는 것은?

① 항공기에 탑승하여 그 위치 및 항로의 측정과 항공상의 자료를 산출하는 행위

② 항공기에 탑승하여 비행계획의 작성 및 변경을 하는 행위

③ 항공기에 탑승하여 조종장치의 조작을 제외한 발동기 및 기체를 취급하는 행위

④ 항공기에 탑승하여 운항에 필요한 사항을 확인하는 행위

08 국외 정비확인자 인정의 유효기간은?

① 6개월

② 1년

③ 1년 6개월

④ 2년

09 만 40세 이상 50세 미만인 운송용 조종사의 항공신체검사증명의 유효기간은?

① 6개월

② 12개월

③ 18개월

④ 24개월

10 예외적으로 감항증명을 받을 수 있는 항공기에 대한 설명으로 틀린 것은?

① 국내에서 제작하거나 외국에서 수입하려는 항공기

② 국내에서 수리, 개조 또는 제작한 후 수출할 항공기

③ 국내에서 수리, 개조 또는 제작한 후 시험비행을 할 항공기

④ 대한민국의 국적을 취득하기 전에 감항증명을 위한 검사를 신청한 항공기

11 항공운송사업용 비행기가 시계비행을 할 경우, 최초 착륙예정비행장까지 비행에 필요한 연료의 양에 더하여 실어야 하는 순항속도로 필요한 연료량은?

① 15분간 더 비행할 수 있는 연료의 양

② 40분간 더 비행할 수 있는 연료의 양

③ 45분간 더 비행할 수 있는 연료의 양

④ 60분간 더 비행할 수 있는 연료의 양

12 항공기 취급업에 해당하지 않는 것은?

① 항공기 급유업

② 지상조업사업

③ 항공기 운송업

④ 항공기 하역업

13 항공기등의 검사관의 자격에 대한 설명으로 틀린 것은?

① 국가기술자격법에 따른 항공기가 항공기사 이상의 자격을 취득한 사람

② 항공기술 관련 학사 이상의 학위를 취득한 후 3년 이상 항공기의 설계, 제작, 정비 또는 품질업무에 종사한 경력이 있는 사람

③ 항공정비기능사 이상의 자격을 취득한 사람으로서 5년 이상 경력자

④ 항공정비사 자격증명을 받은 사람

14 국토교통부장관이 정하여 고시하는 운항기술기준에 포함하는 사항에 해당하지 않는 것은?

① 항공기 정비

② 항공종사자의 훈련

③ 항공기 계기 및 장비

④ 항공종사자의 자격증명

15 긴급항공기 지정취소처분을 받은 후 얼마가 지나야 다시 긴급항공기 지정을 받을 수 있는가?

① 최소 1년 후

② 최소 1년 6개월 후

③ 최소 2년 후

④ 최소 6개월 후

16 "항공운송사업자 최소장비목록, 승무원 훈련프로그램 등 국토교통부령으로 정하는 사항을 제정하거나 변경하려는 경우에는 _____." 밑줄 친 곳에 들어갈 알맞은 내용은?

① 국토교통부장관의 인가를 받아야 한다.
② 국토교통부장관에게 신고하여야 한다.
③ 국토교통부장관에게 제출하여야 한다.
④ 국토교통부장관의 승인을 받아야 한다.

17 비행장 안의 이동지역에서 항공기가 이동할 때 따라야 하는 기준에 대한 설명으로 틀린 것은?

① 추월하는 항공기는 다른 항공기의 통행에 지장을 주지 아니하도록 충분한 간격을 유지하여야 한다.
② 교차하거나 이와 유사하게 접근하는 항공기 상호간에는 다른 항공기를 좌측으로 보는 항공기가 진로를 양보하여야 한다.
③ 기동지역에서 지상 이동하는 항공기는 정지선등이 꺼져 있는 경우에 이동하여야 한다.
④ 기동지역에서 지상 이동하는 항공기는 관제탑의 지시가 없는 경우에는 활주로 진입전 대기지점에서 정지 대기하여야 한다.

18 국제항공운송협회(IATA)의 설립 목적으로 틀린 것은?

① 각 체약국 간 이득을 적정분배 한다.
② 국제기관과의 협력을 도모한다.
③ 안전한 항공운송의 발달을 촉진한다.
④ 항공기업 간의 협력에 힘쓴다.

19 항공기 등의 검사관으로 임명되거나 위촉될 수 있는 사람은?

① 3년 이상 항공기 설계업무 경력이 있는 자
② 항공공장정비사 자격증명을 받은 자
③ 항공정비사 자격증명을 받은 자
④ 항공산업기사 자격을 취득한 자

20 정비조직인증을 받은 자의 과징금 부과에 대한 설명으로 올바른 것은?

① 과징금을 기간 이내에 납부하지 않으면 국토교통부령에 의하여 이를 징수한다.
② 부득이하게 업무정지를 할 수 없을 때에는 과징금으로 대처한다.
③ 업무정지 처분에 갈음하여 50억원 이하의 과징금을 부과할 수 있다.
④ 중대한 규정 위반시에는 업무정지 처분과 더불어 과징금을 부과한다.

21 항공기의 감항성에 대한 설명으로 올바른 것은?

① ICAO 기준을 충족한다는 것
② 기술기준을 충족한다는 것
③ 항공기가 안전하게 비행할 수 있는 성능
④ 항공기가 비행중에 나타내는 성능

22 정비조직인증을 받은 업무범위를 초과하여 항공기를 수리, 개조한 경우 해야 할 일은?

① 국토교통부장관의 검사를 받아야 한다.
② 국토교통부장관의 승인을 받아야 한다.
③ 국토교통부장관에게 신고하여야 한다.
④ 항공정비사 자격증명을 가진 자에 의하여 확인을 받아야 한다.

23 항공기 소음에 관한 국제민간항공조약 부속서는?

① 부속서 8   ② 부속서 12

③ 부속서 16   ④ 부속서 18

24 항공기의 정치장을 부산에서 서울로 옮겼을 때 하여야 할 등록은?

① 신규등록   ② 이전등록

③ 변경등록   ④ 말소등록

25 공항 안에 있는 사람이 공항에서 화재나 범죄, 테러등을 목격하였을 때에는 먼저 누구에게 신고하여야 하는가?

① 관할 지역 소방서

② 주변의 군수사기관

③ 관할 지역 지역단체장

④ 공항에 근무하는 공무원

제12회 모의고사

01 항공기로 활공기를 예항하는 방법에 대한 설명으로 올바른 것은?

① 야간에 예항을 하려는 경우에는 지방항공 청장의 허가를 받아야 한다.

② 항공기와 활공기 간에 무선통신으로 연락 이 가능한 경우에는 항공기에 연락원을 탑 승시켜야 한다.

③ 예항줄의 길이는 60m 이상 80m 이하로 하 여야 한다.

④ 예항줄 길이의 80%에 상당하는 고도 이하 에서 예항줄을 이탈시켜야 한다.

02 수리, 개조의 승인신청시 수리 또는 개조 계획서는 작업을 시작하기 며칠 전까지 제출하 여야 하는가?

① 5일 전까지

② 7일 전까지

③ 10일 전까지

④ 15일 전까지

03 항행안전시설 사용의 휴지 등을 고시할 때, 고시하여야 할 사항에 해당하지 않는 것은?

① 설치자 성명 및 주소

② 폐지 또는 재개의 경우 그 개시일

③ 항행안전시설 종류 및 명칭

④ 휴지의 경우 휴지기간

04 항공 안전법의 목적 중의 하나로 올바른 것은?

① 항공시설을 효율적으로 설치·관리

② 항공운송사업 등의 질서를 확립

③ 항공의 발전과 공공복리의 증진

④ 항공기술 발전에 이바지

05 수리 또는 개조시 국토교통부장관의 승인 을 받아야 하는 경우는?

① 수리·개조승인을 받지 않은 장비품 또는 부품을 사용하여 항공기를 수리, 개조하는 경우

② 정비조직인증을 받은 업무범위 안에서 항 공기를 수리, 개조하는 경우

③ 정비조직인증을 받은 업무범위를 초과하 여 항공기를 수리, 개조하는 경우

④ 형식승인을 얻지 않은 기술표준품을 사용 하여 항공기를 수리, 개조하는 경우

06 항공에 사용할 수 있는 항공기에 해당하 는 것은?

① 국내에서 수리, 개조 또는 제작한 후 수출 할 항공기

② 특별감항증명을 받은 항공기

③ 현지답사를 위해 일시적으로 비행하는 항 공기

④ 형식증명을 변경하기 위하여 운용한계를 초과하지 않는 비행을 하는 항공기

07 주류 등을 섭취한 후 항공업무에 종사한 사람에게 부과하는 벌칙은?

① 2년 이하의 징역 또는 2천만원 이하의 벌금
② 2년 이하의 징역 또는 3천만원 이하의 벌금
③ 3년 이하의 징역 또는 3천만원 이하의 벌금
④ 3년 이하의 징역 또는 4천만원 이하의 벌금

08 국토교통부장관이 정하는 "경미한 정비"의 의미는?

① 감항성에 미치는 영향이 경미한 범위의 수리작업으로서 그 작업의 완료상태를 확인함에 있어 동력장치의 작동점검이 필요한 경우
② 감항성에 미치는 영향이 경미한 범위의 수리작업으로서 그 작업의 완료상태를 확인함에 있어 복잡한 점검이 필요한 경우
③ 간단한 보수를 하는 예방작업으로서 복잡한 결합작용을 필요로 하지 않는 교환작업의 경우
④ 리깅 또는 간극의 조정작업 등 복잡한 결합작용을 필요로 하는 부품의 교환작업의 경우

09 항공종사자 자격증명의 응시연령에 관한 설명으로 올바른 것은?

① 부조종사 및 항공사의 자격은 만 20세이다.
② 자가용 조종사의 자격은 만 18세. 다만 자가용 활공기 조종사의 경우에는 만 16세로 한다.
③ 운송용 조종사 및 운항관리사의 자격은 만 21세이다.
④ 사업용 조종사, 항공사, 항공기관사 및 항공정비사의 자격은 만 20세이다.

10 모든 항공기에 대하여 형식한정을 받아야 하는 항공종사자는?

① 조종사
② 항공기관사
③ 항공정비사
④ 운항관리사

11 수상비행기 소유자 등이 갖추어야 할 구급용구가 아닌 것은?

① 해상용 닻
② 일상용 닻
③ 음성신호발생기
④ 불꽃조난신호장비

12 항공기 소유자등이 갖추어야 할 항공일지에 해당하지 않는 것은?

① 기체 항공일지
② 탑재용 항공일지
③ 발동기 항공일지
④ 프로펠러 항공일지

13 항공 안전법에서 항공기의 정의는?

① 지표면에 대한 반작용으로 힘을 받는 기기
② 공기의 반작용(지표면 또는 수면에 대한 공기의 반작용은 제외한다. 이하 같다)으로 뜰 수 있는 기기
③ 비행기, 비행선, 활공기(滑空機), 회전익(回轉翼)항공기, 그 밖에 대통령령으로 정하는 것으로서 항공에 사용할 수 있는 기기(機器)를 말한다.
④ 최대이륙중량, 속도, 좌석 수 등이 국토교통부령으로 정하는 범위를 초과하는 동력비행장치(動力飛行裝置)

14 아래 유도신호의 의미는?

① 엔진의 출력을 증가하라는 신호이다.
② 엔진의 출력을 감소하라는 신호이다.
③ 항공기의 속도를 증가하여 빠르게 진입하라는 신호이다.
④ 항공기의 속도를 줄여 서서히 진입하라는 신호이다.

15 격납고 내에 있는 항공기의 무선시설을 조작하고자 할 때 해야 할 일은?

① 지방항공청장의 승인을 받아야 한다.
② 무선설비자격증이 있어야 한다.
③ 점검시에는 누구나 할 수 있다.
④ 항공정비사 자격증명이 있어야 한다.

16 항공기 소유자가 감항증명서와 운용한계 지정서를 반납하여야 하는 경우는?

① 감항증명의 유효기간이 단축되거나 운용한계의 지정사항이 변경된 경우
② 감항증명의 유효기간이 경과되거나 운용한계의 지정사항이 변경된 경우
③ 정비 또는 개조를 하기 위해 항공기를 해체한 경우
④ 항공기의 등록을 말소한 경우

17 정비규정에 포함하여야 할 사항으로 틀린 것은?

① 항공기 부품등의 신뢰성 관리절차
② 정비사의 직무능력평가
③ 정비에 종사하는 자의 훈련방법
④ 항공기 및 부품 등의 정비에 관한 품질관리방법 및 절차

18 항공기 등록기호표를 부착하는 시기는?

① 감항증명신청시
② 감항증명을 받을 때
③ 항공기를 등록할 때
④ 항공기를 등록한 후

19 국외 정비확인자 인정의 유효기간은?

① 국토교통부장관이 정하는 기간
② 1년
③ 2년
④ 3년

20 공항의 기본시설에 해당하지 않는 것은?

① 항행안전시설
② 기상관측시설
③ 항공기 정비시설
④ 활주로, 유도로, 계류장

21 항공기 감항유별과 기호가 잘못 연결된 것은?

① K – 곡기
② N – 보통
③ U – 실용
④ T – 수송

22 소음기준적합증명 대상 항공기는?

① 국제민간항공조약 부속서 16에 규정한 항공기

② 최대이륙중량이 5,700kg을 초과하는 항공기

③ 항공운송사업에 사용되는 터빈발동기를 장착한 항공기

④ 터빈발동기를 장착한 항공기로서 국토교통부장관이 정하여 고시하는 항공기

23 항공기 소음과 관련 있는 국제민간항공조약 부속서는?

① 부속서 5

② 부속서 9

③ 부속서 14

④ 부속서 16

24 항공기의 소음기준적합증명은 언제 받아야 하는가?

① 감항증명을 받을 때

② 기술표준품의 형식승인을 받을 때

③ 운용한계를 지정할 때

④ 항공기를 등록할 때

25 항공기에 장비하여야 할 구급용구에 대한 설명으로 틀린 것은?

① 항공운송사업용 여객기의 승객이 200명 이상일 때 메가폰 3개

② 항공운송사업용 및 항공기사용사업용 항공기에는 도끼 1개

③ 승객이 500명일 때 소화기 5개

④ 승객이 200명일 때 소화기 3개

항공법규 제13회 모의고사

01 감항증명을 받았던 사실이 있는 항공기의 감항증명서 신청서 제출시기는?

① 검사 희망일 5일 전까지
② 검사 희망일 7일 전까지
③ 검사 희망일 10일 전까지
④ 검사 희망일 12일 전까지

02 지방항공청장에게 신고를 하지 않고 항공법 및 관련 규정에 따라 조종할 수 있는 것은?

① 중급 또는 초급 활공기
② 초경량비행장치
③ 무인비행장치
④ 회전익항공기

03 항공기의 종류에 해당하지 않는 것은?

① 비행선
② 활공기
③ 항공우주선
④ 수상비행선

04 항공기를 등록할 때 필요한 서류에 해당하지 않는 것은?

① 감항증명서
② 항공기 취득가격증명서
③ 등록원인 증명서류
④ 등록세 납부증명서

05 형식승인을 받아야 하는 기술표준품은?

① 감항증명을 받은 항공기에 포함되어 있는 기술표준품
② 형식증명승인을 받은 항공기에 포함되어 있는 기술표준품
③ 형식증명을 받은 항공기에 포함되어 있는 기술표준품
④ 제작증명을 받은 항공기에 포함되어 있는 기술표준품

06 자격증명을 받지 아니하고 항공업무에 종사한 사람에 대한 처벌규정은?

① 1년 이하의 징역 또는 1천만원 이하의 벌금
② 1년 이하의 징역 또는 2천만원 이하의 벌금
③ 2년 이하의 징역 또는 1천만원 이하의 벌금
④ 2년 이하의 징역 또는 2천만원 이하의 벌금

07 항공종사자 자격증명을 받을 수 없는 사람은?

① 금고 이상의 실형을 선고받고 그 집행이 끝난 날 또는 집행을 받지 아니하기로 확정된 날부터 2년이 지나지 아니한 사람
② 법을 위반하여 벌금 이상의 형을 선고받은 사람
③ 자격증명 취소처분을 받고 그 취소일로부터 2년이 지나지 아니한 사람
④ 금치산자, 한정치산자 또는 파산선고를 받고 복권되지 아니한 사람

08 무인으로 원격조종하는 비행기 또는 헬리콥터의 자체중량 기준은?

① 100킬로그램 초과
② 150킬로그램 초과
③ 200킬로그램 초과
④ 250킬로그램 초과

09 부품등제작자증명 신청시 첨부하는 서류가 아닌 것은?

① 품질관리규정
② 적합성 계획서 또는 확인서
③ 장비품 또는 부품의 식별서
④ 제작자, 제작번호 및 제작연월일

10 조종실음성기록장치(CVR) 및 비행자료기록장치(FDR)를 갖추어야 하는 항공기는?

① 항공운송사업에 사용되는 승객 30인을 초과하여 수송할 수 있는 비행기
② 항공운송사업에 사용되는 최대이륙중량 5,700kg 이상의 항공운송사업에 사용되는 비행기
③ 항공운송사업에 사용되는 터빈발동기를 장착한 비행기
④ 항공운송사업에 사용되는 모든 비행기

11 국토교통부령으로 정하는 항공기의 기준에 해당되지 않는 것은?

① 항공우주선
② 비행기
③ 헬리콥터
④ 비행선

12 항공기 소유자 등이 갖추어야 할 항공일지에 해당하지 않는 것은?

① 탑재용 항공일지
② 기체 항공일지
③ 프로펠러 항공일지
④ 발동기 항공일지

13 시계비행 항공기가 갖추어야 할 항공계기 등에 해당하지 않는 것은?

① 기압고도계
② 온도계
③ 시계
④ 속도계

14 공항에서의 금지행위에 해당하지 않는 것은?

① 격납고 바닥을 세제로 청소하는 행위
② 내화 및 통풍설비가 있는 실 이외의 장소에서 도포도료의 도포작업을 하는 행위
③ 내화성 작업소 이외의 장소에서 가연성 액체를 사용하여 항공기를 세척하는 행위
④ 급유 또는 배유작업중의 항공기로부터 30m 이내의 장소에서 담배를 피우는 행위

15 항공공역 중에서 항공교통의 안전을 위하여 항공기의 비행을 금지하거나 제한할 필요가 있는 공역은?

① 비관제공역
② 관제공역
③ 통제공역
④ 주의공역

16 공중충돌 등 항공사고의 예방을 위하여 항공안전법의 일부만 적용받는 항공기는?

① 군용항공기
② 경찰항공기
③ 응급구조항공기
④ 산림청 항공기

17 국가기관등 항공기의 등록부호 표시방법은?

① 항공안전법에 따라야 한다.
② 관계 중앙행정기관의 장이 국토교통부장관과 협의하여 따로 정할 수 있다.
③ 대통령령에 따라 따로 정할 수 있다.
④ 각 군 참모총장이 국방부장관의 재가를 받아 따로 정할 수 있다.

18 항공기 사고가 발생하였을 때, 국제민간항공조약에 따라 사고조사를 전담하는 국가는?

① 항공기 등록국가
② 항공기 제작국가
③ 항공기 사고가 발생한 국가
④ 항공기 운영국가

19 자격증명을 한정하는 경우 한정하는 항공기의 종류에 해당하는 것은?

① B-747, DC-10, MD-11
② 육상단발, 육상다발, 수상단발, 수상다발
③ 비행기, 비행선, 활공기, 헬리콥터, 항공우주선
④ 상급 및 중급항공기

20 항공법에서 정하는 항행안전시설이 아닌 것은?

① 항공정보통신시설
② 항행안전무선시설
③ 항공장애 주간표지
④ 항공등화

21 수리 또는 개조의 승인신청시 첨부하여야 할 서류는?

① 수리 또는 개조설비, 인력현황
② 수리 또는 개조계획서
③ 수리 또는 개조규정
④ 수리 또는 개조의 방법과 기술등을 설명하는 자료

22 형식증명을 받은 항공기등을 제작하고자 할 때 국토교통부장관으로부터 받아야 하는 것은?

① 감항증명
② 제작증명
③ 형식증명승인
④ 부품등제작자증명

23 최대이륙중량(600킬로그램 이하), 실속 속도(45노트 이하), 여압되지 않을 것 등의 기준 충족 시 무엇으로 분류되는가?

① 항공기
② 경량항공기
③ 초경량비행장치
④ 비행선

24 항공기등을 설계, 제작하려는 경우 형식 승인을 받아야 하는 것은?

① 국토교통부장관이 고시하는 장비품
② 사고한계부품
③ 제작사에서 만든 부품
④ 모든 장비품

25 항공정비사의 업무범위는?

① 수리 또는 개조한 항공기에 대한 확인
② 정비 또는 개조한 항공기에 대한 확인
③ 정비 또는 수리한 항공기에 대한 확인
④ 정비한 항공기에 대한 확인

항공법규 제14회 모의고사

01 수직분리축소공역운항(RVSM)이 적용되는 공역은?

① 비행고도 10,000피트~40,000피트

② 비행고도 10,000피트~50,000피트

③ 비행고도 29,000피트~41,000피트

④ 비행고도 29,000피트~51,000피트

02 항행안전시설에 해당하지 않는 것은?

① 자동방향탐지시설(ADF)

② 무지향표지시설(NDB)

③ 레이더(Radar)시설

④ 항공등화

03 감항증명을 받았던 사실이 있는 항공기의 감항증명 신청시 감항증명 신청서 제출시기는?

① 검사 희망일 7일전까지

② 검사 희망일 10일전까지

③ 검사 희망일 15일전까지

④ 검사 희망일 20일전까지

04 국토교통부장관은 운항증명신청이 있는 때에는 운항증명검사 계획을 수립하여 며칠 이내에 신청자에게 통보하여야 하는가?

① 5일   ② 7일

③ 10일   ④ 15일

05 국토교통부령으로 정하는 항공안전장애의 범위에 해당하지 않는 것은?

① 중충돌경보장치의 회피조언에 따른 항공기기동이 있었던 경우

② 항공기가 지상에서 운항중 다른 항공기나 장애물과 접촉 또는 충돌하여 감항성이 손상된 경우

③ 공운항중 엔진덮개가 풀리거나 이탈한 경우

④ 항행안전무선시설의 운영이 중단된 경우

06 항공기의 이·착륙 및 여객·화물의 운송을 위한 시설과 그 부대시설 및 지원시설을 무엇이라고 하는가?

① 공항

② 공항시설

③ 비행장

④ 화물터미널

07 항공기의 소유자가 감항증명서를 반납해야 하는 경우는?

① 정비 또는 개조를 하기 위해 항공기를 해체한 경우

② 감항증명의 유효기간이 경과된 경우

③ 항공기기술기준에 적합하지 아니하게 된 경우

④ 항공기의 등록을 말소한 경우

08 수리·개조승인을 받아야 하는 경우는?

① 정비조직인증을 받은 범위 내에서 수리, 개조를 하였을 경우

② 정비조직인증을 받아 수리, 개조를 하였을 경우

③ 정비조직인증을 받은 자에게 위탁하여 수리, 개조를 하였을 경우

④ 정비조직인증을 받은 범위를 초과하여 수리, 개조를 하였을 경우

09 형식증명을 위한 검사범위에 해당하지 않는 것은?

① 제작과정에 대한 검사

② 제작공정의 설비에 대한 검사

③ 완성 후 상태 및 비행성능에 대한 검사

④ 해당 형식의 설계에 대한 검사

10 대통령령으로 정하는 공항시설 중 지원시설에 해당하는 것은?

① 기상관측시설

② 도심공항터미널

③ 항공기 급유시설

④ 화물처리시설

11 소음기준적합증명 대상 항공기는?

① 터빈발동기를 장착한 항공기, 국내선을 운항하는 항공기

② 터빈발동기를 장착한 항공기, 국제선을 운항하는 항공기

③ 왕복발동기를 장착한 항공기, 국제선을 운항하는 항공기

④ 왕복발동기를 장착한 항공기, 국내선을 운항하는 항공기

12 항공기가 야간에 공중과 지상을 항행하는 경우 당해 항공기의 위치를 나타내는 데 필요한 항공기 등불의 종류는?

① 우현등, 좌현등, 회전지시등

② 우현등, 좌현등, 충돌방지등

③ 우현등, 좌현등, 미등

④ 우현등, 좌현등, 미등, 충돌방지등

13 감항성 유지를 위하여 항공기, 장비품 또는 부품에 대하여 정비 등을 명할 때 국토교통부장관이 소유자에게 통보하여야 하는 사항이 아닌 것은?

① 해당되는 항공기, 장비품 또는 부품의 종류

② 해당되는 항공기, 장비품 또는 부품의 형식

③ 정비 등을 하여야 할 시기 및 그 방법

④ 정비 등을 수행하는데 필요한 기술자료

14 항공운송사업 및 항공기사용사업용 항공기 중 계기비행으로 교체비행장이 요구되는 프로펠러 추진 발동기 항공기에 실어야 할 연료 및 오일의 양은?

① 최초 착륙예정비행장까지 비행에 필요한 양에 해당 예정비행장의 교체비행장 중 소모량이 가장 많은 비행장까지 비행을 마친 후 다시 순항속도로 45분간 더 비행할 수 있는 양을 더한 양

② 최초 착륙예정비행장까지 비행에 필요한 양에 해당 예정비행장의 교체비행장 중 소모량이 가장 많은 비행장까지 비행을 마친 후 다시 순항속도로 60분간 더 비행할 수 있는 양을 더한 양

③ 순항속도로 45분간 더 비행할 수 있는 양

④ 순항속도로 60분간 더 비행할 수 있는 양

15 다음 보기의 그림과 같은 항공기 운항승무원에 대한 유도원의 유도신호의 의미는?

① 서행
② 시동 걸기
③ 초크 삽입
④ 파킹 브레이크

16 경미한 항공안전장애로 볼 수 없는 것은?

① 공항 근처에 항공안전을 해칠 우려가 있는 장애물 또는 위험물이 방치된 경우
② 항공기 운항중 항로 또는 고도로부터 위험을 초래하지 않는 이탈을 한 경우
③ 항공기 급유중 항공기 정상운항을 지연시킬 정도의 기름이 유출된 경우
④ 항공안전을 해칠 우려가 있는 절차나 제도 등이 발견된 경우

17 항공기 검사기관의 검사업무규정에 포함하여야 할 사항이 아닌 것은?

① 검사업무를 수행하는 자의 업무범위 및 책임
② 검사업무를 수행하는 기구의 조직 및 인력
③ 검사업무를 수행하는 자의 교육훈련방법
④ 증명 또는 검사업무의 체제 및 절차

18 "경미한 정비"의 의미는?

① 감항성에 미치는 영향이 경미한 개조작업이다.
② 복잡한 결합작용을 필요로 하는 규격장비품의 교환작업이다.
③ 감항성에 미치는 영향이 경미한 수리작업으로서 동력장치의 작동점검이 필요한 작업이다.
④ 간단한 보수를 하는 예방작업으로 리깅(Rigging) 또는 간극의 조정작업이다.

19 항공운송사업용 회전익항공기가 시계비행을 할 때 실어야 할 연료의 양으로 틀린 것은?

① 최대항속속도로 20분간 더 비행할 수 있는 양
② 최초의 착륙예정비행장까지 비행예정시간의 10%의 시간을 비행할 수 있는 양
③ 이상상태 발생시 연료의 소모가 증가할 것에 대비하여 운항기술기준에서 정한 추가의 양
④ 최초 착륙예정비행장까지 비행에 필요한 양

20 수리·개조승인의 검사자에 해당하지 않는 사람은?

① 항공정비사 자격증명을 받은 사람
② 항공기술 관련 학사 이상의 학위를 취득한 후 3년 이상 항공기의 설계, 제작 또는 정비업무에 종사한 경력이 있는 사람
③ 국가기술자격법에 따른 항공산업기사 이상의 자격을 취득한 사람
④ 국가기관 등 항공기의 설계, 제작, 정비 또는 품질보증업무에 5년 이상 종사한 경력이 있는 사람

21 전자기기의 사용을 제한하지 않는 항공기는?

① 시계비행방식으로 비행중인 회전익항공기
② 시계비행방식으로 비행중인 항공기
③ 계기비행방식으로 비행중인 회전익항공기
④ 계기비행방식으로 비행중인 비행기

22 육상비행장에서 수평표면의 원호 중심은 활주로 중심선 끝으로부터 몇 m 연장된 지점에 있는가?

① 100m   ② 80m
③ 60m   ④ 50m

23 국토교통부장관은 국가항공안전정책에 관한 기본계획을 몇 년 마다 수립하여야 하는가?

① 매년   ② 3년
③ 5년   ④ 7년

24 국가기관등항공기를 재해·재난 등으로 인한 수색·구조, 화재의 진화, 응급환자 후송, 그 밖에 국토교통부령으로 정하는 공공목적으로 긴급히 운항하는 경우가 아닌 것은?

① 재해·재난의 예방
② 산림 방제·순찰
③ 국가 고위 공무원의 시찰
④ 산림보호사업을 위한 화물 수송

25 긴급항공기를 운항한 자는 운항 후 24시간 이내에 운항결과보고서를 제출하여야 한다. 이에 해당하지 않는 것은?

① 조종사 외의 탑승자 인적사항
② 항공기의 형식 및 등록부호
③ 조종사 성명과 자격
④ 긴급한 업무의 종류

항공법규 제15회 모의고사

01 항공기의 소음기준적합증명(Aircraft Noise Certification)에 대한 설명으로 옳지 않은 것은?

① 항공기의 소유자등은 항공기에 대하여 소음기준적합증명을 받아야 한다.

② 항공기의 소유자등은 감항증명을 받는 경우와 수리·개조 등으로 항공기의 소음치가 변동된 경우에는 그 항공기에 대하여 소음기준적합증명을 받아야 한다.

③ 항공기의 소유자등은 소음기준적합증명을 받지 않은 항공기를 운항하여서는 아니 된다.

④ 소음기준적합증명의 기준에 적합하지 아니한 항공기는 여객기로 사용될 수 없으며 화물기 전용항공기로만 사용될 수 있다.

02 수직분리축소공역운항(RVSM)에서는 수직 안전거리를 얼마로 적용하고 있는가?

① 500피트
② 1,000피트
③ 2,000피트
④ 3,000피트

03 도착할 비행장에 착륙한 항공기가 관할 항공교통업무기관에 보고하여야 할 사항은?

① 항공기의 식별부호
② 감항증명 번호
③ 최대이륙중량
④ 항공기 소유자의 성명 또는 명칭 및 주소

04 항공운송사업용 회전익항공기가 시계비행을 할 때 필요한 연료의 양에 대한 설명으로 틀린 것은?

① 소유자가 정한 추가의 양

② 최대 항속속도로 20분간 더 비행할 수 있는 양

③ 최초 착륙예정비행장까지 비행에 필요한 양

④ 운항기술기준에서 정한 추가 연료의 양

05 등록기호표에 대한 설명으로 올바른 것은?

① 등록기호표의 크기는 가로 7cm, 세로 5cm의 직사각형이다.

② 등록기호표에 적어야 할 사항은 국적기호 및 등록기호와 제작연월일이다.

③ 등록기호표는 항공기 출입구 윗부분의 바깥쪽 보기 쉬운 곳에 부착한다.

④ 등록기호표는 강철 등과 같은 내화금속으로 만든다.

06 감항증명 신청시 첨부하여야 할 서류가 아닌 것은?

① 비행교범
② 정비교범
③ 국토교통부장관이 정하여 고시하는 감항증명의 종류별 신청서류
④ 당해 항공기의 정비방식을 기재한 서류

07 항공기 취급업에 해당하지 않는 것은?

① 지상조업사업
② 항공기 정비업
③ 항공기 급유업
④ 항공기 하역업

08 국토교통부장관이 정하여 고시하는 운항기술기준에 포함되는 사항이 아닌 것은?

① 항공종사자의 자격증명
② 항공기 계기 및 장비
③ 항공종사자의 훈련
④ 항공기 정비

09 국토교통부장관이 감항증명을 할 때 검사하는 항목과 지정하는 항목으로 옳게 짝지어진 것은?

① 기술기준 – 사용한계
② 기술기준 – 운용한계
③ 감항기준 – 사용한계
④ 감항기준 – 운용한계

10 다음은 항공기 검사관의 자격요건에 대한 설명이다. 옳은 것은?

① 국가기관등 항공기의 설계, 제작, 정비 또는 품질보증 업무에 3년 이상 종사한 경력이 있는 사람
② 항공정비사 자격증명이 있는 사람
③ 항공기술 관련 학사 이상의 학위를 취득한 후 2년 이상 항공기 정비업무에 종사한 경력이 있는 사람
④ 항공산업기사 자격증명을 취득한 후 3년 이상 항공기 정비업무에 종사한 경력이 있는 사람

11 항공기가 비행장 안의 이동지역에서 이동할 때 따라야 하는 기준이 아닌 것은?

① 기동지역에서 지상 이동하는 항공기는 정지선등이 꺼져 있는 경우에 이동하여야 한다.
② 기동지역에서 지상이동하는 항공기는 관제탑의 지시가 없는 경우에는 활주로 진입 전 대기지점에서 정지 대기하여야 한다.
③ 교차하거나 이와 유사하게 접근하는 항공기 상호간에는 다른 항공기를 좌측에서 보는 항공기가 진로를 양보하여야 한다.
④ 추월하는 항공기는 다른 항공기의 통행에 지장을 주지 아니하도록 충분한 간격을 유지하여야 한다.

12 항공법에서 규정하고 있는 국가기관등 항공기는?

① 경찰청 항공기
② 산림청 헬기
③ 해군 초계기
④ 세관 업무용 항공기

13 감항성 개선지시 (AD) 이행 방법으로 옳은 것은?

① 모든 AD는 접수 즉시 곧바로 긴급하게 수행을 해야 한다.
② AD는 일회 수행으로 종료되는 것이지 일정 주기로 반복적으로 검사를 수행하는 것은 아니다.
③ 전체에 해당되는 AD는 대상 기기의 형식만 기입하고 일련번호는 기술하지 않는다.
④ AD 수행지시를 받은 항공기 운영자는 감항성개선지시서에 따른 사항을 수행하기 곤란할 경우 대체수행방법 등을 감항당국에 신청할 수 있다.

14 감항증명 등의 항공관련업무를 수행하는 전문검사기관을 지정, 고시하는 사람은 누구인가?

① 대통령
② 교통안전공단
③ 지방항공청장
④ 국토교통부장관

15 운항중에 전자기기의 사용이 제한되지 않는 항공기는?

① 항공운송사업용으로 비행중인 민항기
② 항공운송사업용으로 비행중인 회전익항공기
③ 시계비행방식으로 비행중인 민항기
④ 계기비행방식으로 비행중인 산림청항공기

16 국제민간항공 체약국의 항공기가 다른 체약국의 영역에서 사고가 발행했을 때, 사고조사의 책임은 어디에 있는가?

① 항공기 등록국
② 국제민간항공기구
③ 항공기 제작국
④ 사고발생 국가

17 소음기준적합증명의 기순과 소음의 속성 방법은?

① 국제민간항공조약부속서 16에 의한다.
② 지방항공청장이 정하여 고시하는 바에 따른다.
③ 국토교통부장관이 정하여 고시하는 바에 따른다.
④ 항공기 제작자가 정한 방법에 의한다.

18 항공안전장애의 범위 중 국토교통부장관에게 보고하여야 할 사항으로 틀린 것은?

① 비행중 항공기에 장착된 발동기 수의 100분의 30 이상이 정지한 경우
② 운항중 비상조치를 하게 하는 항공기의 구성품 또는 시스템이 고장난 경우
③ 운항중 엔진 덮개가 풀리거나 이탈한 경우
④ 항공안전을 저해할 우려가 있는 운항관련 절차나 항공교통관제 절차

19 다음 중 항공에 사용하는 항공기에 탑재하여야 할 서류에 해당하지 않는 것은?

① 항공기등록증명서
② 감항증명서
③ 형식증명서
④ 탑재용 항공일지

20 항공기 내에서 승객이 소지하고 있는 전자기기의 사용을 제한할 수 있는 권한을 가진 사람은?

① 기장
② 국토교통부장관
③ 항공운송사업자
④ 운항승무원

21 경미한 항공안전장애를 발생시킨 사람이 그에 대한 처벌을 면하기 위해서는 며칠 이내에 보고를 하여야 하는가?

① 5일
② 7일
③ 10일
④ 15일

22 공항 안에서 중대한 사고가 발생한 것을 알았을 때 신고하여야 하는 대상으로 옳지 않은 것은?

① 공항 근무 공무원
② 공항 운영자 소속 직원
③ 공항 근무 경찰관
④ 항공사 소속 직원

23 항공정비사 자격을 가진 사람으로서 항공기 정비확인을 위해 필요한 경험은?

① 최근 동일한 정비분야에 대해 1년 이내에 6개월 이상의 경험
② 최근 동일한 정비분야에 대해 2년 이내에 1년 이상의 경험
③ 최근 동일한 정비분야에 대해 2년 이내에 6개월 이상의 경험
④ 최근 동일한 정비분야에 대해 3년 경험

24 다음 중 특별감항증명의 대상으로 적당하지 않은 것은?

① 씨앗 파종, 농약 살포에 사용되는 경우
② 항공기의 수리개조 작업을 위한 장소까지 공수비행을 하는 경우,
③ 항공기를 수입하기 위하여 화물을 싣고 비행하는 경우
④ 항공기 제작자가 조종사 양성을 위하여 조종연습에 사용하는 경우

25 다음 중 항공기의 항행안전을 확보하기 위한 기술상 기준에 적합한지의 여부를 검사하여야 하는 항공기에 해당하지 않는 것은?

① 항공법에 의한 감항증명을 받는 항공기
② 항공법에 의한 형식증명을 받는 항공기
③ 항공법에 의한 수리·개조승인을 받는 항공기
④ 항공법에 의한 소음기준적합증명을 받는 항공기

항공법규 제16회 모의고사

01 국제민간항공협약에 대한 국내의 법적효력은?

① 국제민간항공협약은 한국에서는 적용되지 않는다.
② 국제민간항공협약은 국내법과 같은 효력을 가진다.
③ 국제민간항공협약은 국내법보다 상위의 효력을 가진다.
④ 국제민간항공협약은 국내법보다 하위의 효력을 가진다.

02 항공운송사업에 사용되는 항공기 외의 항공기가 "시계비행방식"에 의한 비행을 하는 경우, 설치·운용하지 않아도 되는 무선설비는?

① 무선전화 송수신기
② 항공교통관제 레이더용 트랜스폰더
③ 전방향표지시설(VOR)
④ 기상레이더

03 등록을 필요로 하는 항공기는?

① 군, 경찰 또는 세관업무에 사용하는 항공기
② 외국에 임대할 목적으로 도입한 항공기로서 외국 국적을 취득할 항공기
③ 대한민국 국민이 사용할 수 있는 권리가 있는 외국인 소유 항공기
④ 국내에서 제작한 항공기로서 제작자 외의 소유자가 결정되지 아니한 항공기

04 항공기의 이륙 및 착륙을 위하여 사용되는 육지 또는 수면의 일정한 구역을 무엇이라 하는가?

① 공항
② 활주로
③ 착륙대
④ 비행장

05 항공안전법이 규정하고 있는 항공종사자는?

① 항행안전시설의 보수업무에 종사하는 자
② 항공기의 정비업무에 종사하는 자
③ 항공기의 객실업무에 종사하는 자
④ 항공안전법 제34조 제1항의 규정에 의한 자격증명을 받은 자

06 다음의 운항을 무엇이라 하는가?

> 비행고도 29,000피트~41,000피트 사이의 고고도 공역에서 항공기 간에 수직안전거리 간격을 2,000피트에서 1,000피트(300m)로 축소하여 적용함으로써 효율적인 공역 활용을 도모하고 공역수용능력을 증대시키는 진보된 공역 운항 기법을 말한다.

① 저 시정운항
② 회항시간 연장운항
③ 수직분리축소공역 운항
④ 성능기반항행운항

07 항공기의 등록원부에 기재하여야 할 등록 사항이 아닌 것은?

① 항공기의 형식

② 항공기의 제작자

③ 항공기의 감항분류

④ 등록기호

08 항공기 정치장을 김포에서 제주도로 옮기려 한다면 해당 등록의 종류는?

① 이전등록　　② 변경등록

③ 말소등록　　④ 임차등록

09 항공기등, 장비품 또는 부품의 안전을 확보하기 위한 기술상의 기준으로 틀린 것은?

① 항공기등의 환경기준

② 항공기등이 감항성을 유지하기 위한 기준

③ 항공기를 운영하고 관리하는 기준

④ 항공기등, 장비품 또는 부품의 인증절차

10 항공기를 소유하거나 임차하여 등록을 할 수 있는 경우는?

① 외국의 국적을 가진 항공기를 임차한 법인 또는 단체

② 외국인이 주식이나 지분의 2분의 1 이상을 소유하고 있는 법인

③ 외국 정부 또는 외국의 공공단체

④ 외국 법인 또는 단체

11 감항증명의 유효기간으로 옳은 것은?

① 6 개월　　② 1 년

③ 3 년　　　④ 기한이 없다

12 다음 중 예외적으로 감항증명을 받을 수 있는 항공기에 대한 설명이다. 해당하지 않는 것은?

① 국내에서 제작하거나 외국에서 수입하려는 항공기

② 국내에서 수리, 개조 또는 제작한 후 수출할 항공기

③ 국내에서 수리, 개조 또는 제작한 후 시험비행을 할 항공기

④ 대한민국의 국적을 취득하기 전에 감항증명을 위한 검사를 신청한 항공기

13 특별감항증명의 대상이 되는 항공기는?

① 항공기의 정비, 수리 또는 개조 후 시험비행을 하는 항공기

② 국내에서 수리, 개조 또는 제작한 후 수출할 항공기

③ 외국항공기의 국내사용의 규정에 의하여 허가를 받은 항공기

④ 국적을 취득하기 전에 감항증명을 위한 검사를 신청한 항공기

14 다음 중 공역의 종류가 아닌 것은?

① 비관제공역

② 금지공역

③ 통제공역

④ 주의공역

15 항공종사자에 포함되지 않는 것은?

① 운항승무원 (조종사, 항공기관사)

② 객실승무원

③ 항공교통관제사

④ 항공정비사

16 국제민간항공협약 부속서중 항공종사자의 면허(자격증명)에 대하여 규정하고 있는 부속서는?

① 제 1 부속서
② 제 2 부속서
③ 제 6 부속서
④ 제 8 부속서

17 항공정비사 자격증명시험 응시자격에 대한 설명으로 옳은 것은?

① 3년 이상의 항공기 정비실무경력
② 교통안전공단에서 지정한 전문교육기관에서 항공기 정비에 필요한 과정을 이수
③ 국토교통부장관이 지정한 전문교육기관에서 항공기 정비에 필요한 과정을 이수
④ 외국 정부가 발행한 자격증명 소지

18 국토교통부장관이 고시하는 기술기준에 포함되어야 할 사항이 아닌 것은?

① 감항기준
② 환경기준
③ 지속 감항성 유지를 위한 기준
④ 정비기준

19 항공정비사 자격을 가진 사람으로서 항공기 정비확인을 위해 필요한 경험은?

① 최근 동일한 정비분야에 대해 1년 이내에 6개월 이상의 경험
② 최근 동일한 정비분야에 대해 2년 이내에 1년 이상의 경험
③ 최근 동일한 정비분야에 대해 2년 이내에 6개월 이상의 경험
④ 최근 동일한 정비분야에 대해 3년 경험

20 항공종사자가 자격증명시험 및 심사의 일부 또는 전부를 면제할 수 있는 경우가 아닌 것은?

① 국가기술자격법에 따른 기계기술분야의 자격을 가진 사람
② 외국정부로부터 자격증명을 받은 사람
③ 실무경험이 있는 사람
④ 국토교통부장관이 지정한 전문교육기관의 교육과정을 이수한 사람

21 항공기 등록부호 표시에 관한 설명으로 틀린 것은 ?

① 등록기호는 국적기호 뒤에 표시
② 등록기호는 지워지지 않도록 선명하게 표시
③ 등록기호는 장식체의 4개의 아라비아 숫자로 표시
④ 국적기호는 장식체가 아닌 로마자의 대문자 HL로 표시

22 다음 중 모든 항공기에 대하여 형식한정을 받아야 하는 항공종사자는?

① 운항관리사
② 항공정비사
③ 항공기관사
④ 조종사

23 항공안전법에서 규정하고 있는 '항공업무'가 아닌 것은?

① 항공교통관제
② 항공기의 운항
③ 항공기의 조종연습
④ 항공기의 운항관리

24 정밀접근절차 중 결심고도가 없고 활주로 가시범위 제한이 없는 기상조건하에서 실시하는 계기접근 방식은?

① Category-II
② Category-IIIa
③ Category-IIIb
④ Category-IIIc

25 등록부호에 사용하는 각 문자와 숫자의 높이로 잘못된 것은?

① 비행기와 활공기 : 주 날개에 표시하는 경우에는 50cm 이상
② 회전익 항공기 : 동체 옆면에 표시하는 경우에는 50cm 이상
③ 비행기와 활공기 : 수직 꼬리날개 또는 동체에 표시하는 경우에는 30cm 이상
④ 비행선 : 선체에 표시하는 경우에는 50cm 이상

항공법규 제17회 모의고사

01 "비행정보구역"의 설명으로 올바른 것은?

① 대한민국의 영토와 「영해 및 접속수역법」에 따른 내수 및 영해의 상공을 말한다.

② 항공기, 경량항공기 또는 초경량비행장치의 안전하고 효율적인 비행과 수색 또는 구조에 필요한 정보를 제공하기 위한 공역이다.

③ 항공기, 경량항공기 또는 초경량비행장치의 항행에 적합하다고 지정한 지구의 표면 상에 표시한 공간의 길을 말한다.

④ 「국제민간항공협약」 및 같은 협약 부속서에 따라 대통령이 그 명칭, 수직 및 수평 범위를 지정·공고한 공역을 말한다.

02 유선통신, 무선통신, 불빛, 색채 또는 형상(形象)을 이용하여 항공기의 항행을 돕기 위한 시설은?

① 항행안전시설

② 통신시설

③ 공항시설

④ 항행유도시설

03 다음 중 항공일지의 종류가 아닌 것은?

① 탑재용 항공일지

② 지상비치용 기체 항공일지

③ 지상비치용 발동기 항공일지

④ 지상비치용 프로펠러 항공일지

04 항공기 운항과 관련하여 발생한 항공기 사고에 포함되지 않는 것은?

① 사람의 사망·중상 또는 행방불명

② 항공기의 중대한 손상·파손 또는 구조상의 고장

③ 항공기의 위치를 확인할 수 없거나 항공기에 접근이 불가능한 경우

④ 착륙 중 활주로를 벗어난 경우

05 국토교통부령으로 정하는 항공안전장애의 내용이 아닌 것은?

① 항공기의 중대한 손상, 파손이나 구조상의 결함이 발생한 경우

② 항공기가 허가 없이 비행금지 구역 또는 비행제한구역에 진입한 경우

③ 안전운항에 지장을 줄 수 있는 물체가 활주로 위에 방치된 경우

④ 주기 중인 항공기와 차량 또는 물체 등이 충돌한 경우

06 국토교통부장관이 감항증명을 할 때 검사하는 항목과 지정하는 항목으로 옳게 짝지어진 것은?

① 기술기준 – 사용한계

② 기술기준 – 운용한계

③ 감항기준 – 사용한계

④ 감항기준 – 운용한계

07 항공기의 말소등록을 신청하여야 하는 경우는?

① 항공기의 일부분에 화재가 발생한 경우

② 항공기를 정비 또는 보관하기 위하여 해체한 경우

③ 항공기의 존재 여부가 2개월 이상 불분명한 경우

④ 항공기의 소유자가 외국의 국적을 취득한 경우

08 국토교통부장관이 감항증명을 할 때 설계에 대한 검사와 제작과정에 대한 검사를 생략가능한 항공기는?

① 형식증명을 받은 항공기

② 제작증명을 받은 항공기

③ 형식증명승인을 받은 항공기

④ 수출하는 외국정부로부터 감항성이 있다는 승인을 받아 수입하는 항공기

09 항공기의 변경등록과 말소등록 신청은 그 사유가 발생한 날로부터 며칠 이내에 하여야 하는가?

① 10일   ② 15일

③ 20일   ④ 25일

10 다음 중 감항증명의 유효기간을 연장할 수 있는 항공기는?

① 항공운송사업에 사용되는 항공기

② 국토교통부장관이 정하여 고시하는 방법에 따라 정비 등이 이루어지는 항공기

③ 국제항공운송사업에 사용되는 항공기

④ 항공기의 종류, 등급 등을 고려하여 국토교통부장관이 정하여 고시하는 항공기

11 소유자 등이 말소등록의 사유가 있는 날부터 15일 이내에 국토교통부장관에게 말소등록을 신청하지 않았을 때의 조치사항은?

① 국토교통부장관은 즉시 직권으로 등록을 말소하여야 한다.

② 국토교통부장관은 말소등록을 하도록 독촉장을 발부하여야 한다.

③ 300만원 이하의 벌금에 처하고, 말소등록을 하도록 사용자 등에게 통보하여야 한다.

④ 국토교통부장관은 7일 이상의 기간을 정하여 말소등록을 할 것을 최고하여야 한다.

12 "피로위험관리시스템"에 적용되는 사람은?

① 운항승무원과 운항관제사

② 운항승무원과 객실승무원

③ 운항승무원과 항공정비사

④ 운항승무원과 운항관리사

13 감항증명시 항공기의 운용한계는 무엇에 따라 지정하여야 하는가?

① 항공기의 감항분류

② 항공기의 종류, 등급, 형식

③ 항공기의 중량

④ 항공기의 사용연수

14 항공기소유자에게 발급되는 운용한계 지정서에 포함될 사항이 아닌 것은?

① 항공기의 종류 및 등급

② 항공기의 국적 및 등록기호

③ 항공기의 제작일련번호

④ 감항증명번호

15 항공운송사업에 사용되는 항공기 외의 항공기가 "시계비행방식"에 의한 비행을 하는 경우, 설치·운용하지 않아도 되는 무선설비는?

① 무선전화 송수신기
② 항공교통관제 레이더용 트랜스폰더
③ 거리측정시설(DME)
④ 기상레이더

16 항공정비사 자격증명시험 응시자격에 대한 설명으로 옳은 것은?

① 3년 이상의 항공기 정비실무경력
② 교통안전공단에서 지정한 전문교육기관에서 항공기 정비에 필요한 과정을 이수
③ 국토교통부장관이 지정한 전문교육기관에서 항공기 정비에 필요한 과정을 이수
④ 외국 정부가 발행한 자격증명 소지

17 항공정비사 자격증명시험에 응시할 수 없는 연령은 몇 세 미만인가?

① 17세 미만
② 18세 미만
③ 20세 미만
④ 21세 미만

18 자격증명의 한정을 받은 항공종사자가 한정된 항공기의 종류, 등급 또는 형식 외의 항공기나 한정된 정비업무 외의 항공업무를 2차 위반하여 종사하였을 때 해당하는 행정처분은?

① 효력정지 30일
② 효력정지 60일
③ 효력정지 90일
④ 효력정지 180일

19 정비등을 한 항공기등, 장비품 또는 부품에 대하여 감항성을 확인받지 아니하고 운항 또는 항공기등에 사용한 경우의 벌칙은?

① 1년 이하의 징역 또는 1천만원 이하의 벌금에 처한다.
② 2년 이하의 징역 또는 2천만원 이하의 벌금에 처한다.
③ 2년 이하의 징역 또는 3천만원 이하의 벌금에 처한다.
④ 3년 이하의 징역 또는 5천만원 이하의 벌금에 처한다.

20 항공기 항법등의 색깔은?

① 우현등 : 적색, 좌현등 : 녹색, 미등 : 백색
② 우현등 : 녹색, 좌현등 : 적색, 미등 : 백색
③ 우현등 : 백색, 좌현등 : 녹색, 미등 : 적색
④ 우현등 : 적색, 좌현등 : 백색, 미등 : 녹색

21 수직분리축소공역운항(RVSM)이 적용되는 공역은?

① 비행고도 10,000피트 ~ 40,000피트
② 비행고도 10,000피트 ~ 50,000피트
③ 비행고도 29,000피트 ~ 41,000피트
④ 비행고도 29,000피트 ~ 51,000피트

22 다음 중 항공교통의 안전을 위하여 항공기의 비행을 금지 또는 제한할 필요가 있는 공역은?

① 비관제공역
② 금지공역
③ 통제공역
④ 주의공역

23 변경등록 신청을 하지 않아도 되는 것은?

① 항공기 정치장 변경 시
② 소유자의 주소 변경 시
③ 항공기 저당권 변경 시
④ 항공기 등록지의 관할 행정구역 변경 시

24 정밀접근절차 중 결심고도가 없거나 15m(50ft) 미만이고, 활주로 가시범위가 50m(150ft) 이상이고 175m 미만인 기상조건 하에서 실시하는 계기접근 방식은?

① Category-II ② Category-IIIa
③ Category-IIIb ④ Category-IIIc

25 다음은 항공정비사가 받은 자격증명의 효력에 대한 설명이다. 옳은 것은?

① 비행기에 대한 자격증명을 취득하면 비행선에 대한 자격증명을 받은 것으로 본다.
② 비행기에 대한 자격증명을 취득하면 활공기에 대한 자격증명을 받은 것으로 본다.
③ 비행기에 대한 자격증명을 취득하면 회전익항공기에 대한 자격증명을 받은 것으로 본다.
④ 비행기에 대한 자격증명을 취득하면 모든 종류의 항공기에 대한 자격증명을 받은 것으로 본다.

제18회 모의고사

항공법규

01 다음 중 "항공기"가 아닌 것은?

① 비행기
② 헬리콥터
③ 항공우주선
④ 동력패러슈트

02 다음 중 항공업무가 아닌 것은?

① 항공기의 운항업무
② 항공교통관제 업무
③ 항공기의 객실업무
④ 항공기의 정비확인 업무

03 항공기 사고발생의 개시시점은 언제인가?

① 사람이 비행을 목적으로 항공기에 탑승하였을 때
② 항공기의 바퀴가 지상에서 분리된 때
③ 항공기가 지상 200 미터 이상의 높이 이상으로 올라간 때
④ 항공기의 문이 닫힌 때

04 항공기사고 및 항공기준사고 외에 항공기의 운항 등과 관련하여 항공안전에 영향을 미치거나 미칠 우려가 있었던 것으로서 국토교통부령으로 정하는 것을 무엇이라 하는가?

① 항공안전장애
② 항공장해
③ 항공운항관리부실
④ 항공기 사고 등

05 감항증명에 관한 설명으로 틀린 것은 ?

① 항공기의 연구, 개발 등 국토교통부령으로 정하는 경우로서 항공기 제작자 또는 소유자등이 제시한 운용범위를 검토하여 안전하게 운항할 수 있다고 판단되는 경우에 발급하는 증명은 특별감항증명이다.
② 감항증명의 유효기간은 원칙적으로 2년으로 한다.
③ 거짓이나 그 밖의 부정한 방법으로 감항증명을 받은 경우에는 반드시 취소하여야 한다.
④ 감항증명은 대한민국 국적을 가진 항공기가 아니면 받을 수 없다. 다만, 국토교통부령으로 정하는 항공기의 경우에는 그러하지 아니하다.

06 항공기 탑재서류에 해당되지 않는 것은?

① 항공기등록증명서
② 감항증명서
③ 탑재용항공일지
④ 항공기 임차증명서

07 항공안전 의무보고 사항에서 비행 중 항공안전장애 보고서 제출시기는?

① 즉시
② 36시간이내
③ 72시간이내
④ 96시간이내

08 항공신체검사증명에 관하여 옳은 내용은?

① 항공교통관제 업무를 하는 사람은 신체검사증명의 대상이다.
② 항공신체검사증명의 기준, 방법, 유효기간 등에 필요한 사항은 대통령령으로 정한다.
③ 항공정비업무의 종사자는 신체검사증명의 대상에 포함된다.
④ 항공신체검사증명에 대한 재심사기관은 보건복지부이다.

09 항공기로 분류될 수 있는 기준 중 잘못된 것은?

① 최대이륙중량(600킬로그램 초과)
② 좌석 수(1석 이상)
③ 발동기 수(1개 이상) 등의 기준을 초과할 경우
④ 실속 속도(45노트 이상)

10 항공기의 지상이동에 관한 설명으로 옳은 것은?

① 정면 또는 이와 유사하게 접근하는 항공기 상호간에는 모두 정지하거나 가능한 경우에는 충분한 간격이 유지되도록 각각 왼쪽으로 진로를 바꿀 것
② 교차하거나 이와 유사하게 접근하는 항공기 상호간에는 다른 항공기를 좌측으로 보는 항공기가 진로를 양보할 것
③ 추월하는 항공기는 다른 항공기의 통행에 지장을 주지 아니하도록 충분한 분리 간격을 유지할 것
④ 기동지역에서 지상이동하는 항공기는 관제탑의 지시가 있는 경우에는 활주로 진입전 대기지점(Runway Holding Position)에서 정지·대기할 것

11 탑재용 항공일지(법 제102조 각 호의 어느 하나에 해당하는 항공기는 제외한다)의 기재내용이 아닌 것은?

① 항공기의 등록부호 및 등록 연월일
② 항공기의 종류, 형식, 색상 및 형식증명번호
③ 감항분류 및 감항증명번호
④ 항공기의 제작자·제작번호 및 제작 연월일

12 항공안전관리시스템에서 국토부령으로 정하는 중요사항이 아닌 것은?

① 안전목표에 관한 사항
② 안전조직에 관한 사항
③ 안전평가에 관한 사항
④ 안전감독에 관한 사항

13 비행장 이외의 장소에서 이륙하거나 착륙하기 위하여 누구의 허가를 받아야 하는가?

① 국토교통부장관
② 지방항공청장
③ 항공교통본부장
④ 지방자치단체장

14 국제민간항공협약에 대한 국내의 법적효력은?

① 국제민간항공협약은 한국에서는 적용되지 않는다.
② 국제민간항공협약은 국내법과 같은 효력을 가진다.
③ 국제민간항공협약은 국내법보다 상위의 효력을 가진다.
④ 국제민간항공협약은 국내법보다 하위의 효력을 가진다.

15 항공기 등록의 민사적 효력과 관계없는 것은?

① 항공기의 소유권을 공증한다.
② 소유권에 관해 제3자에 대한 대항요건이 된다.
③ 항공에 사용할 수 있는 요건이 된다.
④ 항공기를 저당하는 데 있어 기본조건이 된다.

16 등록기호표의 기록사항이 아닌 것은?

① 국적기호
② 항공기 형식
③ 소유자 명칭
④ 등록기호

17 항공종사자의 자격증명과 관계없는 것은?

① 자가용 조종사
② 운항관리사
③ 항공통신사
④ 항공사

18 항공정비사가 자격증명을 받지 아니하고 항공업무에 종사하거나 업무정지명령을 위반하거나 업무 범위를 위반하여 항공업무에 종사하는 경우의 벌칙은?

① 1년 이하의 징역 또는 1천만원 이하의 벌금에 처한다.
② 2년 이하의 징역 또는 1천만원 이하의 벌금에 처한다.
③ 2년 이하의 징역 또는 2천만원 이하의 벌금에 처한다.
④ 3년 이하의 징역 또는 3천만원 이하의 벌금에 처한다.

19 국가기관등항공기를 재해·재난 등으로 인한 수색·구조, 화재의 진화, 응급환자 후송, 그 밖에 국토교통부령으로 정하는 공공목적으로 긴급히 운항하는 경우가 아닌 것은?

① 재해·재난의 예방
② 산림 방제·순찰
③ 국가 고위 공무원의 시찰
④ 산림보호사업을 위한 화물 수송

20 항공안전법을 적용하지 않으면서 공중 충돌 등 항공기사고의 예방 조치와 무관한 항공기는?

① 군용항공기
② 세관업무 항공기
③ 경찰업무 항공기
④ 세관 또는 경찰업무 관련 긴급출동 항공기

21 타인의 수요에 맞추어 항공기를 사용하여 유상으로 여객이나 화물을 운송하는 사업은?

① 항공기 사용사업
② 일반항공
③ 항공운송사업
④ 항공기임대사업

22 항공기의 조종실을 모방하여 실제의 항공기와 동일하게 재현할 수 있게 고안된 장치는?

① 모의비행장치
② 초경량비행장치
③ 무선비행장치
④ 인력활공기

23 국토교통부령으로 정하는 항공기의 기준에 해당되지 않는 것은?

① 항공우주선　　② 비행기
③ 헬리콥터　　　④ 비행선

24 경량항공기의 종류에 포함되는 사항으로 틀린 것은?

① 탑승자, 연료 및 비상용 장비의 중량을 제외한 해당 장치의 중량이 115킬로그램을 초과할 것

② 최대이륙중량이 600킬로그램 이하일 것

③ 비행 중에 프로펠러의 각도를 조정할 수 없을 것

④ 조종사 좌석을 제외한 탑승좌석이 2개 이하일 것

25 항공기정비업에 대한 설명 중 옳은 것은?

① 항공기등, 장비품 또는 부품에 대한 정비를 하는 사업

② 항공기등, 장비품 또는 부품에 대한 정비 또는 수리를 하는 사업

③ 항공기등, 장비품 또는 부품에 대한 정비 또는 개조를 하는 사업

④ 항공기등, 장비품 또는 부품에 대한 정비 또는 수리, 개조를 하는 사업

제19회 모의고사

항 공 법 규

01 항공 안전법의 목적 중의 하나로 올바른 것은?

① 항공시설을 효율적으로 설치·관리
② 항공운송사업 등의 질서를 확립
③ 항공의 발전과 공공복리의 증진
④ 안전하게 항행하기위한 방법을 정함

02 항공기의 범위 중 대통령으로 정하는 기기는?

① 헬리콥터 ② 비행선
③ 항공우주선 ④ 비행기

03 국가기관등 항공기가 수행하는 업무가 아닌 것은?

① 밀수범죄자 또는 범죄자 수색 및 체포
② 응급환자를 위한 장기(臟器) 이송
③ 재해·재난 등으로 인한 수색·구조
④ 화재의 진화

04 항공기 등록원부의 등본 또는 초본의 발급이나 열람은?

① 누구나 할 수 있다.
② 소유자만 할 수 있다.
③ 임차인만 할 수 있다.
④ 소유자, 임차인 또는 위임 받은 자만이 할 수 있다.

05 다음 중 항공업무가 아닌 것은?

① 항공교통관제(무선설비의 조작을 포함한다) 업무
② 항공기의 운항(무선설비의 조작을 포함한다) 업무
③ 정비·수리·개조된 항공기·발동기·프로펠러, 장비품 또는 부품에 대하여 안전하게 운용할 수 있는 성능이 있는지를 확인하는 업무
④ 항공기에 탑승하여 비상시 승객의 안전을 위한 업무

06 항공기 등록은 누구에게 하여야 하는가?

① 정치장의 지자체장
② 국토부장관
③ 관할법원 등기소
④ 지방항공청장

07 항공기등의 정비등을 확인하는 방법으로 틀린 것은?

① 인가받은 정비규정에 포함된 정비프로그램 또는 검사프로그램에 따른 방법
② 국토교통부장관의 인가를 받은 기술자료 또는 절차에 따른 방법
③ 항공안전기술원장이 인정하는 기술자료에 따른 방법
④ 항공기등 또는 부품등의 제작사에서 제공한 정비매뉴얼 또는 기술자료에 따른 방법

08 항공기 소유자 등이 항공기를 운영하고 관리하는 기준은?

① 항공기 기술기준
② 항공기 운항기술기준
③ 항공기 감항기준
④ 항공기 운영관리기준

09 형식증명 신청서 첨부서류가 아닌 것은?

① 인증계획서(Certification Plan)
② 항공기 3면도
③ 발동기의 설계·운용 특성 및 운용한계에 관한 자료
④ 항공기 운항규정 및 정비규정

10 외국에서 형식증명을 받은 항공기를 국내에서 생산하고자 할 경우에는?

① 제작증명만 받으면 된다.
② 부가형식증명만 받으면 된다.
③ 부가형식증명과 제작증명을 받아야 한다.
④ 형식증명과 제작증명을 받아야 한다.

11 항공정비사가 주류, 마약류 또는 환각물질 등의 영향으로 항공업무를 정상적으로 수행할 수 없는 상태에서 그 업무에 종사한 경우의 벌칙은?

① 3년 이하의 항공정비사 자격정지에 처한다.
② 1년 이하의 징역 또는 1천만원 이하의 벌금에 처한다.
③ 2년 이하의 징역 또는 2천만원 이하의 벌금에 처한다.
④ 3년 이하의 징역 또는 3천만원 이하의 벌금에 처한다.

12 형식증명을 받은 항공기에 새로운 장비품 장착 등으로 항공기의 설계가 변경 될 경우에는?

① 형식증명을 재발급 받아야 한다.
② 제작증명을 받아야 한다.
③ 수리개조 검사를 받아야 한다.
④ 부가형식증명을 받아야 한다.

13 항공기가 기술기준을 충족하지 못하여 운용범위 및 비행성능 등을 일부 제한할 경우 제한 용도로 안전하게 운용할 수 있다고 판단되는 경우 발급되는 감항증명서는?

① 일반감항증명서
② 임시감항증명서
③ 표준감항증명서
④ 특별감항증명서

14 수송용 항공기의 형식증명 신청 유효기간은?

① 1년　　② 3년
③ 5년　　④ 10년

15 항공운송사업용 항공기 또는 국외를 운항하는 비행기가 평균해면으로부터 1만 5천미터(4만9천피트)를 초과하는 고도로 운항하려는 경우 방사선투사량계기(Radiation Indicator)는?

① 1기만 갖추면 된다.
② 운항승무원의 수만큼 갖추어야 한다.
③ 운항승무원 및 객실승무원의 수만큼 갖추어야 한다.
④ 여압장치가 장착된 경우에는 필요 없다.

16 정비조직인증을 받은 자가 항공기를 운영하거나 정비하는 중 항공안전장애에 해당되는 고장, 결함 또는 기능장애가 발생한 것을 알게 된 경우에는?

① 72시간이내에 보고하여야 한다.
② 96시간이내에 보고하여야 한다.
③ 7일 이내에 보고하여야 한다.
④ 14일 이내에 보고하여야 한다.

17 항공신체검사증명서가 필요 없는 항공종사자는?

① 항공정비사, 항공기관사
② 항공정비사, 운항관리사
③ 항공기관사, 운항관리사
④ 운항관리사, 교통관제사

18 항공기의 등급의 구분으로 잘못된 것은?

① 육상단발 및 육상다발
② 수상단발 및 수상다발
③ 활공기가 특수 또는 상급 활공기인 경우 상급
④ 활공기가 중급 또는 초급 활공기인 경우 초급

19 헬리콥터 기체진동 감시 시스템을 장착하여야하는 경우는?

① 승객 9명을 초과하여 수송할 수 있는 항공기 사용사업에 사용되는 헬리콥터
② 산림 방제·순찰에 사용되는 헬리콥터
③ 최대이륙중량이 3천 175킬로그램을 초과하는 헬리콥터
④ 특수 다목적인 실험용으로 사용되는 헬리콥터

20 수리·개조승인 신청은 작업을 시작하기 며칠 전까지 지방항공청장에게 제출하여야 하는가?

① 5일
② 10일
③ 15일
④ 20일

21 주류등의 영향으로 항공업무 또는 객실승무원의 업무를 정상적으로 수행할 수 없는 상태의 기준이 되는 혈중알코올 농도는?

① 0.02퍼센트 이상
② 0.04퍼센트 이상
③ 0.16퍼센트 이상
④ 0.24퍼센트 이상

22 항공안전관리시스템을 마련하고, 국토교통부장관의 승인을 받아 운용하여야 하는 사람이 아닌 것은?

① 항공운송사업자, 항공기사용사업자 및 국외운항항공기 소유자등
② 항공기정비업자로서 제97조제1항에 따른 정비조직인증을 받은 자
③ 항행안전시설을 제작한 자
④ 공항운영증명을 받은 자

23 항공안전관리시스템에 포함되어야 할 사항이 아닌 것은?

① 안전정책 및 안전목표
② 위험도 관리
③ 안전성과 검증
④ 항공기 사고 및 준사고 조사

24 항공정보에 사용되는 측정단위로 틀린 것은?

① 온도(Temperature): 화씨도(°F)

② 속도(Velocity Speed): 초당 미터(㎧)

③ 주파수(Frequency): 헤르쯔(Hz)

④ 시정(Visibility): 킬로미터(㎞) 또는 마일(SM)

25 항공기를 야간에 사용되는 비행장에 주기(駐機) 또는 정박시키는 경우, 해당 항공기의 위치를 나타내는 항행등이 아닌 것은?

① 우현등

② 좌현등

③ 미등

④ 충돌방지등

항공법규 제20회 모의고사

01 항공사에게 항공운송사업을 개시할 수 있음을 증명하기 위해 발행하는 증명은?

① 감항증명
② 형식증명
③ 운항증명
④ 정비조직인증서

02 항공기정비업자가 정비조직인증을 받지 아니하고 항공기등, 장비품 또는 부품에 대한 정비 등을 하는 경우의 벌칙은?

① 3년 이하의 항공정비사 자격정지에 처한다.
② 1년 이하의 징역 또는 1천만원 이하의 벌금에 처한다.
③ 2년 이하의 징역 또는 2천만원 이하의 벌금에 처한다.
④ 3년 이하의 징역 또는 3천만원 이하의 벌금에 처한다.

03 경량항공기 또는 그 장비품·부품을 정비한 경우에는?

① 항공정비사 자격증명을 가진 사람으로부터 확인을 받아야한다.
② 경량항공기 조종사의 확인을 받아야한다.
③ 경량항공기 인증기관의 인증을 받아야한다.
④ 소유자, 임차인 또는 위임 받은 자에 의하여 확인을 받아야한다.

04 부정한 방법으로 자격증명 등을 받은 경우와 자격증명등의 정지명령을 위반하여 정지기간에 항공업무에 종사한 경우의 벌칙은?

① 자격증명이나 자격증명의 한정을 취소하거나 1년 이내의 기간을 정하여 자격증명 등의 효력 정지를 명할 수 있다.
② 자격증명이나 자격증명의 한정을 취소하거나 2년 이내의 기간을 정하여 자격증명 등의 효력 정지를 명할 수 있다.
③ 해당 자격증명 등을 취소하고 1년간 이 법에 따른 자격증명 등의 시험에 응시하거나 심사를 받을 수 없다.
④ 해당 자격증명 등을 취소하고 2년간 이 법에 따른 자격증명 등의 시험에 응시하거나 심사를 받을 수 없다.

05 정비조직인증을 받은 자가 업무를 시작하기 전까지 항공안전관리시스템을 마련하지 아니한 경우에는?

① 3개월 이내의 기간을 정하여 그 효력의 정지를 명할 수 있다.
② 6개월 이내의 기간을 정하여 그 효력의 정지를 명할 수 있다.
③ 정비조직인증을 취소하거나 3개월 이내의 기간을 정하여 그 효력의 정지를 명할 수 있다.
④ 정비조직인증을 취소하거나 6개월 이내의 기간을 정하여 그 효력의 정지를 명할 수 있다.

06 항공기 말소등록을 신청해야하는 경우가 아닌 것은?

① 1개월 이상(사고의 경우 2개월) 존재여부 불분명
② 외국인에게 양도
③ 임대·임차기간 만료시
④ 수송을 위한 항공기의 해체

07 모든 정비와 개조에 대한 수행 및 승인에 대한 일차적인 책임은?

① 정비조직인증을 받은 자
② 제작증명을 받은 자
③ 형식증명을 받은 자
④ 항공운송사업자

08 대한민국에서 이·착륙 항행을 하려는 외국항공기는?

① 국내사용허가 신청서를 지방항공청장에게 제출하여야 한다.
② 항행허가 신청서를 지방항공청장에게 제출하여야 한다.
③ 영공통과 허가신청서를 항공교통본부장에게 제출하여야 한다.
④ 국제항공운송사업 신청서를 국토부장관에게 제출하여야 한다.

09 항공기를 이용하여 폭발성이나 연소성이 높은 물건 등 위험물을 운송하려면?

① 국토교통부장관에게 신고하여야 한다.
② 국토부장관의 인가를 받아야 한다.
③ 국토부장관의 검사를 받아야 한다.
④ 국토교통부장관의 허가를 받아야 한다.

10 정비조직인증 신청서에 첨부되는 정비조직절차교범에 포함되지 않은 것은?

① 수행하려는 업무의 범위
② 항공기등·부품등에 대한 정비방법 및 그 절차
③ 항공기등·부품등의 정비에 관한 기술관리 및 품질관리의 방법과 절차
④ 시설·장비 등 항공기 제작사에서 권고하는 사항

11 수리·개조 승인에 대한 내용으로 잘못 된 것은?

① 수리·개조의 범위는 정비조직인증을 받은 업무 범위를 초과하여 항공기등 또는 부품 등을 수리·개조하는 경우를 말한다.
② 수리·개조승인 신청은 작업을 시작하기 15일 전까지 신청서를 국토교통부장관에게 제출하여야 한다.
③ 항공기사고 등으로 인하여 긴급한 수리·개조를 하여야하는 경우에는 작업을 시작하기 전까지 신청서를 제출할 수 있다.
④ 항공정비조직인증을 받은 자가 제작한 장비품 또는 부품을 그가 수리·개조하는 경우에는 수리·개조승인을 받은 것으로 본다.

12 비행장의 기동지역 내를 이동하는 차량의 준수사항으로 올바른 것은?

① 지상이동·이륙·착륙 중인 항공기가 있을 경우에는 최대한 빠른 속도로 통과할 것
② 항공기를 견인하는 차량은 일반차량에게 진로를 양보할 것
③ 관제지시에 따라 이동 중인 다른 차량에게 진로를 양보할 것
④ 항공기가 기동 중 일때는 후미로 진행할 것

13 안전성 인증대상인 "동력비행장치 등 국토교통부령으로 정하는 초경량비행장치"가 아닌 것은?

① 동력비행장치

② 행글라이더, 패러글라이더 및 낙하산류(항공레저스포츠사업에 사용되는 것만 해당한다)

③ 기구류(사람이 탑승하지 않는 것만 해당한다)

④ 동력패러글라이더

14 정비규정에 포함되어야 할 사항이 아닌 것은?

① 정비 매뉴얼, 기술문서 및 정비기록물의 관리방법

② 자재, 장비 및 공구관리에 관한 사항

③ 안전 및 보안에 관한 사항

④ 지역, 노선 및 비행장에 관한 사항

15 최소장비목록, 승무원 훈련프로그램 등을 변경하려는 경우에는?

① 국토교통부장관에게 신고하여야 한다.

② 국토교통부장관의 인가를 받아야 한다.

③ 제작사의 감항당국의 인가를 받아야한다.

④ 항공사 자체에서 변경이 가능하다.

16 구조지원 장비의 장착이 필요한 초경량비행장치는?

① 동력을 이용하는 비행장치

② 계류식 기구

③ 동력패러글라이더

④ 무인비행장치

17 '회항시간 연장운항(EDTO: Extended Diversion Time Operations)'에서 비행기의 엔진 개수별 기준시간으로 올바른 것은?

① 2개의 발동기를 가진 비행기: 1시간

② 2개의 발동기를 가진 비행기: 2시간

③ 3개 이상의 발동기를 가진 비행기: 2시간

④ 3개 이상의 발동기를 가진 비행기: 4시간

18 항공기기술기준이 변경되어 형식증명을 받은 항공기가 변경된 항공기기술기준에 적합하지 아니하게 된 경우에는?

① 형식증명을 받거나 양수한 자 또는 소유자 등은 변경전의 항공기술기준에 따라야 한다.

② 항공기정비업자로서 제97조제1항에 따른 정비조직인증을 받은 자는 항공기기술기준과 무관하다.

③ 국토교통부 장관은 형식증명을 받거나 양수한 자 또는 소유자등에게 변경된 항공기기술기준을 따르도록 요구할 수 있다.

④ 국토교통부 장관은 형식증명을 받거나 양수한 자 또는 소유자등에게 1년간의 유예기간 후에 변경된 항공기기술기준을 따르도록 요구할 수 있다.

19 기술표준품형식승인을 위한 검사항목이 아닌 것은?

① 기술표준품형식승인기준에 적합하게 설계되었는지 여부

② 기술표준품의 설계·제작과정에 적용되는 품질관리체계

③ 기술표준품관리체계

④ 기술표준품기술체계

20 항공정비사 자격의 경우 자격증명의 한정은?

① 항공기의 등급 또는 형식
② 항공기의 종류 및 형식
③ 항공기의 종류 및 정비분야
④ 항공기의 등급 및 정비분야

21 "노선의 개설"등으로 안전운항체계가 변경된 경우가 아닌것은?

① 발급된 운영기준에 등재되지 아니한 새로운 형식의 항공기를 도입한 경우
② 새로운 노선을 개설한 경우
③ 사업을 양도·양수한 경우
④ 운영하던 항공기를 폐기한 경우

22 "국토교통부령으로 정하는 경미한 정비"가 아닌 것은?

① 간단한 보수를 하는 예방작업으로서 리깅(Rigging) 또는 간극의 조정작업 등
② 복잡한 결합작용을 필요로 하는 장비품 또는 부품의 교환작업
③ 감항성에 미치는 영향이 경미한 범위의 수리작업으로서 그 작업의 완료 상태를 확인하는 데에 동력장치의 작동 점검과 같은 복잡한 점검을 필요로 하지 아니하는 작업
④ 윤활유 보충 등 비행전후에 실시하는 단순하고 간단한 점검 작업

23 소음기준적합증명의 기준에 적합하지 아니한 항공기의 운항허가를 받을 수 있는 경우는?

① 항공기의 생산업체, 연구기관 또는 제작자 등이 항공기 또는 그 장비품 등의 시험·조사·연구·개발을 위하여 시험비행을 하는 경우
② 항공기의 제작 또는 정비등을 한 후 운송비행을 하는 경우
③ 항공기의 정비등을 위한 장소까지 화물만을 싣고 비행하는 경우
④ 항공기의 설계에 관한 형식증명을 변경하기 위하여 운용한계를 초과하지 않는 시험비행을 하는 경우

24 운항기술기준에 포함되지 않는 사항은?

① 항공기 감항성
② 정비조직인증기준
③ 항공기 계기 및 장비
④ 항공기 품질관리

25 국토교통부장관은 국가항공안전정책에 관한 기본계획은 몇 년마다 수립하여야 하는가?

① 1년   ② 2년
③ 3년   ④ 5년

항공법규 모의고사 정답

제1회

문제: p410~412

01 ①	02 ①	03 ③	04 ②	05 ③
06 ②	07 ④	08 ③	09 ③	10 ②
11 ④	12 ③	13 ③	14 ④	15 ②
16 ③	17 ①	18 ②	19 ①	20 ③
21 ②	22 ④	23 ②	24 ④	25 ③

제5회

문제: p424~427

01 ④	02 ②	03 ①	04 ④	05 ①
06 ①	07 ②	08 ③	09 ②	10 ①
11 ④	12 ④	13 ①	14 ①	15 ③
16 ②	17 ③	18 ①	19 ④	20 ③
21 ②	22 ③	23 ②	24 ①	25 ②

제2회

문제: p413~416

01 ①	02 ④	03 ③	04 ②	05 ④
06 ②	07 ②	08 ①	09 ④	10 ②
11 ④	12 ①	13 ③	14 ①	15 ①
16 ③	17 ②	18 ②	19 ②	20 ②
21 ③	22 ②	23 ②	24 ①	25 ④

제6회

문제: p428~431

01 ④	02 ④	03 ③	04 ③	05 ①
06 ④	07 ①	08 ②	09 ③	10 ①
11 ④	12 ④	13 ②	14 ①	15 ②
16 ①	17 ③	18 ④	19 ④	20 ②
21 ①	22 ②	23 ②	24 ④	25 ③

제3회

문제: p417~419

01 ③	02 ③	03 ②	04 ④	05 ②
06 ③	07 ③	08 ②	09 ①	10 ③
11 ④	12 ①	13 ②	14 ③	15 ①
16 ④	17 ④	18 ③	19 ③	20 ③
21 ①	22 ②	23 ①	24 ②	25 ②

제7회

문제: p432~435

01 ②	02 ②	03 ①	04 ④	05 ③
06 ①	07 ③	08 ②	09 ①	10 ③
11 ②	12 ①	13 ②	14 ③	15 ②
16 ①	17 ①	18 ③	19 ④	20 ②
21 ③	22 ④	23 ④	24 ③	25 ②

제4회

문제: p420~423

01 ④	02 ②	03 ①	04 ④	05 ③
06 ③	07 ③	08 ③	09 ④	10 ④
11 ②	12 ②	13 ②	14 ②	15 ①
16 ③	17 ②	18 ①	19 ③	20 ②
21 ②	22 ②	23 ④	24 ④	25 ③

제8회

문제: p436~439

01 ④	02 ④	03 ④	04 ①	05 ①
06 ②	07 ①	08 ④	09 ③	10 ②
11 ④	12 ④	13 ①	14 ③	15 ③
16 ③	17 ③	18 ①	19 ③	20 ③
21 ①	22 ③	23 ①	24 ④	25 ①

제9회
문제: p440~443

01 ①	02 ①	03 ②	04 ③	05 ①
06 ④	07 ④	08 ②	09 ②	10 ④
11 ①	12 ④	13 ③	14 ③	15 ②
16 ③	17 ②	18 ②	19 ④	20 ②
21 ④	22 ①	23 ③	24 ④	25 ②

제13회
문제: p456~459

01 ②	02 ①	03 ④	04 ①	05 ④
06 ③	07 ③	08 ②	09 ④	10 ③
11 ①	12 ①	13 ②	14 ①	15 ③
16 ②	17 ②	18 ②	19 ③	20 ③
21 ④	22 ②	23 ②	24 ②	25 ②

제10회
문제: p444~447

01 ③	02 ④	03 ③	04 ④	05 ①
06 ①	07 ②	08 ④	09 ④	10 ③
11 ③	12 ②	13 ③	14 ③	15 ②
16 ③	17 ①	18 ④	19 ②	20 ③
21 ③	22 ①	23 ①	24 ③	25 ③

제14회
문제: p460~463

01 ③	02 ①	03 ①	04 ③	05 ②
06 ②	07 ③	08 ④	09 ②	10 ③
11 ①	12 ②	13 ①	14 ①	15 ③
16 ③	17 ③	18 ④	19 ②	20 ③
21 ②	22 ③	23 ③	24 ③	25 ④

제11회
문제: p448~451

01 ④	02 ②	03 ④	04 ②	05 ②
06 ③	07 ③	08 ②	09 ②	10 ③
11 ③	12 ③	13 ③	14 ②	15 ③
16 ①	17 ②	18 ①	19 ③	20 ②
21 ③	22 ②	23 ③	24 ③	25 ④

제15회
문제: p464~467

01 ④	02 ②	03 ①	04 ①	05 ④
06 ④	07 ②	08 ③	09 ②	10 ②
11 ③	12 ②	13 ④	14 ①	15 ②
16 ④	17 ①	18 ①	19 ③	20 ②
21 ②	22 ④	23 ③	24 ③	25 ④

제12회
문제: p452~455

01 ①	02 ③	03 ②	04 ④	05 ③
06 ②	07 ③	08 ③	09 ③	10 ②
11 ④	12 ①	13 ②	14 ④	15 ①
16 ①	17 ②	18 ④	19 ②	20 ③
21 ①	22 ④	23 ④	24 ①	25 ③

제16회
문제: p468~471

01 ②	02 ③	03 ③	04 ④	05 ④
06 ③	07 ③	08 ②	09 ③	10 ①
11 ②	12 ③	13 ①	14 ②	15 ②
16 ①	17 ③	18 ④	19 ③	20 ①
21 ③	22 ③	23 ③	24 ④	25 ②

제17회

문제: p472~475

01 ②	02 ①	03 ②	04 ④	05 ①
06 ②	07 ④	08 ④	09 ②	10 ②
11 ④	12 ④	13 ①	14 ①	15 ③
16 ③	17 ②	18 ②	19 ④	20 ②
21 ③	22 ③	23 ③	24 ③	25 ②

제18회

문제: p476~479

01 ④	02 ③	03 ①	04 ①	05 ②
06 ④	07 ③	08 ①	09 ④	10 ③
11 ②	12 ④	13 ①	14 ②	15 ③
16 ②	17 ③	18 ②	19 ③	20 ①
21 ③	22 ①	23 ①	24 ③	25 ④

제19회

문제: p480~483

01 ④	02 ③	03 ①	04 ①	05 ④
06 ②	07 ③	08 ②	09 ④	10 ①
11 ④	12 ④	13 ④	14 ③	15 ①
16 ②	17 ②	18 ④	19 ③	20 ②
21 ①	22 ③	23 ④	24 ①	25 ④

제20회

문제: p484~487

01 ③	02 ④	03 ①	04 ④	05 ④
06 ④	07 ④	08 ②	09 ④	10 ④
11 ④	12 ③	13 ③	14 ④	15 ②
16 ①	17 ①	18 ④	19 ④	20 ③
21 ④	22 ②	23 ①	24 ④	25 ④

항공정비사를 위한

新 항공관련법규 해설

발행일 : 2017년 12월 29일
저 자 : 김천용
펴낸이 : 박승합
펴낸곳 : 노드미디어
주 소 : 서울시 용산구 한강대로 320(갈월동)
전 화 : 02-754-1867, 0992
팩 스 : 02-753-1867
홈페이지 : http://www.enodemedia.co.kr
전자우편 : nodemedia@daum.net
출판사 등록번호 : 제 302-2008-000043 호(1998년 1월 21일)

ISBN :**978-89-8458-316-0 93550**

정가 29,000원